Adrian Dawson est né en 1971 dans le Yorkshire, en Angleterre. Passionné par les nouvelles technologies, notamment par le dessin numérique, il a créé sa propre agence de design. Il est également auteur de thrillers et ses deux ouvrages, *L'Évangile hérétique* (2012) et *Les Tables des Templiers* (2013), ont parus au Cherche Midi et sont repris chez Pocket.

Retrouvez toute l'actualité de l'auteur sur :
www.adriandawson.co.uk

LES TABLES
DES TEMPLIERS

ADRIAN DAWSON

LES TABLES
DES TEMPLIERS

*Traduit de l'anglais
par Danièle Mazingarbe*

Titre original :
SEQUENCE

© 2011 Adrian Dawson
© le cherche midi, 2013, pour la traduction française
ISBN : 978-2-266-23840-3

Pour Jo et John, compagnons éternels.

Prologue

3 août 1132
Serres, France

Davies se souvenait à peine de cette époque-là. Et tant mieux. Son père était tailleur de pierre. Un homme et son fils, le schéma classique. Tout ça semblait tellement loin, ça devait être dans une autre vie ; comme s'il s'agissait de quelqu'un d'autre.

Aujourd'hui, l'odeur de la pierre mêlée à celle de l'huile et de la poussière sur fond d'air fétide lui rappelait cette période de triste mémoire ; l'époque où il n'avait pas encore fait parler de lui. Des odeurs infectes que Davies avait tout fait pour oublier. La merde s'infiltrant à travers les lattes de la grange. La puanteur du cuir fraîchement huilé et les relents de tabac froid qui imprégnaient l'haleine du vieil homme. Les effluves de sang chaud mêlés aux larmes et à la sueur qui coulaient du corps pâle d'un garçon de 12 ans. Faute d'appuis et de revenus réguliers, son père vivait à peu près uniquement des morts ; c'était lui qui se chargeait de graver leur ultime message au monde – leur épitaphe. Et si beaucoup de ces dernières volontés restaient vaines, les matériaux sur lesquels il les inscrivait survivraient longtemps à la pourriture des corps. Pendant des années, il s'était efforcé d'enseigner ce métier à Davies, un métier que son propre père lui avait transmis, en même temps que des vêtements et une paire de bracelets de force jamais utilisés.

Pour Davies, ça résumait parfaitement la profession. Quelque chose de facile à transmettre parce que c'était gratuit et merdique ; l'argent manquait pour former les rejetons de la famille à quoi que ce soit d'autre. D'ailleurs « si tu ne te trouves pas un métier, fiston, tu ne pourras jamais t'occuper de moi. Vu que ta mère s'est barrée comme elle l'a fait ». Sur ce, son père pointait un doigt noueux vers le ciel bleu du Nebraska, comme si la mère du garçon avait fait *exprès* de se laisser emporter par le cancer. Davies y pensait souvent. Il ne lui en aurait sûrement pas voulu. Après son départ, le vieux colosse n'avait rien trouvé d'autre à dire : « Il va sans doute falloir que j'lui grave quelques mots gentils maintenant. Je sais foutre pas comment je vais y arriver. Et qui va m'payer pour ça ? »

(C'est moi, p'pa. Le restant de mes jours.)

Tout jeune, Davies avait déjà conscience de ce qu'il devait faire pour devenir quelqu'un. Quelqu'un d'important, pas comme son père, et il s'était très vite aperçu que les habits dont il avait hérité étaient beaucoup trop étroits pour lui, et qu'il n'allait pas rogner dans ses ambitions pour y entrer. Ce métier était pourtant devenu – même s'il n'avait jamais voulu l'admettre – exactement ce que son père avait prédit ; un métier sur lequel il pourrait toujours compter.

(Un de plus.)

Davies lui-même, après avoir raté tout ce qu'il avait entrepris, avait trouvé drôle que le métier qu'il avait initialement choisi comme repli – le vol et, si nécessaire, un petit crime en passant – était aussi celui qui avait permis à son père de survivre, comme à tant d'autres.

Le seul autre talent que Davies semblait avoir acquis, c'était de baiser les femmes, qu'elles soient ou non consentantes. Vol, meurtre et viol n'étaient pas seulement ses occupations *préférées*, mais aussi celles dont il avait été privé pendant plus de cinq longues années. Il se réjouissait de retrouver son terrain d'activité, frais et dispo après une absence forcée. De se remettre au boulot comme autrefois. Il en avait déjà l'eau à la bouche et le goût sur sa langue atrophiée, cause de son léger défaut de prononciation. « Ce garçon parle drôlement », disait-on. Ce n'était pas de naissance bien sûr, ça datait du jour de ses 14 ans ; le jour où son père l'avait battu avec son ceinturon tellement fort qu'il s'en était mordu la langue et, en même temps que son sang, en avait recraché un morceau.

Vu qu'il n'avait jamais été à la hauteur des attentes de son père, si mineures soient-elles, Davies avait éprouvé le besoin d'accomplir correctement cette tâche. Graver ce symbole – *son* symbole – à la perfection. Si net, si bien taillé et, disons-le, si beau que tout père digne de ce nom l'aurait regardé avec la fierté qui lui avait été refusée toute sa jeune existence merdique.

Davies avait beau avoir décidé d'oublier tout ce qui concernait sa famille, il se souvenait quand même des corrections qu'il avait reçues. Mémoire et douleur vont de pair. Une fois gravé en soi, ce genre de souvenir peut être refoulé, mais jamais entièrement effacé. Il attend son heure, comme une démangeaison récurrente, guettant le moment de se manifester de nouveau.

Il n'avait pas oublié, pour l'avoir appris autrefois, que la pierre avait un fil, tout comme le bois, et que le tailleur devait savoir en tirer profit. Il savait aussi

11

(comme en matière de vol, de viol et de meurtre) que les coups rapides et précis étaient bien plus efficaces que les petits tap-tap lents et précautionneux des artisans novices.

Il n'aimait pas non plus les ciseaux courts. *Ils ne valent pas tripette, mon bonhomme.* Les ciseaux courts n'étaient pas assez lourds pour le travail. Non, Davies utilisait un ciseau très fin, de presque soixante centimètres de long, forgé dans un métal très résistant ; avec une pointe bien plus aiguisée que celles de la plupart des épées qu'il voyait tous les jours. Entre des mains inexpérimentées, un outil d'une telle longueur aurait sans doute été peu efficace. Quant au marteau, il était imposant, rudimentaire et sans doute trop lourd pour beaucoup, mais pas pour un homme de la trempe de Davies. Longtemps après la formation radicale imposée par son père, qu'il avait souvent vécue comme un affront, il avait enfin la force requise pour manier les deux outils avec autant de précision que s'il coupait du beurre avec un couteau chauffé.

Quand le dessin fut terminé, il compara le symbole au sien – celui qu'il portait depuis quatre ans, depuis sa condamnation –, puis sourit en voyant qu'il était quasiment parfait. Les bords sombres de la pierre érodée par le temps mettaient en valeur les facettes lumineuses des courbes et les lignes fermes récemment tracées. Pour une fois, son père aurait été fier de lui. Même s'il savait qu'il n'aurait rien manifesté.

Mais son père n'était pas là. Pourquoi vouloir lui prouver quoi que ce soit maintenant, à bientôt 38 ans, alors qu'il n'avait pas eu la moindre nouvelle de cet homme depuis dix-neuf ans, soit la moitié de sa vie ? Qu'est-ce qui lui avait pris de vouloir essayer ? Le vieux n'avait même pas pris le temps de venir au procès, ni considéré la sentence de mort délivrée à son fils comme une dernière supplique.

(Pourquoi essayer ?)

Non, personne n'était fier de Davies, sinon lui-même. Comme d'habitude.

(Pourquoi continuer à essayer ?)

Avec un grand soupir, il détacha une pierre ponce plate d'une ceinture en cuir brut et, s'en servant comme du papier de verre, il se mit à polir les contours de la gravure. Il souffla avec soin la poussière fine et ajouta quelques gouttes d'une patine à base de cire jusqu'à ce que les facettes reflètent la lumière froide provenant de la fenêtre et qu'elles brillent comme des miroirs.

Il but une grande gorgée d'eau de sa gourde, retira soigneusement les deux tables de leurs sacs en cuir et les plaça dans les niches circulaires qu'il avait creusées.

Elles s'emboîtaient parfaitement.

(Regarde-moi ça.)

Il savait que ça irait.

(Papa ? Tu vois ? Regarde-les bien.)

Après une courte pause et un dernier regard satisfait à son travail, il inspira profondément et souleva la pierre du sol, comme un haltérophile. Ses biceps énormes saillaient de plus belle et luisaient sous l'effet de la transpiration dans la chaleur de cette fin d'après-midi d'été. Tenant la pierre à hauteur de taille, il se pencha en avant jusqu'à ce qu'elle s'emboîte dans le trou, puis se reposa un instant. Presque à bout de forces, il poussa ensuite en avant avec son ventre, jusqu'à ce que son œuvre disparaisse dans l'autel, comme un renard se glissant à reculons dans sa tanière. Un grondement retentit, faisant écho à l'orage qui couvait dehors.

Des centaines d'années allaient s'écouler avant que son talent ne soit de nouveau reconnu, un talent dont son père lui avait dit qu'il ne le perfectionnerait jamais.

Sa tâche terminée, il prit un grossier balai fabriqué avec des herbes sèches retenues par une corde et se mit à balayer le sol de l'église. *Nettoie toujours ta merde derrière toi, mon garçon.* Aujourd'hui encore, Davies éprouvait toujours le besoin de nettoyer sa merde. Sa tâche n'était jamais vraiment terminée avant que ce soit fait.

Dix minutes plus tard, le sol était nettoyé, et il avait fait tout ce qu'on lui avait demandé. Les tables étaient enfermées – en sécurité –, et Davies, lui, était un homme libre, comme il s'était longtemps battu pour l'être. L'un n'allait pas sans l'autre. D'après eux, c'est comme ça que ça marchait.

(Il valait mieux que ce soit le cas.)

Il allait sortir de l'église pour profiter de cette liberté retrouvée lorsqu'il ressentit un autre besoin, un besoin qu'il ne s'expliquait pas vraiment. Quelque part dans son for intérieur, il sentait qu'il devait s'incliner devant l'autel, juste un instant, et offrir ses remerciements. Sa famille avait toujours été baptiste, probablement depuis que les baptistes existaient, mais cet héritage-là non plus, il n'avait pas voulu l'accepter. Davies avait choisi de ne pas croire en Dieu pour ne croire qu'en Davies. À quoi rimait cette notion de destin si on ne pouvait pas en être maître ?

Pourtant, cet homme ne pouvait pas nier que de drôles de choses s'étaient récemment immiscées dans sa vie. Des phénomènes terrifiants susceptibles d'inciter un homme de moindre trempe à s'incliner pour jurer fidélité éternelle à un dieu qui avait probablement cessé d'exister depuis longtemps. Et pourtant, voilà qu'il avait en face de lui une pierre sanctifiée. Qu'il la gravait, même.

Michael Davies n'aurait même pas encore dû être né, et pourtant, en même temps, il aurait déjà dû avoir été tué, condamné à mort, des mois auparavant. Quel mal pouvait-il y avoir à dire merci, au cas où ? Parer à toutes les éventualités, en quelque sorte.

Il s'agenouilla sur un seul genou, comme on le faisait dans sa famille, et fit le signe de la croix tandis qu'un léger courant d'air froid lui balayait les épaules. Il ne l'avait probablement pas fait correctement, mais si Dieu existait *vraiment*, ça devait lui être bien égal, non ? Les êtres suprêmes étaient-ils aussi mesquins de nos jours ? Il baissa la tête et récita une prière qu'il avait entendue jadis. Elle commençait par « Notre Père qui êtes aux cieux… », et il improvisa ensuite en baissant la voix en signe de respect.

Puis il le sentit. Aussi sûrement que le vent qu'il avait si bêtement choisi d'ignorer. En plein sur sa nuque ; froid et tranchant. Ce n'était pas la gloire de Dieu qui envahissait son corps, mais la pointe d'une lame affûtée comme un rasoir qui s'apprêtait à le faire. Il n'avait même pas entendu le salaud approcher ; il n'avait rien compris avant d'entendre sa voix.

« Où sont les tables ? »

Davies releva la tête et plissa les yeux en regardant le marbre poli de l'autel. Il vit le reflet d'un homme imposant, avec une croix rouge ornant le devant de sa tunique. Un homme seul, qui collait une épée contre son cou. Geoffroy putain de Beaujolais, ou quel que soit son putain de nom. Toujours en train de mettre un bâton dans les roues de Davies. Il aurait préféré le tuer trois jours plus tôt, en même temps que les autres, mais, au lieu de dormir, la pourriture était partie à cheval en éclaireur pour s'assurer que « leur voyage se passerait bien », ou quelque chose dans le genre. Davies ne pouvait pas se permettre d'attendre le retour de l'homme, car ils risquaient de repartir immédiatement, aussi Geoffroy avait-il échappé à son sort. Temporairement, semble-t-il.

Il était certain que cet homme se lancerait un jour à sa poursuite, et qu'il était même suffisamment intelligent pour le retrouver. Mais il n'avait pas prévu qu'il le retrouverait aussi rapidement. Ce que, de son côté, Geoffroy n'avait pas prévu non plus, c'est qu'il n'aurait jamais dû venir seul.

D'ailleurs, ça avait toujours été le problème de ce type. C'était toujours lui qui brandissait haut sa lame polie sous prétexte de « gloire » et d'« honneur », alors que lui et ses gens – comme Davies – n'étaient que de vulgaires voleurs. Quel rapport y avait-il entre « honneur » et « voleurs » ? Davies ne s'en souvenait pas exactement, mais c'était en gros qu'il n'y avait justement aucun rapport.

Il ferma les yeux et respira profondément, bien décidé à ne pas échouer à ce stade. Il se sentait terriblement vulnérable, avec son plastron léger par-dessus sa tunique verte rêche sans manches. Sans hésiter, il serra ses dents jaunies, baissa la tête vers la droite pour soustraire son cou épais à la lame, puis se releva et balança son énorme poignet et son avant-bras de toutes ses forces.

Il atteignit le chevalier sur la droite de son heaume, le précipitant de côté. Maladroit. L'homme trébucha sur le sol inégal en agitant sa lame dans tous les sens, laquelle frappa Davies sur le haut du bras, lui entaillant profondément la chair. Puis le gant de l'armure laissa tomber l'épée. Davies fit volte-face et l'envoya valdinguer d'un coup de pied à travers l'église, jusqu'à ce qu'elle se fracasse contre le mur ouest avec un bruit de verre. Puis Davies lâcha un coup de poing. Violent. Il sentit les jointures de ses doigts se briser contre la visière métallique, mais il s'en fichait. C'était moins grave qu'une blessure par lame. Puis, tandis que Geoffroy titubait en arrière, Davies leva la jambe et le frappa en plein dans les couilles. Alors, mon grand, on ne protège pas ces petites mignonnes quand on monte à cheval ?

Le chevalier tomba sur ses genoux en se penchant en avant, et Davies lui décocha un coup de pied au visage. Le plus violent qu'il n'ait jamais donné, malgré ses mocassins en cuir atrocement minces. Deux hommes moins costauds en seraient probablement ressortis l'un avec le pied cassé, et l'autre le cou brisé.

L'homme fut projeté en arrière, comme un acrobate qui aurait raté son mouvement, et sa cotte de mailles s'écrasa bruyamment sur la pierre froide malgré la fine tunique cistercienne blanche et rouge qu'il arborait avec fierté.

Davies jeta un coup d'œil en direction de l'épée avant de décider qu'il n'avait pas le temps de la récupérer. Il recula tout en envisageant ses différentes options, jusqu'à ce que son talon touche quelque chose. Quelque chose de froid, de métallique et de lourd. Quelque chose comme une inspiration divine. Pourquoi pas un « merci » pour son « merci » à lui. Il baissa les yeux. Derrière la visière du chevalier, il nota une expression de peur dans son regard et sourit.

Il s'accroupit et ramassa le marteau et le ciseau.

Il lança le marteau en l'air à trois cent soixante degrés sur sa gauche et le rattrapa par le manche, visiblement satisfait. Ses yeux s'enflammèrent, et, repris par son instinct, il se mit à hurler comme un fou et cogna de toutes ses forces les genoux du chevalier avec le marteau. L'homme avait beau porter une armure, c'était aux articulations qu'elle était la plus vulnérable, et elle se froissa comme du papier, laissant la lourde masse frapper l'os de plein fouet. Davies recommença trois fois, une par membre. Chaque fois que le marteau atteignait sa cible, le chevalier hurlait, et Davies, les yeux exorbités, hurlait de plus belle.

Le chevalier, cloué au sol, se tordait de douleur ; Davies se mit à tourner dans l'église en riant. Au bout de quelques minutes, lorsqu'il fut épuisé, il s'effondra à genoux sur le ventre du malheureux et jeta un regard de concupiscence – digne d'un amoureux – sur la croix rouge sang que le chevalier portait sur la poitrine.

« Geoffroy, je parie dix points sur "Mort du Chevalier" », dit-il avec un sourire tordu, en se servant de sa main cassée au pouce déformé pour aligner le ciseau sur le centre de la croix.

Comme c'était prévenant de la part de sa victime de lui offrir une pareille cible. Il aperçut une nouvelle fois ses yeux dans la pénombre, qui s'agrandissaient à la perspective de l'inéluctable. L'homme essaya de se débattre et murmura quelque chose d'incompréhensible en français, mais le poids de Davies et son incapacité à se relever sur ses jambes brisées rendirent son effort inutile.

« Je monte avec mon Dieu. » L'homme était résigné maintenant.

Davies souriait en soulevant le marteau : comme lorsqu'il avait vu se consumer la vieille qu'il avait arrosée d'essence brûlante, cette vieille qu'il avait toujours considérée comme une sorcière.

« Ah oui ? Tu peux même le rejoindre à cheval. Espèce de connard. »

Il abattit la masse sur le ciseau, ses forces décuplées par toute la colère qu'il avait emmagasinée. La cotte de mailles que l'homme portait par-dessus sa sous-tunique en lin aurait pu résister à une flèche, mais elle n'avait aucune chance contre le poids du fer acéré et la fureur qui guidait le bras de son adversaire. Elle se déchira comme un de ces vieux chiffons que le père de Davies utilisait pour huiler les pierres. Les petites mailles s'écrasèrent bruyamment et s'enfoncèrent avec le ciseau dans la poitrine de l'homme. Sous le choc, ses extrémités se soulevèrent un instant du sol, et son plastron de cuirasse, son plastron interne, explosa comme un pétard.

Le marteau frappa encore, et une troisième fois, ne s'arrêtant que lorsque Davies sentit la colonne vertébrale céder sous le métal et entendit la pointe heurter les dalles froides en dessous.

Davies sourit à nouveau et releva doucement la visière de l'homme pour voir le sang former des bulles sur ses lèvres, puis il resta assis là, regardant avec admiration l'homme tenter en vain de reprendre son souffle.

« Écoute et répète, dit-il en penchant la tête. "En plein dans ta *boudine* !" Traduction ? *En plein dans le mille.* »

Il se redressa et sourit une nouvelle fois en pensant à autre chose. Il avait mis trois jours entiers pour atteindre Serres, les pieds en sang à cause des cailloux, et, au-dehors, la pluie redoublait. Tout à coup, ça n'avait plus d'importance. Maintenant, il avait un moyen de transport grâce à son ami ici présent qui n'allait pas tarder à mourir.

« J'espère que tu as laissé les clés sur ton cheval, connard, dit-il en haussant les sourcils. Je vais en avoir besoin. »

L'homme n'était plus en mesure de comprendre quoi que ce soit. Ni les paroles de Davies, ni cette mort surprise, alors qu'il avait passé les cinq dernières années à combattre dans l'une des campagnes les plus sanglantes de l'histoire de l'humanité. Lentement mais sûrement, tandis que son assassin le couvait du regard avec le sourire attendri d'une mère devant son nouveau-né, ses yeux s'étaient vidés. Ils ne s'étaient pas refermés, mais la vie les avait désertés et les bulles avaient cessé.

Haussant les épaules, Davies se remit debout. Ces épisodes étaient toujours trop courts à son goût. Il arracha le ciseau de la poitrine de l'homme avec la fierté du travail accompli, puis retourna vers l'autel pour ramasser ses autres outils. Les outils relatifs à son métier – en cas de besoin.

Ça lui avait fait du bien de tuer à nouveau. Pas comme à Narbonne, où c'était beaucoup trop discret, mais de façon plus concrète. Il aimait sentir la chaleur du sang et voir de près la vie se retirer d'un corps. Il devrait probablement recommencer d'ici peu. Mais d'abord, il voulait baiser une femme. N'importe quelle femme, et de préférence une qui n'avait aucune envie d'être baisée.

C'était toujours beaucoup plus drôle.

Il allait s'en prendre à une femme, peut-être même à *beaucoup* de femmes, des femmes qui n'avaient même pas encore été révélées, et il allait leur faire aimer ça. Tâche de te mettre ça dans la tête.

« Écoute bien, Mickey, mon gars », se dit-il, les mots se bousculant dans sa bouche tandis qu'il frottait sa main estropiée et sortait de l'église pour profiter enfin de l'avenir sans bornes qui l'attendait. Son bras gauche saignait, mais aucune larme ne se mêlait plus au sang, comme autrefois, pour diluer sa couleur intense. Plus maintenant.

« T'as vraiment semé une sacrée merde. »

Il enjamba le corps sans un regard.

« Aucun doute pour *ça* en tout cas. »

1

CALIFORNIE, DE NOS JOURS

Il fait drôlement plus froid que je ne pensais. Pour l'instant, je garde les mains enfoncées dans les poches de mon pardessus pour éviter que le froid ne me paralyse les doigts. Je jure dans mon for intérieur. Qu'est-ce que je fous ici ? Qu'est-ce que j'avais à y gagner ? Qu'est-ce qui m'a poussé à venir si tôt par ce froid glacial ? Ça ne me vaudra rien de bien.

Et quand j'y pense, qu'est-ce qui pourrait me faire du bien ?

La fin approche. La fin de tout. Bientôt, ce sera peut-être terminé. Puis, tout à coup, je me rends compte que ce que je ressens en ce moment doit être de l'excitation. Un sentiment que je n'ai pas éprouvé depuis si longtemps que je le reconnais à peine. C'est ce qui m'a poussé à rester assis, seul, dans le froid, pendant presque une heure, en me gelant mes pauvres fesses. Je vais vous dire quelque chose, et *gratis* en plus : ça fait du bien. Vraiment.

C'est plus fort que moi. Il faut que je lise encore une fois la lettre. Pour afficher ce même grand sourire enfantin en parcourant les mots une dernière fois, bien que je les connaisse maintenant par cœur.

Ils m'ont accompagné de très nombreuses années

23

et m'accompagneront probablement jusque dans ma tombe.

Ce qui ne manque pas de piquant.

Alors, je sors l'enveloppe bleue de ma poche intérieure et l'ouvre de nouveau. Toujours un papier de qualité supérieure, toujours doublé. Celle-ci est la plus récente et la dernière de ces enveloppes, la lettre s'y étant logée six mois auparavant. Il y en a eu beaucoup d'autres, bien sûr, chacune détruite par quelque chose dont je sais avec certitude qu'on ne peut rien y faire, lorsque leur état se détériorait au point de ne plus assurer aucune espèce de protection.

J'en extrais soigneusement les feuillets ivoire, laissant les éléments me glacer les doigts encore une fois, et les déplie pour voir l'écriture presque noire couvrant la surface du papier. Et je souris, comme toujours. Au risque de paraître excessivement romantique, je peux vous assurer que la simple contemplation des mots me donne chaque fois l'impression qu'un ami m'accueille chez lui bien au chaud. Je me sens obligé de vous les lire. Pour que vous compreniez...

Nick,

Je suis vraiment désolée. Je n'ai jamais été très douée pour les adieux, mais j'espère que vous comprendrez pourquoi j'ai été obligée d'agir ainsi – de vous laisser finir tout seul.

Vous avez certainement cru que c'était le début, mais peut-être vous rendez-vous compte maintenant que nous avons une perception bien différente de ce qu'est le commencement. Pour moi, si vous voulez le savoir, cela commence toujours le jour de mon douzième anniversaire.

Je suis dans un cimetière, agenouillée dans l'herbe. L'ourlet de mon uniforme est plein de boue, et le tissu est déchiré aux genoux. Mes chaussures, d'habitude si propres, sont dégoûtantes, et des cailloux pointus me piquent les jambes.

Je suis seule dans le temps, et je supplie comme jamais. J'ai l'impression que le monde est en train de me punir.

Je supplie pour obtenir le pardon de ma mère défunte. Pourquoi ? Simplement pour le fait de pouvoir demander pardon. La vérité est que je suis en vie et qu'elle ne l'est pas.

Aujourd'hui, je suis venue pour remettre les choses en ordre.

Cinq longs jours se sont écoulés depuis que j'ai découvert la vérité – que la femme dont la mort a permis ma mise au monde et qui avait passé sa vie dans un état de solitude totale, sans que je comprenne jamais pourquoi, cette femme avait été violée. Je suis le produit de la pire souffrance qu'une femme soit obligée d'endurer ; le produit du désir d'un violeur, pas celui d'une mère. Peut-être ma mère a-t-elle préféré mourir parce qu'elle ne pouvait pas supporter d'ouvrir les yeux pour me regarder.

J'ai 12 ans. Je ne devrais pas avoir à porter un tel fardeau.

Cette tombe n'est pas celle de ma mère, je suis assez intelligente pour le comprendre. Je l'ai adoptée il y a deux ans, quand je suis venue au cimetière avec mon amie Gemma. Depuis, j'en ai fait mon autel personnel. Chaque fois que Gemma venait *sur la tombe de sa mère, je l'accompagnais dans la mesure du possible. Elle ne ressemble pas du tout aux sépultures parfaitement entretenues avec des statues en marbre. Elle est isolée et doit se défendre seule contre le monde, avec une pierre à vingt dollars pleine de fautes d'orthographe et croulant sur les bords, dont l'inscription s'efface au fil des années sous la saleté.*

Ci-gît un cadeau spécial de Dieu pour nous tous.

Ceux qui s'inquiètent sont ceux qui ont besoin de savoir.

Jusqu'à ce qu'Il croise à nouveau nos chemins.

Allez en paix.

Sans nom ni date. Et, c'est vrai, ces mots auraient pu avoir été écrits spécialement pour moi. J'avais besoin de savoir, et même maintenant, alors que ce savoir me brûle les entrailles comme des braises, je ne regrette pas d'avoir pris la décision de poser les questions. Qui, quoi, pourquoi et quand. C'est seulement quand j'ai eu des réponses que j'ai senti la honte m'envahir. Dès cet instant, j'ai su que je devais revenir ici. Il fallait que je demande pardon pour cette espèce de parenté que je m'étais inventée.

Plus tard dans la nuit, les yeux grands ouverts et au bord des larmes, je commençai à me rendre compte d'autre chose ; quelque chose d'encore plus noir que ce que j'avais imaginé. J'ai compris que cette visite serait la dernière. Une dette restait impayée, et il fallait que je renonce à ce qui ne m'appartenait pas légitimement : mon droit à la vie.

Alors je sors doucement le rasoir de ma poche et inspire profondément en gonflant ma poitrine, me préparant à couper...

Puis, derrière moi, j'entends une voix chaude.

L'Épouvantail ; c'est le surnom que nous avons donné à ce type effrayant qui rôde autour de l'école. Les professeurs nous disent de l'éviter, mais il ne s'approche jamais. Il reste assis sur un banc à nous regarder jouer.

« Je vous ai demandé si vous alliez bien, jeune dame ? dit-il d'une voix à la fois rauque et douce. Je vous ai vue pleurer... »

En s'accroupissant à côté de moi, il voit miroiter la lame. Il prend fermement ma main dans la sienne et écarquille les yeux. La lame a laissé une marque sur mon poignet, mais c'est tout. Pour l'instant.

Il soupire, comme s'il portait tout le fardeau du monde sur ses épaules. « Je crois qu'il faut que nous parlions, tous les deux. »

Bien sûr, je suis réticente, mais je me sens perdue. Finalement, nous parlons de ma mère, de ma vie, et, pour la première fois, je commence à accepter. Je ne me sens ni mieux ni moins bien, mais... je comprends. Il a déjà pris la lame, et maintenant il tente d'extraire autre chose de moi, quelque chose que je lui refuse. Des promesses que j'hésite à faire, et même à moi-même.

Ensuite, tandis que les pneus du Dodge bleu et blanc du shérif Coulson soulèvent la poussière au loin, il met une grande main dans la poche de son manteau et en sort un médaillon en argent au bout d'une chaîne.

À l'intérieur se trouve une montre – un cadran blanc comme neige avec des chiffres noirs comme du charbon. Le boîtier se dégrade déjà à l'extérieur, mais l'intérieur est comme neuf, le verre aussi lisse qu'au premier jour.

« Elle a l'air ancienne.

— Elle l'est, répond-il avec un sourire. Et je veux que vous l'ayez.

— Je ne peux pas…

— Cette montre m'a été donnée il y a de nombreuses années par quelqu'un de très spécial, dit-il calmement, et je vais vous dire un secret : elle ne s'arrête jamais. Jamais. »

Voyant ma tête, il se met à rire. « Il n'y a rien de magique là-dedans. Elle se remonte elle-même, voilà tout. » Il s'arrête, et son regard va alternativement du cadran à mon visage. « Mais j'ai toujours pensé que tant qu'elle serait en ma possession, il faudrait que je la vérifie régulièrement. Je me disais que si jamais les secondes s'arrêtaient, celles du monde autour de nous risquaient d'en faire autant. J'ai une grave maladie », dit-il doucement. Il regarde droit devant comme s'il se parlait à lui-même. « Depuis des années, elle me ronge, et maintenant son festin arrive à son terme. Apparemment, mon temps est révolu. »

Il me regarde de nouveau et secoue la tête. « Mais pas le vôtre. Pas encore. Vous êtes en vie à cause de ce que Dieu vous a donné et ses dons ne doivent pas lui être rendus. Ce n'est pas un grand magasin. C'est la vie – ce don très spécial que Dieu nous a fait à tous. »

Il rit doucement. « Vous voyez ? Moi aussi, je sais lire les pierres tombales. »

À cause du vent, Coulson et son adjoint retiennent leurs chapeaux à larges bords quand ils empruntent le chemin dans ma direction. Je me relève en ajustant mon uniforme, prête à me laisser reconduire à Cedar Ridge.

Je demande : « Est-ce que je vous reverrai ? »

Il lève les yeux vers moi et sourit. « Ce serait plaisant, non ? »

Visiblement, il n'en avait plus pour longtemps. Je ne lui ai pas dit adieu. Peut-être n'était-ce pas nécessaire.

Pour moi, c'est là que tout a commencé. On aurait dit un rêve étrange, mais je sais que ça ne l'était pas. Je le sais parce qu'il est maintenant 18 h 58. Précisément. Et si cette montre est réelle, comment les choses qui arrivèrent ce jour-là ne le seraient-elles pas aussi ?

Non seulement je l'ai là avec moi et elle égrène les secondes pendant que j'écris, mais je sais aussi, avec une certitude que vous ne partagerez pas – pas encore –, qu'elle continuera longtemps après que vous et moi aurons disparu. Elle nous survivra à tous les deux de nombreuses années et elle ne s'arrêtera jamais parce qu'elle ne peut pas s'arrêter ; tant qu'il n'y a pas de fin aux choses que nous faisons. Je regarde par ma fenêtre les rues en dessous. Tout est calme – mais plus pour longtemps. C'est ici qu'arrivera bientôt une vieille Ford cabossée pour transformer un peu de ma poussière en nuage.

Comprenez, Nick, qu'au moment où je vous quitte, je suis heureuse. Plus heureuse que je ne l'ai jamais été. Ma seule souffrance provient du fait que je m'étais promis deux choses dans les jours qui ont suivi mon acceptation de possession. La première était que si jamais je rencontrais l'homme qui avait violé ma mère, je le tuerais sans la moindre hésitation. La seconde, que plus jamais je n'attenterais à ma vie. Ce cadeau si particulier. Ce n'est que maintenant, en écrivant une lettre à un homme que

je ne connais pas, que je me rends compte que j'ai
trahi ces deux promesses.

Au revoir et bonne chance, Nick.

Je sais que vous prendrez bien soin de moi.

C'est juste une lettre de suicide, non ? Un adieu.

Pour vous, peut-être, mais pas pour moi. Pour moi, ce n'est certainement pas *juste* une simple lettre.

Ces feuillets sont en réalité le document le plus précieux que ce monde merdique m'ait jamais transmis. Plus important encore que mon admission au sein de la police de Los Angeles, plus important que l'acte de propriété de mon appartement, et bien plus important que mon certificat de mariage. Bon sang, il m'est même arrivé de recevoir des pubs qui comptaient plus pour moi que mon certificat de mariage. Eh oui (même si je sais que vous allez m'en vouloir pour ça), c'est encore plus important que le certificat de naissance de Vicki.

Vicki, cette jeune femme blonde passée presque à mon insu du stade de gamine à nattes à celui de canon, objet de tous les fantasmes masculins, Vicki est ma fille. Je ne la vois pas beaucoup, ces temps-ci ; elle est trop occupée, mais je la vois tout de même plus souvent qu'autrefois, lors de notre période noire. Les années et les mois consécutifs au départ de Katherine, sa mère, qui s'était installée à Seattle avec l'homme qui critiquait mon hygiène buccale et exigeait que je me gargarise avec un détartrant pour toilettes rose avant de m'extorquer des sommes astronomiques. Je ne m'étais jamais rendu compte qu'il se livrait aussi avec ma femme à des pratiques buccales. Jusqu'au soir où, rentrant à la maison, j'ai trouvé un mot.

J'aurais dû comprendre tout de suite en voyant l'enveloppe. En papier kraft. Aucune bonne nouvelle ne vous parvient jamais dans une enveloppe en papier kraft, pas vrai ? En un instant, mon foyer était redevenu une maison ; un endroit où survivre, pas un endroit pour vivre.

Je ne l'ai jamais poursuivie. À quoi ça aurait servi ? Elle me laissait voir Vicki, ce dont je n'ai jamais profité à plein, et bien plus que ne me l'aurait accordé un juge s'il avait connu mon mode de vie à l'époque.

C'était il y a onze ans, et maintenant je vois Vicki à peu près une fois par mois si elle en a le temps. Quand elle était plus jeune, avec un peu de chance, j'arrivais à la voir une fois par an. Je n'en suis pas fier, mais vous pouvez compter sur moi pour vous fournir toutes les fausses excuses nécessaires.

J'ai relu cette lettre un nombre incalculable de fois. *Au cas où*. Au cas où je ne sais pas quoi. Comme je vous l'ai dit, j'en connais chaque mot ; chaque syllabe et chaque trait de stylo, comme si j'avais écrit cette lettre moi-même (jusqu'à cette petite rature sur le « D » majuscule du Dodge du shérif Coulson). Mais j'ai toujours cette peur. Cette peur idiote d'oublier un petit détail le moment venu, un détail *capital*.

Et si ? Ce *et si* peut être sacrément stimulant pour vous inciter à commettre un acte irrationnel. À condition de pouvoir supporter le radotage d'un vieil homme fatigué, vous allez comprendre comment ça a été le cas pour moi. Vous comprendrez beaucoup d'autres choses en même temps, et vous apprendrez des choses que *vous devez absolument savoir*.

Évidemment, je ne pouvais pas dire le contraire,

non ? Après tout, c'est mon histoire, et je veux que vous prêtiez attention à chaque mot, mais, franchement, ne croyez pas que ce soit une formule publicitaire. Je n'en crois pas un mot quand j'entends vanter « la meilleure bière du monde ». On ne sait ce qu'elle vaut qu'après en avoir acheté une bouteille et l'avoir descendue. Si elle a le goût de pisse, le type tout sourire pourra vous seriner son slogan autant qu'il veut, ça ne vous en fera pas racheter une autre. À moins que vous ne soyez un amateur de pisse.

Alors, si vous voulez bien écouter, faites-le, je vous en prie. Sinon, sentez-vous libre de nager dans vos propres eaux et d'explorer d'autres profondeurs. Ça ne changera rien à votre avenir (ce qui, croyez-moi, est la chose la plus précieuse), mais, après tout, l'histoire est un sujet important qui ne peut pas être modifié non plus. Je veux vous donner une leçon d'histoire sur des choses qui ne se sont pas encore produites. Des choses qui *vont* se produire, quoi qu'il arrive.

Je lis ces *trois mots* ; ceux que j'adore, et mon impatience augmente. J'ai attendu longtemps ce jour, et ne comptez pas sur moi pour rester assis ici à me demander quel plat tout préparé je vais passer au micro-onde, ou si ce type qui boite dans ma série télé va découvrir ce qui se trame entre sa femme et le médecin.

Trois mots. Trois mots tout simples, soigneusement choisis.

Ça commence toujours…

Et là, on trouve le mot crucial ; *toujours*. Jusqu'à ce que je reçoive cette lettre, je n'aurais jamais cru possible d'envier à tel point une telle tournure. Ça doit arriver, ça a *dû* arriver, si souvent. Encore et encore et… Vous le savez bien. La liste est longue.

Mais pas pour moi. Tant de choses se sont passées ; tant de choses doivent *encore se passer*, mais mon histoire est et sera toujours unique. Tout ça s'est immiscé dans ma pauvre existence un jeudi bien morne, un jeudi ordinaire, à un détail près : je venais de me remettre à fumer.

Encore une fois.

2

JEUDI 9 JUIN 2011
LOS ANGELES, CALIFORNIE

La journée s'annonçait déjà assez merdique. J'avais connu pire, bien sûr – à en juger par mes rides –, mais je n'avais encore jamais connu une situation qui, au bout du compte, rendait les choses supportables par comparaison. Aucune.

À neuf heures, j'avais réussi à traîner au tribunal deux dealers minables en costard de luxe. À midi, les deux dealers minables étaient dans la rue, flanqués d'avocats en cravate de luxe. Je n'avais aucune idée de l'heure exacte à laquelle un de leurs clients adolescents avait ensuite poursuivi le dragon jusque dans sa tanière, et laissé une autre paire de gosses (toujours plus d'un) sans chauffage, sans lumière ni nourriture – jusqu'à ce que les voisins commencent à se poser des questions, je suppose – *jusqu'à ce que l'odeur de maman en train de se décomposer devienne insupportable.*

Probablement dans l'heure.

Je me suis frayé un chemin à travers la pluie la plus noire qui soit pour arriver Chez Jack à midi dix, tout en comptant la monnaie dans ma poche, de quoi m'offrir un paquet de vingt. En entrant, Barry (le Jack de Chez Jack) me décocha son grand sourire jamaïcain assorti de ce regard déçu qu'il me réserve quand je ne consomme pas. Je ne dis rien. Cette fois, j'avais tenu quatre jours, trois heures et vingt-six minutes (à peu de chose près, vous l'aurez compris), et ça, mon ami, c'est un record. Quatre jours de mieux, je crois.

Puis je m'installai à ma place habituelle au Cody's, mon manteau dégoulinant comme si j'avais de la glace dans les poches, et à travers le déluge, j'aperçus mes dealers minables qui se glissaient dans une voiture hors de prix. Quelques secondes plus tard, la voiture disparaissait dans un ronronnement le long de la I-101.

Si vous pensez que je vais ajouter « définitivement », n'y comptez pas. Je savais qu'elle reviendrait. Attendez la suite.

Demain, ou peut-être après-demain, je serai en train d'acheter un autre paquet de cigarettes, et je verrai la même voiture ramasser d'autres types aux mains sales qui n'avaient probablement jamais piqué d'argent au type aux mains propres. Moyennant une nouvelle cravate de luxe pour découvrir des vices de forme au prorata, il leur enverrait ensuite la voiture. Finalement, après s'être bien foutu de moi, il enverrait son menu fretin frayer à nouveau du côté des écoles.

Pour moi, c'étaient des poissons. Des petits poissons visqueux. On les attrapait, on les retenait assez long-temps pour leur soutirer quelques informations, puis on les relâchait. Curieusement, je ne faisais même pas circuler la moindre photo d'identité judiciaire entre deux bières au Cody's. Hé, tout le monde... visez un peu celui qui m'a filé entre les doigts aujourd'hui !

Comme si ça pouvait servir à quelque chose. Comme je l'ai dit, c'étaient des petits poissons. On ne les monte pas sur un socle d'acajou épais de trois centimètres qu'on accroche ensuite au-dessus d'une cheminée. La plupart du temps, je n'arrivais même pas à empêcher les juges de remettre les poissons pilotes dans mon marigot, où le courant semblait toujours tourner en rond.

Entre-temps, j'avais trois rapports complets à écrire, si bien que je ne pourrais pas retourner à la pêche avant le lendemain ; à la première heure. Je terminai mon whisky et jetai l'argent sur le comptoir.

Cody ne dit rien, mais son expression était éloquente. Le sourire dédaigneux de Barry n'allait pas tarder à devenir contagieux.

Je mourais d'envie de prendre une autre cigarette, mais je décidai d'être patient et de finir d'abord celle que j'étais en train de fumer.

Les trois dossiers étaient toujours sur mon bureau, avec, à côté, une nouvelle pile que je posai par terre sur le tas « À faire ». Un Post-it manuscrit flottait au vent du climatiseur, à côté d'une photo de Katherine et de Vicki (je n'avais jamais pris le temps de chercher une photo de Vicki seule). Je décidai de l'ignorer et le décollai avant de le froisser et de le lancer aussi près de la corbeille que possible. Non pas parce qu'il était manuscrit, comprenez-moi bien, mais parce qu'au premier coup d'œil j'avais reconnu l'écriture de Deacon, et que Deacon pouvait attendre. Je sortis le cendrier de mon premier tiroir. Ça faisait quatre jours que je ne l'avais pas vu, et bien plus longtemps que je ne l'avais pas vidé. J'ajoutai un mégot éteint à la pile, soupirai et m'attaquai à ma paperasse.

Venant d'un des nombreux bureaux derrière moi, j'entendis le sifflement de Wells et un claquement de mains ; c'était sans doute Rodriguez qui devait s'acquitter d'un billet de vingt au moins après avoir perdu son pari. Je ne sais pas qui avait parié sur ma capacité à respirer de l'air frais, mais je ne me retournai même pas pour le savoir. Je continuai comme d'habitude. À me mêler de mes affaires et à faire ce que j'avais à faire. Autrement dit, taper des rapports merdiques.

Mais sur ma gauche, la note froissée de Deacon n'arrêtait pas de me narguer. *Mon bureau...*

Une fois terminé le rapport numéro deux, je la récupérai et la défroissai juste assez pour lire : *avant de faire quoi que ce soit d'autre.*

Il avait même pris la peine de souligner le mot « avant ». Ce qui était vraiment super.

Encore une à moitié fumée, ma quatrième dans l'heure, c'était un vrai festival Marlboro. Puis j'ouvris mon tiroir en bas à droite, mon tiroir spécial, et me penchai pour boire une gorgée de Jack. J'en avais bien besoin.

J'attrapai ma veste et montai au deuxième. Comprenez-moi bien, la veste n'était pas obligatoire pour accéder au deuxième, le club n'était pas si select, mais les invitations personnelles de Deacon vous laissaient rarement le temps de vous arrêter au premier en sortant. Mieux valait prendre ses affaires.

Il était au téléphone quand j'entrai, et avait l'air, comme toujours d'ailleurs, d'avoir été habillé par sa mère pour passer un entretien pour un boulot qu'il n'obtiendrait pas. Il avait aussi l'air étrangement perturbé. D'accord, il faisait chaud dans son bureau, même avec les stores baissés, mais j'avais la nette impression que c'était la voix à l'autre bout du fil qui provoquait la transpiration à la naissance de ses cheveux.

Et ça m'enchantait – de voir Deacon pris à contre-pied, je veux dire. C'était *forcément* sa femme. Ou l'une de ses trois pimbêches de filles. Il était visiblement en train de présenter ses excuses à quelqu'un, et, concernant Deacon, c'était un instant qui aurait mérité d'être filmé. Il levait les yeux au ciel pour me signifier que j'aurais dû frapper, tandis qu'une main manucurée fondait la transpiration dans le gel de ses cheveux, laissant apparaître un bouton de manchette monogrammé.

Un « D » majuscule ; caractère romain. Du Deacon tout craché.

Jusqu'à aujourd'hui, croyez-le ou non, j'avais toujours été un type réglo et je m'en tenais à une résolution tacite. Si Deacon réussissait le tour de force de rester huit ans de plus que moi dans la police, ce jour-là, je frapperais. Jusque-là, il ferait mieux de garder pour lui ses excuses envers sa famille et ses Post-it manuscrits.

Quand il raccrocha, je devais avoir ce drôle de sourire parfaitement rodé. Celui qui le mettait hors de lui. Et pourquoi me gêner ? On pouvait parier dix dollars qu'il m'avait convoqué pour me mettre hors de moi, et il n'y avait aucune raison pour que je ne lui rende pas la pareille. Je suis un chaud partisan de l'égalité au travail, à condition que ça m'arrange, évidemment.

« Si vous avez quelque chose de prévu pour ce soir, Lambert, il vaudrait mieux l'annuler. »

Il se retourna, l'air indifférent, et sortit un Coca Light d'un minifrigo près de la fenêtre. Un Coca aurait déjà été suffisamment ringard, mais un Coca Light, quand même ? Où étaient passés tous ces flics légendaires qui carburaient au whisky ? Il me fallut une seconde pour réaliser. Le dernier spécimen se trouvait justement devant le bureau de Deacon, avec ce drôle de sourire aux lèvres. Le bureau sur lequel un dossier tout mince en papier kraft venait d'atterrir.

« Oakdene, annonça-t-il en se renfonçant dans son fauteuil et en tirant sur l'anneau pour ouvrir sa canette (avec précaution car sa manucure lui coûtait cher). Allez-y. J'ai besoin de renseignements sur un patient. Une fille.

— Fan-*tastique* », dis-je en articulant bien.

Oui, je sais que ça s'écrit en un seul mot, mais on ne pouvait pas faire plus sarcastique en matière de réponse. Voyez-vous, dans ce commissariat (comme dans beaucoup d'autres, sans doute), le mot « fille », employé dans le contexte d'une enquête importante, prenait une connotation particulière. Ça désignait la plupart du temps une race de fille spéciale, du genre à ouvrir les cuisses et à coopérer bien plus volontiers pour les méchants que pour les bons.

Sachant ça, vous me pardonnerez d'avoir pris si longtemps pour en arriver à la phase de remerciements de mon discours d'acceptation de ma mission. Elle me dirait que dalle et ensuite d'aller me faire foutre.

Le dossier contenait trois mauvaises copies de trois mauvais originaux. Huit paragraphes en latin, griffonnés sur un bout de papier sale avec les mots : *Itineris haud temtatio*, entourés et marqués d'un astérisque. Ça ne vous étonnera pas, j'en suis sûr, mais, à part une idée pour tricher au scrabble, ça ne me disait absolument rien. Les autres photocopies correspondaient à deux clichés de l'autopsie. Le premier était un gros plan d'un tatouage sur la cheville d'un homme ; le deuxième un gros plan du visage d'un mort. Je dois dire qu'il n'avait pas l'air particulièrement heureux, mais, après tout, il était mort. Qui le serait, compte tenu des circonstances ?

« Le type que vous voyez en a pris trois dans la poitrine, une dans le bras, et une qui lui a enlevé un bon morceau d'oreille, dit Deacon sans me regarder. Les éboueurs l'ont trouvé, gisant dans une mare de sang, derrière Mister Yang. Il semblerait aussi que ce ne soient pas les premières balles qu'il ait prises ; ce sont simplement les premières qui l'ont tué. Il a aussi pris deux sales projectiles dans le bas du dos qui remontent à quatre ou cinq ans, et au moins cinq coups de couteau à différentes dates. L'un d'eux n'est pas encore complètement cicatrisé et nous parlons donc de quelque chose de huit semaines au plus. Ça aurait suffi pour le faire coffrer mais il n'a aucun casier à Los Angeles. Il ne doit pas être d'ici. »

Il se réinstalla dans son fauteuil en cuir noir à dossier haut. Les chefs avaient toujours des fauteuils en cuir à dossier haut. Plus vous aviez de peaux de vache sur votre siège, plus vous aviez d'autorité. C'était une sorte de loi. D'après moi, Deacon aurait adoré que je le trouve juché sur un taureau qui s'ébrouait encore, en train d'agiter son chapeau en l'air.

« Il ne parle pas parce qu'il ne respire pas, dit-il d'un ton vaguement narquois, et je voudrais savoir pourquoi.

— Et personne n'a rien vu ni entendu, évidemment ? »

Question rhétorique.

Mister Yang était un supermarché chinois décent, du genre à vendre des produits que vous n'aviez jamais essayés, et d'autres dont vous ne vous rendiez même pas compte que vous ne les aviez jamais essayés. Il était là-bas depuis toujours. Malheureusement, « là-bas » voulait dire sur la 5ᵉ Rue, qui, avec les années, était passée d'un quartier assez minable à l'endroit le plus merdique dans la partie la plus merdique de la ville. Associations caritatives, foyers, soupes populaires. Drogues, viols, coups de couteau, coups de feu. Tout y était. Je n'allais chez Yang que lorsque la caisse venait d'être vidée et/ou que le nouvel employé avait subi le même sort que son prédécesseur. Chaque fois, c'était le même refrain ; personne n'avait rien vu.

Une formule doublement négative qui avait le don de m'amuser.

Il n'y est plus (au cas où vous auriez envie de vous faire agresser à la sichuanaise). Il a brûlé environ deux ans après qu'on eut trouvé le macchabée, et toute la nourriture a grillé dans un barbecue de rue géant. C'est vraiment triste qu'un établissement aussi ancien que Yang disparaisse ainsi, mais, croyez-moi, j'étais là. L'odeur était fabuleuse.

Deacon sortit un document d'un de ses propres dossiers et le posa sur le bureau. C'était une photo couleur en pied du macchabée, les yeux et la bouche grand ouverts. Là, rien d'anormal. Même ceux qui savent qu'ils vont mourir ne s'attendent pas à ce que ça fasse si mal. Notre type devait avoir un peu plus de 35 ans, avec des cheveux coupés ras et une barbiche. Une couture grossière allant de l'abdomen à la poitrine indiquait qu'il avait déjà eu ses entrailles « enlevées et recousues » par un praticien expérimenté, lequel avait laissé à un stagiaire maladroit le soin de le reboutonner pour le protéger contre l'hiver permanent de la morgue.

« Vous remarquerez que, sur le fragment en latin, vous avez deux mentions rajoutées à la main. L'une dit « Teniers – 1645 », qui fait apparemment référence à un artiste qui travaillait à cette époque, ce qui pourrait indiquer qu'il s'agit d'un vol d'objet d'art ou peut-être d'une fraude. Mais l'autre note dit : « Tina Fiddes – 113 ».

— Et ?

— Après avoir creusé un peu, nous avons finalement trouvé que c'est le nom et le numéro de chambre d'une patiente à Oakdene. Nous ne savons pas ce qu'elle connaît à l'art. Pour l'instant. C'est là où vous entrez en scène…

— Allez vous faire foutre, Deacon. »

Je reposai la photo sur le bureau, en appuyant bien dessus. J'avais presque du mal à croire qu'il ait osé faire ça. Encore une fois. Je dis presque, parce qu'il s'agit bien de Deacon. « C'est qui, nous ? Qui a les choses en main ? »

Pas de réponse.

Je répétai lentement : « Qui a les choses en main, Deacon ? »

Deacon prit une grande gorgée de Coca – pardon, de Coca Light –, s'essuya la bouche et sourit. La commissure de ses lèvres était incurvée vers le bas, ce qui voulait dire que je n'allais pas aimer la suite. C'était aussi pour ça qu'il allait me la dire. Le fait est que j'en savais beaucoup sur les costumes, les chemises, les cravates, les montres et les boutons de manchette. Tous ces trucs que portait Deacon. J'ai fait coffrer des tas de gens pour avoir volé ou revendu tous ces trucs-là, et je savais que si les voyous portaient des beaux costumes avec des chemises moches, les avocats, eux, avaient toujours tout bon. Deacon, lui, avait toujours tout mauvais.

D'accord, les costumes et les chemises paraissaient bien coupés, mais c'étaient de bons achats, et pas l'œuvre d'un bon tailleur. Les types que j'ai fait coffrer auraient préféré être pendus qu'être pris à vendre le genre de vêtements qu'il portait. Je l'ai toujours admiré de se débrouiller avec un salaire aussi minable. Meilleur que le mien, bien sûr, mais bien inférieur à ceux des hommes de Hoover, dont il aurait tellement aimé faire partie.

Un salaire dont chaque centime viendrait nourrir ses créatures insatiables. Des créatures avides de nouveaux sacs avec chaussures assorties, puis d'une nouvelle robe parce que les chaussures sont d'un jaune pâle différent de la robe précédente, et maintenant qu'elles ont la nouvelle robe, est-ce que ce sac va vraiment avec, ou faudrait-il mieux avoir aussi une pochette pour aller avec, au cas où ? Dépenser, dépenser, dépenser.

Toutes sauf Emma, la plus jeune et la plus arrogante du clan Deacon. Apparemment, elle ne s'intéressait pas beaucoup aux vêtements. Ses besoins consistaient en frais de scolarité et en l'achat d'un autre poney au gros cul qu'elle ne monterait jamais.

Ah oui, n'oublions pas Braxton, le chiot saint-bernard, dans ce joyeux mélange – lui aussi doit coûter cher à nourrir.

Alors pourquoi est-ce que je parle de tout ça ? Parce que, à voir les chemises et les costumes, il ne doit pas rester grand-chose dans le portefeuille en cuir italien de Deacon une fois que ses femmes sont belles et que Braxton a de quoi manger. Ce qui voulait dire que ces dents ultra-blanches, qui brillaient d'une façon si agaçante quand il s'adressait à une jeune policière ou qu'il assignait des tâches merdiques à un policier plus âgé dans mon genre, étaient payées à crédit.

Et quand un homme n'est même pas entièrement

propriétaire de ses propres dents, je ne peux pas supporter qu'il me fasse des sourires avec.

« Ellis et Dean », dit-il d'un ton laconique. Avec ses dents si éclatantes. Horriblement scintillantes.

« Allez vous faire foutre, encore une fois. » Je ne mâchais pas mes mots. « Depuis quand suis-je au service d'Ellis et de Dean ? Ils ont des jambes mais n'aiment pas s'en servir, c'est ça ? »

Deacon se pencha en avant et me regarda droit dans les yeux, avec un air faussement mystérieux sur son visage au bronzage artificiel, son menton posé sur ses mains. « Vous aimeriez peut-être savoir ce que ce type portait quand nous l'avons trouvé ? »

Je m'efforçai d'en rire. « J'aimerais le savoir ou je voudrais m'en soucier ? »

Deacon n'était pas bête. Ça, je le savais. Il était agaçant, c'est vrai, et pas aussi futé que son grade l'aurait exigé, mais il n'était pas bête. Il savait parfaitement que je n'avais pas le choix.

Son sourire était éloquent. Le genre que je déteste, façon de dire : « J'ai une histoire formidable à vous raconter. »

« Disons seulement qu'il ne portait pas le même costume que maintenant. Ajoutez à cela que le bout de ses doigts a été brûlé, professionnellement à ce qu'il paraît, et ce que nous avons maintenant, c'est un macchabée nu sans empreintes digitales, nulle part où mettre sa monnaie, et pas l'ombre d'un indice pour nous expliquer pourquoi on a tiré sur lui cinq fois.

— Sauf que nous avons le latin, dis-je. Et la fille.

— Pas sur la scène de crime. Ça, ça vient plus tard. »

Il sortit une autre photo et la posa. Elle montrait un petit paquet en caoutchouc jaune, comparable à un cigare à moitié fumé. Un gros et cher. Je savais que ça n'allait pas me plaire.

« Ces beautés n'entrent en scène que plus tard, quand votre ami, le docteur Jessie, ouvre son arrière-train pour voir ce qu'il a mangé et trouve ça. Il sem-blerait que quelqu'un n'aime pas ce qu'il transporte et lui ait dit, littéralement, de se le mettre dans le cul. »

Il sourit à sa propre blague. Si ça avait été amusant, j'en aurais peut-être fait autant.

« Les histoires de types morts avec des bondes en caoutchouc contenant des textes étrangers fourrés dans leur arrière-train circulent vite. Ça n'a rien à voir avec la coke ou l'héroïne. Personne ne s'est jamais fait buter pour avoir passé en contrebande du latin du IVe siècle, ce que c'est d'ailleurs. Alors à cinq heures ce matin, pour le plus grand plaisir de Jennifer, on me sort du lit parce que les fédéraux veulent mettre le nez dans cette affaire. Mon affaire. Et ils ne s'en privent pas. Pendant quinze minutes, le temps de mettre tous les dossiers dans un carton et de les emmener. »

Mon affaire. Les fédéraux. Enfin, on en arrivait au fait. S'il y a bien une chose que Deacon détestait plus que de me voir foutre en l'air une de ses affaires, c'était de voir débarquer les fédéraux pour s'en empa-rer, me privant ainsi de merder. Les choses auraient été certainement différentes s'il avait passé son examen médical l'an dernier, mais voilà.

« Et ces photos ? dis-je en montrant les copies.

— Heureusement pour nous, celles-ci étaient déjà dans le circuit, si bien que nous en avons pris des copies pour chaque équipe. Ellis et Dean dirigent les choses, récupèrent le macchabée, la scène et les résul-tats du légiste. Rodriguez et Wells déchiffrent le latin et vérifient le lien avec Teniers, et vous – comme au cinéma –, vous récoltez... » Il mima deux oreilles de lapin avec les doigts. « ... la fille. »

Je secoue la tête sans lui laisser le temps d'élever les lapins.

« Et tout ce que je trouve, je le remets à Ellis et à Dean, c'est bien ça ? » Je me mis à rire doucement.

« À combien j'en suis de "Allez vous faire foutre" ?

— Tout ce que vous trouvez, vous me le rapportez à moi, dit-il avec insistance. Vous savez parfaitement combien je déteste être honnête avec vous, vu notre antipathie mutuelle, mais je déteste encore plus que le FBI me retire mes affaires. Un macchabée est découvert dans notre quartier, nous cherchons lequel de nos voisins est le coupable. C'est notre boulot. C'est pour ça que nous sommes payés. Si on laisse faire les fédéraux, je parie que nous n'en entendrons plus jamais parler. »

Il termina son Coca, écrasa la canette et la lança dans la poubelle.

« Au fait, il est trois heures. »

Il s'enfonça dans son fauteuil. L'air sérieux. Comme une gamine de 5 ans quand on lui explique que sa Barbie doit boire dans la chope verte et pas la rose. « Écoutez, Nick, j'ai un macchabée sur les bras, et je veux vraiment savoir pourquoi. Je veux savoir pourquoi il est à poil, je veux savoir pourquoi il a du latin dans le cul et aussi pourquoi il s'intéresse tellement à Tina Fiddes, chambre 113. Ce serait bien aussi de savoir d'où proviennent les balles qui l'ont tué, et pourquoi, bien que toutes les traces de sang montrent qu'il a été abattu dans la ruelle, les deux balles qui l'ont traversé restent introuvables. »

D'où proviennent les balles ? Intéressant. Peut-être.

« Alors, les balles ne sont pas standard ?

— Faites sur mesure, dit-il en haussant les sourcils comme s'il avait été surpris par ma remarque. Un alliage différent de tout ce qu'on peut trouver sur le marché. Au lieu d'un simple mélange cuivre et nickel, celles-ci ont également sept pour cent de zinc et trois de magnésium environ. Les experts en balistique essaient de comprendre... disons, pour quelle raison. Maintenant, le fait que ces balles soient probablement artisanales ou fabriquées sur commande est une bonne chose, parce que si nous pouvons déterminer leur origine, nous pourrons aussi retrouver leur acheteur ou leur fabricant. Et si nous pouvons faire ça...

— Nous pouvons retrouver le meurtrier, dis-je stoïquement.

— C'est justement l'idée. »

Il me regarda bien en face.

« J'ai le choix ? »

Deacon soupira. « Écoutez... nous savons tous les deux que vous êtes dans la panade. Vous n'avez pas cessé de dépérir depuis que... » Heureusement pour moi, et encore plus pour sa propre santé, il jugea qu'il valait mieux s'arrêter là.

« Disons simplement que vous avez beaucoup de chance que je vous laisse la bride sur le cou. Ce qui me fait penser... vous n'êtes pas venu au point de presse ce matin, n'est-ce pas ?

— Ces deux cons de voyous ? dis-je. Ils ne vont pas tarder à se retrouver devant un juge, vous allez voir.

— Oh, vous avez bien raison, dit-il d'un air entendu. Plus vite que vous ne le pensez en fait. »

Je me demandais où il voulait en venir.

« Ce qui veut dire ?

— Ce qui veut dire qu'ils ont beau être cons, leurs avocats ne le sont pas. Ces derniers temps, leurs avocats se sont plongés dans le dictionnaire, et ils en ressortent avec de bien grands mots. Des mots comme "brutalité", "recours" et "dédommagements". »

J'en restai bouche bée. « Vous voulez rire. Bon sang, c'était parfaitement justifié. Ils étaient armés et s'opposaient à leur arrestation. » Je réfléchis un instant. « Et en plus, c'étaient des ordures. »

Deacon esquissa un sourire et secoua la tête. « Chose que n'importe quel jury civil accepterait si vous aviez eu le bon sens de ne pas, de façon "parfaitement justi-fiée", leur rectifier le faciès alors que l'un d'eux était non seulement désarmé mais menotté à une rampe. » Il haussa le sourcil droit. Le plus sérieux.

« Au fait, ils ont des témoins fiables pour ça.

— Ça s'arrangera. »

Deacon haussa les épaules. « Peut-être. Toutefois, si vous êtes seul et que vous voyez un Armani… Vous me suivez ?… »

Malheureusement, je le suivais parfaitement. Armani – autrement dit, un costume très cher. Un costume que je ne pourrais jamais me payer, mais ça ne devait pas signifier uniquement quelque chose de matériel.

« Qu'est-ce que vous voulez dire par là, Deacon ? Vous me lâchez ? »

Il secoua la tête. « Pas mon genre. Sauf si c'est… comment dire ?… justifiable. Par contre, je peux vous donner le choix. » Il avait un drôle d'air. « Mais je ne peux pas garantir que ça vous plaira, c'est tout. Je vous veux en lieu sûr, et si ça signifie que vous ne vous occupez que de choses mineures pendant quelque temps, je suis même prêt à y mettre du mien. De toute façon, la seule chose que vous allez réarranger jusqu'à ce que les choses se calment, ce sont les dossiers. Ceux d'Ellis, de Dean, de n'importe qui. Bon Dieu, vous pourrez même leur faire le café si ça peut vous tenir à l'écart, mais même si je vous enchaînais à la machine, je crois que vous vous débrouilleriez pour faire sauter un Starbucks. » Il inspira profondément et me regarda bien en face. « Pour parler franchement, Nick, je ne vous laisse plus la bride sur le cou. »

Je le regardai à mon tour bien en face.

« Vous savez quoi, Deacon ? Vous ne m'appelez jamais Nick, sauf quand vous voulez quelque chose.

— Je veux quelque chose, dit-il sérieusement. Je veux que vous arrêtiez de faire l'imbécile et que vous vous considériez comme un membre de notre équipe pour une fois dans votre putain de vie. Comme ça, nous pourrions peut-être damer le pion aux fédéraux en ce qui concerne le macchabée et, le moment venu, vous pourriez obtenir toute l'aide et le soutien que le Père Noël vous a promis. »

Avec toute la réticence voulue, je repris la photo et fis semblant de la regarder. Mais il savait parfaitement qu'il n'en était rien. Je cherchais. Je ne savais pas encore quoi, probablement juste un détail – n'importe quoi – qui pourrait me donner une petite avance sur ceux qui se targuaient d'avoir un master en profilage psychologique, autrement dit Ellis et son acolyte, le petit génie en technologie. À voir le sourire de Deacon, il savait que j'étais redevenu un flic, et il savait aussi pourquoi – même si je détestais l'admettre, ce n'était pas tant ses menaces qui agissaient sur moi que le goût du mystère. C'est le mystère que recélait toute nouvelle affaire qui faisait démarrer au quart de tour un bon flic. D'après mon expérience, rien n'incite autant à l'action.

Même si la menace aidait aussi.

Deacon me savait furieux d'avoir récolté une tâche

merdique. Bien sûr, récolter des renseignements pouvait aboutir au même point que de s'occuper de l'affaire. Mais la seconde solution permettait d'aller beaucoup plus vite.

La photo du macchabée ressemblait, comment dire… à une photo de macchabée ; un type mort sur une paillasse. Parfois les choses se résumaient à ça.

Selon moi, il devait avoir atterri là à cause d'un truc entièrement automatique. Aucun des impacts ne présentait la forme en étoile de chair éclatée ni de brûlures de poudre caractéristiques d'un tir à bout portant, et, pourtant, les cinq balles l'avaient atteint au-dessus de la ceinture alors qu'il était encore debout. Il aurait pu y avoir cinq tireurs (signe d'un contrat sérieux), mais j'en doutais. Les blessures étaient presque alignées, et ça me faisait penser à « un mouvement fluide du bras ». Ça me paraissait même évident, comme le mouvement de retour du tireur, intervenu alors que le type était déjà en train de tomber sur son cul. C'est à ce moment-là qu'on lui a percé l'oreille.

En lui en faisant sauter les deux tiers.

Deacon me regardait avec l'air de dire : « Vous êtes encore là ? » Eh oui. Encore un instant. Ce que je regardais maintenant, faute de mieux, c'était le tatouage. Normalement, un détail comme celui-là n'aurait même pas attiré l'attention, à moins d'être le signe d'appartenance à un gang. C'était juste un petit dessin bien net – quelque chose que presque tous les gosses de moins de 25 ans avaient gravé en deux exemplaires ou plus sur leur personne.

Pourtant, la marque d'allégeance en question, si c'était bien ça, se trouvait sur sa cheville gauche. Mon instinct me disait que ce n'était pas un simple dessin.

Ça devait avoir une signification pour quelqu'un. Sauf pour moi, bien sûr.

Deacon était toujours en train de regarder. Je me demandai jusqu'où je pouvais avancer mon pion avant de m'entendre dire : « Ce n'est pas votre affaire, Lambert. »

« Alors, c'est quoi ce tatouage ? » demandai-je.

Première tentative.

« Aucune idée. »

Bref et gentil, et j'ai donc pris la photo en main. « Est-ce que je peux la garder ? » Deuxième tentative.

« Non. »

Un peu plus bref mais tout aussi suave.

« Et est-ce que je peux avoir des informations sur… ? » Et je ne peux même pas finir de placer ma troisième tentative, ce qui voulait simplement dire…

« Ce n'est pas votre enquête, Lambert. Vous intervenez uniquement en soutien. » Touché. But.

« Donc, je vais… simplement… aller enquêter sur la fille ? » Je repris mon sourire énigmatique.

Il avait la tête baissée ; déjà en train de parcourir un autre dossier sur son bureau. « C'est prévu comme ça. » Puis il leva les yeux et me regarda avec son petit sourire à lui – façon de me dire de retourner d'où je venais. Les coins de sa bouche s'abaissèrent.

« Tout de suite, ce serait gentil. »

Je vous l'avais bien dit, il ne faut jamais oublier de prendre sa veste quand on monte au deuxième.

3

Il n'y avait aucune raison pour que je le sache, ni que je m'en soucie. Mais ce fut le même jeudi que le numéro 2817 du *New Scientist* arriva en kiosque. Le magazine ouvrait sur un article expliquant comment l'homme pouvait parfaitement espérer atterrir sur Mars au cours de l'année 2025.

Vous pouvez me traiter de cynique, parce que je le suis, mais j'ai étudié un peu trop de photos en détail et assisté à trois ou quatre discussions de comptoir de trop. Après ça, je reste encore d'avis que la cause aurait été davantage aidée si l'humanité avait pu s'implanter d'abord sur cette putain de Lune. Désolé, Neil, mais votre performance n'était même pas digne d'un oscar, étant donné que vous n'aviez qu'une seule réplique dans toute cette comédie et que vous avez réussi à la bâcler en direct à la télé.

Mes excuses pour Buzz également, et je dois dire que mes plus sincères condoléances vont à Michael Collins (l'homme qui a dû rester à l'intérieur de la capsule). Dans le hangar. Au Nevada (ou quelque part d'aussi ennuyeux). La poisse. Imaginez d'aller aussi loin – en jeep, je suppose, par opposition à un vaisseau spatial doté d'une puissance informatique moindre que la télécommande que j'utilise chaque fois que cet exploit passe à la télé –, histoire de devenir l'homme qui ne peut pas prétendre avoir mis le pied sur le seul satellite de la Terre, inatteignable en plus. Juste pour que nous puissions narguer ceux d'obédience plus communiste.

Personnellement, je n'ai jamais lu l'article et il m'a fallu un an et demi avant de me décider à commander l'ancien numéro. La page quarante-sept était celle qui m'intéressait, avec une histoire consacrée à une curieuse – autrement dit « inexplicable » – découverte faite au cours d'une campagne de forage en Russie.

Les diamants ne sont pas les meilleurs amis d'Agerill

Agerill Manson, la société de forage basée aux États-Unis qui opère depuis près d'un an dans les champs de pétrole du Varyegan de l'Ouest et de Tagrinsk, à 1 500 kilomètres au nord-est de Moscou, a rencontré des problèmes au cours de fouilles exploratoires près de Chasel'ka.

Après avoir foré à une profondeur de 1 827 mètres, ils ont atteint ce qui leur a d'abord semblé être une couche rocheuse particulièrement dense qui a émoussé la tête de forage. Après avoir sorti l'enfilage de forets par longueurs de 10 mètres, les ingénieurs décidèrent d'utiliser une mèche cloutée de diamants. Chose extraordinaire, ils ne pouvaient toujours pas franchir la barrière des 1 827 mètres et la récupération de cette nouvelle mèche révéla qu'elle aussi avait été émoussée. Une nouvelle mèche de forage au diamant fut expérimentée, mais sans succès. La mèche, contrairement à la barrière 1827, se retrouva bientôt cassée

Gareth Swales, le chef de l'exploration russe d'Agerill Manson, reconnut que lui et ses ingénieurs ne comprenaient pas. « J'ai travaillé sur plus de 200 sites de forage, dit-il, jusqu'à des profondeurs de 6 000 mètres, et je me considère comme ayant une bonne expérience dans ce domaine. Nous n'avons jamais rencontré de problème que nous n'ayons pas pu surmonter lorsqu'il s'agissait d'atteindre la profondeur de forage requise, mais ici nous butons contre une roche qui semble impénétrable. Toutefois, la zone semble être localisée, puisque nous avons trois derricks de forage automatique dans la zone et que les deux autres ont atteint la profondeur (et le pétrole) désirée. » Franchir la barrière 1827 avec un forage automatique est maintenant une question de principe. Ils ne veulent absolument pas abandonner. C'est la première fois qu'Agerill Manson utilise un système de forage automatique dans un de ses champs sibériens. Le système, qui simplifie grandement l'opération et tient les ouvriers à l'écart du danger qui règne autour de la tête du puits, utilise une grue à portique robotisée pour soulever les tiges de forage complémentaires depuis et vers le derrick. *« Le système s'avère être exceptionnellement fiable, dit Swales, les sections ne mesurant que 10 mètres chacune, au lieu des 30 mètres habituels, elles peuvent être transportées et stockées plus facilement, et permettre aussi d'avoir un derrick plus petit et plus maniable. Le système fonctionne avec une puissance hydraulique contrôlée par ordinateur et peut remonter un train de forage complet de 6 000 mètres de profondeur et empiler les tubes sans intervention humaine. « Le seul problème est que, malgré une plus grande sécurité et un moindre besoin de main-d'œuvre, le nombre de tubes plus courts augmente le temps nécessaire à l'enlèvement de l'ensemble. Normalement, cela ne présente pas de problème, mais le système automatique de Chasel'ka semble devoir nécessiter un remplacement plus fréquent que d'habitude pour effectuer le travail. »*

Interrogé sur la nature de l'obstacle à son train de forage, Swales demeure philosophe. *« Je n'en ai pas la moindre idée, dit-il, mais même si nos deux précédentes mèches ne semblent pas avoir pu gagner le moindre centimètre en profondeur, je suis certain que ce dont il s'agit finira par*

céder aux efforts de mon équipe dans un avenir proche. »
Des scientifiques envisagent déjà qu'ils aient pu découvrir
une espèce de « super roche », bien plus comprimée que
toutes celles découvertes auparavant. Si tel est le cas, quand
l'équipe réussira à passer au travers, des échantillons de
cette roche ramenés à la surface pourraient s'avérer d'un
intérêt scientifique considérable.
Il faut espérer que Swales et son équipe réussissent ; le
forage sibérien de Manson est financé par un prêt de la
Banque européenne de reconstruction et de développement
(BERD) à hauteur de 12,5 millions de dollars US (9,8 mil-
lions d'euros), qui a permis la construction et l'exploitation
des trois derricks utilisant les foreuses automatiques après
que des tests sismiques ont indiqué la possibilité de bons
rendements. Tom Agerill, le P-DG d'AM, âgé de 58 ans,
un vétéran du métier, a indiqué que les deux premiers sites
utilisant des forages automatiques (A et C) produisaient à
eux deux 25 000 barils par jour. Ce qui est toutefois loin
des 120 000 barils par jour annoncés à la BERD. Qui plus
est, cet objectif ne pourra être atteint que si le forage B
réussit à franchir la barrière rocheuse.
Alors, qu'y a-t-il en dessous ? Comme d'habitude, vous en
serez informés dès que nous le saurons.

Et bien qu'au moment de sa publication cet article
avait déjà six mois de retard, ce fut la dernière fois
qu'on entendit parler des mèches à diamants constamment émoussées à Chasel'ka. La toute dernière fois.
L'information ne fut pas suivie, personne ne se rendit
de nouveau sur les lieux, et aucune réponse ne fut
apportée aux lecteurs. Tout comme l'exploration de
la Lune (et celle de Mars, je suppose), l'affaire est
tombée dans les oubliettes.

Personne en dehors de la Sibérie, et d'Agerill
Manson, n'a jamais su si on avait pu finir par tomber

sur un important gisement de cette matière noire que nous utilisons tous pour aller travailler, et l'histoire fut vite oubliée. C'était exactement ce qu'ils voulaient, « eux ». Pas Agerill Manson, bien sûr. Ils étaient ravis (et soulagés) quand la B avait fini par forer un puits fertile (ce qui demandait apparemment de déplacer le derrick de quelques mètres seulement – ils avaient simplement manqué de chance dans leur forage initial). Mais Agerill Manson n'avait pas, comme promis, partagé cette réussite avec le monde. Autrement dit, quelqu'un, quelque part, avait bloqué l'information. Quelqu'un disposant de toutes les ressources nécessaires pour y parvenir. Ça donne à réfléchir, non ?

Dans un article au bas de la page quarante-sept, concernant un sujet apparemment sans rapport (publié sur une simple colonne de dix centimètres), on posait la question suivante en indiquant où l'on pouvait obtenir la réponse à un prix raisonnable :

« Télépathie, télékinésie, psychokinésie, clairvoyance et expériences hors du corps...

Tromperies et foutaises, ou dignes d'une étude scientifique approfondie ? »

Dans son livre *L'Intelligence au-delà de l'univers* (State University Press, $ 23,50, ISBN 0 6879 2413 2), Victoria Bovey, une éminente scientifique, défend la seconde hypothèse et affirme que la vision mécaniste du monde de la plupart des scientifiques n'est autre qu'une foi aveugle qui empêche une enquête plus poussée dans le paranormal.

Ce n'était pas une publicité des éditeurs du livre, mais plutôt un clin d'œil de la revue *New Scientist* aux zozos en tee-shirts décorés qui n'étaient sans doute pas leur lectorat idéal, mais qui avaient les 5,95 dollars de la revue qui leur brûlaient les doigts dans la poche de leur short hawaïen et aucun besoin d'une coupe de cheveux pour les dépenser.

Le *New Scientist* avait voulu se donner un air branché. Sans vraiment y parvenir. Et la raison pour laquelle ils avaient été si discrets, c'est qu'ils n'étaient pas aussi branchés qu'ils voulaient le croire, et que le sujet n'était en rien quelque chose de véritablement scientifique.

Sauf qu'en réalité il l'était. L'article concernait la science la plus véridique que l'homme ait jamais essayé de comprendre. Plus véridique que la physique quantique, la restructuration génétique, le clonage, l'informatique liquide et l'intelligence artificielle, le tout réuni. Cela ne nous parviendrait pas avant longtemps, mais tout était là depuis toujours, attendant d'être découvert, comme un vieil objet de famille dans un grenier poussiéreux.

Quand cette science vit le jour, ce fut à cause d'un enchaînement d'idées suscité par la découverte d'un seul objet ; un objet qui avait constamment émoussé une série de têtes de forage aux diamants à cent kilomètres au sud de Chasel'ka. Le jour où les deux articles parurent, personne n'y vit un lien. Personne n'aurait pu même rêver d'un tel lien.

Comme c'est drôle, alors que les deux articles avaient paru sur la même page.

C'est vrai. Dieu procède de façon mystérieuse.

Parfois.

4

JEUDI 9 JUIN 2011
LENWOOD, CALIFORNIE

J'avais des tas de raisons d'être furieux à l'idée d'aller à Oakdene. Comme ça faisait presque trois ans que ça s'était produit, et des années très mouvementées, ces raisons m'étaient complètement sorties de la tête. Mais à peine la lourde porte en bois s'était-elle ouverte en grinçant qu'une me revenait déjà, encore pire qu'avant. Elle me sauta au visage et m'envahit les narines.

C'était cette putain d'*odeur*.

Bon Dieu, nous avions bien des cellules au commissariat, et il arrivait parfois qu'un nouveau venu chie dans son froc en attendant d'être « relâché et tabassé » par son cher paternel, ou qu'un récidiviste vous laisse exprès un petit cadeau à nettoyer après son départ, mais *alors là*... Ce n'était pas seulement les murs qui en étaient imprégnés, c'était mélangé au putain de mortier. Oakdene avait son contingent d'auxiliaires, c'est vrai, qui faisaient le ménage régulièrement, mais c'était une bataille perdue d'avance. La merde faisait désormais partie intégrante du bâtiment.

À l'époque de cette visite, Oakdene était l'une des

plus grandes institutions privées de l'État dans sa spécialité – *asile générateur de bénéfices* pour vous et moi –, située sur un terrain déclassé à deux pas de Lenwood, à cent trente kilomètres de Los Angeles sur la I-15. C'était, j'ose l'avouer, une vraie saloperie de route à faire en voiture, compte tenu de l'heure de pointe de L.A. qui dure bien plus longtemps que son nom l'indique, et ensuite le trajet en direction du désert dans une Taurus de 12 ans avec la clim en panne, et la vitre, côté conducteur, qui refuse de s'ouvrir de plus de dix centimètres.

L'édifice était ancien, mais il était difficile de lui donner un âge car il n'y avait pas de chiffres gravés au-dessus des portes comme sur certains. Ce que je savais en revanche, c'est qu'il était plutôt du genre « gothique » ; avec plein de tours, de flèches et de pierres noires. Le bâtiment commençait à se délabrer à la base, mais il était clair qu'il avait connu de meilleurs jours. C'était une école autrefois ; une école très réputée, paraît-il. À l'époque, peut-être trente ans en arrière, quand les couloirs entretenus retentissaient des cris de quelque trois cents gamins des deux sexes, ça n'avait certainement rien à voir avec la coquille vide qu'il était devenu. À présent, les plafonds hauts représentaient plutôt un inconvénient pour le préretraité préposé à l'entre tien, et les corniches sculptées, de remarquables nids à poussière.

Le grand hall d'entrée, impressionnant, était devenu une caverne sombre et sale, comme s'il avait été creusé par la mer pour qu'on puisse s'abriter de la lumière du jour. Et en plus de cette odeur infecte, chaque surface hors d'atteinte était recouverte d'une couche de saleté qui assombrissait encore la peinture. Et même en bas des murs, là où on avait choisi « un marron » sous prétexte qu'il « n'était pas salissant », les parois étaient couvertes de traînées noires. Certaines probablement dues au passage des lits à roulettes, quant aux autres, on pouvait tout imaginer. Et tout ça resterait en l'état jusqu'à ce qu'on décide de prendre un pot de peinture. Plusieurs années, sans doute.

Au tréfonds de cette caverne, pourtant, bingo ! je gagnai le gros lot. C'était mon Afro-Américaine en or.

Maggie ; toujours la gardienne du bureau. À vrai dire, elle n'avait pas dû quitter le bâtiment depuis ma dernière visite. Maggie, toujours aussi énorme, affable, toujours aussi fiable. La même Maggie, capable de prendre un air tellement innocent pour demander : « De quelle odeur parlez-vous ? » Toujours souriante et prête à vous rendre service tant que vous respectiez les limites et qu'aucun nom n'était jamais prononcé.

Après avoir travaillé pendant dix ans pour les services d'urgences du comté, Maggie avait décidé qu'elle en avait assez de toute cette bureaucratie de merde, et avait opté pour quelque chose de plus tangible, devenant ainsi un des piliers les plus agréables d'Oakdene. Si je me souviens bien, il m'avait fallu trois heures et seize minutes pour m'en apercevoir, le temps qu'il lui avait fallu pour me soutirer quarante-huit dollars et cinquante cents au poker, et faire chier un diamant à un ex-taulard.

Au cas où ça vous intéresserait, le type auquel je fais allusion voyageait sous le nom de James « Jamie » Coulson. Il avait été déclaré comme présentant un « danger léger » ; ce qui était effectivement le cas. C'était un de ces types qui détestaient à tel point leur patron qu'un jour de l'été 1995, un jour où le patron avait refusé au jeune M. Coulson de pouvoir s'asseoir dans sa nouvelle 320 CLK, il avait dépensé toute sa paye dans un magasin de bricolage ouvert vingt-quatre heures sur vingt-quatre sur Fremont. On comprend à quoi ça sert d'ouvrir un magasin de bricolage vingt-quatre heures sur vingt-quatre : ça permet à des agresseurs de nuit de se procurer des couteaux à bon prix, ou à des employés furieux et insomniaques d'assouvir à deux heures du matin une envie pressante d'acheter cinquante-sept cartouches de mousse de remplissage. Ce que fit le Jamie en question. C'est le genre de matériau qui sert à combler les trous que fait votre femme quand elle vous lance une assiette à la tête et vous rate. Un truc qui durcit comme un ciment spongieux.

Notre Jamie avait donc acheté toutes les cartouches qu'il pouvait, et assouvi sa pulsion en passant quatre heures de l'après-midi du lendemain à solidifier littéralement l'intérieur de la Mercedes flambant neuve. Histoire que son chef ne puisse plus s'asseoir dedans, lui non plus. Il lui avait fallu encore six heures pour creuser un passage derrière le siège du passager afin de récupérer l'ordinateur portable du type.

Quand on pense que j'ai Deacon comme chef. Décidément, ce Jamie me plaisait vraiment beaucoup.

Jamie aurait pu s'en tirer avec une simple amende et des dommages s'il s'était comporté autrement au tribunal. Au cours de cette audience, dont j'ai eu le privilège d'être témoin, il ne cessa pas de répondre aux questions par des bips aigus qu'il appelait « modem à bas débit », avant d'aller jusqu'à uriner sur la perruque du sténographe. Cette facétie lui valut d'être expédié à Oakdene pour un examen psychiatrique, mais c'est après qu'il eut arraché et avalé la boucle d'oreille de son avocat commis d'office moyennant quinze cents dollars que j'eus le privilège de l'y conduire, et d'y rester assez longtemps pour perdre aux cartes contre Maggie.

Une fois ce sympathique dépravé menotté tant bien que mal à l'appuie-tête, nous bavardâmes tout le long de la route. C'était, si je me souviens bien, un jeune homme parfaitement rationnel et cohérent qui partageait ma passion pour les Dodgers et les tartes à la crème. Il eut beau me le demander gentiment, je ne me laissai pas attendrir. Il disait qu'il avait besoin de faire un break avec sa femme, son boulot, et un break avec lui-même, c'est tout. Je le comprenais parfaitement. En y repensant, je crois que Jamie Coulson était probablement un des hommes les plus sains d'esprit que je n'aie jamais connus.

Je fis un grand sourire à Maggie. Elle sourit à son tour, avec l'air de dire : « Je me suis payé une nouvelle montre avec votre argent. » Puis elle me fit signe de me rendre au bureau du directeur, dont le titre complet était : « directeur des soins », ce qui était incroyable. Creed. C'est à cause de lui que je redoutais de revenir à Oakdene.

Je fis irruption dans le bureau néodickensien sans le moindre égard. Ce n'était pas la peine. Creed et moi, nous nous connaissions.

Trônant comme un hobereau, rôle pour lequel il était né cent cinquante ans trop tard, Creed incarnait l'autocrate parfait, étouffant tout espoir de la moindre autonomie dans une institution qui était censée soigner. C'était un individu petit, chafouin, avec des yeux de fouine agrandis par des lunettes antiques, des cheveux mal rabattus pour couvrir sa calvitie, un ton arrogant, et la faculté remarquable de transpirer quelle que soit la température. Mais, bien sûr, ce n'était pas pour ça que je le détestais si cordialement.

Non, je détestais Creed à cause d'histoires qu'on m'avait racontées et de choses que je ressentais, et pour moi, il n'y a jamais de fumée sans feu. Il y avait d'autres choses aussi que j'appris plus tard, et je vous les raconterai sûrement à un moment ou à un autre. Au risque que vous passiez la nuit à essayer de les prouver.

Mais pas maintenant.

« Inspecteur Lambert, quel plaisir de vous revoir, dit-il, l'air faussement indifférent. Ça fait quoi, deux ans, trois ans ? »

Le cuir vert grinça contre le noyer de son fauteuil, cadeau de sa famille, quand il s'en extirpa en me tendant une main grassouillette. Il se souvenait visiblement très bien de notre dernière rencontre. Moi aussi, puisque je m'arrangeai pour éviter sa main moite.

« Février 2000, dis-je. Jennifer Sanchez. » Un nom que je n'oublierai jamais. Un nom que Creed, lui, doit sans aucun doute essayer d'oublier, mais ça m'étonnerait qu'il en perde le sommeil.

« Ah, oui », dit-il. Comme si nous étions en train de nous raconter nos souvenirs. « Un moment terrible. Terrible. C'était une si jolie fille. Une jolie, jolie fille. Mais ce n'est pas ce qui vous amène ici aujourd'hui, n'est-ce pas ? » À son expression, on voyait qu'il espérait de toutes ses forces que ce ne soit pas le cas.

Je remarquai le trophée de football en cuivre sur son étagère et je plissai les yeux. Je tendis le bras, le saisis et grimaçai. C'était encore plus lourd que dans mon souvenir.

« Vous l'avez encore, dis-je en feignant la surprise.

— Bien sûr, répondit Creed en contournant rapidement son bureau pour me l'arracher des mains et le reposer au millimètre près. C'est un trophée auquel je tiens beaucoup. »

Oh oui, j'en suis sûr, dis-je à part moi, préférant en rester là.

« Et Tina Fiddes, ajoutai-je brusquement, c'est une des vôtres ?

— Vous voulez dire une patiente ?... demanda-t-il en baissant les yeux avant de marquer une pause. Elle est en effet une des nôtres, inspecteur. Pourquoi ? Vous avez besoin de lui parler ? »

Il sourit et je n'aimai pas ça. Je n'aimais rien de ce que faisait Creed, vous comprenez, mais là, je n'aimais vraiment pas du tout ça.

« Si c'est le cas, je crains que vous ne vous soyez déplacé inutilement.

— Ce qui veut dire ? demandai-je d'un ton sans réplique. Elle est ici ou non ?

— Oh oui, inspecteur, elle est bel et bien ici. Ici... venez avec moi. »

Il haussa les épaules, ramassa un jeu de clés sur un autre bureau et passa devant moi pour sortir. « Mais ce ne sera pas facile de lui parler. »

Je le suivis le long du couloir éclairé par intermittence. Chaque deuxième ou troisième ampoule était grillée. Non seulement grillée, mais très haute. Le genre de hauteur qui les rend difficiles à changer ; en tout cas jusqu'à ce qu'il fasse tellement sombre qu'on ait besoin d'une torche.

« Et pourquoi, exactement ?

— Parce que notre Tina est muette. »

Ses chaussures en moleskine faisaient un drôle de bruit sur le vinyle à carreaux déchiré tandis qu'il avançait d'un pas décidé, soucieux de me distancer.

« Donc, elle ne parle pas ?

— Je crois, inspecteur, que c'est la signification du mot "muette". »

Je ne m'attendais certainement pas à ça, et, pendant un court instant, je ne sus plus quoi dire. Quel était désormais mon rôle dans cette affaire, je n'en savais plus rien. Je m'étais probablement fait baiser, mais j'en avais l'habitude.

« Est-ce qu'elle écoute ? » demandai-je.

Creed émit un petit rire.

« Parfois.

— Dans ce cas, je me contenterai de lui parler.

— Faut-il alors comprendre que vous êtes venu ici sans du tout connaître son état ?... »

Chouette, Creed tenait maintenant le bon bout. Un point d'avance, et il le savait. Pire encore, il en jouissait. Pendant qu'il parlait, je me jurai de veiller à ce que cette situation ne se renouvelle pas.

Je la jouai comme si je n'avais pas compris.

« Par là, vous voulez dire son incapacité à parler ?

— Par là, je parle de son autisme, inspecteur », dit-il d'un ton sarcastique.

Tout en continuant à marcher, il se retourna juste assez longtemps pour s'assurer que j'ignorais tout de l'autisme. J'en avais entendu parler, bien sûr, tout comme j'avais entendu parler de carcinome bronchique métastatique. Mais j'aurais quand même besoin des lumières de la charmante docteur Jessica Morris, de la prison du comté. Pendant qu'elle glissait son scalpel dans la chair d'un type victime d'un autre coup de scalpel.

« C'est un trouble grave de la communication et du comportement qui se développe avant l'âge de 3 ans, continua-t-il. Les individus autistes sont rarement capables d'utiliser le langage de façon significative ou d'assimiler des informations venant de leur environnement. Environ la moitié est capable de parler, bien que cela dépasse rarement la répétition de choses qu'ils entendent. » Il se tourna vers moi avec un air de supériorité. « Mais apparemment, Tina n'en est même pas capable. »

Il se retourna de nouveau et accéléra le pas. Incapable de m'entendre à cause du bruit de ses putains de chaussures, il ne s'attendait pas à ce que je sois si près derrière lui. En abordant l'escalier, il prit un ton très professoral. Comme le font souvent les néophytes qui se mettent à citer d'interminables passages qu'ils ont lus un jour.

« Certains autistes manifestent des talents précoces dans le domaine numérique ou mathématique. Ils peuvent afficher des schémas de développement irréguliers, une fascination pour des objets mécaniques, une réponse rituelle à des *stimuli* environnementaux et une résistance à tout changement dans leur environnement. La résistance au changement... » Il réfléchit un moment. « Ça, c'est une chose pour laquelle notre Tina est très douée. »

Donc, Creed savait lire. Rien n'était jamais perdu, même dans les pires endroits.

« Vous avez mentionné certains talents, dis-je. Est-ce que Tina en possède ? Au-delà, en tout cas, de ce à quoi on pourrait s'attendre ? »

Je savais que je me raccrochais aux branches avec ça, mais je ne voyais toujours pas le rapport entre une muette, un texte en latin et un type à poil avec cinq trous de plus dans le corps que la moyenne nationale.

Le bruit des pas de Creed avait cessé, et il regardait pardessus ses lunettes à l'intérieur de la 113, à travers une vitre en verre trempé encastrée dans le lambris marron. Satisfait de ce qu'il vit, il glissa sa clé dans la serrure et lui imprima un demi-tour.

« Ici, nous ne nous occupons pas de ces choses nous-mêmes, inspecteur, dit-il en ouvrant la porte. Nous veillons bien plus à leur administrer leur traitement et à les garder en sécurité qu'à vérifier s'ils sont ou non capables de faire tenir une balle en équilibre sur leur nez et d'applaudir pour qu'on leur jette un poisson. »

Nous entrâmes.

Au rez-de-chaussée, au fin fond d'une chambre désespérément neutre, la femme, dont le nom était griffonné sur un bout de papier enfoncé dans un endroit dépourvu de soleil, était assise là où elle pouvait espérer une compensation. Le mobilier était composé d'un lit impeccablement fait, d'une table en pin, de deux chaises identiques, d'une étagère et d'une bibliothèque dont je ne remarquai pas le contenu.

Tina était perchée sur le rebord écaillé d'une fenêtre en arceau, la tête appuyée contre le verre armé dont la saleté permettait à peine de voir les pelouses négligées à l'arrière. Elle avait le regard fixe, les jambes remontées sur la poitrine, et se balançait doucement. D'avant en arrière, en suivant le rythme d'une chanson qu'elle se fredonnait à elle-même.

À une exception près, c'était le prototype de la personne internée dans un asile. À cette exception près, et pardonnez-moi si je donne encore ici dans le romanesque, que Tina Fiddes était probablement une des plus belles femmes que je n'avais jamais vues. Physiquement, en tout cas. Non que je n'aie jamais frayé avec des top models, mais je crois que vous me comprenez.

Elle était illuminée par la couleur chaude de la vitre teintée de jaune, laquelle était encore accentuée par le coucher de soleil tout proche, et ses cheveux, raides au départ, tombaient ensuite en boucles dorées sur ses épaules. Son pantalon de jogging gris-bleu se resserrait autour de Reebok blanches et hautes, et sa veste blanche cintrée révélait le bas de son dos. Son corps était parfait et son visage était parfait. Merde, à cc stade-là, on pouvait même parier que ses mains étaient parfaites.

Mais n'allez pas vous tromper sur mon compte. D'abord, mon prochain gros anniversaire était en août, et j'allais en avoir cinquante ; cette fille était encore loin de la trentaine. Elle devait avoir dans les vingt-cinq, tout au plus. Et deuxièmement, elle n'avait pas une beauté sexuelle. Elle ressemblait à une couverture de *Vogue* des années 1950. Une beauté à la Monroe, Mansfield et Russell, et c'est seulement que je ne m'attendais franchement pas à rencontrer quelqu'un comme ça dans un endroit comme Oakdene, aussi merdique et paumé et qui puait.

Creed prit un ton mielleux. « Tina, chérie, tu as une visite. C'est un inspecteur de police. »

Tina, posée dans le seul carré de lumière que la chambre avait à offrir, tourna la tête et regarda vaguement à travers le brouillard imaginaire qui semble régner dans les chambres sombres. Je me demandai si elle avait réagi seulement au son. Je me demandai cela juste au moment où je vis ses yeux. D'un ocre profond et pénétrant, de la willémite sertie dans de l'ivoire. Je suis sûr que des artistes ont dû chercher pendant des années des modèles avec des yeux comme ça, pour être ensuite accusés d'exagération. Mais pourtant, ces yeux ne me voyaient pas. Creed non plus. Ils semblaient ne rien voir. Et s'ils voyaient quelque chose, son cerveau ne faisait alors aucun effort pour l'enregistrer.

Au bout de trois secondes environ passées à regarder dans notre direction, elle se détourna et reprit son air au début. C'était comme si elle avait entendu du bruit et qu'elle s'était rendu compte que c'était seulement le vent. Après ça, je ne sais pas ce qu'elle s'était mise à regarder, mais en tout cas, ce n'était certainement pas quelque chose à l'extérieur.

J'étais partagé. D'un côté, je savais que j'allais pas rapporter grand-chose à Deacon, et, de l'autre, que Creed, hélas pour moi, avait peut-être raison depuis le début. Sa voix suffisante résonnait encore dans ma tête. Un voyage inutile.

« Vous pouvez nous laisser seuls, maintenant », dis-je, en prenant avec précaution sur l'étagère une superbe colombe en origami et en admirant la délicatesse de sa réalisation. Ça devait être l'œuvre de Tina, parce que, disons-le, il n'y avait pas grand-chose à faire dans cette chambre, et que si l'origami était votre truc, vous aviez tout loisir pour vous perfectionner. Entre-temps, mon air indifférent visait à montrer à Creed que je savais très bien ce que je faisais.

Même si j'aurais bien voulu que ce soit vrai. Au moins aussi vrai que j'en donnais l'impression.

Creed se tourna vers moi, hors de lui.

Vu sa taille, il ressemblait à un petit écureuil obèse en train de s'en prendre à un grizzly mal léché.

« Désolé, inspecteur, mais je ne peux tout simplement *pas* vous l'autoriser. »

Le fait est que j'étais en mission officielle. Une mission dans le cadre de la police, très officielle et très confidentielle, merci. Et Creed savait parfaitement qu'il ne pouvait rien y faire.

Je reposai très soigneusement la colombe sur l'étagère, puis me retournai et le fixai à travers ses verres épais ; ses petits yeux grossis en étaient presque comiques. Je me demandai quel effet mon regard furieux allait lui faire, s'il était grossi lui aussi.

Si, Creed, c'est tout à fait possible. Maintenant, foutez-moi le camp.

5

JEUDI 9 JUIN 2011
CHASEL'KA, SIBÉRIE

Klein regarda en direction des derricks de forage tandis que l'hélicoptère survolait le site de Chasel'ka. Des membres de l'équipe vaquaient au loin, semblables à des singes. Aujourd'hui, il ne neigeait pas malgré le ciel laiteux, mais le paysage était d'un blanc subtil, signe que le soleil de l'après-midi n'avait pas encore réussi à faire fondre le gel.

Le pilote tira brusquement sur ses commandes pour franchir une colline et avertit par micro qu'ils allaient atterrir dans quelques minutes. Klein n'avait pas bougé de son siège pendant cinq heures d'affilée et il avait mal partout. Il enfila calmement des gants matelassés, étira ses doigts à l'intérieur et fixa les poignets aux manches de sa veste assortie.

Au-delà de Chasel'ka, là où le terrain descendait vers une autre plaine sans fin, il aperçut la plateforme de remorquage toujours en place sur le site de Ratta, à moins d'un kilomètre et demi du forage principal, ainsi que les membres de l'équipe qui attendaient son arrivée. Sur la droite du camp, derrière des bandes en rouge et blanc soutenues par des pieux en acier, se trouvait un groupe d'autochtones en vêtements traditionnels, tous de type quasi oriental.

Chacun avait son propre style de veste beige ou marron, mais tous portaient les mêmes capuchons doublés de fourrure avec encore de la fourrure aux poignets, et un chapeau en patchwork de couleurs vives. Ils devaient être quinze ou vingt, et s'étaient probablement rassemblés pour voir les événements qui se déroulaient dans leur environnement habituellement tranquille et peu excitant.

Le pilote s'immobilisa à quelque six mètres au-dessus d'une zone défrichée et aplanie, dont la terre excédentaire était toujours entassée sur les côtés, puis vira de quatre-vingt-dix degrés avant de poser doucement les béquilles. Alun Monroe approchait déjà, tête baissée dans le tourbillon blanc glacé, et il ouvrit les portes au moment où les rotors cessèrent de tourner. Le hurlement strident auquel Klein avait fini par s'habituer au cours du voyage commença à décliner, laissant un sentiment de vide dans sa tête, comme si le condensateur de son réfrigérateur venait de rendre l'âme.

« Bonjour, monsieur, dit Monroe en refermant poliment la porte derrière son invité.

— Où est-elle ? demanda Klein brusquement.

— En sécurité, monsieur. »

Il indiqua la direction qu'ils devaient prendre.

Pendant qu'ils traversaient le camp, un autochtone, au premier rang de la foule, un homme proche de la soixantaine avec une grosse moustache noir corbeau et des cheveux assortis, se mit à crier d'une façon agressive. Il agitait les bras et tapait des pieds comme s'il était sur des charbons ardents, ses yeux enfoncés fixant Klein et Monroe avec colère. Sa voix résonnait dans le silence de cette région sauvage. Le reste du groupe, qui se taisait, avait l'air tout aussi furieux.

Klein, qui avait passé trois ans à travailler à Moscou après son diplôme du Massachusetts Institute of Technology, parlait couramment le russe, mais il ne comprenait pas un mot de ce que disait l'homme. Contrairement à de nombreux habitants de la plaine sibérienne, celui-ci devait encore parler uniquement le dialecte de sa propre tribu. En tout cas, il en avait de toute évidence contre quelqu'un, et, pour l'instant, l'arrivée de Klein semblait lui avoir fourni un bon prétexte pour se manifester.

Une seule personne dans le groupe n'avait pas l'air furieuse. À la droite de l'homme, une femme serrait un bébé dans ses bras, avec un capuchon trois fois trop grand. Elle paraissait terriblement inquiète et avait un regard suppliant. Contrairement aux autres, on aurait dit que cette femme craignait quelque chose ; quelque chose susceptible de causer un danger à sa famille. Pendant tout ce temps, le vieil homme n'avait pas arrêté de fulminer, et sa diatribe en direction de Klein résonnait à travers la plaine comme du bétail au galop.

« Qui est-ce ? demanda Klein froidement, s'arrêtant juste pour se retourner et regarder la foule d'un air méprisant.

— Il s'appelle Yaloki, répondit Monroe avec lassitude. Gardien en chef du troupeau de rennes ou quelque chose dans le genre, je ne sais pas exactement. Fervent protecteur "des terres evenki et du mode de vie traditionnel". Chaque fois qu'on lève le petit doigt sur une carte de cette zone, et encore plus quand on vient forer pour chercher du pétrole, il pousse des hurlements et bombarde Moscou de lettres.

— Mais nous ne cherchons pas de pétrole, dit Klein

brusquement. C'est Agerill. Alors pourquoi ne va-t-il pas s'en prendre à eux ?

— Cette fois, il pense que vous êtes en train de déterrer quelque chose de bien plus important que du pétrole, avança Monroe tout en continuant bon gré mal gré à observer, à écouter et à traduire. Il dit que son grand-père a été témoin du... "dieu du Tonnerre"... quand il a jeté sa lance embrasée dans la terre et saupoudré le ciel de lumières pour demander cette région pour son peuple très commode pour Yaloki. Et avant de jeter sa lance, il a rugi avec une grande férocité. À présent, nous ne volons pas seulement la terre, mais nous enlevons également la lance, et cela provoquera une terrible vengeance de la part du "dieu du Tonnerre". Il dit que nous devrions partir immédiatement. »

Klein soupira. « dieu du Tonnerre » ? Bon. Tous les événements célestes dont ils étaient témoins avaient sans doute quelque chose à voir avec des dieux vengeurs et une terrible damnation s'étendant sur tout le pays.

Klein en avait assez de ces gens. Tous des incultes. Aveugles. Pourquoi devrait-il, lui ou les foreurs de pétrole, se soucier des états d'âme d'une bande d'Esquimaux sibériens illettrés ? Que connaissaient-ils au progrès ? Si on les avait écoutés, les poissons surgelés seraient encore pêchés avec des harpons en bois taillés à la main.

« Au moins, nous savons d'après son évocation qu'il laissait une traînée derrière lui et projetait assez de particules dans l'air pour illuminer le ciel. » Il se tourna vers Monroe.

« Et j'aime particulièrement la mention du rugissement ; ça va beaucoup nous aider.

— Un bang, probablement ? » suggéra Monroe.

Klein secoua la tête. « Non. Un bang ne serait audible qu'après que la météorite eut disparu. Elle aurait atteint une vitesse supersonique bien avant son entrée, un bang n'aurait même pas commencé à se propager avant d'avoir atteint une altitude de trente kilomètres. Mais il a dit que le rugissement était venu *avant* la lance. Pour moi, cela évoque quelque chose de complètement différent. »

Monroe plissa ses yeux. « Comme quoi ?... »

Klein sourit d'un air entendu.

« Un son électrophonique.

— Ce qui expliquerait les propriétés magnétiques de la boule », acquiesça Monroe en hochant la tête.

Klein sourit. On savait depuis longtemps que l'apparition de météorites s'accompagnait, ou était précédée, de certains bruits explosifs, bien que cela soit en évidente contradiction avec les lois physiques sur la propagation du son. Dans le passé, des scientifiques avaient imputé le phénomène à un effet secondaire purement psychologique consécutif à un événement céleste unique tel qu'une météorite, mais d'importantes recherches, y compris celles de Klein, avaient prouvé que c'était hautement improbable.

La communauté scientifique dans son ensemble avait finalement conclu que tout son, capable de voyager à une telle vitesse, devait être produit par une conversion directe de radiation électromagnétique en un son audible. Ce qui voulait dire que la météorite, en entrant, produisait des ondes radio de basse fréquence. Ces ondes, après avoir voyagé plus rapidement qu'un son ordinaire, frapperaient alors n'importe quel objet dans la proximité de l'observateur et seraient converties à ce moment-là en quelque chose d'audible.

Klein commençait à réaliser qu'il était sur le point de faire une rencontre très spéciale.

Tout sourire, il tourna le dos aux Evenki et suivit Monroe à travers le camp, passant devant les tentes rudimentaires qui avaient abrité les huit membres de l'équipe pendant les cinq dernières semaines.

« Nous avons analysé sa composition ? demanda-t-il.

— Pas encore, mais elle est très lourde. La plus lourde à ce jour. Venez, je vais vous montrer où il a heurté le pont... »

Il tourna à droite et se dirigea vers l'immense derrick de remorquage.

La structure pyramidale faisait environ dix mètres de haut. Elle était construite dans un acier trempé de quarante-cinq centimètres de diamètre et équipée de cinq énormes treuils en cercle près de son sommet. À la droite du derrick, se trouvaient cinq puissants générateurs en ligne, chacun servant son propre treuil. Klein leva les yeux. Depuis l'un de ces treuils, un morceau du câble de support se balançait dans le vent qui balayait la plaine, un câble entouré de seize couches de quinze millimètres, dont le bout était ouvert comme la paume d'une main.

« Il a cassé un câble ? demanda-t-il avec une surprise évidente.

— Oui, monsieur, répondit Monroe. Il a même failli faire tomber tout le derrick. »

Il se dirigea vers le pied de la pyramide et regarda dans l'énorme trou qui s'enfonçait en biais dans la terre.

Klein regarda également en bas, puis vers le haut, autour et au loin.

« À quelle distance sommes-nous des puits de Chasel'ka ?

— Deux mille cinq cents mètres », répondit Monroe. Connaissant Klein, il enchaîna aussitôt sans attendre.

« Étant donné qu'elle était à 1 827 mètres de profondeur, cela nous donne un angle de pénétration d'environ trente-six degrés. Nous sommes donc à peu près certains qu'il s'agit ici d'une partie de la grande météorite de 1908.

— Je ne crois pas que ce soit simplement un morceau, corrigea Klein, toujours plongé dans ses pensées. Je crois que ce que nous avons ici est une partie centrale. »

Il regarda au fond du trou noir, de huit mètres de diamètre au point d'impact, et réfléchit en silence. Alors que ce fragment aurait pu s'écraser ici depuis bien long-tcmps, la distance depuis la « grosse » tombée à Toungouska le 30 juin 1908, ainsi que l'angle de pénétration, tout ça était décidément trop logique pour qu'on n'en tienne pas compte. Toungouska était à quatre cents kilomètres à l'est, et l'angle montrait que ce fragment se dirigeait vers l'ouest au moment de l'impact.

Klein connaissait les nombreuses théories concernant Toungouska. Apparemment, elles n'impliquaient pas toutes des météorites, étant donné qu'aucun fragment n'avait été retrouvé sur le site. Contrairement à la plupart des spécialistes, lui trouvait que cette conclusion n'avait rien de surprenant. Il savait que les météorites frottaient contre des particules de l'air lorsqu'elles pénétraient dans l'atmosphère de la terre, leur température atteignant généralement plus de mille six cents degrés Celsius. Une chaleur intense comme celle-là dissout la plupart des météorites en vapeur, laissant derrière elles une coulée de particules qui sont des étoiles filantes. D'autres, en revanche, se seraient

« éclaboussées », dégageant une énorme boule de feu avec des explosions audibles jusqu'à cinquante kilomètres à la ronde.

Sauf, bien sûr, pour Toungouska. L'explosion là-bas avait été entendue à plus de cent cinquante kilomètres, ce qui tendrait à faire croire que la météorite n'avait pas seulement éclaboussé et provoqué l'énorme coupe dans la forêt de Toungouska. Cela s'était produit apparemment à très haute altitude – mais aussi à une vitesse effrayante. Klein savait aussi que les météorites de fer résistaient mieux aux pressions que les météorites pierreuses, mais que même celles en fer avaient tendance à se désintégrer lorsque l'atmosphère devenait plus dense, généralement à une hauteur de dix kilomètres.

Si ça avait été le cas ici, un noyau dur aurait pu survivre à l'éclaboussure, avec un angle d'entrée suffisamment modifié pour avoir été dévié de quatre cents kilomètres et atterrir dans la plaine de Ratta. Et ce noyau, même s'il n'était pas en fer, était certainement métallique. Ce qui leur avait permis, malgré son poids incroyable, de le déloger.

« Vous avez donc utilisé ses propriétés magnétiques pour le remonter ? demanda Klein en regardant le treuil cassé.

— Effectivement, répondit Monroe. Nous l'avons sorti comme il était rentré. Nous savions, compte tenu des problèmes rencontrés par Agerill Manson, que nous n'avions pratiquement aucune possibilité de le percer et de le sortir tout droit. Il était impossible de creuser une ouverture assez grande, en tout cas jusqu'à ce niveau, et nous avons donc fait quelques tests géologiques et sismiques pour finalement trouver le trou d'entrée que voici. La végétation avait repris ses droits, et ce n'est pas étonnant que personne ne soit tombé dessus. Ça ressemblait à une caverne obstruée par des buissons.

— Et ensuite ?...

— Ensuite, nous avons fait descendre quelques sondes qui ont enregistré des niveaux magnétiques exceptionnels, et nous avons décidé que si nous voulions le sortir par là, vu la distance, nous ferions bien d'utiliser les têtes électromagnétiques.

— Que pèse-t-il, au juste ? »

Monroe rit doucement. « Quel poids diriez-vous ? Il a réussi à casser un treuil, non ? Et pendant trois jours, il a fallu que les quatre autres travaillent à plein régime pour le remonter. Compte tenu de tout ça, je dirais quatre-vingts à quatre-vingt-dix tonnes environ. »

Klein accusa le coup puis regarda son collaborateur d'un air sceptique. « Pour cinq mètres cinquante de diamètre seulement ? »

Monroe acquiesça.

« Plus ou moins.

— Alors, ce n'est sûrement pas du fer.

— Absolument, pas avec ce poids-là. Je crois que le plus dense que nous n'ayons jamais vu jusque-là, c'était au Nebraska en 1948. Il avait quatre-vingt-dix pour cent de fer, huit et demi de nickel. Avec un peu de cobalt et de magnésium. Mais ça ?... Bon Dieu, je ne connais aucune matière au monde qui pèse autant avec ce volume. »

Klein sourit. « Moi non plus, dit-il d'un air sarcastique. J'aimerais bien faire sa connaissance à présent. »

Ils continuèrent jusqu'à l'extrémité du petit camp ; un soldat solitaire, en tenue de camouflage de neige blanc et gris, montait la garde devant la tente, tenant un fusil en travers de sa poitrine. En plus des bandes autour du complexe, une deuxième barrière temporaire avait été érigée pour tenir les béotiens à distance. Le soldat salua et s'écarta sans poser de questions, laissant entrer Monroe et son invité.

Monroe ne quittait pas des yeux son patron.

Klein sourit : « Bonjour, beauté. »

Il commença par ouvrir grand les yeux, puis la curiosité l'emporta à mesure qu'il s'approchait de la boule. À première vue, elle avait l'aspect d'une énorme bille de roulement en acier, couleur terre cuite. Sauf que sa surface n'était pas aussi lisse, ni parfaitement sphérique.

La surface de l'objet était rugueuse, ce qui faisait penser à Klein qu'il avait été créé plutôt que fabriqué, et de grands morceaux de roche noircie avaient fusionné par endroits à sa surface en raison des températures rencontrées en pénétrant dans la terre. À travers les interstices de la roche fondue, on voyait que les températures atteintes lors de l'entrée dans l'atmosphère avaient également réussi à faire fondre la surface métallique de la boule, bien que sur une faible profondeur. Des arêtes lisses et réfléchissantes couvraient maintenant sa surface, semblables à des vaguelettes. La boule ayant tournoyé lors de sa descente, ces arêtes composaient un ensemble de dessins complexes. Des dessins superbes qui défiaient l'imagination et évoquaient l'art abstrait.

« Radioactivité ? dit-il sans lever les yeux.

— Pas plus que votre téléphone mobile, répondit Monroe en haussant les épaules. Aucun danger. »

Klein détacha son gant droit et le laissa pendre de sa manche matelassée, puis il s'accroupit et tendit la main doucement pour parcourir les arêtes du bout des doigts.

Avec curiosité, il posa alors soigneusement sa main

à plat sur la surface métallique. « Il y a combien de temps qu'elle est dehors ? demanda-t-il avec méfiance.

— Dix-huit, dix-neuf heures », répondit Monroe.

Klein plissa les yeux. « Elle devrait être beaucoup plus froide… »

Monroe acquiesça. « Elle devrait, mais elle ne l'est pas. Bien sûr, il y a la chaleur latente inhérente à la profondeur à laquelle elle était enterrée, mais elle ne semble pas être conducteur, et il lui faudra donc plus longtemps pour s'adapter aux changements environnementaux. »

Quand bien même, pensa Klein, elle devrait être plus froide. Elle devrait vraiment l'être. Même le pire des conducteurs métalliques aurait dû être gelé par une température en dessous de zéro comme ici. Rien qu'en touchant la sphère, sa main aurait pu rester collée à la surface.

Il sourit dans son for intérieur. Dès l'âge de 12 ans, il avait compris que c'étaient les scientifiques et non les prêtres qui détenaient les secrets de ce monde et, depuis, il n'avait cessé d'attendre une découverte comme celle-là. Quelque chose de nouveau, quelque chose de littéralement « extra ordinaire », quelque chose qui lui permettrait une plus grande compréhension du monde dans lequel vivaient aussi bien les « acheteurs » que les « consommateurs ».

Et puis non, se dit-il. Assez de philosopher. Ce n'était encore qu'un camp de base au pied de la montagne qu'il mourait d'envie de conquérir. Le sommet représentait le contrôle total, et c'était ça que Klein voulait atteindre. Il avait attendu quarante-quatre ans ce moment. Maintenant, il n'était pas question qu'il laisse échapper ce rêve qui lui appartenait légitimement.

« Le comité a été informé ? » demanda-t-il en caressant de nouveau le rocher métallique.

Monroe secoua la tête.

« Seulement vous, monsieur, dit-il. Mon rapport devrait être prêt à partir par email après encore un ou deux jours d'études *in situ*. Ils pourront alors décider ce que nous devrions en faire. »

Klein se perdait dans son propre reflet déformé, caressant son image comme s'il s'agissait de l'unique photo d'un parent disparu.

« Laissez-moi finir ce rapport à votre place, dit-il doucement. J'ai une ou deux suggestions que j'aimerais y inclure moi-même. »

Monroe sourit. Ayant travaillé pour Klein pendant plus de quinze ans, il savait ce que voulait son patron maintenant, et il ferait tout pour l'obtenir. Son poste de conseiller scientifique du président, et donc quelqu'un de confiance, lui permettait d'avancer des propositions et d'obtenir une approbation pour à peu près n'importe laquelle de ses actions. Bonne ou mauvaise.

« Vous la voulez pour vous, n'est-ce pas ? »

Klein se releva et remit son gant. Neige ou pas neige, il devait faire moins vingt-cinq dehors, au bas mot, sans compter le vent.

« Bien sûr que je la veux, dit-il d'un air de défi, comme si c'était évident, et entre nous, Alun, nous allons nous débrouiller pour qu'elle dresse bien les oreilles quand je l'appelle. »

6

JEUDI 9 JUIN 2011
LENWOOD, CALIFORNIE

Quand je revins par le couloir, Maggie, vêtue d'une blouse en synthétique blanc sur du bleu clair, était en train de préparer sa tournée de médicaments du soir. Les pilules étaient soigneusement rangées par couleur et par effet thérapeutique, chacune étiquetée selon les besoins du patient. Elle me regarda approcher par-dessus ses lunettes sans s'arrêter pour autant. Ici, personne, et surtout pas Maggie qui s'occupait de tout le monde, n'aurait voulu confondre benzédrine avec benzodiazépine au risque, avec le premier médicament, de faire faire des bonds au malheureux qui était incapable de se détendre au moment de dormir.

Une fois les pilules bien disposées, elle leva les yeux vers moi en m'adressant son sourire de bienvenue habituel. Puis elle se tourna de nouveau vers son bureau pour finir de cocher les documents appropriés.

« Pas besoin de vous demander si vous avez pu obtenir quelque chose ?... » dit-elle d'un ton laconique.

Je secouai la tête en m'approchant du bureau, et je sortis en même temps de mon dossier la photo du visage du macchabée. « Avez-vous jamais vu ce type,

Maggie ? Je veux dire, est-il jamais venu ici ? » Je la lui tendis. Maggie ôta ses demi-lunes et se pencha pour regarder. Comme il faisait trop sombre, elle me prit la photo des mains pour l'examiner sous sa lampe de bureau, à la manière des caissières de supermarché pour s'assurer que le billet de vingt qu'on vient de leur donner est vrai. Sa moue tenait lieu de réponse. « Vous voulez dire, pour voir Tina ? Non, jamais vu. » Elle me jeta de nouveau un coup d'œil par-dessus ses lunettes.

« Je doute que ça arrive vu son état. Qu'est-ce qui lui est arrivé pour avoir l'air tellement mort ?

— On lui a tiré dessus, dis-je. Cinq fois. »

Elle esquissa une grimace, mais je savais qu'elle en avait déjà vu et entendu bien pire.

« Et vous croyez que c'était un ami de notre Tina ?

— Ou ça, ou bien il en avait entendu parler, répondis-je sans illusions. Il avait son nom et le numéro de sa chambre, écrits... » Je cherchai les mots appropriés. « ... sur sa personne, quand nous l'avons trouvé.

— Alors il était peut-être en route pour venir ici, avança-t-elle, mais il n'est jamais arrivé ?

— C'est possible », dis-je.

Maggie n'était pas bête.

« Est-ce que cette Tina reçoit parfois des visites ? De la famille ou des amis ?

— Juste une ; sa sœur aînée. Elle habite en bas de la ville, je crois. Nous avons son adresse quelque part. Vous la voulez ? »

J'acquiesçai, pensant que ça valait mieux.

Elle se tourna, ouvrit un classeur en bois écaillé et se mit à fouiller dans des dossiers. Contrairement au reste de l'endroit, tout était parfaitement rangé. Mais il faut dire que cette zone de deux mètres carrés était le domaine exclusif de Maggie et elle y veillait. Cette bonne vieille Maggie.

« Farmer... Fickle... Fiddes. Nous y voilà. » Elle sortit le dossier et referma le tiroir. « Ah oui, Sarah Fiddes, 1180, 7ᵉ, South Central, c'est tout. »

Elle nota les éléments de sa belle écriture au dos d'une enveloppe portant le logo vert et jaune passe-partout de l'institution.

« Merci », dis-je poliment. J'avais des doutes sur l'utilité de l'adresse, mais au moins je l'avais si jamais on devait me siffler et me donner un autre terrain de jeu. « Alors, cette fille, cette... Tina ? Elle est comment ? Elle vous pose des problèmes ? »

Maggie me jeta un regard réprobateur. « Nick, je vais vous dire. De tous les patients auxquels j'ai pu avoir affaire, et il y en a eu au cours des années, je vous l'assure, je ne crois pas en avoir eu un seul qui m'ait causé moins de problèmes que Tina. Bien sûr, certains jours, il faut la pousser à sortir de son petit monde avant de pouvoir l'aider à s'habiller, mais elle n'a jamais causé de problèmes. C'est une patiente en or. » Elle regarda à nouveau la photo que j'avais en main. « Je ne sais pas qui était cet homme, mais je suis contente qu'il ne soit jamais arrivé jusqu'ici. Rien qu'à le voir, on devine qu'il devait traîner avec lui une kyrielle de bouleversements et... eh bien, c'est une trop gentille fille pour être obligée de supporter ce genre de bouleversements, c'est tout. »

Des bouleversements. Un euphémisme pour « gros ennuis » dans la bouche de Maggie.

Elle me tendit l'enveloppe et se remit à pousser le chariot métallique à médicaments. Ses roues couinaient doucement sur le vinyle, et elles firent un bruit sourd en franchissant la déchirure qui découvrait le ciment gris irrégulier en dessous.

« Si vous voulez continuer à parler, faudra marcher », dit-elle.

Je lui emboîtai alors le pas.

Nous parlâmes de tout et de rien. D'Oakdene, des trois fils de Maggie (qu'elle adorait), de son ex-mari (qu'elle détestait), de Creed (merde, tout le monde détestait Creed), et je la questionnai à propos des autres patients que je rencontrai avec elle. Qui étaient ceux qui pleuraient, qui étaient ceux qui criaient, et ceux qui ne faisaient que dormir ; ceux qui avaient décidé de toute évidence que les cauchemars étaient préférables à la réalité. C'étaient surtout des banalités.

Je lui demandai depuis combien de temps Tina était là : cinq ans environ, d'après Maggie, mais sa sœur travaillait depuis un certain temps à Chicago et n'avait appris sa présence ici que deux ans auparavant. Parents décédés, apparemment. Aucun visiteur avant ça. Je demandai si elle savait lire (elle pouvait – cinq langues) et écrire (les mêmes cinq langues – impressionnant) et si elle était toujours calme (oh, ne la mettez surtout JAMAIS en colère, Nick – elle change du tout au tout quand elle se fâche, cette fille). Alors je lui demandai combien de fois elle s'était mise en colère pendant qu'elle était en poste. Deux fois – les deux avec Creed, ce qui n'avait rien de surprenant.

En marchant, je me disais que Maggie allait se retrouver seule pour la nuit, en attendant le hurlement occasionnel dont elle devrait sans doute s'occuper, mais comme on ne m'attendait nulle part, je pourrais aussi bien lui tenir compagnie pendant une heure. Faute de renseignements utiles venant de la fille, je n'avais aucun rapport à préparer et à poser sur le bureau de Deacon avant demain matin au moins. Cela dit, je prendrais mes cliques et mes claques si jamais je voyais Maggie sortir des cartes.

Arrivés devant la 113, Maggie regarda par la vitre, comme l'avait fait Creed.

Pour vérifier.

« Nous donnons du fenfluramine à Tina en petites doses, mais seulement à titre expérimental, expliqua-t-elle doucement. Si vous me le demandez, je trouve que c'est une honte. Elle est tellement intelligente, c'est seulement qu'on a rarement l'occasion de la faire s'exprimer. Elle mérite mieux que ça, c'est sûr. »

Elle se pencha vers moi pour parler à voix basse, comme si son supérieur hantait encore les couloirs longtemps après que son corps en surpoids eut quitté le bâtiment. « Creed est contre, mais il m'arrive parfois de faire une partie d'échecs avec elle, et cette jeune femme pourrait en remontrer à des professionnels. Ce n'est pas tant le fait qu'elle gagne, Nick, mais c'est la *vitesse* à laquelle elle gagne. Vous bougez votre pièce et, vlan ! elle bouge la sienne. Génial à chaque fois. Je ne sais pas où elle a appris à jouer mais, sacré nom de nom, quel jeu. »

Je regardai par la vitre et vis Tina assise exactement à l'endroit où je l'avais laissée ; exactement où elle était restée pendant la demi-heure que j'avais passée avec elle. Je lui avais montré la photo du macchabée et elle l'avait regardée. Disons qu'elle l'avait *peut-être* regardée. Je n'en sais rien. Quoi qu'il en soit, elle s'était contentée de se tourner à nouveau. Ça avait été la même chose avec le tatouage et le latin. Rien. Pas la moindre lueur dans ces beaux yeux marron.

Sa tête était maintenant posée sur ses bras et elle regardait tomber le jour. En rêvant peut-être. Je me demandai si elle était au courant de tout, du monde autour d'elle, et si elle attendait qu'un miracle lui permette d'y participer. Peut-être regardait-elle par-delà les murs en ruine ces champs interminables. Et peut-être se disait-elle : Un jour j'irai courir par là.

Ou peut-être pas.

Peut-être le monde de Tina Fiddes ne dépassait-il pas les murs de son imagination. Il aurait mieux valu pour elle. Sans savoir ce que ça pouvait représenter d'être prisonnier de soi-même, j'imaginais que ça devait être plus facile si on n'avait pas conscience de ce qu'on manquait.

D'ailleurs, comment savoir si le monde de Tina Fiddes n'était pas préférable ? À vrai dire, compte tenu de ce que je devais apprendre dans les jours et les semaines qui ont suivi cette visite, je me demande encore si nous ne devrions pas tous chercher à entrer dans son monde à *elle*.

« Sa sœur vient souvent la voir ? demandai-je. Mainte nant qu'elle vit en Californie ?

— Trois fois par semaine, peut-être quatre, dit Maggie. Une gentille fille. La trentaine, très agréable, si vous voyez ce que je veux dire. Et de les voir ensemble... continua-t-elle avec admiration, on peut dire qu'elles ont été dessinées avec le même crayon, c'est sûr. Elle arrive vers midi, l'arrange un peu ; vous savez... passer une brosse dans ses cheveux, la maquiller. Ensuite, s'il ne fait pas trop mauvais, elle l'emmène faire une promenade dans le parc. Toujours la même routine. Après ça, elles peuvent regarder le travail de Sarah ; voir si Tina peut l'aider. Puis c'est l'heure du Snickers. »

Elle se mit à rire. « Elle apporte toujours une barre de Snickers pour Tina. Et son visage s'illumine comme un... Il faut vraiment le voir. C'est quelque chose. En fait, si vous reveniez pour une raison ou pour une autre et que vous vouliez attirer son attention avec vos photos, vous auriez intérêt à lui en apporter une. Je ne peux pas garantir qu'elle voudra bien redescendre sur terre, mais je veux bien parier avec vous cinquante cents que ça vaudrait la peine d'essayer... »

Brusquement, quelque chose m'avait fait dresser l'oreille. Pas l'histoire des Snickers, bien sûr, mais l'*autre* chose.

« Quel genre de travail fait sa sœur ? » demandai-je. *Pourquoi elle l'apportait, nom de Dieu ?*

« Oh, je ne sais pas exactement, dit Maggie en haussant ses épaules massives. Une sorte d'archéologie, je crois. Je ne cherche pas à comprendre. Mais elle apporte ses cartes, ses parchemins et ses notes personnelles qui parlent de *trésor caché*. Et elles se plongent dans tout ça pendant un moment. » Elle se mit à rire, rien que d'y penser.

« En tout cas, c'est sûrement bon pour Tina d'avoir quelque chose d'utile à faire, quelque chose pour faire travailler son cerveau si puissant. Je fais de mon mieux, mais je ne joue pas tellement bien aux échecs et je ne crois pas que je stimule beaucoup son imagin...

— Quel genre de cartes ? dis-je en l'interrompant. Des cartes des environs ? Des États-Unis ? »

Maggie n'appréciait visiblement pas d'être interrompue, mais elle me répondit quand même.

« Je ne sais pas très bien, dit-elle. Pour moi, une carte est une carte, et je ne m'en mêle pas trop. Pour autant que je sache, ça pourrait être la Chine. C'est leur affaire, pas la mienne. »

Malheureusement, Maggie respirait l'honnêteté, et je savais qu'elle disait la vérité. Dommage, car, à ce moment-là, ce n'était pas d'honnêteté dont j'avais besoin. J'aurais payé cher pour avoir un stagiaire qui aurait mis son nez dans leurs affaires. Juste un peu.

Juste assez.

« Et ces "parchemins". » J'utilisai le mot en connaissance de cause, tout en fouillant dans mon dossier pour trouver la photocopie de la note que nous avions trouvée dans le macchabée. « Est-ce qu'ils ressemblaient à… ? »

Ce n'était même pas la peine de chercher car, avant même que je ne la trouve, Maggie m'avait donné involontairement la réponse. La réponse qui m'avait empêché de retourner tout droit chez moi à San Marino cette nuit-là, m'incitant plutôt à prendre la I-105 tout droit jusqu'à Inglewood et à tourner en direction d'un des quartiers les plus pourris de Los Angeles, connu sous le nom de South Central.

Un endroit où, avec un peu de chance, je pourrais fouiller un peu et trouver la maison de la sœur aînée de Tina Fiddes.

« Et ne me demandez pas non plus ce qu'il y avait écrit dessus, Nick, avait-elle dit d'un ton cassant. Dieu sait que je ne lis déjà pas tellement bien l'anglais, mais encore moins le latin. »

7

Lundi 4 juillet 2011
Washington D.C.

Onze membres du Comité consultatif du président pour la science et la technologie (CCPST) étaient déjà installés dans de confortables fauteuils en cuir et acajou, quand le douzième, Klein, entra dans la pièce. Il avait dix minutes de retard mais ça ne le dérangeait pas particulièrement. Il détestait être obligé de participer à ce genre de séance et de perdre son temps à défendre sa cause. Moyennant quoi, il ne voyait vraiment pas pourquoi il aurait été obligé en plus d'arriver à l'heure.

Il faut bien reconnaître que tous ceux qui étaient réunis aujourd'hui étaient non seulement brillants, mais aussi experts dans leur domaine. Les problèmes venaient presque toujours du fait que leurs domaines n'avaient généralement rien en commun. Klein avait souvent pensé que les procès-verbaux de ces réunions auraient dû être consignés sur de l'élasthanne tellement elles avaient le chic pour se prolonger inutilement dans la soirée. Le CCPST aurait probablement mis quatre ou cinq heures pour décider que, pour faire une bonne roue de charrette, il faudrait utiliser des courbes.

Avec un petit signe de tête en direction du président, Neil Grainger, également chargé de superviser le Bureau de science et de technologie du président (BSTP), Klein s'assit à sa place, ouvrit d'un coup sec les fermoirs de son porte-document et en sortit les papiers appropriés, une tablette digitale et une télécommande en chrome brillant.

« Ravi que vous ayez pu vous joindre à nous », dit Grainger d'un ton légèrement moqueur.

Klein lui adressa un sourire condescendant qui creusa des rides dans ses joues.

« Merci, Neil. Me permettez-vous… ? »

L'imposant Grainger ne voulait pas que cette réunion s'éternise. Il avait découvert, au moment de partir de chez lui, que sa fille était enceinte. Ce qui n'aurait pas été un problème si on avait fait abstraction de la réputation de Grainger, et de l'âge de sa fille (16 ans dans quelques mois). La phrase « nous en parlerons ce soir » lui avait trotté dans la tête toute la journée. Comment la fille du responsable de la politique scientifique des États-Unis pouvait-elle encore ignorer à 15 ans l'usage de ce putain de préservatif ?

Il fit un geste dédaigneux de son gros poignet. « Je vous en prie. »

Klein appuya sur une touche de sa télécommande et les lumières baissèrent, laissant apparaître un carré bleu foncé sur le mur du fond où était projeté l'écran de sa tablette. Il fit signe à l'un des assistants et lui tendit la carte SD à insérer dans la tablette, avant de s'avancer vers l'avant en distribuant à chaque participant les notes qu'il avait préparées. Il appuya sur une autre touche de la télécommande. Une image du site de Ratta s'afficha presque aussitôt sur le mur.

« Ceci, commença Klein, est, vous le savez tous, le

site de l'impact de la "Boule sibérienne", comme on l'appelle maintenant. Elle semble être entrée dans l'atmosphère terrestre en tant que partie d'une météorite à environ 16 h 15, le 30 juin 1908, laquelle s'est scindée à quelques kilomètres au-dessus de Toungouska, à quatre cents kilomètres à l'est de ce site. L'explosion a causé d'importants dommages là-bas, mais... aucun fragment n'a jamais été retrouvé.

— Pardon ? » interrompit Eric Gilliard de manière prévisible.

En tant que président de Gill Semiconductor, Eric était, à 33 ans, un des hommes les plus riches des États-Unis. Sa position lui conférait beaucoup de pouvoir, ce dont il profitait souvent pour prouver aux autres qu'ils se trompaient. « C'est quoi exactement ? Un météore ou une *météorite* ? » Il regarda les autres en cherchant leur approbation. « Vous semblez utiliser les deux noms. » Il paraissait très content de lui.

Klein soupira. C'est pour ça qu'il estimait ne pas avoir à se justifier devant des millionnaires de l'informatique : ils se donnaient des grands airs sans du tout mesurer les enjeux des décisions qu'ils prendraient aujourd'hui.

« Si vous connaissiez quelque chose à la cosmologie, dit-il d'un air vaguement dégoûté, vous sauriez que c'est un météore.

— Alors pourquoi ne pas l'appeler simplement un...

— Jusqu'à ce qu'il atteigne la Terre, interrompit Klein. Un météore qui entre en contact avec la Terre devient instantanément... une *météorite*. Puis-je continuer ? »

Gilliard ne répondit pas. Il essayait de ne pas paraître gêné, mais Klein voyait bien qu'il regrettait d'avoir ouvert sa grande gueule. Chose qu'il éviterait de faire dorénavant. Pendant un moment au moins. En attendant une nouvelle occasion pour marquer un point.

« Comme je le disais, continua Klein, aucun fragment ne fut jamais retrouvé à Toungouska. Alertés par Agerill Manson de la présence de quelque chose de suffisamment dur pour avoir émoussé toute une série de têtes de forage en diamant, nous avons envoyé une équipe pour enquêter et avons découvert ce trou de pénétration. Il faut savoir que ce trou est presque à deux kilomètres et demi du site d'Agerill, et que la sphère était enterrée à un peu moins de 1,8 kilomètre en dessous. Alors ceux d'entre nous qui sont forts en maths... »

Il échangea un petit signe de tête avec Barbara Scalise.

Barbara avait 51 ans, avec une chevelure et un maquillage d'une présentatrice de télévision faisant la moitié de son âge. Elle était aussi présidente du Massachusetts Institute of Technology et connue pour ses dons exceptionnels en mathématiques.

« ... comprendront, continua Klein, que la sphère a heurté la Terre avec une force suffisante pour parcourir presque trois kilomètres cent à travers des terrains parmi les plus durs de la planète, composés à la fois de pergélisol et de roche solide. »

Il sourit.

« Et elle l'a fait sans se désintégrer.

— Qu'en est-il de sa composition ? » demanda Grainger.

Placé au bout de la table, il se trouvait être le plus proche de Klein et paraissait réellement intrigué.

Klein appuya sur la télécommande, et l'image de la sphère apparut sur fond de paysage désert. Elle était encore recouverte par la roche fondue noire, avec la terre cuite encore visible par endroits.

« Voici l'état dans lequel on l'a trouvée. La composition de la couche noire que vous voyez là est tout à fait typique pour un météore contenant quatre-vingt-onze pour cent de fer, huit virgule deux de nickel et zéro virgule huit de cobalt. Cette couche a été très soigneusement enlevée et conservée pour d'autres analyses, mais cela a permis d'en dégager le noyau. »

Puis il appuya sur une autre touche, et l'image d'une sphère métallique irrégulière apparut, isolée dans un laboratoire. Les arêtes reflétaient la lumière du projecteur sous lequel elle avait été placée, produisant de longues traînées ondulantes jaune-orange.

« La composition de ce noyau... reste encore à déterminer. »

Klein avait prévu leur réaction. Les yeux s'agrandirent, chacun regarda son voisin, les visages se crispèrent. Ça devenait de plus en plus rare, au cours d'une réunion du CCPST, d'entendre annoncer « reste à déterminer ».

Certains des assistants, notamment Ralph Healy, ancien président de Lockheed, étaient persuadés que pratiquement plus rien n'échappait à l'humanité. Il préférait se poser la question « comment faire pour utiliser ce que nous avons ? » que « comment faire pour découvrir des choses nouvelles ? ». Bien entendu, c'est Gilliard qui prit la parole. C'était presque *toujours* Gilliard avec ses costumes hors de prix et son bronzage artificiel qui s'exprimait le premier. « Donc, en réalité, vous ne savez pas ce que c'est ? »

Klein avait compris le sous-entendu revanchard. « C'est du sibérium », répliqua-t-il aussitôt.

Gilliard feignit la perplexité et regarda autour de

la table, avec l'air de quelqu'un qui vient de raconter une bonne blague et veut voir qui en rit. « Quoi ? Du sibérium ? C'est quoi ça ? Vous venez de l'inventer ? »

Klein sourit. « Évidemment, dit-il calmement. C'est exactement ce qu'on fait pour donner un nom à un élément dont on ne connaissait pas l'existence jusque-là. »

Des exclamations étouffées retentirent autour de la table. Klein venait-il vraiment d'insinuer ce que la plupart venaient de réaliser qu'il insinuait ?

« Alors, ce n'est pas un composé ? C'est un élément... complètement nouveau ? demanda Barbara Scalise en levant ses lunettes demi-lunes qui pendaient au bout d'un cordon et en les approchant de ses yeux pour examiner les documents que Klein lui avait donnés au début de la réunion.

— En effet, dit Klein fièrement. Ce n'est définitivement pas un composé.

— Peut-être bien, dit Gilliard en s'essuyant le front sous ses cheveux blonds ondulés, signe qu'il se sentait complètement à côté de la plaque, et qu'il venait de se faire remettre encore une fois à sa place. Vous ne pouvez pas l'appeler sibérium. C'est ridicule.

— Plus que berkelium par exemple ? Ou lawrencium ? Ou bien même einsteinium ? »

Visiblement, Gilliard était sur le point de le critiquer encore une fois, mais un coup d'œil autour de la table avait suffi à le faire taire. Klein n'avait pas inventé ces termes, ils *existaient*. À part la silicone, Gilliard ne connaissait rien d'autre et il ignorait complètement ce dont on parlait. Il préféra donc ne rien dire et se mit à tripoter sa cravate en soie bien voyante.

Même Grainger avait remarqué le comique de la situation ; Gilliard pouvait parfois se conduire comme un emmerdeur, mais ce n'était pas le propos. Grainger, lui, était là pour maintenir l'ordre.

« Messieurs, dit-il, je crois que nous avons des choses plus importantes à discuter que de donner un nom à un tel élément. Joseph, je crois que vous voulez que cette sphère, disons ce sibérium, si ça peut vous faire plaisir... » Il jeta un coup d'œil à Gilliard qui avait l'air d'avoir avalé de travers. Puisque Grainger avait prononcé le nom à haute voix, il était, pour ainsi dire, approuvé.

« ... soit envoyée dans vos laboratoires pour être analysée. Pouvez-vous nous dire pourquoi vous proposez de procéder ainsi ?

— Certainement, dit Klein, en appuyant sur une autre touche jusqu'à ce qu'une étoile brillante apparaisse sur le mur. Comme vous le savez, lorsque des étoiles géantes arrivent en fin de vie, elles explosent en supernovæ, et, suivant les lois de la physique, elles se contractent et produisent un trou noir, un phénomène si dense et d'une telle gravité que même la lumière ne peut pas y échapper. Nous pensons que l'arrivée de la sphère pourrait correspondre à la rencontre d'une violence inimaginable entre un objet immense et un tel trou noir survenue dans un coin de notre galaxie ou de l'univers, qui aurait fait éclater le noyau d'une densité extrême. Cette sphère aurait pu voyager pendant des centaines, voire des milliers d'années, avant d'entrer en collision avec notre planète. Nous pensons donc que ce sibérium est un fragment de... la matière qui compose les trous noirs.

— Avez-vous des preuves pour étayer cette théorie ? demanda Grainger.

— Pour l'instant... non, dit Klein, mais nous savons qu'il s'agit ici d'un élément totalement nouveau, possiblement… en fait *probablement*… le résultat d'une sorte de fusion qui se produit dans la contraction d'un noyau d'hélium. Qui plus est, cette sphère – qui mesure seulement deux mètres cinquante de diamètre – pèse presque cinquante fois plus qu'une sphère équivalente en plomb, elle est *extrêmement* magnétique. En vérité, elle semble avoir une attraction gravitationnelle disproportionnée mais pas très différente de celle que nous prêtons maintenant aux trous noirs. »

Barbara Scalise se pencha en avant, ses lunettes pendant à nouveau devant son chemisier et ses minces sourcils levés en signe d'intérêt.

« Et quelle est la force de cette attraction ?

— Très faible en réalité, dit Klein, mais tout à fait mesurable. Et compte tenu que cet élément est si dense qu'il a résisté à toute tentative de fracturation par une technologie de coupe au diamant, il semble que nous devions nous contenter de ce seul morceau. KleinWork Research Technology étant le leader mondial en matière d'équipement et d'expertise nécessaires pour effectuer des tests sur cet élément, nous pensons que nous devrions, momentanément bien sûr… » Il regarda Grainger. « … en prendre possession.

— Pourquoi ne pas la couper au laser ? demanda Healy, tête baissée dans ses notes.

— Pardon ? » demanda Klein, tout en sachant immédiatement que Healy, spécialiste, entre autres, de la rentrée dans l'atmosphère des vaisseaux spatiaux, avait tout de suite détecté la faille dans son argumentation.

Il risquait maintenant d'en faire part à l'ensemble du comité, ce qui ruinerait son plan.

Healy, 55 ans, carrure de joueur de rugby, n'était pas homme à plaisanter. Il s'était pris le bec avec tout le monde, des syndicats à la mafia, et n'en avait fait qu'une bouchée. Les scientifiques étaient un hors-d'œuvre pour lui. Il leva les yeux et regarda Klein bien en face. « Pouvons-nous revoir l'image de la sphère ? »

Klein sourit et appuya à contrecœur sur la télécommande pour faire réapparaître la sphère sur l'écran, avec ses crêtes qui reflétaient la lumière. *Merde*.

« Des températures extrêmes ont dû faire fondre la surface, ce qui a produit ces crêtes, dit Healy. Compte tenu de la friction nécessaire pour produire une telle coulée de matière en fusion, ces crêtes n'ont pas pu se former dans le vide absolu régnant dans l'espace. Il faut donc assumer qu'elles sont dues aux températures d'entrée dans notre atmosphère. Trois ou quatre mille degrés Celsius tout au plus ; un niveau tout à fait atteignable avec nos coupoirs au laser. Alors pourquoi ne pas simplement couper le rocher ? »

Les regards se tournèrent vers Klein, tous plus critiques les uns que les autres.

« C'est exact, Ralph », dit-il en esquissant un sourire, la mâchoire serrée, et en essayant de garder son calme. Il remonta ses lunettes sur son long nez fin. « Évidemment, c'est bien ce que nous avons l'intention de faire. Toutefois, nous devons prendre deux choses en compte ; d'abord, les effets surtout magnétiques et gravitationnels de la sphère dans son entier, avant de commencer à réduire sa structure inhérente ; ensuite, les effets qui pourraient résulter de la fonte d'un tel élément non quantifié. Il peut s'en dégager des toxines, ou même se produire des réactions explosives, ce qui nécessite une étude préalable importante. Évidemment, si la coupe au laser devient possible dans un avenir proche, alors, je le répète, KleinWork est le mieux placé pour pratiquer une opération aussi délicate. »

Et dire qu'ils allaient gober toutes ces conneries.

« Attendez une minute, interrompit Gilliard une nouvelle fois. S'il s'agit d'un nouvel élément, de nature métallique et possédant des propriétés magnétiques mesurables, nous devrions alors tous avoir une part du gâteau. Entre de bonnes mains, cette découverte peut induire des avancées technologiques inimaginables. »

Et des bénéfices, pensa Klein ; le sous-entendu selon lequel KleinWork n'était pas les « bonnes mains » ne lui avait pas échappé. La seule chose que Gilliard voulait savoir, c'était si la chose en question était un bon conducteur d'impulsions électriques.

Gill Semiconductor travaillait depuis des années, à grands frais et sans succès, sur une technologie d'« informatique liquide ». Évidemment, année après année, Gilliard lui-même annonçait des avancées « imminentes » dans cette technologie, mais les termes « imminent » et « demain » se perdaient avec lui dans les méandres du temps.

Pour le système d'informatique liquide, Gill Semiconductor avait espéré surmonter le problème d'utilisation de la silicone conventionnelle, en la déposant ou en la gravant à partir d'une surface, mais, à une échelle nanométrique, cela créait des surfaces rugueuses et des imperfections. À la place de la silicone, ils projetaient de créer des nanofils utilisant un catalyseur biologique liquide qui favoriserait une croissance dans une seule direction au sein d'une solution d'alcool. Des protéines ayant une charge placées à l'intérieur de ces solutions seraient ensuite utilisées pour activer biologiquement ou chimiquement un transistor.

Ce système mis au point, les bénéfices en terme de rapidité pour les processeurs d'ordinateur pourraient être considérables, mettant Gill Semiconductor à l'aube d'une véritable ère quantique. Mais s'il continuait à échouer dans ses tentatives d'ordinateurs liquides, peut-être était-il temps pour lui d'explorer d'autres directions ; ou de considérer un nouvel élément. Comme le sibérium. Peut-être ce nouvel élément serait-il plus stable, à l'échelle nanométrique, que la silicone ?

Sûrement pas, pensa Klein. Pas tant qu'il était encore en vie.

Heureusement, Grainger était déjà en train de secouer la tête. Il savait aussi bien que Klein où Gilliard voulait en venir. « Je dois dire que je suis d'accord avec Joseph sur ce point. KleinWork possède toutes les ressources nécessaires pour examiner une trouvaille de ce niveau, et, une fois la recherche initiale terminée, ce qui sera… ? » Il se tourna vers Klein.

« Dans deux ans, mentit Klein. Trois au maximum.

— Alors disons deux, n'est-ce pas ? » dit Grainger brusquement.

Il se tourna vers les autres.

« Après quoi, la recherche sera mutualisée, le comité pourra se réunir à nouveau et décider des actions ultérieures.

— Cela me semble parfaitement raisonnable, Neil », dit Klein avec un sourire et, d'un clic, il effaça l'image sur le mur.

Il savait que les élections présidentielles approchaient et que cette équipe du CCPST devrait se battre pour rester en place.

En retrouvant son siège, Klein se laissa aller en arrière et se détendit, sachant qu'il disposait maintenant d'un accès exclusif au sibérium et à tous les résultats qu'il en obtiendrait. À partir de là, il pourrait aisément surmonter pendant des années les permutations successives du comité et les « résultats presque définitifs » du genre Gill Semiconductor, histoire de s'assurer que les choses restent en l'état.

« Bon, alors », continua Grainger – toujours perturbé par l'idée de devenir grand-père bien plus tôt que prévu, et bien trop publiquement à son goût. Il essayait de se souvenir du jour où il avait embrassé sa fille pour lui dire au revoir en même temps qu'il renonçait à ses ambitions de devenir sénateur. « Deuxième point, dit-il sans lever les yeux. Révision de la circulaire OMB concernant l'accès du public à l'information. »

Klein n'écoutait visiblement pas. Il avait la tête ailleurs.

8

JEUDI 9 JUIN 2011
DOWNTOWN, LOS ANGELES, CALIFORNIE

Quelque chose tomba de la Taurus alors que je débouchais de la rampe de sortie de South Central sur la I-10 pour m'engager sur Central. Quelque chose de lourd et de métallique. Quelque chose de cher. Puis encore autre chose. Je ne m'arrêtai même pas ; ce n'était vraiment pas la peine. D'abord, parce qu'on ne descend pas de voiture sur Central à moins d'y être obligé ou de vouloir la voir disparaître ; et ensuite, parce que, détestant la voiture comme je le faisais, j'admirais sa ténacité. Elle ne voulait pas me laisser tomber. Pas tout de suite, en tout cas.

Je passai devant l'immeuble profilé de Coca-Cola, un hommage aux années 1950, et poursuivis à travers un quartier de plus en plus pauvre jusqu'au croisement avec la 7e. Je continuai jusqu'au 1195 (pas très loin), près de la jonction avec San Pedro, et me garai entre un vieux camion cabossé et ce qu'on pourrait qualifier de « mac mobile », une Cadillac décapotable marron foncé, avec des pneus à flancs blancs et des sièges en cuir blanc cassé. Quand je descendis de voiture, trois jeunes Hispaniques n'ayant même pas 16 ans, dont l'un faisait rebondir une balle contre un mur et la rattrapait avec un gant noir sans doigts, me regardèrent avec méfiance.

Le gosse à la balle continuait son jeu avec un mouvement en trois temps qui rappelait *La Grande Vadrouille*, sans me quitter des yeux et en faisant de grands ronds avec sa bouche pendant qu'il mâchait son chewing-gum. Habile, en tout cas. Lui et ses copains me passaient en revue moi plutôt que ma voiture, laquelle ne leur aurait même pas permis de partir en virée.

Tant pis, je ne voulais pas prendre de risques. Plus maintenant ; de toute façon, il fallait bien que je rapatrie mon gros cul à la maison d'une manière ou d'une autre. Je me retournai donc pour m'étirer, comme si je venais de faire un très long voyage. Ce qui était le cas mais n'était pas la vraie raison. En me tournant, je m'arrangeai pour qu'ils puissent tous avoir un bon aperçu du Smith & Wesson planqué sous mon bras. Ils baissèrent les yeux aussitôt. La voiture ne craignait plus rien.

Le 1180 était une maison étroite faisant partie d'un plus grand pâté de maisons au coin d'une ruelle mal éclairée, devant laquelle trônait un clochard aveugle qui jouait de l'harmonica. Mal. On aurait dit qu'il ne faisait pas vraiment la manche, qu'il exerçait juste son bras. On pouvait se demander s'il était vraiment aveugle ou si ses lunettes n'étaient destinées qu'à tromper le passant, mais je lui lançai quand même un dollar. À l'odeur de ses vêtements, je pensai qu'il ne l'avait pas volé, à la différence de tas d'autres individus peuplant cette ville. Le billet flotta devant lui et il le rattrapa au vol, rapide comme l'éclair. Aveugle, mon cul.

Ces bâtiments étaient les plus anciens de Los Angeles, comparables à ceux dont les flics défoncent les portes dans les émissions de télé-réalité ; un mélange de taudis et d'entrepôts que les propriétaires adorent racheter pour continuer à pousser les habitants moins chanceux du quartier vers des « espaces » (par opposition à « logements ») de moindre qualité.

La porte de l'immeuble était en arrière de la rue, suffisamment loin pour permettre aux escaliers de secours de descendre chaque fois que les flammes de l'enfer s'invitaient pour prendre un café. Des marches menaient vers l'appartement en sous-sol, destiné à ceux qui ne pouvaient pas se payer de la lumière ou un étage supérieur. La façade en pierre était sombre, presque noire, et les fenêtres recouvertes d'une peinture vert olive qui cloquait sur le bois qui pourrissait. Aux fenêtres donnant sur la ruelle, on avait mis du linge à sécher au-dessus de l'escalier de secours, mais le soleil ou le vent ne devaient jamais pénétrer un environnement aussi confiné.

J'imaginais déjà « Sarah Fiddes ». Rien à voir avec sa sœur. Une petite trentaine, d'après ce que m'avait dit Maggie. Deux mariages, trois gosses, et aucun n'ayant le même père. Des cheveux ternes, avec la cigarette au bec, et le dernier-né hurlant dans les bras. Des chaussures moches mais confortables, dégageant des chevilles qui commençaient à enfler. Avec cette attitude « citadine » bien connue. Entre « allez vous faire foutre » et « qu'est-ce que j'y gagne ? ». On imaginait mal ce que venaient faire les textes latins dans ce tableau.

Je soupirai et appuyai sur la sonnette de l'appartement 5, celui de Sarah, puis j'essuyai la saleté de mon doigt. Et attendis. Rien. Que dalle. Je sonnai encore une fois et reculai pour regarder en haut. Au deuxième, les vêtements à la fenêtre remuèrent, en répandant une odeur qui tenait plus du voisin curieux que d'un adoucissant.

« Qui vous cherchez ? » demanda une voix derrière moi, fortement hispanique.

Je me retournai lentement et vis un jeune garçon, dans les 18 ou 19 ans, avec une coupe en brosse hérissée. Il portait un uniforme de sécurité Qué-Mart propre et bien repassé, avec une cravate impeccable et la branche vert vif d'une paire de lunettes Oakley sortant de sa poche de poitrine. Le gosse aimait son boulot, c'était clair. Il avait dans les bras un sac de provisions venant probablement de l'endroit qu'il avait passé sa journée à surveiller.

« Appartement 5, Sarah Fiddes, lui dis-je. Vous savez où elle est ? »

Ma question était stupide. La plupart du temps, plus les gens sont proches les uns des autres, plus ils sont éloignés. Même dans un immeuble, ils se parlent à peine.

À l'est de la ville, dans des endroits comme Lenwood et Barstow, là où les gens avaient un shérif et des voisins à cinq kilomètres, tout le monde savait tout sur tout le monde. Qui faisait quoi, quand et comment, et ce qu'ils avaient mangé au petit déjeuner. Ici, j'aurais de la veine si ce gosse savait même à quoi ressemblait Sarah Fiddes.

Et c'est ce qui se passa : j'eus de la veine.

« Vous êtes de sa famille ? demanda-t-il d'un air méfiant. Un ami ? »

Il était agité et bougeait la tête sans arrêt. À gauche, à droite, à gauche encore. Il devait apprendre à jouer les durs en même temps qu'il s'initiait au travail de sécurité. Les deux allaient probablement de pair. Il voulait paraître suffisant *et* intimidant avec moi – deux postures totalement inadaptées à son âge et à sa taille.

« Non », dis-je doucement. Et comme je déteste l'air « suffisant », j'en restai là, en évitant de le regarder en face, jusqu'à ce que le silence devienne insupportable pour lui.

« Vous lui voulez du mal ? demanda-t-il en s'agitant de nouveau. Parce que si c'est le cas, vous pouvez faire demi-tour et vous en aller.

— Alors tu la connais ?

— Peut-être ben qu'oui, dit-il en faisant un pas en avant puis un pas en arrière. Peut-être ben qu'non.

— Tu sais où elle est ? demandai-je très, très lentement.

— Peut-être, répéta-t-il, les yeux presque fermés dans un air de défi, mais je ne suis pas obligé de vous le dire, non ? »

Je passai la main sous mon pardessus et dans la poche de ma veste pour sortir mon insigne. En montrant encore une fois mon pistolet, au cas où.

« Non, dis-je en lui flanquant l'insigne sous le nez tout en regardant ailleurs, mais ça, ça pourrait t'y obliger. »

Le gamin recula légèrement la tête, comme s'il avait été frappé, et me jeta un regard.

« Elle a des ennuis ? » demanda-t-il d'une toute petite voix, redevenue brusquement naturelle. Il ne devait pas être très malin. Plutôt du genre à se laisser influencer, si vous voyez ce que je veux dire.

« Tu risques d'en avoir beaucoup plus si tu refuses de me dire ce que tu sais », dis-je, très doucement et très lentement, en me tournant pour le regarder bien en face.

Il prit un air stupéfait quand je le foudroyai du regard en plissant les yeux, histoire de lui montrer qu'il avait perdu la partie et qu'il ferait mieux de dégager et de la fermer.

Son visage changea aussitôt, mais pas comme je l'avais prévu. Maintenant, il était tout sourire, avec les yeux écarquillés, ce qui était parfaitement anormal. Habituellement, quand vous brandissiez votre insigne en ville, les sourires s'effaçaient, les portes claquaient, ou tout comme. Mais pas avec ce gosse ; il semblait presque se réjouir de voir la police de Los Angeles venir frapper à la porte de sa voisine.

« OK, dit-il en acquiesçant. Je ne savais pas que vous étiez un flic. Si j'avais su, j'aurais...

— Où est-elle ? » demandai-je à nouveau, un peu plus fermement qu'avant.

Il inspira profondément et réfléchit. « Voyons... Jeudi ?... » Il jeta un coup d'œil dans la ruelle. Inutile de chercher une réponse là-bas, l'ami. Il revint vers moi.

« Jeudi, vous devriez la trouver au Freex.

— C'est qui, Freak ? dis-je. Un ami à elle ? »

Il rit comme si j'étais complètement idiot. Belles dents blanches. « Non, mec... Freex. Vous savez, avec un "X". » Il me regardait comme si je devais forcément savoir ce que ça voulait dire. Je le regardai comme si je ne savais pas. « C'est une boîte, dit-il. À Ladera. Elle y passe presque toutes ses soirées de jeudi et de vendredi. »

Je connaissais presque toutes les boîtes de Ladera, mais pas ce « Freex ».

« Elle revient tard ? demandai-je. En d'autres termes, tu attends son retour ?

— Trop tard pour traîner par ici, dit-il en haussant

ses épais sourcils noirs. Si vous comprenez ce que je veux dire ? »

Eh oui, je savais exactement ce qu'il voulait dire.

« Alors, où est-ce que je trouve cette boîte ?

— Vous connaissez le drugstore sur Jefferson ? » demanda-t-il.

J'acquiesçai.

« Juste derrière. Un grand bâtiment ancien. Elle m'y a emmené une fois. » Il sourit fièrement. Notre Sarah l'avait sorti. Une fois.

« Billy, *que pasa* ? » appela une voix venant du premier étage. Nous levâmes en même temps les yeux, et je remarquai au milieu du linge qui pendait au-dessus de l'escalier de secours une chemise comme celle de Billy. Une chemise avec le logo « Qué-Mart » sur la poche de poitrine.

Il sourit, gêné. « Ma maternelle, dit-il comme s'il s'excusai t. Elle ne va pas bien. »

J'acquiesçai et sortis une carte. Je les avais fait imprimer dans une de ces machines de foire pour quatre dollars, à force d'en avoir assez d'écrire mon numéro de téléphone direct. « Écoute, Billy, lui dis-je avec un sourire. Je vais aller chercher ce "Freex" à Ladera, mais si je ne trouve pas Sarah, il faudrait que tu lui dises que j'ai besoin de lui parler. Tu ferais ça pour moi ? » La carte était moche, vraiment moche – mauvais papier, et encre bavant au point de la rendre presque illisible, mais le gosse la prit et la regarda comme si c'était celle des studios Universal, avec « Département de recherche de talents » écrit en lettres d'or.

« Oui, bien sûr, dit-il en hochant la tête avec un sourire. Vous savez, je travaille à temps partiel au supermarché. En réalité, je fais des études de droit.

— C'est formidable », dis-je en m'efforçant de ne pas rire.

Je n'avais aucune envie de connaître son histoire.

« Oui, dit-il, l'air tout fier à nouveau. Je vais faire des études, m'engager dans la police de Los Angeles, ou peut-être même au FBI. » Il acquiesça avec confiance, comme si son avenir était tout tracé.

« Vous voyez, j'ai des amis. Ils vont m'aider ; je leur rends des services et ils vont me présenter à des gens. Quand j'aurai mon diplôme et tout ça.

— Hé, Billy ? Où t'es ? »

Encore la maternelle. Sa voix était affreusement faible, comme si elle avait mobilisé ses dernières forces pour crier. Elle n'était pas en colère, mais elle devait avoir entendu son unique compagnon en train de perdre son temps dehors et se demandait pourquoi il n'était pas encore remonté. Tout ça puait la solitude.

« Tu sais que mon dîner ne va pas se cuire tout seul. »

Le gosse sourit, gêné, et montra les provisions de sa main libre. « Maman. Vaudrait mieux... Vous comprenez ? »

J'acquiesçai et lui souris à mon tour. Ce Billy Roberts commençait vraiment à me plaire. Contrairement à tant d'autres de ses copains, ceux qui passent leur journée à taper la balle contre les murs et à chercher des voitures à voler, ce gosse avait d'autres ambitions. Il poursuivait des études, et son boulot merdique lui permettait de faire face à deux choses : maman et les factures. Même s'il n'était pas le plus malin, un de ces jours, il pourrait bien se retrouver avec sa mère dans un endroit meilleur.

N'importe où plutôt qu'ici.

Il semblait aussi avoir compris que le plus difficile

n'était pas d'avoir de l'ambition, mais le respect indispensable. Voire la rapidité avec laquelle il s'était transformé en « bon citoyen » dès qu'il avait vu mon badge. Et si ça vous paraît de l'hypocrisie de ma part, compte tenu de mon absence totale de respect envers les Deacon en tout genre, n'oubliez pas qu'à cette époque, ma seule ambition consistait à démarrer la journée vivant et à faire tout ce qui était en mon pouvoir pour la finir dans le même état.

J'aurais dû m'en rendre compte à ce moment-là. Un gamin influençable comme lui, pas très intelligent, et dévoué à sa maman, ne pouvait pas avoir tellement d'« amis ». J'aurais dû le questionner sur ceux qu'il avait ; ceux qui l'aidaient.

Mais je ne l'ai pas fait.

Je suis certain que le gosse avait l'ambition de survivre, comme moi, sauf que le lendemain du jour où il m'avait dit où trouver Sarah Fiddes, le pauvre petit con n'a justement pas su la faire respecter.

9

JEUDI 9 JUIN 2011
LADERA HEIGHTS, LOS ANGELES, CALIFORNIE

Derrière le drugstore sur Jefferson, en dehors d'une friche menacée de réhabilitation depuis toujours, on ne trouvait que des entrepôts condamnés. Un endroit cool pour une boîte « underground », et idéal en tout cas pour une boîte clandestine. Ce qui la rendrait encore plus difficile à trouver. Après m'être promené sans rien voir, je me garai au pied d'un lampadaire vacillant près des poubelles du drugstore et pris une cigarette. Je n'étais pas vraiment caché, j'étais juste en train d'observer et d'espérer. Mais ça ne dura pas longtemps.

Deux types et une fille, en chaînes et cuir de pied en cap. Tout ce qui leur passait par la tête, en fait. Comble de l'ironie, ils avaient plutôt l'air de *freaks*, et j'aurais pu me montrer à ce moment-là – et leur poser directement la question –, mais je préférai continuer à observer pour voir de quoi il retournait. Les deux types étaient balèzes, l'un était chauve, et ils portaient des pantalons en cuir avec des rangers. Ils déambulaient avec assurance, traînant derrière eux la fille dont les longs cheveux décolorés étaient retenus en arrière en une espèce de chou. Elle trébuchait de temps en temps, ses hauts talons n'étant pas vraiment adaptés aux gravats. Tous les trois tiraient à tour de rôle sur quelque chose qui n'était probablement pas vendu par paquets de vingt Chez Jack.

Arrivés au bout de ce lotissement d'un genre particulier, ils se dirigèrent tout droit vers la cinquième porte le long des entrepôts. Comme toutes les autres, elle consistait en une plaque métallique rouillée. Mais contrairement aux autres, elle n'était pas fermée à clé. Ils disparurent en un instant. Toutes les fenêtres de l'endroit étaient cassées, et les dernières lumières du jour se reflétaient en un bleu charbonneux à travers une série de vitres fêlées. D'où l'absence de bruit. Ce n'était pas juste un club underground, c'était un véritable club *souterrain*, si vous voyez ce que je veux dire.

Je sortis de la voiture et traversai la place déserte. L'air était nettement plus frais, mais pas tellement plus limpide. Arrivé à la porte, je passai mes doigts à l'intérieur de la plaque métallique, faute de poignée. Elle s'ouvrit avec un grincement sourd, comme un cœur qui se déchire. Un escalier métallique, tout aussi rouillé, disparaissait dans les profondeurs d'un monde dépravé que je n'osais à peine imaginer. Une musique aux rythmes lancinants montait d'en bas, si bien que je refermai la porte avec précaution et entamai lentement ma descente. En remerciant Dieu pour mes chaussures confortables à semelles silencieuses.

Au pied des marches, se trouvait un autre chauve. Un très grand mec, celui-là ; l'autre aurait eu l'air d'un nain à côté. (Avec le genre de regard qui n'incite pas à la bagatelle). À côté de lui, se trouvait une boîte en fer pleine de billets et d'une ou deux autres choses. Comme des sachets. Des sachets de comprimés et des petits sachets avec de la poudre. Ce n'était certainement pas destiné aux imbéciles qui auraient été pris d'une soudaine diarrhée en se frottant à lui.

« On peut vous aider ? » Sa voix était calme, polie même, mais tranchante. Je n'avais pas vraiment l'impression qu'il voulait m'aider.

« Non merci », dis-je tout en m'avançant vers la deuxième porte. Comme si de rien n'était.

En un instant, il se tourna pour boucher l'embrasure de la porte tout en me prenant d'une main par le col. Il leva le bras doucement et me hissa sur la pointe des pieds.

Je souris comme si je m'en foutais complètement, passai la main sous son bras et sortis de nouveau mon insigne pour le lui flanquer sous le nez. « Écoute... » Je jetai un coup d'œil sur sa main. « ... Jake. » Si ce n'était pas son nom, c'était stupide de l'avoir fait tatouer sur ses doigts, à moins que Jake soit le prénom de sa pute.

« Je cherche une fille. Alors si tu me laisses tranquille et que je trouve ce dont j'ai besoin, je pourrai faire comme si je n'avais rien vu. Cet endroit par exemple. Ce qui veut dire que la prochaine fois que nous faisons une descente de drogue et que je dois proposer des endroits, j'aurai probablement oublié l'existence de ce Freex... tu piges ?

— Quelle fille ? » demanda-t-il.

Il inclina la tête sur un cou pratiquement inexistant, faisant se rapprocher des points de couture tatoués.

« Est-ce que j'ai dit : "Pose-moi une question et lâche-moi" ou seulement : "Lâche-moi" ? » Subtil, non ?

Il réfléchit un moment, ou fit semblant. Puis, contraint et forcé, il baissa le bras et lâcha prise.

J'arrangeai mes vêtements et souris. « Merci, Jake, c'est très bien de ta part... » Je cherchais mes mots. « ... de penser à la communauté. »

Il ouvrit la porte comme s'il servait de concierge à une bande de voyous et marmonna quelque chose du genre : « S'il y a le moindre problème... », avant que le mur de bruit ne m'atteigne de plein fouet. Grands dieux, je commençais à me faire vieux. Bien trop vieux pour ce niveau de volume, en tout cas.

L'endroit était bondé de *freaks*, comme il se doit. Certains ressemblant aux trois de tout à l'heure, certains à des bikers, et d'autres encore, comme vous n'en avez jamais vu dans la vraie vie. Des vrais SM, avec des piercings sur la langue, les mamelons, et probablement aux endroits qu'on ne voit que si l'on prend le petit déjeuner ensemble. Et les mamelons ne se cachaient pas – comment auraient-ils fait autrement pour s'enchaîner les uns aux autres ? Masques, cuir, PVC (dans des couleurs inimaginables), et des cuissardes plus chromées qu'une Harley.

Trois genres de danseurs pendaient du plafond dans des cages à oiseaux. Les filles, les mecs et les indéterminés ; tous éclairés par des flashes de couleur et des lasers tout fins. Au milieu, ce qui me parut un type dans une combinaison en PVC rouge était attaché à un crucifix doré ; avec de faux clous lui traversant les paumes et des bandes rouges imitant des dégoulinades de sang. Il ne dansait pas, il ne faisait que se tortiller sur la musique metal se déversant des haut-parleurs. *I don't want your dirty love, I don't want you touching me* « Je ne veux pas de ton amour sale, je ne veux pas que tu me touches. »

Exactement ce que je ressentais, justement.

Un ensemble de portiques métalliques se croisait

au-dessus, probablement des vestiges des entrepôts. J'avais été une fois dans une boîte du même genre près de Venice Beach. Mais celle-là était une pâle copie – un endroit à la mode pour gosses de riches connus qui voulaient à tout prix se montrer bizarres, avant de rentrer chez eux et de retrouver leur petite vie normale.

Freex n'était pas comme ça. Freex était plein de gens qui auraient été mieux à Oakdene. Il devait y avoir davantage de menottes dans cet endroit que dans tout le commissariat de L.A.

Je me frayai un chemin à travers la foule en direction d'un bar à l'extrémité, éclairé au néon, et m'excusai en bousculant une adolescente rouquine dans une combinaison bleu métal. Arrivé au bar, je m'aperçus qu'il ne s'agissait pas du tout d'une combinaison. En fait, elle ne portait rien du tout. Sinon une peinture bleu métal parfaitement appliquée. Je la chassai de ma tête et me penchai pour appeler ce qui faisait office de barman. Je sais que le latex est idéal pour préparer des plats ou des boissons, mais il faut savoir s'arrêter. Le type était en caoutchouc de la tête aux pieds, comme une espèce de balle. Ça devait tenir horriblement chaud. Moi, j'étais déjà en nage. Je ne voulais même pas y penser.

« Sarah Fiddes ?... » demandai-je. Je dus me répéter trois fois. Et chaque fois, en me rapprochant de ce que je prenais pour une oreille dans cette masse de caoutchouc. À la fin, il me désigna une fille au bout du bar, avec des cheveux noirs – noir de jais, noir de charbon. Elle parlait avec un type qui ressemblait à Pinhead, de la série *Hellraiser*. Techniquement, j'étais encore en service, et je commandai donc un Coca avec une montagne de glaçons. Quand il arriva, je me glissai vers elle.

Je m'arrêtai juste derrière la fille, à portée de son oreille à trois piercings, et répétai : « Sarah Fiddes ? »

Elle se retourna et me regarda de la tête aux pieds, pas du tout impressionnée. Ses cheveux hirsutes lui tombaient dans les yeux, et elle avait un rouge à lèvres noir assorti, avec le contour de la bouche bien accentué, et, autour des yeux, des formes noires peintes à la main ressemblant à des ailes de chauve-souris avec des pointes qui descendaient le long des joues. Elle avait plutôt l'air d'avoir 18 ans que la trentaine annoncée.

« Qui la demande ? interrogea-t-elle d'un ton agressif.

— Inspecteur Lambert, police de Los Angeles », dis-je en exhibant mon insigne.

Encore une fois.

« Je suis là à propos de votre sœur. »

Elle cligna lentement des yeux, la forme noire lui recouvrant entièrement le visage, puis haussa les épaules et dit : « Dans ce cas, vous vous trompez ; je n'ai pas de sœur. »

Elle me tourna le dos et continua sa discussion avec la pelote à épingles humaine.

Mais ce n'était pas vrai, elle avait bel et bien une sœur. Je savais très bien qu'elle en avait une. Et pas seulement parce que Maggie m'avait dit où elle habitait, ou que Billy m'avait indiqué l'endroit qu'elle fréquentait ce soir. Ni même parce que la balle en caoutchouc me l'avait montrée. Je le savais parce que, durant les quelques secondes qu'elle m'avait consacrées, j'avais remarqué quelque chose d'évident au milieu de ces formes de chauve-souris ; ses yeux. C'étaient les mêmes que ceux de sa sœur, en amande, marron, avec le même regard perçant. Maquille-les autant que tu veux, ma cocotte, tu ne pourras jamais les dissimuler.

En plus, il m'avait semblé discerner dans ses yeux quelque chose qui aurait pu ressembler à de l'inquiétude. Sans être un psy, on pouvait se demander pourquoi elle se serait inquiétée d'une sœur qu'elle n'avait pas.

« Je suis allé voir votre sœur », dis-je en élevant la voix pour me faire entendre. Elle ne se retourna pas. « Je n'avais jamais vu des yeux comme les siens. » J'attendis quelques mesures. « Jusqu'à aujourd'hui. »

Cette fois, elle se retourna, visiblement furieuse.

« Pourquoi êtes-vous allé voir ma sœur ?

— Je croyais que vous n'aviez pas de sœur ? criai-je.

— Je n'en ai pas », dit-elle laconiquement.

Elle soupira d'un air résigné.

« Alors… pourquoi êtes-vous allé la voir ? »

Je sortis de ma poche la photocopie de la note en latin et la lui mis sous le nez. « Je voudrais savoir ce que ça vous inspire. »

Elle la lut, se retourna, s'excusa auprès de la pelote d'épingles, puis revint vers moi.

« Où avez-vous eu ça ? » demanda-t-elle. Elle avait de nouveau l'air inquiète. Très inquiète même. Soucieuse.

« Je ne peux pas vous le dire, dis-je. Mais vous avez remarqué la mention en haut ? »

Le nom et le numéro de chambre de Tina. Elle l'avait parfaitement vue.

« Qui a écrit ça ?

— J'espérais que vous me le diriez. »

Elle se contenta de pincer la bouche tout en

regardant de nouveau le texte. « Vous devez savoir ce que c'est ? »

Je secouai la tête.

« Pas encore. Mais vous, oui ?

— Oh oui, dit-elle en hochant mécaniquement la tête. En tout cas, je *crois* le savoir. »

Je me penchai vers elle pour parler moins fort.

« Et que *croyez*-vous que c'est ?

— Des problèmes », dit-elle si doucement que je dus presque lire la réponse sur ses lèvres.

Elle leva la tête et me regarda droit dans les yeux. « Et le fait que vous ne *sachiez* pas que ça représente des problèmes signifie que vous êtes probablement beaucoup plus concerné que vous ne le croyez. » Elle réfléchit un moment, ferma les yeux et inspira profondément. Puis elle regarda autour du bar en examinant soigneusement chaque visage. Des visages tout souriants ou volontairement maussades, mais elle avait l'air sacrément ébranlée. N'ayant rien trouvé, elle se tourna de nouveau vers moi. « Nous ferions mieux de partir d'ici, dit-elle en me prenant le bras. Tout de suite. »

« Quel genre de problèmes ? » demandai-je en montant dans la Taurus.

Elle ne répondit pas tout de suite. Elle sortit un paquet de chewing-gums de son sac et m'en offrit un. Je refusai. En en mettant un dans sa bouche, elle regarda à nouveau la photocopie en latin et dit :

« Combien de personnes savent que vous avez ça, inspecteur ?

— Mon chef, et quelques autres types dans mon commissariat. Suffisamment.

— Alors, vous vous êtes vraiment bien fait baiser.

— Ça veut dire quoi, exactement ? » demandai-je imperturbablement.

Je me suis fait baiser tellement de fois que je ne peux même plus les compter. Dans ce sens-là en tout cas.

« Vous avez là quelque chose qui n'est pas censé exister. C'est-à-dire que je sais que ça existe, et d'autres le savent aussi, mais ça ne veut pas dire que ça existe vraiment. Je veux dire officiellement.

— Qu'est-ce que c'est alors ? Et, inversement, pourquoi est-ce que ça n'existe pas officiellement ?

— C'est une carte, dit-elle. Et… *inversement*… une carte très importante. »

Nous restâmes silencieux pendant un moment, bercés par le bruit de la voiture roulant sur les gravats. Puis je pensai à quelque chose. « Pourquoi m'avez-vous menti ? » demandai-je. Nous débouchâmes sur Jefferson en sortant de derrière le drugstore. « Pourquoi me dire que vous n'aviez pas de sœur ? »

Quelque part au loin, un chien, probablement furieux d'être attaché, aboyait toutes les secondes avec une régularité parfaite. Sarah gardait toujours le silence et ça commençait à m'agacer.

« J'ai mes raisons, dit-elle finalement. Dites-moi… depuis combien de temps êtes-vous dans la police, inspecteur ? »

Je préfère presque toujours laisser les gens changer de sujet pour se défiler. C'est une autre voie, évidemment, mais rarement un cul-de-sac.

« Depuis que j'ai 24 ans », dis-je.

Trop longtemps.

« Ça vous plaît ?

— Je déteste ça.

— Pourquoi continuer alors ? »

Je souris.

« Je croyais que c'était moi qui posais les questions.

— Vous vous êtes trompé. Laissez tomber. »

Je souris de plus belle.

« Je suis incapable de faire autre chose.

— Il vous arrive de nettoyer cette voiture ? »

Elle regardait le merdier que j'avais accumulé au pied du siège du passager.

« Non. » C'était la vérité.

Elle se tourna pour regarder par la fenêtre et continua à mâcher son chewing-gum comme une ado.

« Alors cette carte, où mène-t-elle ? demandai-je.

— C'est plutôt "vers quoi" que "où", dit-elle. Elle mène… ou plutôt elle est censée mener… vers quelque chose qui a disparu depuis très longtemps. Quelque chose de vraiment très important.

— C'est-à-dire ?…

— Dites-moi (ignorant ma question). Pourquoi vous avoir choisi vous pour mener cette enquête ?

— Ce n'est pas ce que j'ai demandé.

— Objection retenue. La question demeure. »

Cette fille commençait à me plaire.

« Ils ne m'ont pas choisi.

— Mais vous êtes allé voir Tina ?

— Oui, et pardon pour votre sœur, c'est toujours à moi qu'on donne les boulots merdiques.

— De rien, dit-elle, intriguée. Et pourquoi ?

— Pourquoi c'est moi qui récolte la merde ? Probablement parce que si je foire, ça n'a pas grande importance.

— Vous foirez ?

121

— C'est ce que Deacon voudrait faire croire, dis-je dans ma barbe.

— Qui est ce Deacon ?

— Mon chef.

— Vous l'aimez ?

— Je le déteste.

— Vous vous aimez vous-même ? »

Là, elle me prenait par surprise. Fine mouche.

« Pardon ?

— Est-ce que vous vous aimez ? » demanda-t-elle à nouveau en se tournant carrément vers moi.

Je réfléchis un moment et haussai les épaules.

« Plus que Deacon.

— Voilà donc un inspecteur de police qui, bien que ne sachant pas faire autre chose, ne peut même pas bien faire son travail d'inspecteur de police.

— C'est à peu près ça. Merci d'avoir éclairci les choses.

— Vous êtes très honnête », dit-elle.

Elle avait beaucoup à apprendre.

« Maintenant, c'est à vous… "vers quoi" mène cette carte ? »

Elle me sourit et ses fines lèvres noires s'amincirent encore. « Ça vous le dit, me montra-t-elle, ici. » Comme si j'aurais déjà dû le savoir. Elle se pencha vers moi et suivit du doigt une ligne en latin, « *Latito fus Deus et hominis* » – les lois divines de Dieu et de l'homme.

« À savoir ? »

Elle sourit à nouveau tout en réfléchissant. Puis… elle reprit d'un ton très moqueur : « Vous n'auriez pas pu vous donner la peine de les faire traduire avant de venir me voir ? » Je la regardai. « Ce sont des mots sacrés, inspecteur. Vraiment très sacrés. »

Elle parcourut une nouvelle fois le texte en silence, et, à chaque ligne, elle paraissait un peu plus surprise, sidérée, émerveillée. Jusque-là, je n'avais vu cette expression que sur les visages de personnes décédées. Pour elles, c'était non seulement le moment de leur rencontre avec Dieu, mais aussi la réalisation, un peu tardive, qu'il leur avait fallu mourir pour y parvenir. Je ne savais pas ce que ça voulait dire pour Sarah. Pas encore.

« Beaucoup de gens, dont moi, dit-elle, ont attendu très longtemps à la fois pour prouver l'existence de ce document et ensuite pouvoir le tenir entre leurs mains.

— Et maintenant que... ? demandai-je. Je veux dire que vous l'avez entre les mains. »

Elle émit un petit rire, l'air de plus en plus résignée.

« Maintenant, je sais que je me suis fait baiser autant que vous, inspecteur.

— À votre place, je ne m'en ferais pas, dis-je. Personne ne sait que je vous ai retrouvée. »

Elle leva les yeux au ciel. « Ah, formidable, en plus, vous êtes un policier naïf. Merveilleux. »

Je me souvins alors de ce que Maggie m'avait dit ; que Sarah avait apporté du travail à Oakdene. Des choses sur lesquelles elle travaillait. « Dites-moi... que faites-vous dans la vie ? » demandai-je. Pour être honnête, vu ses vêtements noirs, ses cheveux assortis et son maquillage étrange, Sarah Fiddes n'avait pas l'air de faire grand-chose comme travail.

« Je fais partie de votre enquête ? » demanda-t-elle en baissant la tête. Je n'arrivais pas à déterminer si elle était ou non encore sur ses gardes. « Désolée, inspecteur, c'était grossier de ma part, dit-elle brusquement, en m'évitant de devoir lui répondre. Je suis archéologue et je travaille à mon compte. »

Je m'arrêtai au carrefour de Westwood, attendant que les feux passent au vert. Les rues étaient beaucoup plus calmes maintenant que la nuit était tombée.

« Et que fait exactement une archéologue à son compte ?

— Ça dépend. Personnellement, je m'occupe uniquement d'œuvres d'art religieux, expliqua-t-elle. Je repère des objets disparus qui ont une signification spirituelle pour mes clients et je… enfin, je les retrouve.

— Et qui vous commissionne ? L'Église ? Des religieux fanatiques ? »

Y a-t-il d'ailleurs une grande différence ?

« Pas du tout. » Elle sourit, tira ses cheveux noir de jais par-dessus son oreille droite et regarda encore par la fenêtre. « Juste des gens qui veulent se rapprocher de Dieu sans passer par une institution aussi dévalorisée, c'est tout.

— Et il s'agit d'œuvres d'art de grande valeur ? » demandai-je avec un sourire entendu.

Elle pencha la tête d'un côté puis de l'autre, faisant cliqueter son collier. C'est seulement à ce moment-là que je m'aperçus que, en plus d'être tout en noir, elle portait une grande croix noire qui démentait ses propos.

« Spirituellement, peut-être, dit-elle. Mes clients accordent bien sûr une certaine valeur à tous les objets que je retrouve, mais je ne crois pas qu'elle se mesure comme vous pourriez le penser.

— Mais ils vous payent quand même ? Tout ce qui permet de combler une véritable spiritualité ne peut pas être bon marché. Non ?

— Ainsi en est la connaissance de la sagesse pour votre âme : quand vous l'aurez trouvée, alors il y aura une récompense, récita-t-elle avec un sourire ironique en citant la Bible. Oui, inspecteur, pour ce que je fais, je suis assez bien payée.

— Et votre sœur dans tout ça ? demandai-je. Maggie me dit que vous apportez parfois des dossiers à Oakdene et que vous les montrez à Tina. Pourquoi ? »

Sarah ne s'attendait visiblement pas à cette question. Elle ne se doutait pas en tout cas que je savais qu'elle emmenait son travail là-bas. Elle me regarda comme si elle avait un blanc, puis elle rebondit aussitôt sur ma question et inspira profondément.

« Tina... est quelqu'un de très spécial », dit-elle en écartant une mèche de son œil. Sa voix devint plus grave et son débit haché, comme si elle devait arbitrer entre différentes possibilités. « Elle est unique. Parfois, on jurerait qu'elle ne voit rien du tout, mais c'est tout le contraire. Elle voit *tout*. Des choses que vous et moi ne verrons *jamais*. » Elle haussa les épaules. « Elle ne le montre pas, c'est tout. Elle voit une structure dans des choses dont vous êtes sûr qu'elles n'en ont aucune, et de l'ordre là où vous ne verriez que du chaos. Ce don m'a parfois aidée à... trouver des choses. »

Maintenant, j'étais vraiment intrigué. Je la regardai.

« Trouver des choses, comment ?

— Elle voit des configurations, inspecteur. Les objets que je recherche ne sont pas perdus, comme des clés de voiture. N'importe quel imbécile aurait pu tomber sur quelque chose de perdu, et, en ce qui concerne mes objets, on aurait disposé de plusieurs siècles pour le faire. Non, les choses que je cherche n'ont jamais été retrouvées pour la simple raison qu'elles ont été cachées. Très, très soigneusement. Il existe, bien sûr, des indices quant à l'endroit où elles se trouvent, mais ces indices sont si variés qu'il ne semble y avoir aucun lien entre eux. À moins que vous ne soyez capable de discerner la configuration d'ensemble et d'associer ces différents éléments. Certains ont été réunis par des hommes de génie que vous ne rencontrerez jamais dans votre vie ; des hommes qui, même aujourd'hui, seraient très en avance sur leur époque. »

Elle se laissa aller en arrière et sourit.

« Et quand moi je ne peux pas voir les interactions… Tina, elle, le peut.

— Mais pourquoi quelqu'un qui aurait caché très soigneusement un objet il y a des centaines d'années prendrait-il la peine de laisser des indices pour indiquer son emplacement ?

— En cas de *mort*, inspecteur. Ce qui, je vous le dis, étant donné les époques où ils vivaient, était nettement plus probable que possible. Je vous le rappelle… ces objets sont des reliques d'une importance spirituelle considérable – précieux non seulement pour l'homme, mais pour l'histoire elle-même. Ils étaient – ils sont – bien plus importants qu'une seule existence humaine. Ils étaient cachés, bien sûr, mais simplement pour les protéger à court terme. Ils ne devaient pas rester cachés éternellement. Il avait toujours été prévu qu'ils soient déterrés, dès que le danger de les voir tomber dans de mauvaises mains serait dissipé. Les gardiens s'assuraient donc toujours que si quelque chose se passait mal, *si quelque chose leur arrivait*, il y aurait toujours quelqu'un de confiance, ou quelqu'un qui comprenait, pour les retrouver et les restituer au monde. C'est un peu comme de mettre une sauvegarde ou une "porte dérobée" dans un programme informatique.

— Et Tina est quoi… votre *hacker* ?

— C'est exactement ça, inspecteur. »

Elle sourit d'un air songeur.

« Vous n'imaginez même pas à quel point.

— Alors pourquoi ne pas utiliser un ordinateur pour trouver les liens ? »

Sarah secoua la tête.

« Pas adapté. Les ordinateurs sont rapides, mais ils pensent comme des ordinateurs – c'est-à-dire qu'ils ne pensent pas. Du tout. Ils sont dotés d'une logique et d'une géométrie, mais même les programmes les plus puissants n'ont aucune notion d'*abstraction* et ignorent ce qu'est une *allusion*. Le cerveau, lui, possède ces capacités, et aucun n'est plus rapide que celui de Tina. Elle est vraiment unique. »

Je pensai de nouveau à Maggie, et à ce qu'elle m'avait dit sur la façon dont Tina jouait aux échecs. Que ce n'était pas seulement sa tactique de jeu, mais la vitesse avec laquelle elle jouait. Que ce n'était pas seulement une question d'*intelligence*, mais aussi la rapidité avec laquelle elle fonctionnait. Je comprenais maintenant que si quelqu'un était à la recherche d'un objet d'art liturgique, qui plus est un objet d'art liturgique de grande valeur, et qu'il pouvait se fier à des indices établis par un homme pouvant concevoir des connexions insolites, il n'allait pas perdre son temps à étudier des pages et des pages pour essayer de comprendre et d'interpréter ces liens. Il chercherait quelqu'un susceptible de lui trouver rapidement les réponses dont il avait besoin.

Je revins sur la 7ᵉ, reprenant la même place de stationnement, derrière le même camion. La rue était calme, à part un véhicule de temps en temps circulant sans but précis, et une voiture de police bleu et blanc en maraude d'un des commissariats du bas de la ville, supposée empêcher les truands d'en faire autant.

« Si quelqu'un possédait *tous* les indices, les choses

que vous chercheriez normalement à réunir, Tina serait la personne à qui les apporter. Pour les comprendre en tout cas. »

Sarah détacha sa ceinture. « Oh oui, dit-elle, elle serait en effet la personne. » Elle soupira et me rendit la feuille. « Dites-moi plutôt : que boit le très honnête inspecteur Lambert quand il ne boit pas du Coca avec de la glace ? »

Je regardai ma montre. J'avais largement dépassé mes heures de service.

« Du Jack Daniel's avec glaçons, dis-je. Et je m'appelle Nick.

— Dans ce cas, Nick, dit-elle en descendant de voiture, étant donné que nous nous sommes tous les deux bien fait baiser, je vais vous en préparer un grand. Ensuite, vous pourrez me raconter ce que vous avez d'autre à me montrer. Et, plus important encore, où vous l'avez trouvé. »

10

Jeudi 4 mai 2017
San Gabriel, Californie

Six années s'étaient écoulées depuis que Joseph Klein avait négocié avec succès l'exclusivité de la sphère de sibérium, mais pratiquement aucune application commerciale n'en avait découlé. Ce qui arrive souvent, dans le domaine scientifique. Fidèle à sa parole, bien qu'avec deux ans de retard, il avait, à contrecœur, fait découper au laser par son équipe des petits morceaux de la surface, huit au total, et les avait fait expédier sous bonne garde à sept laboratoires aux États-Unis et à un en Allemagne. Klein avait gardé par-devers lui la plus grande partie du nouvel élément, y compris deux sphères – chacune avec un diamètre précis de soixante centimètres – et quelques fragments plus petits qu'il avait distribués au sein du groupe.

Les autres chercheurs en étaient arrivés sensiblement à la même conclusion que les premiers scientifiques : ceux de KleinWork. Bien que le sibérium soit un élément complètement nouveau, unique sous tous ses aspects, il était extrêmement stable et ne possédait rien d'utilisable en soi. Sa structure moléculaire indiquait une très haute résistance aux changements de température, et de fortes propriétés magnétiques, mais il était manifestement trop dense pour pouvoir entrer dans un processus de fabrication quelconque. Les sommes exorbitantes nécessaires pour mener les recherches initiales auraient, dans un premier temps, fait hurler les actionnaires et exiger des démissions, avant qu'ils soient déçus par la quantité restreinte de matériau disponible, environ onze mètres cubes au total.

Même Klein, malgré tous ses espoirs d'une avancée technologique énorme, avait mis le projet en suspens et carrément renvoyé ou écarté les membres de l'équipe dont les recherches n'avaient rien donné.

Ce qui ne voulait pas dire que les différentes équipes responsables de projets au sein de KleinWork Research Technology étaient restées les bras croisés ; tant s'en faut. Elles avaient, entre-temps, breveté trois nouvelles technologies de fibre optique et développé une « mémoirepolymex » ; un système permettant d'imprimer par photographie sur une puce photosensible pas plus grande qu'une carte de crédit, mais pouvant stocker jusqu'à dix mille films de haute définition avec des pistes audio à sept canaux. KRT avait aussi joué un rôle décisif, en partenariat, dans la mise au point d'une technologie cellulaire « sans ondes » résultant de la mondialisation de l'Internet sans fil (ou CentraNetTM, comme on l'appelait alors), avec un débit de trois mille kilobits par seconde. Cette technologie avait été installée, en l'espace de deux ans, jusque dans les ordinateurs portables les moins chers, en même temps que les batteries d'écran lithium KRT de très longue durée.

Klein, sans être l'homme le plus riche du monde, n'avait en tout cas aucun souci à se faire pour savoir d'où viendrait son prochain milliard. Ce qui ne l'empêchait pas d'être toujours à l'affût d'une nouvelle avancée technologique pour KleinWork Research, mais qu'il détiendrait en toute propriété.

C'est un des membres de l'équipe responsable des technologies de fibre optique, David Sherman, qui, début 2016, était tombé, par hasard, sur ce qui deviendrait l'amorce de cette avancée technologique.

Dave, 23 ans, un des jeunes scientifiques de la division fibre optique de KRT, était chez lui, contraint par celle qui était sa femme depuis dix-huit mois à regarder une émission spéciale consacrée au paranormal sur la chaîne du National Geographic intitulée « Sens et capacité des sens ». Pendant les quinze premières minutes, il n'avait pas cessé de se plaindre. Surtout parce que ça lui faisait rater le match des Lakers. Puis, après des menaces répétées sur ses droits (certaines épouses en sont capables), il fut obligé de « la fermer et de regarder ». Et donc, au lieu de regarder, et faute de devoir surveiller une peinture en cours de séchage, il laissa son cerveau dériver vers des sujets plus importants. Tels que la dualité des particules d'une onde. Le genre de choses auxquelles les scientifiques réfléchissent quand ils ont l'air absents. Les bons, en tout cas.

La dualité onde-particule, ou DOP, avait été un obstacle majeur pour Dave et l'équipe de fibre optique, et ce depuis le premier jour de leur recherche concernant le comportement inhérent de la lumière elle-même. En termes simples (pas ceux de Dave), cela concernait la différence entre la lumière agissant comme ondes et la lumière agissant comme particules, à partir d'une expérience menée dans un laboratoire allemand dès 1985. Le problème ne venait pas du résultat de l'expérience allemande, mais du fait que, jusqu'à aujourd'hui – quelque trente et un ans plus tard –, personne n'avait pu proposer d'explication vraiment plausible (ou rationnelle) concernant le *pourquoi* de la chose.

Imaginez une pièce très sombre. Noire. À l'intérieur de cette pièce, une source de lumière et seulement deux autres éléments. Le premier est un écran sur lequel est projetée la lumière, et le second un morceau de carton placé directement entre la lumière et l'écran. Le carton présente deux fentes. Dans le cadre de cette explication, ce sont des fentes verticales, mais ça ne fait aucune différence, parce que la lumière s'étend. Ce qu'on voit sur l'écran, ce ne sont pas deux fentes de lumière qui ont traversé le carton, mais plutôt une série de bandes verticales de lumière et de noir.

Pourquoi ? Parce que la lumière voyage par ondes. Et les ondes interfèrent les unes avec les autres ; elles génèrent une série de pics et de creux, et tandis que la combinaison pic/pic produit des pics encore plus hauts, la combinaison creux/creux s'annule tout simplement. Quand cette expérience est répétée dans une bassine d'eau – l'eau remplaçant la lumière –, les résultats sont exactement les mêmes, des pics et des creux. C'est tout. La lumière, bien qu'elle soit constituée d'une série de particules appelées photons, se déplace par ondes.

Du moins, c'était la *théorie*.

Une théorie que les Allemands ont fait jaillir de l'eau, si vous me pardonnez ce jeu de mots. Parce que, en 1985, ils ont renouvelé cette expérience. Mais avec une méthodologie différente. Cette fois, à la place de la « pièce », ils ont créé un environnement sous vide, de façon à ce que même les particules comprises dans l'air ne puissent pas influer sur les résultats. Ils avaient le même carton avec les deux mêmes fentes, mais, au lieu d'un « écran », les Allemands utilisèrent un détecteur de photons d'une très haute sensibilité.

Ensuite intervint l'élément déterminant : au lieu d'une « lumière », ils utilisèrent un « générateur de particules de lumière » ; un appareil d'une technologie si avancée que pour pouvoir envoyer un seul photon à la fois, il devait attendre bien après que la particule initiale était passée à travers les fentes et avait atteint l'écran pour en envoyer une autre.

Une fois que ce processus eut été répété un peu plus de cinq heures, *die Wissenschaftler*, autrement dit les scientifiques, vérifièrent leurs résultats, s'attendant à voir une distribution parfaitement égale des particules sur l'écran, faute d'interférences susceptibles de provoquer comme avant la création de bandes.

Mais ils se trompaient. Et s'en trouvèrent stupéfaits. Stupéfaits, peut-être, de s'être trompés. Car le détecteur de photons avait enregistré un résultat identique à celui obtenu avec un écran ordinaire : des bandes, comme avant. Comment était-ce possible ? Comment la lumière avait-elle pu interférer alors qu'il n'y avait rien – absolument rien – avec quoi interférer ?

Et c'est alors que tous ceux qui étaient connus dans le monde scientifique – et ceux qui voulaient l'être – ont commencé à avancer toute une série de réponses terriblement improbables. Dont l'une – la plus largement acceptée – était celle de la dualité onde-particule. Selon cette théorie, la lumière agissait de deux façons. Elle se comportait en tant qu'ondes jusqu'à ce qu'on la détecte, puis elle se comportait comme des particules. Comme si elle « savait » qu'elle venait d'être détectée, un peu comme un cerf relevant brusquement la tête alors qu'il a été surpris en train de brouter tranquillement.

Pour Dave, cette théorie avait toujours été une connerie, mais pas autant que certaines autres comme les multivers. Dans la théorie multivers, à chaque point du déplacement de la particule en direction du détecteur-photo, une foule d'autres univers surgissaient dans son sillage, chacun influant sur la trajectoire de la particule. Ce qui se produisait alors, bien sûr, c'était que chacun de ces nouveaux univers était confronté au même problème. Alors, de nombreux autres univers naissaient ensuite en guise de solution. Et ainsi de suite jusqu'à ce qu'il y ait des milliards et des milliards d'univers surgissant en un milliardième de seconde. Selon certains, c'étaient les particules dans *ces* univers, dont la particule initiale devenait « consciente », et interférait en conséquence.

Raison pour laquelle le schéma unique continuait à se reproduire.

Alors, si les multivers n'étaient pas la réponse, Dave s'interrogeait. Quelle était-elle alors ? Comment une seule particule de lumière pouvait-elle interférer avec elle-même comme si elle faisait partie d'une énorme onde non existante ? Dave réfléchissait à cela tout en regardant un vieillard japonais en lévitation dans un film 8 mm des années 1960, pendant que sa femme assise à sa droite faisait un sort à un sachet de Doritos. Et soudain, une pensée folle lui traversa l'esprit, comme il arrive parfois aux scientifiques ; une de celles qu'ils refoulent généralement, par peur que leurs collègues de travail ne leur fabriquent un bonnet d'âne. Dave n'en fit pas autant. Et à force d'y réfléchir, tout finit par tomber en place.

Il avait trouvé la clé, tout prenait un sens.

Et si Dieu existait vraiment ?

Ce qui, il faut dire, est un peu comme si un scientifique

passait à la télévision pour déclarer : « Peut-être bien que le monde est plat, après tout. » Même Dave savait que la plupart des découvertes scientifiques tendait à prouver que l'intervention de Dieu n'existait pas, et non seulement son intervention, mais son existence même. Dire qu'il pourrait exister et façonner notre monde serait, pour Dave, un suicide commercial du plus haut point. Mais Dave ne voulait pas dire Dieu, celui à qui on dit : « Bénissez-moi car j'ai beaucoup pêché », il voulait simplement dire *l'équivalent scientifique* de Dieu.

Parce que nous, en tant qu'hommes, avions découvert les lois. $E = mc^2$, $m = f/a$, $p = mxv$, qu'un pain beurré tombe toujours côté beurre, et ainsi de suite. Mais nous n'avions pas *rédigé* ces lois, nous les avions seulement trouvées. Qui les avait rédigées alors ? Parce que si « quelqu'un » ou « quelque chose » avait créé ces lois, alors il, ou eux, aurait instauré des règles, des règles qui diraient à chaque particule sur notre planète d'obéir à ces lois. Donc, se demandait Dave, y avait-il quelque chose qui forçait une particule à suivre des règles même si les autres règles entourant la particule avaient été modifiées ? En d'autres termes, une particule de lumière pouvait-elle être *sommée* de suivre la route qu'elle était destinée à prendre, même si les autres facteurs – ceux qui l'aurait forcée à emprunter cette route – avaient été éliminés ?

Dave s'était donc enfoncé dans le canapé pour réfléchir, tout en écoutant sa femme grignoter ses chips. Il se rendait compte à quel point il aurait l'air stupide s'il osait énoncer cette théorie au labo. À moins, évidemment, de pouvoir proposer quelque chose pour étayer sa théorie, quelque chose qui lui donnerait du poids.

Phase deux.

Comment est-ce que ça pourrait marcher ? *Vraiment* marcher ? Eh bien... il faudrait que chaque particule *sache*, à tout instant, où elle devait être ou ne pas être, en accord avec les lois. Et pour que ça puisse marcher, il faudrait que chaque point où elle pourrait être – ainsi que ceux où elle ne pourrait pas être – soit répertorié ; numéroté, comme des points sur une espèce d'immense feuille de papier millimétré en trois dimensions.

Ce qui, jusque-là, convenait à Dave.

Simplement dit, si une autre particule occupe déjà la coordonnée 2345326597741953423563, alors toi, mon ami, tu ne peux pas l'occuper, à moins qu'on ne la déplace. Mais tu *peux* te positionner sur le point 2345326597741953423564, parce que personne ne l'occupe. Bien que, selon Dave, il s'agirait de nombres bien plus importants, et il y en aurait bien davantage.

Alors, si tout ça était vrai, comment pourrait-il, en tant que scientifique, expliquer la présence d'entités vivantes et qui respirent ? Des choses qui agissent entre elles, changent et affectent leur environnement ? Et il sourit en formulant sa réponse. Sa femme lui demanda ce qu'il trouvait si drôle et il lui répondit « rien » ; de toute façon, elle ne pourrait pas comprendre. Elle était coiffeuse ; sacrément douée, avec plus de trente acteurs de cinéma parmi sa clientèle, mais une coiffeuse quand même.

OK, Dave, se dit-il, le monde est donc fait à partir de tonnes et de tonnes de coordonnées, comme la grille tridimensionnelle la plus complexe qu'on puisse imaginer. Et c'est sur ces coordonnées de la grille que les particules tombent ou ne tombent pas. Qu'elles sont *autorisées* à tomber. Et la décision est prise par le « faiseur de lois », *alias* « Dieu ». Dieu ne serait alors rien de plus qu'un ordinateur puissant. Ce qui ne diminuerait pas sa tâche pour autant, parce que Dave évoquait une série inimaginable de nombres. En son for intérieur.

Mais Dieu était essentiellement un ordinateur. Non pas une quelconque tour IBM entrant dans Windows Panorama toutes les cinq minutes, ni quelque chose doté de circuits et de transistors, mais le plus énorme système informatique imaginable. Comme un cerveau, se dit Dave. Ah oui, comme un cerveau. Après tout, le cerveau était aussi un ordinateur.

Ce qui ferait de nous, et dans un moindre degré, des animaux, de simples éléments de logiciel. De logiciel interactif. De logiciel capable de piratage. Ceux qui entraient illicitement dans l'ordinateur pour y effectuer des transformations. Nous prenons nos propres décisions en ce qui concerne les endroits où nous allons, comment nous nous déplaçons et ce que nous déplaçons. Mais malgré toute notre capacité de pirater, nous aussi sommes soumis aux lois de Dieu. Nous ne pouvons pas passer à travers les murs, plier l'acier à mains nues ni respirer sous l'eau. Et nous ne pouvons pas courber des bandes métalliques éloignées de trois mètres sans une aide mécanique, n'est-ce pas ? Bizarrement, pendant que Dave réfléchissait, on voyait sur l'écran une petite Indienne de 8 ans en train justement d'en faire autant. Si cette séquence était véridique – ce dont on pouvait douter à ce stade-là –, comment pouvait-elle faire ça ?

Puis Dave réalisa que, selon sa nouvelle théorie d'un Dieu computationnel (comme il venait de le baptiser dans son petit ordinateur personnel), c'était exactement ce que faisait la fillette. Elle se contentait de pirater un peu plus profondément. Pas si profondément que ça, d'accord, mais plus profondément que vous ou moi ou même Dave n'y parviendraient. Peut-être son cerveau était-il une fraction plus ouvert que celui de la plupart des gens. Peut-être pouvait-elle voir, ou tout au moins percevoir, les coordonnées enfouies dans sa tête. Et peut-être, alors, pouvait-elle changer la séquence.

Ce qui, si c'était vrai, expliquerait nombre de phénomènes que la femme de Dave l'avait obligé à regarder dernièrement à la télévision. Ça expliquerait pourquoi un chiot labrador croisé pouvait être pris d'une agitation incontrôlable à l'instant même où son propriétaire bien-aimé mourait dans un accident de voiture à quatre-vingts kilomètres de là (vu dans l'émission du 05/10/15 consacrée aux phénomènes les plus étranges survenus aux États-Unis). Il pouvait *voir* la séquence. Ça expliquerait aussi comment un étudiant français pouvait littéralement lire dans les cerveaux d'un auditoire réuni dans un studio (émission « Inexplicable » du 02/01/16). Lui aussi pouvait *voir* la séquence. Encore plus intrigant pour Dave, ça expliquerait comment une femme dans le New Jersey avait fait un cauchemar à propos d'un avion, lequel s'était finalement écrasé (« *Believe it !* » du 02/05/16). Elle avait pu voir la séquence *avant même qu'elle se soit déroulée.*

Ce qui faisait entrer en jeu l'autre grand ennemi de la science : le destin. Si la femme du New Jersey avait pu voir des choses *avant* qu'elles ne se soient produites, ça voulait dire qu'elles *allaient se produire* quoi qu'on fasse. Elles étaient *destinées* à se produire. La séquence existait déjà, elle attendait qu'on la découvre. Ce qui expliquait pourquoi la femme l'avait vue en rêve – et, pour Dave, il ne s'agissait plus d'une coïncidence, car c'est pendant le sommeil que le cerveau humain est le plus ouvert et dans son état le plus « réceptif ».

L'ordinateur était donc en train de faire fonctionner un programme, des choses vivantes agissaient en fonction de lui, et certaines, comme Mme New Jersey, pouvaient même voir par avance les résultats de ces interactions.

Tout ça semblait parfaitement cohérent pour Dave. En tout cas, il *voulait* que ça le soit, mais comment allaient réagir les autres quand il viendrait leur déclarer que, d'après lui, Dieu non seulement existait, mais qu'il méritait de faire l'objet d'études scientifiques approfondies ? Allait-il être la risée de ses collègues ? Mis à la porte ? Pendant quelques minutes, il rebattit toutes ses cartes. La partie s'annonçait serrée. Un Dieu computationnel contre des milliards et des milliards d'univers parallèles surgissant chaque fois qu'une particule sur cette terre décidait de bouger son petit cul.

Le Dieu computationnel l'emportait haut la main.

Deux mois plus tard, après avoir rédigé et soumis (bêtement, peut-être) une thèse de quatre-vingt-sept pages, Dave Sherman se retrouvait assis dans le somptueux bureau de Joseph Klein, au quatre-vingt-quinzième étage de la tour KleinWork à Los Angeles – un imposant édifice tout en verre et chrome, construit sur un terrain récupéré au coin de la 5e et d'Alameda. Là, installés dans les fauteuils en cuir rouge de la direction, ils discutèrent longuement. Au début, Dave pensait qu'il allait se faire ridiculiser et mettre à la porte, mais il n'en fut rien. Joseph Klein avait lu le rapport de Dave et l'avait compris, et, sans toutefois adhérer entièrement à sa théorie, il lui reconnaissait des « mérites ». Qui méritaient en effet une enquête plus approfondie.

« Vous n'êtes pas sérieux.

— Mais si. C'est justement le problème.

— Vous allez être la risée du monde entier. Et quand on aura fini de rire de vous, Dave, ce sera mon tour.

— Peut-être. Mais pour combien de temps, si j'ai raison ?

— Et tout ça à cause d'une fille que vous avez vue plier de l'acier à la télévision ?

— Non, Joseph, à cause de la dualité onde/particule.

— Je n'en suis pas convaincu.

— Nous envoyons de la lumière. Elle voyage par ondes et détermine donc des schémas. Il y a des interférences. Et c'est ce qui est *supposé* arriver. Mais nous envoyons alors une particule de lumière à la fois. Particule, Joseph, pas onde. Rien qui soit susceptible d'interférer, mais le même schéma qui se reproduit chaque fois. Et à l'heure actuelle, il n'y a pas un seul scientifique sur cette planète qui puisse expliquer ça de façon satisfaisante.

— Et pourtant, votre gamine au Cachemire l'a résolu ?

— Non, mais elle peut nous aider à le *comprendre*. Voyez-vous, je crois que la lumière détermine des schémas parce qu'elle a une route à suivre... une route qu'on lui a *dit* de suivre, et qu'elle continue à le faire même si nous modifions les règles... Des règles qui n'auraient jamais dû être modifiées.

— Comme d'envoyer un photon à la fois ?

— Parfaitement. Il existe une séquence. Comme un logiciel dans un ordinateur, peut-être même contrôlé par une espèce d'ordinateur. Pas comme ceux auxquels nous pensons, mais un énorme... cerveau... qui contrôle les nombres... détermine la séquence...

— Et la fille ?...

— Elle voit cette séquence. Elle peut la modifier à volonté.

— Elle peut pirater l'ordinateur ?

— Pourquoi pas ?

— Et, d'après vous, c'est la preuve que Dieu existe ?

— Cela prouve que *quelque chose* existe. Si vous voulez lui donner un nom, très bien, nous l'appellerons Dieu.

— Les scientifiques ne sont pas censés prouver que Dieu existe, Dave. Au cas où vous l'auriez oublié, nous sommes censés prouver qu'il n'existe *pas*.

— Mais j'ai raison.

— Non, Dave, vous êtes fou.

— Mais je pourrais avoir raison ?

— D'accord, d'accord. La fibre optique et les technologies sans ondes nous rapportent, si bien qu'il y a de gros budgets pour la recherche. Mais dites-moi… ? Si je vous laissais continuer avec ça… momentanément, disons… où irait cet argent ? Que devons-nous faire pour obtenir les réponses ?

— La clé, Joseph… la *seule* clé… est la compréhension. Si nous, en tant qu'êtres humains, pouvons comprendre comment les vrais pourvoyeurs de perception extrasensorielle, télékinésie, télépathie et psychokinésie peuvent… éventuellement… avoir certains dons, alors peut-être pourrions-nous comprendre non seulement comment ils font pour voir la séquence, mais aussi comment ils la contrôlent.

— Et ça, nous y parvenons en… ?

— … les étudiants. Vingt-quatre heures sur vingt-quatre, sept jours sur sept. Nous menons des tests, nous modifions les schémas, nous vérifions les codes génétiques, surveillons leur régime alimentaire et ainsi de suite. Comme aucun centre de recherche ne l'a jamais fait, nous essayons de comprendre pourquoi ils sont *ce qu'ils sont.*

— Je m'interroge. Il faudrait habiller tout ça. Lui donner un certain lustre.

— Nous l'avons déjà fait. »

Klein réfléchit un moment. « Oui, probablement. »

Dave était stupéfait que son patron ait été aussi facile à convaincre. Il l'aurait peut-être moins été s'il avait su où Joseph Klein avait passé quelques mois avant de prendre l'avion pour Chasel'ka en 2011, mais, pour l'instant, il avançait dans le noir.

C'est ainsi qu'en octobre 2016, trois mois après son entretien avec Dave Sherman – le premier d'une longue série –, Joseph Klein participait à trois émissions de débats en *prime time* pour annoncer le dernier projet de son entreprise. L'heure était venue de partager, annonça-t-il, reprenant les termes choisis par les auteurs de ses discours. KleinWork Research Technology et Joseph lui-même, bouleversés par la situation désespérée de certains enfants à travers le monde, allaient s'efforcer de les aider. En janvier 2017, KleinWork Research Technology allait créer la « fondation NorthStar », appelée ainsi car, semblable à l'étoile Polaire, elle guiderait les déshérités. À l'entendre, on aurait d'ailleurs juré qu'il était sincère.

La fondation NorthStar financerait entièrement, et sur le long terme, trente-huit centres dans tous les États-Unis pour aider des enfants entre 3 et 16 ans. Évidemment, ce serait difficile de choisir, mais on déterminerait des critères, comme le niveau de pauvreté, les besoins nutritionnels et d'éducation. En résumé, ce seraient les enfants les plus nécessiteux qui auraient la priorité, avec, chaque année, plus de trois cents nouveaux candidats acceptés.

Ce qui ne fut pas mentionné, bien sûr, ni même effleuré par les trois journalistes sympathisants, c'est qu'un des premiers critères d'acceptation, le plus important même, serait le résultat aux tests d'aptitude. KRT, à l'insu du monde, visait des enfants qui manifestaient eux-mêmes directement, ou des parents proches, des aptitudes paranormales plus ou moins affirmées. Ensuite, tout en bénéficiant des soins mentionnés, ces enfants seraient étudiés et leur don encouragé. Pour voir d'abord s'ils pouvaient modifier la séquence, et découvrir ensuite comment.

Le 28 mars 2017 – juste un an après que la femme de Dave l'eut obligé à se taire pendant la première partie de « Sens et capacité des sens » –, une petite fille de 5 ans nommée Alison Bond devenait un des premiers enfants à être acceptés par la fondation NorthStar.

Une drôle de petite fille, en tout cas.

11

JEUDI 9 JUIN 2011
LOS ANGELES, CALIFORNIE

Sarah ouvrit la porte et nous entrâmes. Le couloir était lugubre, étroit et sale. Des papiers et du courrier en souffrance étaient éparpillés partout, et une crasse indélébile s'était incrustée dans le sol noir et blanc. Presque aussitôt, la porte de l'appartement numéro un s'ouvrit, avec Billy dans l'embrasure, tout sourire, en pantalon de jogging et tee-shirt.

« Ah, salut, Sarah », dit-il en feignant la surprise. Visiblement, il aimait bien Sarah. Beaucoup même. « T'es bien rentrée ? »

Sarah sourit.

« Oui, merci, Billy, répondit-elle. C'est très gentil.

— Billy ? Où est le programme télé ? »

Maman encore, criant du fond de l'appartement.

Billy prit un air gêné. « Faut que j'y aille : maman », dit-il.

Elle lui fit un clin d'œil. Une fois la porte refermée, elle leva les yeux au ciel et secoua la tête avec un sourire attendri.

« Il y a un ascenseur, dit-elle en commençant à mon

ter l'escalier, mais il n'a jamais fonctionné depuis que je suis ici.

— Ça fait combien de temps ? » demandai-je.

Subtil.

« Près de deux ans, répondit-elle sans se retourner. Le propriétaire n'arrête pas de dire qu'il va s'en occuper, mais c'est un sale menteur de toute façon, alors je ne vais pas me gêner. »

Au dernier étage, l'appartement cinq avait perdu la moitié de son chiffre en plastique. Elle tourna la clé dans la serrure. L'intérieur était plus propre que je n'aurais cru, mais on n'était pas au Ritz. « Enlevez votre manteau et je vais vous chercher votre Jack », dit-elle en accrochant le sien, puis elle emprunta une porte crasscuse sur la droite.

Je pénétrai à l'intérieur. Le mobilier était vieux et probablement d'occasion, le genre de camelote qu'on voit plutôt devant les magasins bon marché qu'à l'intérieur de magasins chic. Un canapé vert citron, effiloché de partout, trônait en bonne place, avec une table basse en pin à trois pieds soutenue par des livres devant, tout près d'un horrible chauffage électrique. La télévision était un ancien modèle avec un coffrage en bois et un énorme écran convexe, dépourvu de lecteur de cassette ou de box.

Il y avait du parquet au sol et des murs en plâtre fendillé, dont une partie avait probablement été repeinte avant de se fendiller à nouveau. Ça sentait la poussière et le moisi.

En m'approchant de la fenêtre, encadrée par des morceaux de tissu blanc qui pendaient mollement, je constatai que l'endroit avait au moins un atout. La vue.

Faute de mieux, je me dépêchai d'en profiter.

« On voit toute la ville, d'ici », dis-je d'un ton

admiratif, tout en contemplant l'étendue à haute densité urbaine avec des lumières halogènes de couleur au loin, et des clignotants rouges sur le toit de la Bank of America.

La voix de Sarah semblait distante, dans tous les sens du mot.

« Pardon ?

— On voit… », et je me retournai pour regarder par la porte à travers laquelle Sarah avait disparu. Et, pendant un instant, je n'en crus pas mes yeux. Je ne m'attendais vraiment pas à ça.

La « deuxième » pièce était immaculée. Grande, éclairée par des appliques modernes, avec une mezzanine sur laquelle se trouvait la chambre à coucher, une literie totalement blanche, avec à droite des placards encastrés, et une cuisine en dessous. À droite des placards, une porte devait mener à une salle de bains, et en dessous, Sarah, baignant dans un éclairage indirect, qui me versait un verre de Jack et décapsulait une Bud pour elle-même. La cuisine était équipée d'éléments blancs avec des portes chromées, un frigo chromé, une cuisinière encastrée et un ensemble d'ustensiles accrochés à une grille. C'était très chic. Le genre de chic que mon salaire ne me permettrait jamais de m'offrir. J'entrai dans cette pièce, deux fois plus grande que l'autre, et regardai autour de moi, bouche bée.

Le parquet ici était si reluisant que je me voyais dedans, avec mon air étonné. La décoration était du genre « chic minimaliste ». Des tableaux abstraits de couleurs vives, composés à grands coups de pinceau, ornaient deux murs face aux fenêtres, lesquelles, contrairement à celles de l'autre pièce, étaient équipées de stores verticaux gris pâle. Un canapé de cuir courbe ainsi qu'une table basse avec un dessus en verre vert occupaient la zone centrale, face à un grand écran de télévision, avec Blu-Ray et système audio en 3D, près de la fenêtre. C'était classe. Vraiment classe.

Elle sourit en me tendant le verre de Jack.

« Ça va ? demanda-t-elle. Vous pouvez atterrir, maintenant. »

Elle prit une gorgée de Bud, posa la bouteille sur un dessous en chrome sur la table basse et retourna à la cuisine pour préparer quelque chose.

Je fis le tour de la pièce, en soulevant les bibelots et en admirant les tableaux. « Ce n'est pas *exactement* ce à quoi je m'attendais », dis-je.

Sarah était en train de mettre des chips dans un bol. « Je comprends, mais je préfère faire profil bas », répondit-elle.

C'était un appartement à l'intérieur d'un appartement. En franchissant la porte, j'avais le sentiment d'avoir suivi Alice. La bibliothèque avec un cadre en acier débordait de livres et, à droite, un bureau en verre comportait deux ordinateurs avec une imprimante sans fil dessous. Deux ordinateurs. Je n'en avais même pas un. Les deux avaient une coque en plastique transparente et des écrans plats. Dont un avec également un genre de système audio, avec des haut-parleurs de chaque côté ; des cylindres en verre en forme de cigare placés en biais sur des bases grises avec quatre minibaffles incrustés dans la longueur.

Je bougeai une des souris en plastique transparent et l'écran de gauche s'alluma, affichant une longue liste de groupes et d'albums, comme une sorte d'énorme juke-box.

Sarah m'avait observé pendant qu'elle préparait les chips et la sauce qui allait avec. « Quel genre de musique aiment les policiers ? » demanda-t-elle en revenant de la cuisine, ses talons cliquetant sur le sol.

Je réfléchis un instant. « Tous les genres, je suppose. Bien que j'aie toujours eu un faible pour Nina Simone. Personne n'a une voix comme la sienne… à mon humble avis… »

Elle se pencha au-dessus de mon épaule, cliqua sur un moteur de recherche et tapa « Nina ». La liste complète disparut au profit de deux lignes : « Canta Nina – Latino pour l'Âme » et « Nina Simone – Les Plus Grands Succès ». Un double-clic sur la dernière, et le piano moelleux, prélude à *Here Comes the Sun*, se déversa des bâtons en verre. Sarah sourit et récupéra sa Bud.

« J'ai de quoi satisfaire à peu près tout le monde.

— Alors, demandai-je d'un ton dubitatif, vous pouvez m'expliquer pourquoi ce "profil bas" ?

— Il n'y a pas grand-chose à dire, répondit-elle, et elle but une grande gorgée. Les choses que je recherche peuvent avoir de la valeur, dans la mesure où quelqu'un les veut vraiment. Certaines pourraient même être jugées inestimables, je suppose. Il me semble préférable de ne pas avoir le profil de quelqu'un qui s'occupe de ce genre de choses, c'est tout. »

J'avais constaté la même chose avec des dealers de seconde zone.

« Si quelqu'un frappe à votre porte… et que vous ouvrez ?

— On voit seulement l'autre pièce », dit-elle fièrement.

Inquiétant mais astucieux. Très inquiétant même. « Étant donné que vous aimez "découvrir" des choses, qu'en est-il alors de cette "carte", comme vous l'appelez ? » Je sortis la page en latin de ma poche et la lui tendis.

Sarah fit la moue, accentuant les lignes noires de ses lèvres, et secoua la tête en signe d'admiration, comme si elle ne pouvait toujours pas croire qu'elle tenait en main cette mauvaise photocopie.

« C'est un système assez courant, dit-elle en me rendant la feuille et en appuyant sur la souris de l'autre ordinateur pour allumer l'écran. Au Moyen Âge, les gens cachaient tout le temps des choses, pour des tas de raisons différentes. Les indices qu'ils pouvaient laisser étaient uniquement destinés à ceux qui partageaient leur compréhension pour une méthode particulière. Une de ces méthodes était d'encoder l'information dans des tableaux. »

Il y avait un tas de clés USB derrière l'écran, et elle en sélectionna une appelée « Tableaux ». Elle l'inséra et revint à l'écran. Quand le symbole de la clé apparut sur l'écran, elle ouvrit un dossier appelé « Teniers », puis, au sein d'une liste de fichiers classés par date, elle sélectionna « 1645 ».

« Mais il ne s'agit que d'une note, dis-je, sceptique.

— En effet, répondit-elle, mais ça peut quand même être une carte. Une carte écrite, du genre "allez ici, tournez là". Et c'était aussi, autrefois, attaché à un tableau. En fait, je peux vous dire exactement à quel tableau, et ça n'a rien à voir avec la date que quelqu'un a gentiment gribouillée sur le haut de votre copie.

— Teniers, 1645 ? »

Elle acquiesça avec assurance, puis ouvrit un fichier dans la liste. Il était évident, même pour un technophobe comme moi, qu'il s'agissait d'une photo scannée qui montrait seulement un rectangle beige avec un autre rectangle, beaucoup plus petit, situé en bas à droite.

« Votre copie est légèrement réduite par rapport au

parchemin original, dit-elle en buvant une nouvelle gorgée de sa Bud. Mais c'est une photo du dos d'une des œuvres de Teniers. Elle a été travaillée par ordinateur, si bien qu'on distingue maintenant nettement que quelque chose a été attaché là à un moment donné. Des tests ont également montré des traces de gomme arabique, ce qui corroborerait cette thèse.

Elle traça le contour du doigt. « Maintenant, étant donné que la décoloration de la zone autour est si minime – d'où la nécessité du renforcement par ordinateur –, cela pourrait suggérer que le parchemin original n'était pas resté longtemps sur l'arrière du tableau. Raison pour laquelle il a été tellement difficile à retrouver. D'après mes calculs, j'estime que l'original était un peu plus grand, environ dix pour cent de plus que la copie que vous avez. L'important, néanmoins, ce n'est pas la taille ; ce sont les proportions, la hauteur et la largeur, et elles sont tout à fait exactes. »

Elle éteignit l'image du dos de l'œuvre. « Et le tableau sur lequel le parchemin d'origine était attaché est la tristement célèbre… elle double-cliqua et l'image apparut sur l'écran, *La Visite de saint Antoine à saint Paul*. »

Elle me regarda avec l'air de dire… voilà.

« Tristement célèbre ? »

Elle sourit. Comme un chat qui se lèche les babines.

« Oh oui, parfaitement.

— Pourquoi ?

— Parce que le tableau déborde de messages subliminaux.

— Comme quoi, par exemple ?

— Une construction géométrique parfaite et complètement inutile. »

Je devais avoir l'air perplexe.

« Expliquez… »

Elle réfléchit un moment. Avec l'air d'un parent fatigué qui se demande comment expliquer la fusion nucléaire à son enfant de 8 ans, au moment du coucher, alors que lui-même est attendu. Ses sourcils commençaient à se rapprocher.

« Tous les tableaux ont une certaine géométrie, finit-elle par dire. Vous comprenez ? Une structure bien définie qui obéit à des règles d'esthétique. Le nombre d'or est la méthode la plus connue… »

Au moment où elle levait les yeux pour me regarder, elle comprit que je n'avais pas la moindre idée de ce dont elle parlait. « C'est complexe, dit-elle en haussant les épaules, mais si vous traciez une ligne depuis le haut, le bas, la gauche ou la droite sur un tableau donné à presque soixante-deux pour cent de la distance, et que vous placiez votre objet focal sur cette ligne, l'effet… serait bon. Ça s'équilibre. Les choses au milieu ont l'air bizarres, vraiment. Soixante-deux pour cent, vers le haut ou le bas – c'est idéal et beaucoup d'artistes connaissaient cette formule et l'utilisaient. Les artistes de la Renaissance jugeaient cette dimension à tel point parfaite qu'ils l'appelèrent la divine proportion.

— C'est donc une façon de décider quel est le meilleur endroit pour placer les choses ? demandai-je en termes de profane.

— Exactement, dit-elle. Et quand vous peignez, c'est ce que vous faites. Vous décidez quel est le meilleur endroit où placer les choses. Parfois, c'est parce que ça fait bien, parfois parce que ça a une signification. L'écriture a ses règles implicites, comme l'art. Quand vous voyez des choses dans un tableau qui obéissent à une certaine géométrie sans raison esthétique particulière, vous pouvez parier qu'il y a une signification cachée. »

Je regardai le tableau sur l'écran.

« Et là, il y a… une signification cachée ? demandai-je.

— Et comment, dit-elle. Ce tableau a été étudié pendant des années par tous les experts connus, ainsi que par un bon nombre dont vous n'avez probablement jamais entendu parler. Finalement, un groupe en Angleterre a découvert ce qu'on appelle maintenant le "carré Teniers", bien qu'il ne s'agisse pas d'un carré parfait alors qu'il aurait facilement pu l'être, ce qui démontre qu'il y a encore beaucoup plus de choses cachées. Je crois que ce que vous tenez là en main… c'est le "beaucoup plus". Tenez, je vais vous montrer, dit-elle avec un enthousiasme presque enfantin. Examinez le tableau et dites-moi ce que vous voyez.

— Je ne connais rien à l'art », dis-je en secouant la tête.

En réalité, c'était même la seule chose dont j'étais certain en matière d'art, c'est que je n'y connaissais absolument rien…

Vous voyez ce que je veux dire.

Elle sourit. « Nous allons bientôt y remédier. Je vous l'assure. Alors… continuez, inspecteur… regardez-le de près. »

Un mouvement de sourcils. « Dites-moi ce que vous *voyez*. »

12

Je m'appliquai pour commenter le tableau ; comme si je l'avais vu une fois et que je le décrivais en tant qu'élément d'une enquête. La scène présentée était à moitié désertique, évoquant un paysage du Moyen-Orient. Le tableau était surtout dans des jaunes, des oranges et diverses nuances d'ocre. Sur la gauche, deux hommes barbus étaient assis, revêtus de longues robes, et celui au premier plan avait un « T » majuscule sur l'épaule droite. Son ami tenait un bâton dans sa main droite et lui parlait, tandis que ce dernier tentait de l'ignorer et lisait un livre.

L'homme avec le « T » avait aussi un bâton, mais, au lieu de le tenir – n'oubliez pas qu'il avait un livre –, il l'avait posé contre un ensemble de pierres formant un autel hexagonal rudimentaire. Sur cet autel, en plein milieu de la partie inférieure du tableau, se trouvaient un christ en croix monté sur un socle en bois, une bouteille en verre, un sablier et la partie supérieure d'un crâne. Savoir pourquoi ces types transportaient un demi-crâne humain au cours de leurs pérégrinations dans le désert ne me semblait pas particulièrement

153

passionnant. En plus du livre que lisait un des types, il y en avait trois autres appuyés contre l'autel. Avec une gourde recouverte d'osier et un bol fêlé dans le coin inférieur gauche.

Étant donné que les hommes étaient assis au pied d'une falaise – qui occupait tout le côté gauche du tableau – et que le désert s'étendait sur la droite jusqu'au fond, le ciel occupait le coin supérieur droit, avec deux oiseaux dans le bleu pâle. L'un d'eux était loin, représenté par quelques coups de pinceau rapides, mais l'autre était peint de façon à ce qu'on le remarque. Noir de jais ; une espèce de corbeau portant dans son bec une grande miche ronde. Une très grande miche ; ce qui était impressionnant pour un si petit oiseau. La comparaison taille/poids faisait penser au film des Monty Python, *Sacré Graal*, et aux hirondelles de retour de leur migration nanties de noix de coco.

Un des hommes montrait du doigt l'oiseau dans le ciel, vraisemblablement étonné par sa capacité de voler avec suffisamment de nourriture pour assurer la subsistance de sa progéniture pendant un mois. Au loin, un personnage solitaire s'éloignait tranquillement sur la plaine en contrebas d'une église. Soit il n'avait pas vu l'oiseau, soit il avait déjà tout vu, et aurait été plus impressionné s'il l'avait vu revenir avec un Burger King au bec. Sarah m'écoutait attentivement. Par moments, elle fronçait les sourcils, par moments, elle éclatait de rire. Visiblement, je faisais de mon mieux, et j'avais droit à toute son indulgence.

« Vous avez vu la plupart des choses, mais vous ne savez pas que vous les avez vues, c'est tout, dit-elle quand j'eus tout passé en revue. Parce qu'il y a des lignes, Nick. Très précises et très caractéristiques. » Elle haussa les épaules. « À condition de savoir où regarder. La plupart des tableaux ont des lignes, mais celles-ci sont très soigneusement construites. Bon, commençons par construire ce carré "presque" parfait dont j'ai parlé... »

Elle déplaça le curseur vers la boîte à outils et en choisit un avec lequel elle pouvait dessiner des lignes droites. À cette époque-là, je n'étais pas encore aussi familier avec l'informatique que l'aurait aimé Deacon, mais au moins je comprenais ce qu'elle faisait. « D'abord les bâtons, dit-elle. Très soigneusement placés. Pourquoi ? Eh bien, découvrons-le, d'accord ?... »

Elle tira un trait noir le long de chacun des bâtons, en les prolongeant jusqu'au bord du cadre, vers le haut et le bas. « À gauche, cette fêlure dans le bol est notre indice, ajouta-t-elle en traçant une autre ligne, verticalement, à travers la fêlure et s'arrêtant à nouveau au bord du cadre. Et sur la droite... c'est le toit de l'église. Ou, plus précisément, le point culminant du toit et sa relation à la fenêtre du petit bâtiment en dessous. »

Elle traça une autre ligne verticale, passant par la pointe du toit et la fenêtre. « Je fais ça un peu rapidement et approximativement, dit-elle, mais faites-moi confiance. Tout ça tombe en plein dans le mille, quelle que soit la précision que vous voulez atteindre. Maintenant, nous complétons simplement le carré et rejoignons les coins pour trouver le centre. » Elle relia l'endroit où les lignes des bâtons rejoignaient les verticales pour former un carré approximatif. Une des lignes d'un bâton traçait déjà une diagonale de coin à coin, et elle dessina rapidement celle qui manquait.

« Un carré parfait, avec des angles de quatre-vingt-dix degrés, est bien trop évident pour n'importe quel système de code, continua-t-elle. D'ailleurs, il n'y a rien d'important au centre, ce qui, si vous connaissez les règles, est pour le moins curieux. J'ai donc tracé mon carré séparément, parce que je sais qu'il doit être déplacé. Nous allons maintenant considérer la façon dont Teniers veut que nous le déplacions.

— *Veut* que nous le déplacions ?...

— Parfaitement. »

Elle ressemblait à une gamine insupportable essayant d'échapper à une punition en prenant un air attendrissant. « D'accord, peut-être pas nous, mais quelqu'un. » Elle se tourna vers l'écran. « Regardez ces oiseaux... très soigneusement placés. Les oiseaux sont toujours très symboliques chez Teniers. Généralement en relation avec la scène visible plutôt qu'avec un code dissimulé dans le tableau, mais ils ont toujours une raison d'être. Donc nous inclinons le carré, en prenant comme pivot l'axe gauche supérieur, jusqu'à ce qu'il traverse les deux oiseaux. Ou, plus précisément, leurs yeux. Parce que les yeux sont aussi très importants. Les yeux voient des choses. Et qu'est-ce qui se passe maintenant ?... »

Elle fit pivoter une copie du carré qu'elle avait dessiné, laissant l'original se fondre dans le gris de l'écran. Et, quand elle l'eut positionnée tout aussi soigneusement sans dire le moindre mot, cette nouvelle version suivait la ligne d'une pierre jusqu'en bas à gauche de l'image, ainsi que les pierres inclinées qui allaient de l'église vers le désert ; le tout, parfaitement.

« Alors, où se trouve maintenant notre point central ? demanda-t-elle.

— Le crâne », dis-je.

Même moi, je commençais à prendre conscience de cette espèce de logique étrange.

« Le *crâne*, approuva-t-elle. Encore mieux, la ligne passe par les yeux du crâne qui sont de toute première importance. Maintenant, il ne vous reste plus qu'à trouver ce que veut dire "presque carré", et vous y serez.

— Je serai où, exactement ?

— Si vous êtes le premier à y arriver, dites-vous bien que c'est un endroit que le gouvernement des États-Unis préférerait vraiment vous voir éviter, vraiment. »

Elle haussa les sourcils d'un air espiègle. « Maintenant, si vous aviez la gentillesse de me donner le texte… »

13

Lundi 2 avril 2040
5ᵉ et Alameda, Los Angeles, Californie

Malgré son « glorieux pedigree », pour reprendre les termes de Joseph Klein, Alison Bond avait bien failli devenir un des premiers échecs de la fondation NorthStar, et un des plus retentissants. Au cours de son existence, elle n'avait pas montré le moindre pouvoir de télékinésie, ni de perception extrasensorielle, et seulement un très léger degré de télépathie ; la capacité de lire dans l'esprit de quelqu'un d'autre. Rien qui, foncièrement, ne pouvait pas être fait par un million de gosses futés dans le monde entier.

Tout comme le sibérium, ce n'était pas quelque chose dont KRT pourrait jamais tirer parti.

Mais elle faisait preuve, en revanche, et c'est ce qui allait la sauver, d'une capacité prodigieuse pour apprendre et, en même temps, d'une mémoire quasi photographique. Il lui suffisait de voir quelque chose, de l'entendre ou de le lire, ça rentrait dans sa tête – et ça y restait. Avec, en plus, un cerveau d'une logique parfaite, capable de résoudre presque n'importe quel problème en calculant par avance les probabilités afin de définir une méthode pour parvenir à la solution.

À 16 ans seulement, elle avait, sous la houlette de NorthStar, passé des diplômes supérieurs en physique gravitationnelle, mathématiques pures et biochimie.

Alison Bond était un petit génie, au vrai sens du terme. Il était logique que, juste après son dix-septième anniversaire, au moment de quitter NorthStar, KleinWork Research Technology lui offre un poste dans le groupe. D'abord assistante de laboratoire dans le département microélectronique, elle monta rapidement en grade en passant par l'unité intelligence artificielle, et enfin, à l'âge de 28 ans, elle était nommée à la tête de l'équipe connue sous le nom d'« analyse computationnelle ».

Ce département, dont KRT ne faisait pas particulièrement état, était directement responsable du suivi et des enquêtes en continu concernant aussi bien les théories farfelues de Dave Sherman que NorthStar dans son ensemble. Alison avait choisi de diriger « analyse computationnelle » – et s'était battue pour obtenir le poste – car, à l'époque, elle avait fini par comprendre les objectifs de la fondation NorthStar, et la raison pour laquelle elle avait été sélectionnée parmi les premiers candidats. Le fait qu'elle-même ait été incapable de faire preuve d'aucune des capacités recherchées n'avait pas du tout entamé sa fascination pour le sujet.

« Analyse computationnelle » permettait à Alison de combiner cette fascination avec la recherche scientifique pure ; l'étude du temps, de la gravité, de la lumière, de la biologie, de la physique moléculaire et des particules, avec l'étude de choses souvent démontrées, encore plus souvent diffamées, et presque jamais prouvées.

Son travail, et celui de son équipe, consistait à

chercher des liens entre la « vraie » science et le paranormal, les phénomènes truqués.

C'était l'image d'Alison que Klein était justement en
train d'étudier, une image projetée sur le verre de son
bureau. C'était sa photo « d'inscription », en quelque
sorte. À 5 ans, avec des cheveux sable jusqu'aux
épaules et un sourire innocent ; peut-être même heureux, ce qui, vu ses conditions de vie, avait été la
plus grande surprise.

Un petit carré rouge projeté dans le verre du bureau
clignotait par intermittence à gauche des images de ses
fichiers, et Klein tendit un doigt osseux pour le toucher.

« Oui ? »

La voix, celle d'une femme plus âgée, était sèche
et zélée. « Mlle Bond est là, monsieur. »

Klein sourit. « Faites-la entrer. »

Alison, qui avait un peu plus de 28 ans à présent,
entra, et Klein fit disparaître son image de l'écran
pendant qu'elle s'avançait, tête haute. Elle s'arrêta
devant le bureau.

« Vous avez demandé à me voir, monsieur. »

Klein lui sourit chaleureusement et lui fit signe
de s'asseoir. « En effet. J'ai regardé certaines données du microélectronique. Très impressionnant. En
fait, j'ai entendu dire que certains dans votre département parlent de vous comme… comment dire… d'un
génie ?… »

Alison prit un air stoïque. Elle avait l'habitude de
la flatterie, mais était rarement flattée. « Inspiration et
transpiration, monsieur. »

Klein secoua la tête.

« Alison, s'il vous plaît. Je crois que vous vous
sous-estimez.

— Je fais de mon mieux. »

Klein s'enfonça doucement dans son fauteuil et prit un moment pour réfléchir. Quelque chose semblait l'intriguer.

« Et pourtant, vous préférez rester chez NorthStar. Vous n'avez pas le sentiment de perdre votre temps dans un domaine aussi spéculatif ?

— Ça ne me traverse jamais l'esprit, répondit-elle honnêtement. J'y étais moi-même autrefois, j'ai un sentiment d'empathie avec les gosses. Et il n'y a pas loin de l'empathie à... »

Klein fit un petit signe de tête. « La compréhension ? Certes. » Il se fit rouler de derrière son bureau et se dirigea vers la fenêtre, contemplant quelques instants le Los Angeles d'un modernisme exacerbé qui avait recouvert l'ancien comme une moisissure brillante. Chaque semaine, il semblait qu'une nouvelle tour en verre essayait de se rapprocher du ciel. « Dites-moi, continua-t-il, que savez-vous du sibérium ? »

Alison haussa les épaules.

« C'était un peu avant mon époque, malheureusement, mais j'ai lu les journaux. Si j'ai bien compris, le matériau était – et reste – différent de tout ce qui a été trouvé sur terre, mais est aussi... intrinsèquement... inutile.

— En effet, reconnut Klein avec réticence. Quand nous avons pu enfin le découper et distribuer des échantillons, nous en avons gardé deux sphères pour nous, chacune d'environ soixante centimètres de diamètre. Nous n'en avons rien fait pendant longtemps. »

Alison baissa légèrement la tête et regarda son employeur avec curiosité. D'un air entendu.

« Mais ?.

— Mais il y a quelques semaines, un des types de l'aérodynamique, Strauss – que vous connaissez déjà, je crois –, m'a demandé d'emprunter une des sphères.

Il voulait voir ce qui se produirait si on appliquait de l'électricité… en quantités énormes, bien sûr… dans un vide absolu. Dans son environnement d'origine.

— Et qu'est-ce qui est arrivé ? »

Klein réfléchit un moment tout en regardant par la fenêtre, comme s'il était troublé par la réponse.

« Les résultats étaient… pour le moins curieux. Pour être tout à fait honnête, nous n'y comprenons rien.

— Et vous aimeriez que j'y jette un coup d'œil ?

— En quelque sorte, oui. Strauss a prévu de refaire les tests cet après-midi, en augmentant les chiffres. Nous avons élargi l'équipement de monitoring mis à sa disposition… systèmes de vidéo, température, pression, gravité, magnétisme, humidité. L'habituel. »

Il se retourna vers sa visiteuse et la regarda en plissant des yeux fatigués.

« Dites-moi, Alison, vous travaillez encore avec les souris ?

— Oui, monsieur. »

À peine avait-elle dit ces mots qu'elle comprit où il voulait en venir, ce que Klein attendait d'elle. « Et… vous aimeriez que je lui en prête une pour le test ? Et prendre ça comme prétexte pour rester sur place et voir ce qui s'y passe ? »

Klein sourit comme un père fier des bonnes notes de son enfant. « Comme je vous l'ai dit, Alison, vous vous sous-estimez. Je crois qu'il a réservé le labo à partir de quinze heures. »

Alison lui rendit son sourire, bien que, de sa part, ce fût seulement une manifestation de dévouement, le genre de sourire perfectionné par les hôtesses de l'air du monde entier.

« Je vais voir si je peux y passer.

— Ce serait bien. »

Le laboratoire, situé dans un entrepôt de plain-pied d'un blanc éclatant derrière la tour principale de KRT, mesurait exactement quinze mètres de diamètre, avec des murs doublés de titane et une étanchéité parfaite aussi bien à l'air qu'à l'eau, ce qui lui permettait de servir de citerne d'eau une semaine, et de passer à un vide absolu la semaine suivante. Et aujourd'hui, on allait y faire le vide. Ayant à peu près complètement mis en veilleuse la recherche sur le sibérium en 2016, Strauss était là aujourd'hui, comme Klein l'avait expliqué, car il s'était demandé comment réagirait le matériau placé dans un vide absolu et chargé électriquement à un niveau extrême. Un niveau si élevé que la chaleur générée ferait fondre une couche mince à la surface d'environ 0,02 millimètres.

Il avait été démontré que le point de fusion du sibérium dans l'air était de 1475 degrés Celsius, température à laquelle il réagissait également à l'oxygène dans l'air et produisait des étincelles. Strauss se demandait si ce point de fusion pouvait être augmenté de façon importante en l'absence de l'air. Si c'était le cas, alors le sibérium – avec sa faible conductivité de chaleur – serait un candidat idéal pour fournir la couche protectrice ultramince de la future navette Shuttle-X, pour laquelle son équipe avait obtenu du GSA, le successeur de la NASA, quinze missions de recherche.

Et comme toujours en cas de budgets serrés, Strauss devait tirer un maximum de résultats d'une seule série d'essais. Au sein du vide, on placerait donc également des appareils extrêmement sensibles pour enregistrer les moindres variations de chaleur, de lumière, du magnétisme inhérent, des champs électriques et de la force de gravitation. Une caméra digitale à haute résolution, tournant à quarante-deux mètres par seconde, serait placée en face de la sphère de sibérium, et à présent, grâce au concours d'Alison, il allait aussi falloir compter avec Charlie.

Charlie, ou DBX2105, était une des quinze souris blanches qu'Alison utilisait dans ses études de perception extrasensorielle. Elle était aussi une des plus intelligentes. Sur trois conteneurs en fibre de carbone, scellés avec des électroaimants, Charlie trouvait toujours celui avec le fromage. Chaque fois. Mais ôtez le fromage et remplacez-le par du polystyrène sans odeur. Même résultat. C'était comme si Charlie pouvait voir à l'intérieur.

En entrant dans la salle de contrôle un peu après trois heures, elle vit que Strauss était déjà en combinaison à l'intérieur du labo, en train d'effectuer des ajustements de dernière minute sur le système vidéo. Elle s'adressa à lui à travers un microphone spécial qui, prévu pour garantir un environnement parfaitement contrôlé et non contaminé par des haut-parleurs conventionnels, faisait légèrement vibrer les murs pour produire le son. Le système déformait à tel point sa voix qu'on aurait cru un gros macho, ce qui faisait sourire Strauss derrière sa visière orange.

« Je vous ai amené de la visite », dit-elle d'une voix sonore en soulevant la cage.

Strauss leva la tête, le visage déformé par le verre plastique, et leva le pouce. « Formidable, fourrez-le dans le trou. »

Alison s'approcha du « trou », un système de sas contrôlé par le vide, et y déposa Charlie en tapotant doucement sur l'extérieur transparent de la cage pour lui faire croire qu'il allait pouvoir grignoter son doigt à sa façon adorable. La cage était totalement hermétique, avec, dans sa base, un système d'alimentation d'air qui permettait à Charlie de continuer à respirer confortablement malgré l'absence de tout gaz, respirable ou non. « Au revoir, bébé », lui dit-elle.

Strauss se déplaça maladroitement à travers le labo, contourna l'une des deux sphères de sibérium, qui était maintenant placée sur un socle en titane, et saisit la cage de l'autre côté.

« Vous en prendrez bien soin, n'est-ce pas ? » demanda Alison, sa voix résonnant sur les murs comme une énorme balle de caoutchouc.

Charlie courait en rond dans sa cage tout en reniflant. Évidemment, il ne se doutait pas qu'il allait participer à une expérience. Et que, d'ici peu, il n'aurait même plus de cage dans laquelle courir.

« Bien sûr, répondit Strauss d'un ton moqueur. Qui sait, après dix minutes avec le "rocher de l'espace", il pourrait devenir encore plus intelligent qu'avant. » Il posa la cage sur un autre socle en titane puis fit quelques pas en arrière pour admirer son travail. sibérium, caméra, souris et enregistreurs digitaux. C'était le moment de passer à l'action.

Alison fit la grimace. Charlie était déjà fantastique. Il ne pouvait pas être plus intelligent même s'il essayait. Ce qu'il faisait, contrairement aux autres souris.

Cinq minutes s'écoulèrent avant que Strauss ne sorte du labo et ne se remette dans ses sempiternels baskets et tee-shirt. Contrairement à Alison, il ne mettait jamais de blouse blanche, par peur de faire mauvaise impression. D'ailleurs, une fois l'expérience terminée, il n'aurait pas besoin de se remettre en combinaison ; tous les résultats seraient déjà enregistrés. Il regarda

Alison pendant qu'elle vérifiait les écrans des rétro-projecteurs et les enregistreurs de données. Ses longs cheveux bruns tirés en arrière et ses lunettes demi-lunes à monture noire lui donnaient un air encore plus sévère que d'habitude.

Mais Strauss, en homme habitué à découvrir des données cachées au sein de résultats apparemment évidents, n'allait pas s'arrêter aux lunettes. Il promena lentement son regard sur tout son corps. Sous cette apparence clinique, il était prêt à parier que se cachait une très belle jeune femme. Le problème était que tout le monde reprochait à Alison son attitude trop empressée. Personne n'avait jamais essayé de percer la carapace.

« Une fois tout ça terminé, que diriez-vous de venir dîner avec moi ? dit-il en s'appuyant nonchalamment contre la console.

— Je croyais que vous sortiez avec Rachel ? dit-elle sans grande conviction, mais son regard était beaucoup plus éloquent.

— C'est ce qu'on dit ?

— C'est ce qu'on dit. Il paraît même que vous lui avez fait un cadeau. Un mignon petit collier, rien que ça. »

Strauss sourit ironiquement, vaguement flatté. Il n'avait dit à personne qu'il sortait avec Rachel, et leur unique rendez-vous s'était passé à l'autre bout de la ville. Autrement dit, si quelqu'un disait qu'ils étaient ensemble, ça ne pouvait être que Rachel.

« C'est un porte-bonheur, rien d'autre. Une croix que j'ai taillée dans du cèdre rouge. Elle est partie deux semaines pour voir sa famille en Europe. »

Elle lui lança un regard moqueur.

« Donc… pendant que le chat n'est pas là, vous pensiez jouer avec mes souris, c'est ça ?

— Vous me connaissez, je plaisante, c'est tout. »

C'était un mensonge, mais il perdait en conviction à mesure qu'il pensait à Rachel. Il sourit à nouveau, plus sincèrement cette fois. Peut-être, après son retour ; il avait eu sa chance avec elle. Dans ce cas, il aurait du mal à dissimuler son sourire.

« Et vous alors ? dit-il en reprenant son ton badin. Vous ne sortez jamais, vous n'avez jamais de rendez-vous. Nous adorons tous notre travail, mais de temps en temps il faut souffler un peu. Se détendre, s'amuser.

— Je m'amuse, dit-elle avec une mine renfrognée. Je n'ai besoin de personne, c'est tout. »

Strauss se mit à rire. « Si c'est ce à quoi je pense, alors je connais un type qui développe une batterie qui se recharge toute seule. Je peux lui passer un coup de fil si vous voulez ? »

Elle lui donna une tape sur l'épaule. Assez doucement pour ne pas lui faire mal, mais assez fort quand même pour qu'il sache à qui il avait affaire. « On y va, oui ou non ? »

Strauss la regarda des pieds à la tête. « Alison… ma chérie… tout ça est tellement soudain. Mais je suis votre homme si vous êtes partante. » Son regard lui fit comprendre qu'il valait mieux s'arrêter là, et tout de suite. Il soupira encore une fois, s'assit dans le siège rouge de l'opérateur et tourna les commandes avec un air affreusement blessé. « Oui, mademoiselle Bond, nous y allons. »

Il appuya sur un bouton vert, et un long tube en métal descendit du plafond du labo, cinq branches sortant de sa base comme une main. Il continua à appuyer sur le bouton jusqu'à ce que cette griffe soit presque en contact avec la sphère, puis il le relâcha. À l'aide d'un autre bouton, il démarra le détecteur automatique qui positionna chacun des cinq doigts à 0,5 millimètres précisément de la surface de la sphère. Il était impératif qu'ils soient suffisamment proches pour envoyer la charge, sans jamais toucher la surface. Puis il se poussa en arrière, les roues de son fauteuil glissant sur le sol blanc lisse, et entra un niveau de charge de 389 dans l'ordinateur sur le mur arrière. Ensuite, il se tourna, se propulsa en avant, et tendit le bras pour déclencher nonchalamment un grand commutateur orange sur la console. On entendit un ronronnement, puis le bruit augmenta de volume à mesure que le système montait en puissance. Il sourit alors, poussa un deuxième commutateur orange et...

Ce fut l'enfer.

D'abord, il y eut un cri assourdissant qui obligea Strauss et Alison à se boucher les oreilles. Il dura environ deux secondes, leur déchirant les tympans malgré la protection de leurs mains. Strauss vola en arrière dans sa chaise qui se renversa et le projeta sur le sol froid et dur. Puis, pendant une fraction de seconde, il y eut un éclair de lumière. La lumière bleu-vert la plus éclatante et la plus puissante qu'ils n'aient jamais vue ni l'un ni l'autre.

Alison, toujours debout, sentit trembler ses jambes, comme si elle était sur un tapis qu'on aurait tiré d'un coup. Chancelante, elle alla jusqu'au commutateur orange et le poussa dans l'autre sens pour arrêter le système. Et le silence revint. Tout s'était terminé si vite, mais, jusque-là, Alison ne s'était jamais vraiment rendu compte à quel point le concept de silence absolu pouvait avoir d'attrait.

Strauss, toujours par terre, fixait le plafond.

« Qu'est-ce qui s'est passé, nom de Dieu ? dit-il.

— Je n'en sais trop rien, dit Alison tout doucement. Mais je crois que nous aurions bien besoin d'un de vos porte-bonheur.

— C'était une pièce unique. »

Comme son récipiendaire, pensa-t-il.

Alison scrutait l'intérieur du labo, les yeux fixés sur quelque chose. Ce n'était pas ce qu'elle voyait qui l'inquiétait, mais ce qu'elle était pratiquement certaine d'avoir vu. Juste avant l'éclair.

« Vous ne m'aidez pas à me relever ? » dit Strauss.

Pas de réponse.

« Elle est cassée ? S'il vous plaît, mon Dieu, dites-moi que nous n'avons pas cassé la sphère ? Parce que si nous l'avons cassée, je dirai que nous n'étions pas là. Vous peut-être, mais pas moi. J'étais ailleurs. Attablé devant un poulet.

— Non, tout va bien, répondit Alison, visiblement soucieuse. »

Il leva les yeux au ciel, se releva et la rejoignit pour regarder à travers la vitre, en appuyant les mains sur le bord de la console. Apparemment, rien n'avait changé. La cage, la caméra, les instruments et le sibérium étaient tous au même endroit, et tous étaient intacts.

Il respira profondément pendant quelques secondes en se contentant de regarder. Puis il inhala une grande bouffée d'air sec et stérile, poussa un commutateur et relâcha le vide.

« Je ferais bien d'aller vérifier les résultats, pendant que j'ai encore un boulot », dit-il.

Ils franchirent le sas pour entrer dans le labo. Alison tendit ses longs doigts et les passa sur le mur Le revêtement d'un blanc immaculé était parfaitement lisse.

« En quoi sont ces murs ? dit-elle.

— Pourquoi demandez-vous ça ? dit Strauss, déjà en train de démonter la caméra.

— Simple curiosité. »

Strauss leva les yeux et la vit en train de caresser les murs. Doucement, comme s'il s'était agi d'un amant. Ou d'un collègue de travail, peut-être, une fois qu'elle serait revenue de l'autre côté de l'Atlantique. « Quatre-vingt-dix millimètres de titane recouverts par un émail de porcelaine résistant à la chaleur. »

Alison plissa les yeux. Elle avait du mal à croire ce qu'elle venait de voir. Elle préférait ne rien dire, par peur de passer pour une imbécile. Strauss était par terre, couché sur le dos, et il n'avait pas pu voir grand-chose. Comme il venait de le dire, il s'agissait de quatre-vingt-dix millimètres de titane recouverts d'une couche d'émail de porcelaine. Solide comme de la pierre. Elle s'était trompée, voilà tout.

Elle donna un dernier petit coup sur le mur, et ses ongles nus produisirent un clic clic aigu sur le matériau froid. Puis elle se dirigea vers la cage. Évidemment, Charlie aurait dû être sa première préoccupation en entrant dans la pièce, mais elle avait été distraite par d'autres événements. D'autres pensées.

Elle regarda dans la cage, mais son grand sourire s'effaça presque aussitôt. Strauss, qui était en train d'examiner une série de données numériques sur l'écran du lecteur de température, n'avait pas la moindre idée de ce qui se passait. Pas encore en tout cas. Il commença à comprendre en entendant Alison. Elle paraissait distante, encore plus distante que d'habitude, si c'était encore possible. Elle ne prit même pas la peine de le regarder. Elle ne pouvait pas détacher son regard de la cage.

« Pete, murmura-t-elle. Je peux vous demander quelque chose ? »

Strauss était trop absorbé par ses chiffres pour faire attention à elle. « Bien sûr », dit-il machinalement.

Alison leva les yeux ; elle était blême, l'air complètement sidérée.

« Où est passée ma souris ? »

14

Jeudi 9 juin 2011
Downtown, Los Angeles, Californie

Sarah parcourut à nouveau le texte en latin, le traduisant à haute voix.

« *Je porte un grand secret, un secret qui me trouble considérablement. Le Destin des Chevaliers me recherche et mon heure approche. J'enlève donc mon secret de leur atteinte et le remets entre vos mains. Que le Seigneur soit avec vous et vous guide.*

— Vous lisez le latin ? » demandai-je.

Elle rit.

« Oui, mais pas très bien. Je connais les bases, c'est tout. Tina est bien meilleure que moi.

— Que veut-il dire par "le Destin des Chevaliers" ?

— S'il s'agit bien d'un homme, dit-elle en me reprenant, je suppose qu'il veut dire les Templiers. Et leur destin était la mort, mais une mort interminable qu'on a du mal à imaginer. Mais il est logique que les Templiers soient mentionnés parce que les chevaliers du Temple sont connus comme ayant été les derniers détenteurs des tables. »

Du coup, je ne comprenais plus rien.

« D'accord, c'est quoi ces tables ?

— Les Tables du Témoignage. *Les Lois divines de Dieu et de l'homme...* »

Je levai les yeux au ciel, complètement largué cette fois.

« *Exode 31, 18 : Et lorsqu'il eut achevé de parler avec Moïse sur le mont Sinaï, il lui donna les deux Tables du Témoignage, tables de pierre écrites du doigt de Dieu.*

— Donc, les lois divines sont les dix commandements ?

— Bien sûr que non, dit-elle en riant. On voit que vous n'êtes jamais allé au catéchisme. Les dix commandements ont été *dictés* par Dieu, mais écrits par Moïse. *Et l'Éternel dit à Moïse : "Monte vers moi sur la montagne, et sois là ; et je te donnerai les tables de pierre, et la loi et le commandement que j'ai écrits pour les instruire."* Ça, mon ami, c'est Exode 24, 12.

— Mais vous avez dit que *Moïse* avait écrit les dix commandements ?

— C'est exact. Voyez-vous, Moïse est descendu de la montagne et a cassé les originaux, si bien que Dieu le rappela, selon Exode 34, 27 : *L'Éternel dit à Moïse : "Écris ces paroles ; car c'est conformément à ces paroles que je traite alliance avec toi et avec Israël." Et Moïse fut là avec l'Éternel quarante jours et quarante nuits. Il ne mangea point de pain, et il ne but point d'eau. Et l'Éternel écrivit sur les tables les paroles de l'alliance, les dix commandements.*

— Vous connaissez votre Bible par cœur, dis-je, admiratif.

— Je connais des tas de choses, dit-elle avec une lueur ironique dans l'œil. Mais ce que je ne savais pas, jusqu'à maintenant... c'était ça. »

Elle se mit à lire à haute voix tout en suivant le texte en latin du doigt.

« I tego arcana dei
itineris haud temptatio invenio indicium
ineo crux diabolis adeo pinetum
exinde cancer adeo cervus balineum
occasis adeo esperaza revenio crux
peracto quadrum teniers

Ce qui, traduit littéralement, veut dire : Va là où je cache les secrets de Dieu, voyage sans tentation pour découvrir la preuve ; commence à la Croix du diable, jusqu'au bois de pins ; ensuite au sud jusqu'au cerf qui se baigne ; ouest jusqu'à Espéraza, puis reviens à la Croix ; complète le carré de Teniers. Et ça, conclut-elle, c'est notre carte. »

Quelques clics de souris et l'écran de Sarah afficha une carte très détaillée du Sud de la France sur laquelle elle zooma. « Voilà Espéraza, dit-elle, qui est une des villes mentionnées. Et voilà la Croix du diable. » Elle montra un endroit marqué « Crx ». « Donc, en faisant un petit effort de traduction, nous avons aussi Lespinasse, autrement dit les pins, et Rennes-les-Bains, le cerf qui se baigne. Les quatre coins de notre soi-disant carré. »

Elle sélectionna la zone correspondante et l'enregistra, puis revint à l'image du tableau comportant les lignes géométriques pour la coller par-dessus. En déplaçant le curseur en bas à droite, elle ajusta l'opacité pour que les deux images puissent être vues simultanément.

Elle me regarda droit dans les yeux et se mit à rire. Fort. Tout en riant, elle secouait la tête d'une façon que je qualifierais de désespérée.

« Stupide, stupide, stupide, dit-elle, comme si elle

regardait deux petits voyous s'amusant à défier un train lancé à pleine vitesse.

— Qui ? demandai-je.

— L'équipe américaine », dit-elle.

Elle cacha un instant l'image, sélectionna sur son disque dur un dossier appelé « Cardou » et ouvrit un des fichiers. Elle riait encore quand le fichier s'afficha.

« Cette photo… » dit-elle en montrant l'écran. C'était une vue aérienne en noir et blanc ; surtout des collines, mais avec des rectangles sombres presque au centre de la photo. « … représente l'endroit où le gouvernement américain mène actuellement des fouilles archéologiques. Ils ont acheté le terrain aux Français en 1998, ou l'ont échangé contre de la technologie ou autre chose. Je n'en sais rien. En tout cas, il s'agit maintenant de cinq cents hectares de terres américaines, et, selon l'accord, personne ne doit s'en approcher. Y compris les Français. Mais le problème, c'est qu'ils fouillent maintenant depuis presque trois ans et qu'ils n'ont rien trouvé. Et je peux vous dire qu'ils sont vraiment furieux. »

Elle remplaça l'image par une autre, en couleurs cette fois, montrant deux types debout, l'air sévère, dans ce qui devait être le même campement que sur la vue aérienne.

Le type sur la gauche semblait avoir une petite cinquantaine, avec un air très militaire, et l'autre, plus jeune, commençait à perdre ses cheveux. Il montrait du doigt une carte posée sur une table pliante. En arrière-plan, deux hommes, nettement plus jeunes, l'air militaire eux aussi, portaient des lunettes noires. L'un d'eux était apparemment au milieu d'une phrase tandis que l'autre tirait sur une cigarette. Comme les

175

types au premier plan, ceux qui consultaient la carte, ils n'avaient pas l'air contents. Pas contents du tout.

« Cette photo vient directement des fouilles américaines, dit Sarah. J'ai une amie là-bas, Kelly. C'est une photojournaliste qui en a les droits exclusifs, mais elle ne peut rien publier avant qu'ils n'aient trouvé quelque chose. Moyennant une petite somme, elle m'envoie une photo ou deux dès qu'elle le peut, juste pour me montrer où ils en sont. »

Elle montra les deux hommes au premier plan.

« Ces deux-là sont les connards responsables des opérations. Le général Peter Grier à gauche, et le professeur Joseph Klein avec les lunettes sur la droite. Grier s'occupe des problèmes de sécurité, aussi bien internes qu'externes, alors que Klein supervise la fouille elle-même.

— C'est l'archéologue en titre.

— Si seulement, dit-elle d'un ton méprisant. C'est un scientifique. Il mène des recherches pour le MIT, effectue des missions pour le gouvernement et dirige au moins trois entreprises high-tech. Très riche, très puissant et très, très bête. Évidemment, il a quelques bons archéologues dans son équipe, d'excellents même, mais il ne sait même pas en quoi consiste l'archéologie. »

Elle regarda la photo et secoua la tête, avec toujours le même grand sourire.

« Qu'est-ce qui est si drôle ? demandai-je.

— Comme je vous l'ai dit, ce territoire est maintenant complètement américain, ce qui était un point capital de leur accord. Probablement parce qu'ils étaient tellement certains de trouver quelque chose. Ce qui, jusqu'à maintenant… n'a pas été le cas. Et ce campement, au cas où vous ne l'auriez pas deviné, Nick, est situé juste au sud du mont Cardou. »

Je ne l'avais pas deviné. Je n'avais d'ailleurs même pas commencé à deviner quoi que ce soit. « Le mont... ? » Sarah montra l'écran de la tête. Enfin, je commençais à comprendre. Mais je ne voyais pas ce qui était tellement drôle, c'est tout.

« Le crâne ?

— Ils sont allés acheter le putain de crâne, dit-elle, visiblement ravie. Seigneur, comment ont-ils pu croire que ce serait si facile... »

Cette fois, j'étais encore largué. Ce n'était pas la première et sûrement pas la dernière.

« Alors, ce n'est pas ça ? »

Sarah s'enfonça sur sa chaise, regarda l'écran puis se tourna vers moi.

« Vraiment, vous ne pigez toujours rien ?

— J'essaie, dis-je, et, honnêtement, c'était ce que je faisais. C'est seulement que je n'y connais pas grand-chose en religion, voilà tout.

— Vous n'avez pas besoin d'y connaître quoi que ce soit, dit Sarah. Vous devez seulement... Enfin, faites-moi confiance, vous n'avez aucun besoin de vous y connaître en religion. Regardez, dit-elle en affichant de nouveau l'image de la carte superposée, si vous connaissez les villes, alors vous avez le latin. Parce que les noms des villes n'apparaissent que sur le latin. D'accord ? »

J'acquiesçai. « Et par rapport aux villes, le crâne est où ? »

Je regardai l'écran. Je connaissais la réponse, ou plutôt je croyais la connaître, mais, m'étant déjà couvert de ridicule, je préférais vérifier.

« Au... centre ?

— Au centre. Vous pigez maintenant ?... »

Toujours pas.

Sarah soupira. J'avais vu des enseignants de maternelle en faire autant. « Et si c'est au centre de vos quatre villes... pourquoi avoir besoin du tableau ? Si toutes les villes sont connues et qu'il suffit de les joindre deux par deux pour trouver le centre, que vient faire le tableau ? »

Enfin, je comprenais son argument. Le tableau n'aurait aucune utilité si son contenu n'était pas fait pour vous guider vers un autre endroit.

« Où qu'il soit, continua-t-elle, je peux vous *garantir* que ce n'est pas le crâne. Le crâne est là uniquement pour nous montrer que notre angle de rotation est juste, c'est tout. Raison pour laquelle le gouvernement américain est maintenant propriétaire de cinq cents hectares, ce qui correspond d'ailleurs presque exactement à la taille de ce crâne quand vous le superposez sur la carte, de terres totalement inutiles. »

J'étais d'accord. « Donc, les tables sont... » J'hésitai un instant, ce qui me permit – heureusement – de répondre à ma propre question. « ... sous autre chose. »

Sarah sourit, et je crus entendre un léger soupir de soulagement.

« Oui, dit-elle, mais maintenant nous devons trouver sous *quoi*. »

Je la regardai scruter l'écran ; son visage était figé, mais ses yeux perçants comme ceux de sa sœur allaient de droite à gauche à la vitesse de l'éclair. Elle plissait le front chaque fois qu'elle revenait bredouille et respirait un grand coup, pareille à un nageur au bord du bassin. Au bout de trois ou quatre minutes interminables, elle inspira. Longuement. Son front redevint lisse, elle écarquilla les yeux et ouvrit lentement la bouche comme sous le coup d'une révélation. Je ne savais pas ce que c'était, ni où c'était, mais j'avais la nette impression que Sarah avait trouvé.

« *Voyage sans tentation* », dit-elle lentement, en citant les instructions latines que j'avais maintenant en main. Elle se tourna vers moi et répéta les mots, en insistant sur le « sans ». Voyage *sans* tentation.

« Continuez…

— Que faites-vous, Nick, quand vous n'êtes pas tenté ? » demanda-t-elle.

Je réfléchis un instant. « Je dis NON ! »

C'était la meilleure imitation de Reagan que je pouvais faire.

Sarah se renfrogna, pas du tout impressionnée.

« Quoi d'autre ? demanda-t-elle.

— Je ne sais pas », dis-je.

J'essayai de m'imaginer en train de refuser une tentation quelconque. Étant donné que je fumais (à nouveau), buvais comme une éponge, et, l'occasion faisant le larron, j'aurais aussi été un sérieux dragueur, je me voyais mal dans cette situation. « Je… je ne sais pas… » Je haussai les épaules. « Je ferais demi-tour. »

Sarah acquiesça très doucement, en haussant les sourcils pendant que ses yeux… oh, ces yeux… me transperçaient comme des rayons laser.

« Alors, expliquez-moi, Nick… dit-elle doucement… *qui n'est jamais tenté ?* »

15

VENDREDI 20 AVRIL 2040
5ᵉ ET ALAMEDA, LOS ANGELES, CALIFORNIE

Cette équipe-là fut la plus rapidement réunie dans toute l'histoire de KRT ; dix jours exactement, et tous les autres projets réaffectés. Elle comprenait cinq hommes et une femme, lesquels étaient tous assis à l'extrémité d'une table de conseil d'administration prévue pour accueillir trois fois plus de participants.

Comme d'habitude, au bout de cette table, siégeait Joseph Klein, le fils d'immigrants allemands, qui avait fait ses études au MIT et travaillé ensuite pour le gouvernement des États-Unis, dont les subventions lui avaient permis la création de KRT – une société qui ne travaillait pas uniquement pour le gouvernement, mais pouvait aussi s'occuper de projets dont ce même gouvernement préférait se dissocier.

À 67 ans, bien que très actif pour un homme de son âge et paraissant à peine avoir dépassé la cinquantaine, Klein était maintenant le septième homme le plus riche des États-Unis, le treizième dans le monde, et était très, très puissant. Même si, à ses yeux, il n'était jamais assez puissant.

À côté, se trouvait David A. Sherman, un autre

diplômé du MIT qui, avant d'avoir été recruté par KRT, avait été professeur de physique des particules au California Institute of Technology. C'était l'homme qui, en regardant un documentaire à la télévision, avait formulé une théorie qui avait d'abord paru complètement ridicule. Une théorie selon laquelle le monde dans lequel nous vivions n'était qu'un gigantesque réseau numérique, renfermant des milliards et des milliards de minuscules coordonnées permettant à toutes les particules de vaquer à leurs affaires. Et ce système était, pour parler simplement, « contrôlé par ordinateur » ; supervisé par un système computationnel assez comparable (bien qu'infiniment plus puissant) au cerveau humain. Cet ordinateur édictait les lois et, à l'occasion, intervenait pour les faire respecter. Mais avec chaque pensée générée par un être vivant, ou toute action entreprise, l'ordinateur était « piraté ».

Toutefois, certaines créatures vivantes, et surtout celles qui possédaient la capacité d'utiliser plus que les dix pour cent « réglementaires » de leur cerveau, pouvaient « pirater » davantage. Certaines pouvaient déplacer des objets sans les toucher, d'autres, lire dans les pensées, et d'autres encore, voir des événements qui ne se produiraient que plus tard. C'était en effet une théorie ridicule qui, si elle avait été dévoilée publiquement, aurait immédiatement soulevé l'opprobre des scientifiques « légitimes » dans le monde entier.

Jusqu'à, semble-t-il, dix-huit jours auparavant.

La troisième personne assise à la table était Peter Strauss, l'homme dont les expériences pour accroître le point de fusion du sibérium avaient abouti à « la découverte ». Ce jour-là, il n'avait pas vu grand chose, ayant passé les instants les plus importants de ce moment couché sur le dos, mais ce qu'il avait vu en réalité, c'était la souris, ou plutôt l'absence totale de celle-ci. Ensuite, il avait constaté les résultats ; les changements en matière de température, d'humidité, d'électricité, de champs magnétiques et de gravitation. Et il avait vu la vidéo. Outre son expertise en physique des particules, c'était la raison pour laquelle il faisait partie de l'équipe.

Mais de tous les hommes présents aujourd'hui, c'étaient les deux autres qui étaient les ingénieurs les plus qualifiés, et ils avaient été remplacés par leurs adjoints dans d'autres départements de KRT ; un au Japon et l'autre en Angleterre.

Nagariki Haga avait des connaissances énormes en matière de conception et de construction de systèmes fonctionnant à l'électricité et de distribution de charges, tandis qu'Andrew Kerr avait fait partie de l'équipe responsable de la technologie sans ondes brevetée par KRT, et c'était un expert dans le domaine de la transmission et de la réception. À ce stade-là, et sur cette seule base, sa présence dans l'équipe s'était avérée nécessaire. Et c'était sans compter son expérience remarquable en électronique, notamment l'assemblage de puces, la conception de circuits intégrés, le traitement de données – qui justifiait largement sa participation à l'équipe.

Et il y avait Alison Bond. Jeune, belle et loin d'être aussi « consciente de la séquence » que son intégration dans le projet NorthStar aurait pu le laisser supposer. Néanmoins brillante, avec une capacité à théoriser, déduire et appliquer une logique définie par Strauss, assis à sa droite, comme « une logique du feu de Dieu », à pratiquement tout problème. Cette sorte de « pensée à l'avance » dont rêvent les joueurs d'échecs. Ce don, ajouté à son expérience de première main avec des personnes « séquentiellement conscientes » et sa connaissance (tout comme Strauss) des résultats, en faisait un membre évident de l'équipe.

Kerr, dont le vol de Londres avait eu du retard, était arrivé le dernier, mais maintenant, avec cinq jeux de notes compilées par Sherman posés devant eux et le café servi, l'équipe était au complet. Klein se leva au bout de la table, avec un écran matriciel plat de cent cinquante centimètres éclairé derrière lui, et commença à les mettre au courant.

« Bienvenue à tous, dit-il d'une voix légèrement rauque qui trahissait son âge. Vous formez le contingent de ce qui sera désormais connu sous le nom de projet Séquence. Je n'ai pas besoin de vous rappeler que ce projet, comme tout ce que nous entreprenons, est secret. Pas un mot ne doit sortir de cette salle. » Il sourit, mais sans la moindre chaleur, seulement cette cruauté lourde de menaces dont Klein avait fait sa spécialité. « En quoi, me demanderez-vous, consiste le projet Séquence ? Tout d'abord, permettez-moi de vous dire qu'en réalité, ce projet est en gestation depuis cent trente-deux ans. »

Il appuya sur un bouton d'une télécommande, et l'écran derrière lui afficha l'image d'une forêt dense, traversée par une large bande de terrain aride. « Voici Toungouska, en Sibérie occidentale, expliqua-t-il. L'endroit de l'impact de la météorite en 1908. Comme certains d'entre vous le savent, aucun fragment de cette météorite ne fut jamais retrouvé, indiquant que l'explosion elle-même s'était produite à plusieurs kilomètres au-dessus du sol. »

L'image se transforma, laissant apparaître un trou dans le sol de huit mètres de diamètre avec un derrick au-dessus portant cinq treuils. « Vous voyez ici le résultat de cette explosion. À plus de quatre cents kilomètres de Toungouska, nous avons trouvé en 2011 le noyau du météore, enterré à une profondeur de dix-huit cents mètres. »

L'image montra la sphère *in situ* en Sibérie, avec une pierre noire fusionnée incrustée sur le côté. « En examinant ce noyau, nous avons découvert que c'était un élément totalement inconnu, et probablement le résultat d'interactions chimiques qui se sont produites quand une étoile, quelque part dans notre univers, a atteint la fin de sa vie naturelle – il y a des milliers ou peut-être des millions d'années. Le matériau est extrêmement dense, très lourd, peu conducteur, mais il possède de telles propriétés magnétiques qu'il pourrait présenter une force de gravitation égale à la moitié de celle de notre propre lune. En fait, nous croyons que si ce matériau extrêmement condensé avait les mêmes propriétés atomiques que, disons, le granit, il se dilaterait pour atteindre une taille d'environ le tiers de la Lune. Vous comprendrez alors le degré de concentration de ce matériau, aspect auquel nous reviendrons plus tard. »

Il se retourna vers l'écran, qui montrait maintenant une des deux sphères en la possession de KRT. « Il y a dix-huit jours, Peter Strauss ici présent, ancienne-ment du département solaire, a décidé de réaliser une expérience sur une de nos sphères de sibérium. Et bien que j'aimerais vous donner personnellement les bonnes nouvelles, je pense que je dois lui laisser la parole pour qu'il vous transmette quelques résultats. Je crois que vous allez les trouver particulièrement excitants. »

Alison s'inquiétait déjà de voir la direction que tout ça prenait. En fait, elle était de plus en plus sou-cieuse depuis qu'elle avait vu les choses qu'elle aurait préféré ne pas voir. Et pourtant, la bande digitale, aussi incroyable que ce soit, lui avait prouvé qu'elle ne s'était pas trompée, et son cerveau d'une logique à toute épreuve l'avait empêchée de dormir toutes les nuits depuis.

Décidément, il n'y avait qu'une explication possible pour ce dont elle avait été témoin dans le laboratoire, et ce n'était pas bon. Pire encore, ça allait probablement être révélé ici aujourd'hui, et la seule raison pour laquelle Klein avait si soigneusement choisi les participants, c'était qu'il voulait utiliser ce qui avait été trouvé. Mais comment ? Même elle était encore incapable de le deviner, et ça n'avait d'ailleurs aucune importance. Le fait qu'il soit sur le point de le faire et ce qu'elle savait du désir de Klein d'exercer un pouvoir absolu, caractéristique de la façon dont il menait son affaire, lui donnaient froid dans le dos.

Pour Alison, Klein n'était pas tellement différent des Adolf Hitler ou des Saddam Hussein de ce monde ; il voulait tout, et il était prêt à tout pour l'obtenir, et à balayer quiconque se trouverait sur son chemin.

Elle soupira. Au vu de ses conclusions, ce n'était plus des personnes, mais plutôt des choses dont il fallait s'inquiéter. Klein s'apprêtait peut-être à détruire la planète sur laquelle nous nous efforcions tous de vivre. Son regard était éloquent, il se demandait : « Est-ce que je peux le faire ? », plutôt que : « Est-ce que je devrais le faire ? »

Strauss, toujours aussi jeune, impatient et mal rasé, bondit en avant. Il sortit de sa poche un disque métallique rouge de 2,5 pouces, l'introduisit dans la fente verticale à droite de l'écran et se retourna face aux autres. Klein avait déjà repris sa place, hors de vue de l'assistance, sauf de Strauss qui souriait comme un chat qui aurait inventé une machine à crème.

« Bon, dit Strauss, en passant nerveusement la main dans ses cheveux noirs coupés en brosse. Eh bien… ? Tout d'abord, je dois vous expliquer que le but initial de notre expérience consistait simplement à analyser comment le vide absolu pourrait affecter le point de fusion du sibérium pendant l'application de courants électriques à haute tension. Afin d'assurer une collecte complète d'informations, différents instruments de mesure avaient été placés dans le site, dont une caméra, des capteurs, des enregistreurs de données et une souris… connue sous le nom de Charlie. » Il adressa un sourire à Alison. « Voici les résultats que nous avons obtenus des différents équipements. »

L'écran afficha plusieurs graphiques générés par ordinateur, chacun montrant les coordonnées « x/y » habituelles et une série de lignes de couleurs ondulantes et interconnectées.

« Comme vous pouvez le voir, continua Strauss, le courant électrique était à 389, plutôt élevé, et pendant ce temps il y a eu une augmentation importante d'activité gravitationnelle à l'intérieur de la pièce, culminant ici, où l'on voit les pics… »

Il montra les pointes correspondantes visibles sur les deux graphiques.

« … ainsi qu'une très légère hausse de la température. Au plus fort de l'activité, la température a augmenté presque instantanément de huit degrés, mais l'attraction gravitationnelle est devenue soixante-dix-huit fois celle de la Terre.

— Mon Dieu, dit Kerr, en se penchant en avant sur son fauteuil, 78G ? »

Strauss acquiesça. « Exact. Même si elle était

omnidirectionnelle. Voilà déjà un résultat intéressant en soi, mais ce fut la résultante de cet accroissement gravitationnel qui allait se révéler l'aspect le plus étonnant et, si j'ose dire, le plus troublant de cette expérience. Comme vous pourrez le voir sur cette vidéo, lorsque Alison et moi sommes retournés dans le laboratoire, nous avons découvert... »

Il s'arrêta, soucieux de ménager ses effets.

« ... que Charlie... n'était plus là.

— Que voulez-vous dire... *n'était plus là* ? »

C'était Haga qui parlait, cette fois, un homme corpulent, avec des joues larges et des sourcils épais. Il avait une voix grave et un accent japonais à couper au couteau.

Strauss haussa les épaules. « À vrai dire, nous n'en savons rien, mais je crois que Dave a une théorie qu'il va vous faire partager dans un moment. En tout cas, Charlie est partie, mais nous avons l'enregistrement digital. Et regardez, mes amis, ce qu'on y voit... »

Il appuya sur un bouton et l'image du labo apparut sur l'écran. La sphère était au beau milieu, et les lumières dessinaient de larges formes ovales sur sa surface parfaitement coupée au laser. Quelques instruments étaient partiellement visibles sur la droite, avec Charlie courant paisiblement dans sa cage sur la gauche.

À l'arrière-plan, on voyait Alison, les yeux baissés, tandis que Strauss lui-même était appuyé sur le côté en train de parler. Même à cette distance, il était évident qu'il faisait du gringue à Alison. Kerr émit un petit ricanement, mais Strauss s'en moquait bien. Il n'était pas du genre à avoir honte.

À l'écran, on voyait Strauss s'asseoir, s'enfoncer en arrière nonchalamment et pousser un commutateur juste en dessous de la caméra. Un bourdonnement léger s'amplifia dans le système audio. Puis un bruit éclata, très fort, comme si une horde de femmes hurlaient, suivi d'un éclair de lumière bleue qui oblitérait tout l'écran. Quand l'image revint, on vit Strauss avec ses mains sur les oreilles, tombant en arrière et sortant finalement de l'objectif. Kerr ricana de nouveau. Puis on voyait Alison, se remettant péniblement debout et tendant la main pour actionner le commutateur.

C'était bien vrai. Charlie, ancien occupant de la cage en verre sur la gauche, avait disparu.

Mais ce n'était pas tout. Kerr avait remarqué autre chose, tout comme Alison. Toutefois, contrairement à elle, il ne l'avait pas vu dans la réalité, mais seulement à travers l'objectif de la caméra. Si bien qu'il en arriva à une conclusion erronée. « Ça a voilé la lentille », dit-il.

Strauss secouait la tête. « Pas la lentille, non. Tenez, je vais vous montrer. » Il revint en arrière sur la vidéo, en s'arrêtant juste au début des cris, puis la fit avancer image par image. « Cette vidéo avance à cent trente images par seconde, dit-il. Je peux comprendre que vous ayez cru que la lentille était voilée, mais je peux vous assurer que ce n'était pas le cas. »

Les images continuaient à avancer et, chaque fois, les murs du laboratoire semblaient se plier vers l'intérieur, comme s'ils étaient aspirés vers la sphère. Et malgré leur revêtement d'émail lisse et très résistant, ils ne se craquelaient pas ni ne s'écaillaient. Ils pliaient comme du caoutchouc, et, comme l'avait dit Strauss, cela ne pouvait pas être dû à une déformation de la lentille car, en se déformant, ils reflétaient les lumières au plafond. S'il s'était agi de la lentille, l'image aurait pu être déformée mais pas l'éclairage. Strauss arrêta la vidéo sur une scène où on voyait une bande de lumière le long de l'émail brillant s'incurvant en direction de la caméra.

« Ça a tordu les murs, dit Kerr. Comment ça a pu tordre ces putains de murs ? Ils sont en...

— Titane et céramique, dit Strauss en souriant. C'est vrai, ils se sont tordus.

— Et alors, Charlie ? demanda Haga. Elle est encore là pour l'instant, où elle va ensuite ? »

Strauss continua à avancer image par image tout en parlant. « Compte tenu des recherches menées ensuite par Dave et de l'information obtenue à partir des images 8568 et 8569, à peine une minute après que la caméra a été activée, nous estimons aux environs de... » Il arrêta la vidéo tandis que Kerr et Haga écarquillaient les yeux ; Klein, Alison, Strauss et Sherman l'avaient déjà visionnée, et ils en avaient fait autant. Klein surtout. « ... 1776. »

L'image sur l'écran ne montrait plus le labo. Ce n'était même plus un bâtiment. C'était une scène désertique. Un désert ocre à perte de vue, ponctué de quelques cactus, avec un horizon d'un bleu éclatant.

Kerr n'en croyait pas ses yeux. « Vous voulez dire que c'est... ? » Il ne savait même pas comment formuler sa question.

« Los Angeles », dit Sherman sans se retourner. Lui non plus ne quittait pas l'écran des yeux. « Bien avant le Los Angeles que nous connaissons. »

Strauss laissa la bande défiler en continu entre les images 8568 et 8569, les deux seules ayant enregistré intégralement la scène du désert. L'image 8567 mélangeait apparemment une vue du labo avec celle du désert, mais les deux suivantes montraient la scène tout à fait clairement. Pendant qu'elles alternaient, il

montra Charlie sur l'écran, sa cage étant momentanément invisible. Bien que ce soit difficile à distinguer,
il était évident que la souris se déplaçait vers le bas
entre les deux images. Le mouvement sur l'écran ne
représentait peut-être que la valeur d'un seul pixel,
mais on ne pouvait pas s'y tromper.

Charlie tombait par terre.

Kerr regardait chacun des assistants à tour de rôle.
« Mais c'est… je veux dire, ce que vous dites, c'est…
mais c'est… »

Klein se tourna vers Sherman avec un grand sourire
qui faisait ressembler les rides le long de ses joues à
des blessures. « Dave, pourquoi ne venez-vous pas ici
à la place de Peter pour… expliquer ? »

Strauss reprit sa place, amusé par l'expression de
Kerr. Ça lui apprendrait à se moquer de ses techniques
de drague ou de son incapacité à rester sur sa chaise.
Tu fais moins le malin à présent, pas vrai, mon gars ?

Sherman se leva et laissa les images de Strauss
continuer à alterner sur l'écran. Il était tout sourire,
avec l'air d'un homme politique en campagne. Ses
cheveux blonds étaient juste assez longs pour pouvoir
être rabattus sur son crâne. Il les lissa de la main. Son
costume et sa cravate devaient venir de chez le meilleur
tailleur, et sa chemise à rayures complétait le tableau.

Alison regarda Sherman droit dans les yeux et fronça
les sourcils. La plupart des scientifiques, tout comme
les accros de l'informatique, avaient un teint terreux.
Non seulement ils n'allaient jamais au soleil, mais
c'était même le cadet de leurs soucis. Ceux qui se
souciaient de leur apparence étaient ceux qui considéraient la découverte comme un tremplin ; et, comme
Sherman, ils se donnaient beaucoup de mal pour avoir
un tel bronzage.

Peu importe le nombre de bouteilles d'autobronzant.

« Étant donné l'attraction gravitationnelle déjà exercée par le sibérium au repos, commença-t-il, et les niveaux accrus enregistrés au cours de la mise sous tension électrique, nous pensons que cette sphère a, en fait, exercé une force tellement importante qu'elle a attiré le temps vers elle, ne le relâchant qu'au moment où le courant a été coupé.

— Comment est-ce possible ? demanda Haga.

— Eh bien », continua Sherman en déambulant de gauche à droite et en se frottant le menton comme s'il peinait à trouver les mots.

Parfois, la science gravitationnelle est difficile à expliquer, même à d'autres scientifiques. Surtout ceux dont le travail était principalement centré sur les limites imposées à ce monde. « Monsieur Haga, pouvez-vous m'expliquer ce qu'est un trou noir ? »

Seigneur, pensa Alison, voilà qu'il se comporte comme un vrai politicien. Tout en calculs et en réflexion profonde pendant qu'il s'adresse au commun des mortels. Et ensuite ? Des promesses intenables et des déclarations optimistes complètement irréalistes ?

« C'est une étoile dense, implosée, expliqua Haga. La densité exerce une énorme force gravitationnelle, très forte, et ceci peut même attirer la lumière vers elle. À un certain point, la lumière elle-même ne peut pas s'échapper, si bien que seule une sphère noire est visible à l'œil. Cette sphère, semble-t-il, est de mille fois la taille de l'étoile elle-même, si forte est son attraction.

— En plus, continua Sherman, pourriez-vous m'expliquer ce qui, d'un point de vue "temps", se produirait si on pouvait voyager à la vitesse de la lumière ?

— Le temps s'arrêterait, dit Haga brusquement. Einstein et la relativité.

— Et si vous pouviez voyager *plus vite* que le temps ?

— Le temps semblerait aller en arrière, n'est-ce pas ? »

Même Haga savait que c'étaient des connaissances de base.

« Donc, ce que nous disons intrinsèquement, dit Sherman d'un air songeur tout en continuant à faire les cent pas dans la salle, c'est que quelque chose ayant une force gravitationnelle considérable peut faire plier la lumière et, si nous pouvons voyager plus vite que la lumière, alors nous pouvons reculer dans le temps ? »

Haga était déjà en train d'y réfléchir. Les rides creusaient son front à la peau épaisse, et il inclinait tout doucement la tête.

« Vous croyez que cette sphère tire la lumière derrière nous... et que le temps vient avec ? »

Sherman haussa les sourcils et fit un grand sourire en découvrant ses dents blanches impeccables.

« C'est exactement ce que je pense, monsieur Haga ; je crois qu'elle plie la lumière... et le temps vient avec. Plus vous augmentez la charge, plus vous tirez le temps. Mais il est évident que le temps va en avançant, et il serait impossible d'accélérer cette action. Mais, ce qui est théoriquement possible, et je crois que Charlie serait d'accord avec moi là-dessus, c'est que nous pourrions voyager plus vite que la lumière. Et donc plus vite que le temps. La lumière a pu être tirée si vite au-delà de nous que Charlie nous a vraiment semblé voyager en arrière. »

Il réfléchit un instant.

« Imaginez que vous jetez un carton de lait par la

vitre d'une voiture qui roule à quatre-vingts kilomètres à l'heure. Pour nous, le carton semble voyager en arrière, alors qu'en réalité il se déplace toujours vers l'avant, à cinquante kilomètres à l'heure peut-être. C'est la même chose pour Charlie. De notre point de vue, notre petite souris semble voyager en arrière.

— Alors comment se fait-il que Charlie soit allée en arrière, alors que les autres éléments dans le labo n'ont pas bougé ? » demanda Kerr.

Il avait l'air énervé, son image de type cool un peu chiffonnée, comme si tout ça l'avait vraiment perturbé. Il lui faudrait sans doute pas mal de temps pour accepter cette théorie, pensa Alison. Elle-même n'était pas entièrement persuadée de l'avoir acceptée. Pas encore.

« Parce que c'est une chose vivante, expliqua Sherman. En consultant les notes d'information, vous verrez un chapitre intitulé "Dieu computationnel", qui explique en détail mes théories sur la façon dont les objets interagissent avec le monde qui les entoure. Là, vous verrez le rôle important que jouent les entités qui respirent et changent le monde. En un mot, je crois que c'est cette... »

Il montra du doigt la petite image de la souris blanche sur l'écran. « Charlie est affectée par une séquence temps parce que Charlie *comprend* une séquence temps. Contrairement à des rochers, du métal, du bois et de l'eau, elle sait ce que le temps veut dire et peut donc discerner les changements à l'intérieur. On ne peut pas être affecté par une altération dans le schéma du temps si on ne peut pas voir ou comprendre que c'est arrivé. Elle est partie, et rien d'autre n'a bougé. »

Il afficha un graphique à l'écran. En abscisse, on voyait le temps, le jour présent sur le bord gauche, et, en ordonnée, la quantité de charge appliquée à la sphère dans un environnement de vide absolu. La ligne rouge qui partait du point à gauche et en bas montait doucement au début, mais sa pente s'accentuait à mesure qu'on remontait dans le temps. En 600 de notre ère, le dernier point sur le graphique, la ligne était pratiquement verticale.

« Tout ceci n'est que de la théorie, expliqua-t-il, mais c'est basé sur les résultats que nous avons tirés des appareils de mesure, les images que nous avons vues sur l'écran et quelques idées venant de spécialistes extérieurs, dont aucun ne se doutait de la véritable raison de notre demande. »

Il désigna la zone quasi verticale.

« Le problème est... que plus la charge que vous appliquez est élevée, le moins précis on peut être. Renvoyer quelqu'un vers, disons, le début du siècle, vous permettrait de presque choisir le jour, peut-être même l'heure à laquelle il arriverait. En ce qui concerne le millénaire précédent, dit-il en montrant la ligne qui croisait la verticale de l'an 1000, il devient très difficile de choisir même l'année. Au-delà de 600, il faudrait vraiment croiser les doigts pour savoir si on place quelqu'un dans une scène de Jésus de Nazareth ou de Jurassic Park...

— Attendez un instant », l'interrompit Alison.

Elle venait d'entendre un mot qui ne lui plaisait pas du tout. C'était même le seul mot susceptible de transformer ses cauchemars en réalité.

« Vous venez de dire "placer *quelqu'un*" ? Comme s'il s'agissait d'un être humain ?

— C'est exactement ce que j'ai dit.

— Non, dit Alison. Vous ne pouvez pas faire ça. »

Klein se tourna vers elle, une étincelle malicieuse dans l'œil.

Il connaissait Alison depuis toujours et avait été tout aussi impressionné par son génie que tous ceux avec qui elle avait été en contact. Il respectait donc aussi son opinion. Mais elle n'allait pas le faire changer d'avis, pas une seule seconde de ce temps qui semblait devenir tellement contrôlable, mais il était néanmoins curieux de connaître ses arguments.

« Et pourquoi pas, Alison ? Pourquoi ne pouvons-nous pas renvoyer quelqu'un en arrière ? »

Alison plissa les yeux, d'un air vaguement dégoûté, et, pour une fois, ça ne la dérangeait pas de le montrer, Klein ou pas Klein.

Elle regarda l'image de Charlie qui vacillait toujours au-dessus du désert, puis se tourna vers son patron.

« Parce que ce serait la pire idée dans une longue succession de très mauvaises idées. »

Avec ses longs cheveux bruns, plaqués comme toujours en arrière, et ses lunettes à monture d'écaille mettant ses yeux en valeur, Alison n'avait jamais eu l'air aussi sérieuse. Un véritable exploit.

« Et probablement la chose la plus inutile que l'humanité n'ait jamais – *jamais* – conçue. »

16

JEUDI 9 JUIN 2011
DOWNTOWN, LOS ANGELES, CALIFORNIE

Elle rendait les choses tellement faciles. Il était là depuis le début, notre petit berger, sur la droite du tableau, disparaissant au loin. Faisant demi-tour et s'éloignant. Eh oui, quand on y superposait une carte, ses petits pieds se trouvaient exactement au-dessus d'un petit village ; Serres. Et un village, expliqua Sarah, était un bien meilleur endroit que la campagne quand on voulait cacher quelque chose. À condition qu'on le cache bien ; c'est-à-dire qu'on ne choisisse pas un endroit où les gens puissent tomber dessus par hasard.

Les espaces découverts étaient trop vagues, expliqua-t-elle. Car elle ne pouvait pas s'en empêcher. « À quinze pas au nord après le grand arbre » n'était pas valable dans une cryptocartographie précise. Et faute d'un système de positionnement global, ces GPS dont nous disposons aujourd'hui, une personne dessinant une carte verbale dans les années 1600 devait être particulièrement précise, si elle ne voulait pas que son travail ne serve à rien. Dans tel bâtiment, dans tel village était de loin un système plus précis.

Malheureusement, continua Sarah, avoir trouvé Serres revenait seulement à trouver « le village ».

Il fallait maintenant que nous trouvions « le bâtiment ».

Au cours des deux dernières années, Sarah avait apparemment fait le plus de recherches possible – des recherches dont elle pensait qu'elles lui seraient utiles un jour – sur tous les villages en France situés dans la région de Béziers et de Perpignan, et parfois au-delà : Espéraza, Couiza, Rennes-les-Bains, Rennes-le-Château, Alet-les-Bains, Véraza, Terroles, Cassaignes... et, bien sûr, Serres.

La plus grande partie avait été téléchargée à partir de la foule d'informations que les fêlés de l'informatique les plus divers avaient collationnées sur Internet. Tout, depuis de la documentation officielle jusqu'aux divagations de voyageurs qui n'avaient fait que passer par la région. Apparemment, certaines personnes ne pouvaient pas s'empêcher de faire partager aux autres leurs expériences de vacances. Il suffisait pour ça de se connecter sur le site www.doreenstravels.com avec la garantie de mourir d'ennui avec des histoires de camping-cars pourris et de besoins satisfaits en plein air.

Apparemment, Sarah ne négligeait rien. Elle avait tout trouvé : plans de rues, descriptions, photos (anciennes et récentes, officielles, clichés de vacances), et l'histoire, bien sûr. L'histoire était le terreau où germaient toutes les connaissances, me déclara-t-elle de ce ton docte qu'elle prenait à l'occasion.

Et tout se rapportait aux Templiers.

Tout en imprimant ses fichiers sur Serres, elle fit du café – du vrai – et m'expliqua comment ce village avait été un des premiers à attirer son attention. Comme beaucoup d'autres, c'était un endroit idéal, à environ cinq cents mètres de la route principale entre Narbonne et Quillan. Cette route, aujourd'hui la D 613, avait été, dans les temps médiévaux, une de celles fréquemment empruntées par les Templiers qui traversaient cette région. Sûrement pas à bord de camping-cars pourris mais satisfaisant certainement leurs besoins en plein air.

Les Templiers avaient, pour la plupart, choisi le moyen connu encore aujourd'hui sous le terme de « voler » pour assurer leur mode de vie. Et ce qu'ils volaient, c'étaient des œuvres d'art religieuses. Ils affirmaient, bien entendu, que leurs vols étaient « pour la bonne cause » et qu'ils volaient « au nom de Dieu ». Selon eux, ils ne faisaient que rendre ses trésors aux fidèles. Et ils devenaient ainsi très riches. Très, très riches. Autrement dit, leur appellation d'origine « les Pauvres Chevaliers » n'était plus, d'après Sarah, qu'une véritable connerie.

Les Templiers étaient intimement liés à sa recherche, car c'est au fin fond des légendes des Templiers – en 1128, pour être précis – que la présence des tables avait été mentionnée pour la dernière fois dans l'histoire.

Le café prêt, elle posa les tasses sur le bureau et jeta un regard vers la bibliothèque dont la planche du bas pliait sous le poids de cinq ou six gros volumes. Ayant repéré ce qu'elle voulait, un volume relié en cuir bleu décoloré et plus épais que mon poing, elle bondit pour aller le prendre. « C'est la reproduction d'un journal de 1309 appelé *Liber de acquisitione terrae sanctae*, expliqua-t-elle. L'original se trouve aux Archives nationales de France. » Elle passa les pages en revue, avant de trouver finalement ce qu'elle cherchait, et lut à haute voix :

« *Visium : inter Templariis sunt forte secreta thesaurus Mensii de quibus poterit orribilis revelatio Deus itineris inter Templariis evenir.*

— Ce qui veut dire ? » demandai-je.

Évidemment, pour moi, tout ça c'était du chinois.

« Comprenez, dit-elle, il y avait parmi les Templiers un secret très précieux ; des tables susceptibles de contenir une terrible révélation, Dieu a en effet voyagé avec les Templiers. » Elle leva les yeux de la page.

« Les Tables du Témoignage n'ont plus jamais été mentionnées dans l'histoire. Si les Templiers avaient vraiment les tables en leur possession après les avoir volées, expliqua-t-elle, ils auraient très bien pu les rapporter en France. Cette région est précisément celle où ils vivaient, où ils conservaient beaucoup de leurs biens, et où, en octobre 1307, les derniers irréductibles avaient été arrêtés, torturés et brûlés. Sachant qu'ils couraient le risque de se voir arrêter, la première chose à faire aurait été de planquer le butin.

— Mais c'était dans les années 1300, dis-je. Et votre tableau est daté de 1645. »

Elle acquiesça.

« Et 1645 tombe en plein milieu de la guerre de Trente Ans, dit-elle, un moment où la France s'allie à la Suède protestante et aux Pays-Bas contre les catholiques. Y compris l'*Espagne*, dont la frontière est à soixante kilomètres seulement au sud de cette région. À mon avis, quelqu'un les a *trouvées*, soit il en a hérité. Puis des choses ont commencé à se produire, que cette personne a peut-être imputées à une malédiction. Peut-être que les Espagnols passaient la frontière pour brûler les villages et violer les femmes. Peut-être a-t-il perdu son fils à la guerre ou que son chien est mort d'une toux. Je n'en sais vraiment rien. À cette époque-là, les gens mettaient presque tout sur le dos des malédictions.

— Mais quand il les a cachées à nouveau, il a laissé des indices ?

— Évidemment. *Au cas où.* Et c'était certainement quelqu'un de riche, pour avoir demandé de peindre sa carte à David Teniers le Jeune en personne, un des rares artistes respectés de leur vivant, et ça ne devait pas être bon marché. Teniers a été le peintre officiel de la cour de l'archiduc Léopold Guillaume et a travaillé pour plusieurs têtes couronnées, dont Guillaume II d'Orange, Christine de Suède et don Juan d'Autriche. Non seulement ça, mais il avait épousé en secondes noces Isabelle de Fren, fille d'André de Fren, descendant direct de Godefroi de Bouillon, l'homme qui avait conduit la première croisade et pris Jérusalem.

— Alors, il devait savoir que l'on pouvait confier un secret des Templiers à un artiste comme Teniers.

— Exactement. »

Elle s'enfonça sur sa chaise, entoura de sa main sa tasse de café tiède et réfléchit quelques instants. « Je doute quand même que Teniers ait jamais connu l'entière réponse à l'énigme, même s'il y a contribué à son insu. L'absence de symbolisme complexe dans la plupart de ses autres tableaux semble indiquer qu'il aurait pu simplement suivre un schéma élaboré par quelqu'un d'autre. Ce "quelqu'un" devait savoir exactement où étaient cachées les tables, mais n'avait pas le talent suffisant pour que le tableau soit précis. Ni le nom pour en assurer la pérennité. »

Elle me regarda d'un air entendu.

« Je doute que Teniers ait été au courant de ce parchemin écrit en latin et accroché au dos de son tableau une fois terminé.

— Mais le gouvernement des États-Unis doit avoir une copie du texte s'ils sont en train de fouiller le crâne ?

— Il est même probable qu'ils aient l'original, et si c'est le cas, je pense qu'ils l'ont obtenu en 1992, dit-elle. À peu près à ce moment-là, des rumeurs ont couru pendant la rénovation des caves de l'abbaye de Fontfroide, qui se trouve... là... »

Elle fit défiler la carte digitale vers la droite et montra une zone juste en dessous de Narbonne, et à l'intérieur des terres. C'était la ville la plus proche de Serres, bien qu'à quelque quatre-vingts kilomètres au nord-est.

« Des gens du cru ont raconté que, au cours des fouilles, un "parchemin" avait été trouvé, et que l'architecte américain qui s'occupait de cette "petite rénovation" avait brusquement changé de ton, et que, au lieu de se vanter d'une "découverte importante", il niait farouchement avoir trouvé quoi que ce soit. Ensuite, d'autres Américains ont commencé à arriver ; la version officielle étant que des problèmes structurels avaient surgi, et que les nouveaux arrivants étaient simplement des ingénieurs spécialisés.

— Mais vous n'y croyiez pas ? » demandai-je.

Sarah secoua la tête. « Des ingénieurs ne portent pas de pistolets automatiques Smith & Wesson sous leurs vestes. Mais les agents américains, si, dit-elle. Ils ont pris les gens du coin pour des idiots. Ils ne se sont jamais rendu compte que l'un d'eux était le président de la société de tir de Narbonne. Mais ce qui m'étonne, c'est que jusqu'à présent – c'est-à-dire avant que vous n'arriviez – personne n'a jamais vu une autre copie de ce parchemin. Ce qui m'amène à vous poser une question : *où l'avez-vous eue ?*... »

Je terminai mon café. En reposant la tasse, je ne pouvais pas m'empêcher de sourire.

« Pour être tout à fait honnête avec vous, il était enfoncé dans le cul d'un type. »

Sarah plissa légèrement les yeux, mais pas du tout comme je m'y attendais.

« Le type en question ? dit-elle d'un ton interrogateur. Il faisait dans les un mètre quatre-vingts, avec des cheveux noirs et une barbiche ?

— Comment savez-vous ça ? »

Elle ne répondit pas, mais ajouta : « Et il était nu ? » Après quoi, elle se tut. Suffisamment longtemps pour pouvoir interpréter mon silence.

« Hé, Nick, honnêtement, je ne l'ai pas tué, dit-elle tout bas en ouvrant la main. Mais il était nu, oui ou non ? »

C'était à mon tour de marquer un temps d'arrêt. Avec cette question, elle m'avait flanqué un grand coup dans les couilles. Ça ne voulait dire qu'une chose. Tina Fiddes aurait parfaitement pu connaître mon macchabée, ou non, c'était difficile à dire, mais *Sarah* Fiddes, elle, le connaissait, et ça ne faisait aucun doute. Et qu'elle l'ait tué ou non, elle savait aussi qu'il ne portait rien à l'heure de sa mort, sinon une expression de totale surprise.

« Entièrement », dis-je avec un regard soupçonneux.

Elle sourit à nouveau et se mit à rassembler les feuilles imprimées pour les glisser dans une pochette en plastique bleu. « Notre réponse se trouve quelque part dans tout ça, dit-elle, mais, pour l'obtenir, je crois qu'il faudra rendre visite à Tina. »

Son sourire était plus discret à présent et plus énigmatique, comme si une fermeture à glissière concave lui avait soigneusement refermé la bouche. Autrement dit, je ne saurais que ce qu'elle voudrait bien me dire.

Pour l'instant du moins.

Sarah se leva, ramassa les deux tasses et regarda sa montre. « Tout ça attendra demain. Pour l'instant, je crois qu'il est temps que nous fassions un peu connaissance. »

Elle sourit malicieusement et se mit sur le canapé, les jambes pliées sous elle, comme l'avait fait sa sœur. Elle ressemblait à une photo monochrome, celle d'une très belle jeune femme très animée. Elle tapota la place à côté d'elle, m'invitant à venir m'asseoir, ce que je fis.

Nous parlâmes pendant plus d'une heure. Je lui livrai quelques bribes de ma vie, et elle de la sienne. Mais, disons-le, elle était beaucoup plus avare que moi pour les détails. Le temps passant, ses yeux aux longs cils noirs commençaient à se fermer, mais elle voulut encore me poser une question :

« Avez-vous des regrets, Nick ? Je veux dire, si vous pouviez retourner dans le temps, changeriez-vous quelque chose ?

— Je ne peux pas, dis-je. La question ne se pose donc pas.

— Mais si vous le pouviez », insista-t-elle.

Je réfléchis un moment. À vrai dire, j'en avais des tas, de regrets, mais un seul me venait à l'esprit. Toujours le même. « Peut-être ma relation avec ma fille, dis-je. Et vous ?... »

Elle rit doucement. « Trop. Malheureusement, il faut bien accepter de ne pas pouvoir changer les choses qui sont arrivées, non ? Quel que soit le désir qu'on en ait. L'important, c'est l'avenir. »

Le silence retomba.

« Votre fille ?... dit-elle finalement.

— Vicki ?

— Vicki. Parlez-moi d'elle. Elle est comment ? »

Je me mis à lui raconter. Le bon, le mauvais, les

impasses. Je ne sais pas très bien ce qu'elle a entendu, parce que ses yeux ont finalement perdu la bataille et elle s'est endormie sur mon épaule. Avec le temps, j'ai fini par découvrir beaucoup de choses à propos de Sarah, dont une que je n'ai jamais oubliée.

Je l'ignorais encore à ce moment-là, son enfance n'avait pas été facile. En fait, elle avait toujours été presque totalement seule la plupart du temps. Et apparemment, ce dont elle avait toujours rêvé, c'était de s'endormir comme tout enfant « normal » pendant qu'on lui racontait une histoire.

Je suis content d'avoir pu lui faire ce cadeau.

Je l'ai portée en haut et l'ai couchée sur son lit, avant de la recouvrir, tout habillée, avec sa couette. Puis je l'ai regardée un instant avec un sourire d'admiration. Tout en noir de la tête jusqu'à ses bottes pointues, le pourtour de ses yeux et de ses lèvres peint dans des formes étranges avec une couleur assortie à ses cheveux noir de jais en pétard, cette fille semblait connaître davantage de choses sur davantage de sujets que beaucoup d'intellectuels que j'avais pu connaître.

Tandis que je me préparais à partir, elle ouvrit les yeux et me sourit d'un air somnolent.

« Ne vous en faites pas trop pour votre type à poil, Nick, dit-elle.

— Non ?

— Non, dit-elle, ses yeux entourés de noir se refermant de nouveau. Je ne crois pas qu'il soit encore mort. Pas vraiment. »

Puis, avec cet air de séduction qu'arborent certains vampires de série B en rejoignant le pays des morts, elle s'endormit.

17

VENDREDI 20 AVRIL 2040
5e ET ALAMEDA, LOS ANGELES, CALIFORNIE

« Inutile ? dit Klein. Et qu'est-ce qui peut bien vous faire dire ça ? » Il semblait vraiment contrarié, comme si l'analyse sommaire d'Alison avait été une sorte d'attaque personnelle, au lieu de viser une idée qu'il avait formulée ou approuvée.

« Parce qu'on ne peut pas changer l'histoire, dit-elle. Alors... pourquoi même essayer ? »

Rassuré, Klein sourit de plus belle ; comme s'il avait su ce qui allait venir. Pire, il semblait qu'Alison, trop intelligente pour son bien, ait joué son jeu.

« Je suis sûr que nous aimerions tous connaître vos réflexions sur le sujet, continua-t-il. Si vous voulez bien... ? »

Elle avait effectivement joué son jeu, et elle le sentait bien. Quelque chose qu'elle était sur le point de dire allait être déformé et lui être renvoyé. Mais elle ne savait pas quoi. La seule façon de le découvrir serait de le dire. Elle s'en voulait d'avoir été aussi bête.

« D'accord, commença-t-elle, disons par exemple que vous envoyez un homme en arrière dans le temps, vous ne pourrez rien changer à l'histoire. Pas une seule chose.

— Pourquoi pas ? » demanda Kerr.

Ce qu'il voulait, lui, c'était retourner en arrière, et ne pas gâcher son seul rendez-vous avec Akira Okinawa, l'étudiant américain dont il était tombé amoureux à Londres il y a six ans. Celui-là même qui était devenu la star de cinéma, Akira Lake.

« Parce que c'est déjà arrivé, dit-elle, mais elle voyait bien que Kerr n'était pas le seul à être devenu blême ; il y en avait d'autres. D'accord, imaginez que je vous renvoie en arrière avec une bombe nucléaire pour faire sauter Berlin en 1939, et tuer Hitler...

— Vous ne pouvez pas emporter une bombe nucléaire, dit Kerr, ce n'est pas quelque chose de vivant.

— Vous pouvez vous la mettre au cul », dit Alison en feignant l'agacement.

Même si elle venait, à son insu, de dire ouvertement ce que Klein considérait comme un des obstacles majeurs à ce projet.

« OK, donc je vous envoie en arrière pour *voler* un engin explosif très puissant... » Kerr approuva son nouveau scénario d'un signe de tête. « ... pour le faire exploser à Berlin en 1939. Vous avez échoué. Fin de l'épisode, bonne nuit.

— Comment savez-vous que j'ai échoué ? dit Kerr.

— Parce que aucun engin explosif de grande puissance n'a jamais explosé à Berlin en 1939, expliqua Alison. Ça ne s'est jamais produit. Et si ça ne s'est jamais produit, vous ne pouvez pas simplement retourner en arrière pour que ça se produise. »

Elle regarda chacun des assistants autour de la table.

« Je veux dire que si vous *aviez* réussi, comment est-ce que ça m'aurait affectée, moi, restée dans le futur ? Est-ce que le texte de mon livre d'histoire serait tout à coup changé ? J'espère bien que non, parce que M. Klein ici même est le fils d'immigrants allemands qui sont arrivés aux États-Unis juste après la Seconde Guerre mondiale. Si vous aviez réussi, ce qui n'est pas le cas, M. Klein n'aurait peut-être jamais étudié au MIT, jamais fait de recherches pour le gouvernement américain, et KleinWork Research Technology n'existerait peut-être pas. Donc, je n'ai pas de travail. Et ça ne tient compte que de deux Allemands. Et qu'en serait-il de toutes les autres conséquences ? »

Elle montra Strauss du doigt. « Peut-être que Pete n'aurait même jamais été conçu à cause des répercussions de votre petit bombardement. Et même si ce n'était pas une mauvaise chose en soi, que lui arriverait-il à votre retour ? Est-ce qu'il disparaîtrait brusquement ? »

Klein sourit en guise d'approbation à l'exposé d'Alison. Strauss avait l'air vexé.

« Donc, à vous entendre, si ça n'est jamais arrivé, alors ça ne pourra jamais arriver ? demanda Klein.

— Exactement, dit Alison. Donc, à quoi est-ce que ça sert ? »

Klein réfléchit un instant en fronçant ses épais sourcils, ce qui accentuait ses rides. « Mais que se passerait-il si vous étiez l'homme qui est retourné dans le temps jusqu'en 1939 et si, pourquoi pas, vous suggériez à notre M. Hitler de se réveiller le 1er septembre pour envahir la Pologne, déclenchant ainsi la Seconde Guerre mondiale ? »

Alison semblait abasourdie. Les gens hochaient la tête. On aurait dit qu'un vent de folie soufflait dans la salle. « Là encore... à quoi bon ? Ça s'est déjà produit, donc que pourrait-on gagner à être la raison pour laquelle ça s'est produit ? »

Klein prit un air satisfait. Mais satisfait de quoi, exactement ? « Ah, dit-il doucement, voilà bien le mot crucial, jeune femme, la *raison*. » Il réfléchit un moment, les mains jointes et les doigts appuyés à la base du nez.

« Dites-moi, mademoiselle Bond. Où sont les ossements du Christ ?

— Personne ne le sait, admit Alison avec un léger haussement d'épaules.

— Exactement, répondit Klein, repris par la passion, le désir de quelque chose qu'elle ignorait encore. Et si nous étions la raison pour laquelle personne ne le sait ? »

Elle plissa les yeux pendant que Kerr et Haga se penchaient en avant sur leurs sièges avec impatience.

« Dans quel but ?

— De les cacher là où personne ne les trouverait jamais, dit Klein, jusqu'à ce que nous décidions de les déterrer.

— Vous plaisantez, dit Alison. Renvoyer des gens en arrière pour cacher des choses. Les déterrer ? C'est beaucoup trop fou pour moi pour commencer même à comprendre. »

Et, curieusement, c'est ce qui faisait le plus peur à Alison. Elle savait que ce n'était *pas* de la folie. Pas du tout. C'était en fait très, *très* malin. Et il ne fallait pas que ça puisse se produire. C'est pour ça qu'elle se bagarrait autant.

« D'ailleurs, qu'advient-il des gens que vous renvoyez en arrière ?

— Et alors ? demanda Klein, ne cherchant même plus à cacher son côté malfaisant.

— Ils ne pourraient pas revenir, dit Alison avec colère. *Jamais*. Quelle que soit l'époque où vous les enverriez, ils n'auraient pas les ressources ni la technologie pour revenir. Ils seraient coincés là-bas. Pour toujours.

— Et ça, c'est une mauvaise chose ? » demanda Klein.

Alison écarquilla les yeux et rentra son cou dans ses épaules. « Vous... ? »

D'habitude, personne ne se serait permis de parler ainsi à Klein ; pas même les plus culottés ni les plus intelligents. Aujourd'hui, les choses étaient différentes. Aujourd'hui, Alison Bond disait tout ce que Klein voulait qu'elle dise, ce qui était toujours le cas avec les gens d'une extrême logique ; ils étaient aussi tellement *prévisibles*.

« Si vous voulez bien tous vous reporter à la page quinze de vos notes, dit Klein, vous verrez un chapitre intitulé "Sursis". Je pense que vous le trouverez particulièrement instructif. »

Alison ouvrit le document à la page en question. Elle étudia le texte pendant quelques instants, en en digérant chaque mot et, pire encore, chaque implication. C'était une liste de statistiques, avec des noms, des numéros et des antécédents. Parmi ceux qui avaient un astérisque, il y avait aussi quelques dates. Le tout pouvant être décrit, au mieux, comme imminent.

Elle comprenait maintenant que Klein avait pris un tournant. Qu'il était devenu fou, au sens clinique du mot. Elle connaissait cet homme depuis toujours, et, pour être honnête, elle devait bien reconnaître qu'elle avait assisté à chaque épisode de sa descente comme à une sitcom hebdomadaire. Ça avait commencé par une simple ambition, puis c'était passé par un stade de désir aigu et de désespoir jusqu'à devenir sa seule drogue ; la quête du pouvoir suprême. Ses yeux l'avaient trahi beaucoup trop souvent au cours des dernières années. Maintenant, l'âge et les échecs répétés pour atteindre son seul vrai but avaient déchaîné chez lui le genre de colère qui exclut toute forme de raison.

Le vieux salaud sénile avait fini par la perdre. C'en était trop ; les choses allaient trop loin. « Mon Dieu, je vous en supplie, Joseph, dit-elle en secouant la tête. Dites-moi que vous plaisantez. »

18

Je n'ai pas bien dormi cette nuit-là. La seule chose dont je me souvienne, c'est quand j'étais sur le canapé de Sarah, en train d'écouter ce qui se passait derrière les stores et de contempler un minuscule rayon de lune qui progressait doucement sur le plafond. Quand je l'ai remarqué pour la première fois, il était à gauche du plafonnier au milieu de la pièce. La dernière fois, il se glissait au-dessus d'un des tableaux abstraits dont j'ai parlé précédemment. Je ne sais pas combien d'heures s'étaient écoulées. Trois, peut-être quatre. De toute façon, je restai couché là. En train de réfléchir.

En repassant dans ma tête tous les événements, et même si je savais que j'étais sur une pente glissante, j'avais fini par comprendre enfin pourquoi le FBI avait fait irruption pour voler la boîte. Le gouvernement avait certainement été informé qu'un « parchemin » avait été trouvé dans l'abbaye de Fontfroide et ils avaient procédé comme à leur habitude ; ils avaient fait une descente, l'avaient dérobé et l'avaient gardé par-devers eux.

Ils avaient ensuite acheté ou négocié les terres au

211

« crâne » avec les Français, sans que ces derniers ne sachent bien sûr pourquoi, et commencé les fouilles. Mais, idiots comme ils l'étaient, ils n'avaient pas compris le scénario, pas plus que le sens crucial de la formule « sans tentation ».

Donc, année après année, leur colère n'avait cessé de croître. Puis, qui était apparu dans une ruelle de Downtown Los Angeles, à six mille kilomètres de leurs fouilles ? Un type à poil qui était mort. Tout ça sans le moindre rapport, jusqu'à ce que des rumeurs se répandent, disant que ce type avait un texte en latin enfoncé dans le cul. Du coup, ils rappliquent pour vérifier, et, merde, voilà qu'ils refusent obstinément que qui que ce soit en ait une copie. Ils ne veulent même pas admettre qu'il en existe un original ; probablement parce qu'ils ne veulent pas prendre le risque que quelqu'un de plus malin qu'eux – ce qui ne manque pas – comprenne exactement où ils se sont trompés. Pire encore, qu'ils n'en soient pas tenus au courant. Et ça, il n'en est pas question. Non, monsieur. Alors ils emportent la boîte. Problème résolu.

Sauf qu'il ne l'est pas. Parce que la seule chose certaine, c'est que si moi j'étais au courant pour Tina Fiddes, eux l'étaient aussi. Son nom et son numéro de chambre avaient été griffonnés en haut de la note. Mais voilà où intervient la différence de styles d'enquête. Nous, je veux dire la police de Los Angeles, voulions seulement savoir pourquoi le type était mort.

Eux non.

Ils étaient simplement contents qu'il le soit.

Et pendant que nous nous préoccupions du pourquoi et rendions visite à « Tina Fiddes – 113 », eux se contentaient d'attendre en espérant que le problème disparaîtrait. Ils n'iraient probablement même pas lui rendre visite, *ils s'assureraient seulement que personne d'autre ne le fasse*. Raison pour laquelle Sarah, quand je lui avais dit que « personne ne savait que j'étais venu la voir », m'avait traité de « naïf ». J'étais suivi. Et à ce moment-là, rappelez-vous la chronologie, je ne me doutais pas que ce petit amoureux transi de Billy Roberts de l'appartement un, tellement désireux de faire plaisir au FBI, était en train de lui donner un coup de main.

Ça n'aurait servi à rien d'essayer de brouiller les pistes, parce qu'ils feraient très attention, et il fallait donc que je l'accepte. Plus tard dans la journée, une fois de retour au bureau de Deacon pour le mettre soi-disant au courant, les choses ne se passeraient pas comme ça. Je saurais exactement dans quelle mesure j'avais été suivi, et, oui, c'était bien. Jusqu'alors, je devais accepter le fait d'être suivi partout comme une éventualité. Une éventualité qui ne me plaisait pas du tout.

C'est probablement faute de m'être endormi très tard que je dormais encore quand Sarah se réveilla. Et qu'elle se mit à crier :

« Nick, bougez votre cul de mon canapé. Le petit déjeuner est servi. Il y a des choses à faire.

— Quelle heure est-il ? demandai-je.

— Le temps ne peut affecter que des choses vivantes, Nick, dit-elle ironiquement. Quand... et si... vous semblez en être une, je ferai tout pour vous le faire savoir. »

Le Jack qu'elle m'avait servi était celui avec une étiquette verte – le meilleur. Si bon d'ailleurs que j'en avais encore le goût au fond de la gorge.

Le temps de me lever et de faire un effort pour ne pas avoir l'air trop merdique, Sarah était déjà habillée, cette fois en treillis kaki, avec un tee-shirt blanc et des baskets vert olive. Ses cheveux étaient rassemblés en queue-decheval, son maquillage gothique cent fois plus discret que la veille, et elle tenait le texte en latin d'une main avec une tartine grillée et beurrée dans l'autre.

« Bien dormi ? demanda-t-elle, la bouche pleine et les yeux rivés sur le texte.

— Comme une souche », mentis-je.

C'était plus facile que de lui expliquer pourquoi ça n'avait pas été le cas.

« Œufs sur le plat retournés pas trop cuits, ça vous va ? »

Ça m'allait très bien. En vérité, j'avais tellement faim que je les aurais engloutis crus. Nous nous assîmes donc au comptoir de la cuisine pour manger tandis que Sarah étudiait le texte et que nous échangions de temps en temps une question. Rien d'important, surtout des banalités. Au bout d'une demi-heure environ, nous étions prêts à partir.

« Il faudra que nous prenions la vôtre parce que... eh bien... je n'en ai pas », dit-elle en saisissant un sac à dos kaki qu'elle jeta sur son bras.

Trente-huit minutes après que j'eus réussi à ouvrir les yeux, nous montions dans la voiture. La journée allait encore être chaude, et je descendis immédiatement les fenêtres, ou, plus précisément, j'ouvris la sienne jusqu'en bas et la mienne jusqu'où elle le voulait bien. Sauf que, cette fois, le fait qu'elle se coinçait m'a énervé et que je me suis retourné pour pousser le verre. De toutes mes forces. Suffisamment pour que quelque chose se casse et que la vitre disparaisse tout droit dans la portière. Je souris, gêné, et tentai de minimiser l'incident pour ne pas avoir l'air trop bête.

« Vous voudrez que je vous ramène ici, après ?

— Pas ici, non, dit-elle, parce que si Tina fait ce qu'elle devrait faire, ou même si elle ne le fait pas tout à fait, je vais prendre le prochain vol pour aller en France. J'irai moi-même à Serres pour voir ce que je peux découvrir. »

Elle fouilla dans son sac à dos et en sortit une enveloppe A4 en papier kraft, qu'elle me tendit.

« Rendez-moi un service, Nick. Pouvez-vous garder ça pour moi ?

— Il y a quoi dedans ? » demandai-je.

Elle était fermée et d'une certaine épaisseur. Je l'avais vue sur une étagère en verre sous la table basse.

« Des dossiers dont nous aurons peut-être besoin plus tard, dit-elle d'un ton laconique. Pourrez-vous les garder en sécurité ?

— Bien sûr. »

Je me penchai pour ranger soigneusement l'enveloppe dans la boîte à gants, à côté d'un tas de fourbi, que je fermai à clé.

Tandis que nous quittions la ville, la station de radio locale diffusait du jazz. Sarah se tourna vers moi avec une mine renfrognée.

« Vous ne pouvez pas faire mieux ?

— Choisissez quelque chose », lui dis-je.

Ce qu'elle fit. Elle chercha dans son sac et en sortit un CD qu'elle inséra dans le lecteur, en augmentant légèrement le volume.

Du hard rock. Le pire.

« C'est quoi, ça ?

— De la musique cool.

— Si vous le dites.

— Vous devriez aimer ce morceau, dit-elle. "Parfait imparfait" ; il s'agit d'une fille qui n'est pas vraiment une rockeuse, mais qui fait semblant. Ses collants sont soigneusement filés et tout et tout. Ça vous rappelle quelqu'un ? »

Je me mis à rire, et elle à secouer la tête de haut en bas sur un rythme que je n'arrivais même pas à déceler dans le bruit. Nous ne parlâmes plus pendant un moment ; non seulement je ne savais pas quoi lui demander, mais Sarah ne savait pas encore ce que je voulais savoir. C'était probablement pour ça aussi qu'elle avait tellement monté le son, mais l'admettre m'aurait donné un sacré coup de vieux.

Je continuai à conduire, et elle à s'appuyer contre la fenêtre ouverte en tapant des doigts contre ses cheveux avec un sourire de Joconde. Façon de dire à l'équipe à dix mille kilomètres de là, en France, au mont Cardou précisément, dont faisaient partie Grier et Klein : « Je n'ai pas encore gagné mais j'ai de l'avance sur vous. » Ses yeux étaient cachés derrière ses lunettes noires, mais je devinais leur expression tout aussi énigmatique.

« Alors… c'est quoi exactement, ces tables ? demandai-je. En quoi consistent ces *Lois divines de Dieu et de l'homme* ? »

Elle se tourna vers moi, plissa le front et essuya la transpiration sur son nez et ses joues. Elle réfléchit un moment en esquissant une moue. Je commençais à m'habituer à cette moue. C'était sa façon de dire : « Comment expliquer ça au mieux ? » À un nul en matière scientifique comme moi, je suppose.

Au bout d'un moment, elle demanda :

« Dites-moi, Nick, quelle est la différence entre "Dieu" et la "nature" ?

— À part le genre ? »

Je vous parie qu'elle avait dû lever au ciel ses grands yeux marron derrière les lunettes noires. « Oui, Nick, en supposant que quelque chose d'aussi intelligent que Dieu puisse être un homme... en dehors du genre. »

Je réfléchis alors. Un long moment. Deux fois, j'ai été sur le point de répondre, et deux fois je me suis rendu compte de la bêtise de ma réponse. Ce qui est bien pour moi, car, en général, la séquence est inversée.

« Je n'en sais vraiment rien, dis-je finalement. Je suppose qu'ils partagent sensiblement les mêmes devoirs.

— Absolument, dit-elle. Alors si l'un a les Lois divines de Dieu qui sont susceptibles de s'appliquer à l'humanité, ce qu'il a constitué en réalité ?...

— Les lois de la nature. »

Elle plissa de nouveau le front. Sa peau était toute luisante de transpiration.

« Oui, Nick, nous avons *les lois de la nature*. Les lois de la création, les lois de l'univers, les lois de la physique. Vous savez, Einstein a travaillé des années avant de publier sa théorie de la relativité, qu'il a quand même appelée "théorie" faute de preuve. Autrement, elle serait devenue une loi. Mais ce qu'Einstein cherchait à prouver, ce à quoi il a consacré les trente dernières années de sa vie, c'était en fait la théorie du champ unifié.

— Qui était ?

— Qui *est*, corrigea-t-elle, une théorie qui propose d'unifier les quatre interactions ou forces connues : la forte, la faible, l'électromagnétique et la gravitationnelle. Ces forces sont connues pour régir toutes les interactions observées de la matière. Einstein croyait qu'un jour tous les phénomènes physiques seraient finalement explicables par une loi sous-jacente.

— Quelque chose qui explique les lois de la nature ? demandai-je.

— Ça, c'est la *théorie*, dit Sarah avec un sourire ironique. De toute évidence, les choses ont bougé depuis Einstein, mais si jamais on *pouvait* prouver la théorie du champ unifié, nous aurions une connaissance et une compréhension insurpassables – dans tous les sens du terme – du monde qui nous entoure. On pourrait peut-être même arriver à *contrôler* la nature. Imaginez ce que serait le monde si on pouvait littéralement *déplacer les montagnes*.

— Vous vous foutez de moi, ou quoi ? »

Je m'attendais à voir Sarah éclater de rire. Mais il n'en fut rien.

« Il y a une station d'essence à la sortie de Victorville, dit-elle. Il nous faut des Snickers pour Tina. »

Visiblement, les hypothèses énoncées précédemment ne semblaient pas l'émouvoir. Comme si, pour elle, l'idée de pouvoir contrôler la nature était quelque chose de… comment dire… normal.

Puis elle se tourna vers moi en souriant. « Vous savez, vous en avez vraiment beaucoup à apprendre sur la façon dont ce monde fonctionne. Et personnellement… » Elle se tourna pour regarder par la fenêtre. « … je crois qu'un ou deux Snickers pourraient vous être utiles. »

19

Vendredi 20 avril 2040
Prison de haute sécurité
de Polunsky, Huntsville, Texas

Marshall était le prototype de l'avocat. Cheveux blond cendré plaqués en arrière, petites lunettes rondes, visage anguleux et costume sur mesure. De la main droite, il tenait un porte-documents en cuir marron, dont on apercevait les attaches sous sa Rolex en or. Ses chaussures venaient de chez un « chausseur » plutôt que de chez un « fabricant », en conséquence de quoi elles étaient très chères, avec des semelles italiennes qui cliquetaient en rythme sur le carrelage. Escorté par Joe Drinkard, le gouverneur en personne, il allait rejoindre l'homme qu'il avait tellement hâte de voir.

« Un peu tard dans la journée pour changer d'avocat, remarqua Drinkard laconiquement.

— Il n'est jamais trop tard », répondit Marshall sans s'émouvoir.

Ils tournèrent au bout de l'allée, et un garde s'empressa de leur ouvrir les portes menant vers la partie la plus sécurisée de Polunsky : le « Couloir ».

« Il faudrait un acte de Dieu ou le diable en personne pour tirer celui-là d'affaire, expliqua Drinkard au cas où son invité aurait été intéressé. Il est déjà sous surveillance, et il est prévu pour rejoindre le Walls après-demain. Après ça, il ira droit au Byrd... vous pouvez en être sûr. Je n'ai jamais eu de sursis après le Couloir. »

« The Walls », « les murs », était le nom de l'unité de détention au cœur de Huntsville, une ville baptiste à quelque cent dix kilomètres de Houston. C'était la « cité prison » du Texas, où un habitant sur quatre était un détenu, et le Département de justice criminelle du Texas (DJCT), de loin le plus gros employeur. Les Walls, à quinze kilomètres environ de Polunsky, était l'endroit où toutes les exécutions de l'État avaient lieu. Jusqu'au milieu du XXe siècle, des détenus habitaient également aux Walls, jusqu'à ce qu'un nombre croissant de condamnés de ce type ait conduit à leur déménagement à Ellis, une installation plus grande.

Après que trois détenus eurent tenté en vain de s'échapper en 1998, l'installation avait été déplacée non loin, dans un endroit offrant plus de sécurité ; le centre de détention Terrell, qui fut renommé « Polunsky » pour l'occasion.

Le « Byrd », c'était le cimetière Joe Byrd. Certains prisonniers pouvaient, s'ils le voulaient, faire don de leur corps à l'institut médical de Galveston, mais beaucoup ne voyaient pas pourquoi ils aideraient un système qui leur avait ôté la vie aussi gratuitement. Certains tenaient à ce que leur corps soit remis à leurs proches, et d'autres, comme Mason, en l'absence de toute famille pour accepter un tel cadeau, allaient « tout droit au Byrd », et leurs tombes étaient signalées par une simple croix blanche. Pas d'épitaphe ; juste un nom et un numéro.

« Cela dit, continua Drinkard, il doit avoir Dieu ou le

diable dans son camp pour qu'on vous donne le droit de venir jusqu'ici. Normalement, ça n'arrive jamais. »

Tout en marchant d'un pas rapide, il regardait Marshall.

« Alors, c'est quoi ?...

— Pardon ? » dit Marshall.

Il n'avait aucune envie d'échanger des banalités.

« Dieu ou le diable ? »

Marshall réprima un sourire.

« Un peu des deux. »

« Des condamnés à mort ?... dit Alison. Dites-moi que vous n'êtes pas sérieux, Joseph. Vous ne pouvez pas faire ça. »

Mais il l'était, visiblement. Terriblement sérieux, même.

« Et pourquoi pas, dites-moi ?

— Parce que c'est mal, dit-elle avec colère. C'est inhumain.

— Plus inhumain que... disons... que de les *tuer* ? dit Klein avec emphase. Leur prendre la vie ? Je suis leur sauveur, mademoiselle Bond, pas leur ennemi. Je leur remets entre les mains toute leur vie misérable, je leur donne la possibilité de vivre jusqu'à 100 ans s'ils le peuvent.

— Mais où ? Quand ?

— Qu'est-ce que ça peut leur faire ? Et à nous ? Tout vaut mieux que la mort, non ? Tout ce qu'on demande à ces hommes en échange, c'est de localiser ce dont nous avons besoin, des trésors de l'art, des œuvres d'art religieux, des choses de valeur disparues depuis toujours. Une tâche à la portée d'hommes qui sont presque tous des tueurs et des voleurs expérimentés, ne croyez-vous pas ? Ensuite, quand ils auront accompli leur tâche, ils pourront vivre comme des hommes libres à l'époque que nous aurons choisie.

— Et s'ils échouent ? demanda Alison. Que se passera-t-il ? »

Sherman se pencha en avant, les bras croisés sur la table.

« Que voulez-vous dire ? »

Alison se tourna vers lui.

« Eh bien, supposez par exemple que les ossements du Christ – pour reprendre votre exemple – se trouvaient encore dans un endroit connu, disons en Perse, en 1200 après J.-C. Vous renvoyez un type là-bas, un de vos petits cochons d'Inde...

— Je préfère les appeler souris, interrompit Klein. En l'honneur de la jeune Charlie. »

Alison secoua la tête d'un air désespéré.

« Alors, vous envoyez quelqu'un en arrière pour voler ce dont vous avez besoin et il... l'enterre. Vraisemblablement quelque part en Europe, parce que ce serait un boulot dément s'il atterrissait sur un continent vierge. Et ensuite ? Et s'il décide de vous envoyer paître, et qu'il ne fait pas ce pour quoi vous l'avez envoyé ? Il peut très bien s'en aller et vivre librement s'il le veut. Pourquoi se lever le cul pour le faire ? Et qu'en est-il de la langue ? Comment communiquerait-il en arrivant là-bas ?

— La langue peut lui être enseignée, dit Klein. Quant à sa tâche, il l'accomplira. Parce que s'il ne s'exécute pas... s'il échoue... alors celui qui retournera après lui sera ni plus ni moins *la raison de son échec*. Et il se débarrassera par la même occasion de l'homme qui a si lamentablement échoué.

222

— Et ainsi de suite ?… demanda Alison. Jusqu'à… ? Jusqu'à ce que vous n'ayez plus personne à renvoyer.

— Il y a encore beaucoup de poissons dans l'aquarium », dit Klein calmement.

Kerr referma son dossier et le poussa en travers de l'acajou poli.

« C'est exact », dit-il. Alison, à son grand désarroi, voyait déjà ce qui se passait dans sa tête. Il paraissait presque excité. « Nous pourrions devenir la raison pour laquelle le premier type a échoué tout autant que la raison pour laquelle les ossements du Christ sont introuvables. Le type "A" ne saurait même pas qu'il a échoué jusqu'à ce qu'il rencontre "B". Mais nous, nous le saurions, parce que nous venons de déterrer le site de "A" et qu'il n'y a pas d'ossements. Alors nous allouons un site à "B" et nous renvoyons "B" en arrière. Sa tâche est alors de voler les ossements à "A", et bien entendu de le tuer. Ou simplement de le tuer s'il ne les a jamais volés. Ensuite, il peut trouver les ossements et tout remettre en ordre pour ne pas que nous soyons obligés d'envoyer "C" pour s'en occuper. Ça tombe sous le sens. »

Alison se tourna vers lui avec un air mauvais. « Le sens ? Bon Dieu, rien de tout ça n'a de sens. Vous ne remettez pas les choses en ordre. Vous ne faites que les empirer – et brouiller le cours de l'histoire par la même occasion. Comment un tel concept peut-il avoir un sens ? »

Klein sourit.

« Comme vous l'avez si clairement expliqué, mademoiselle Bond, nous ne pouvons pas, comme vous l'avez dit, "brouiller le cours de l'histoire". Ces hommes feront partie de l'histoire existante. D'ailleurs, qui sait ?… Peut-être le sont-ils déjà.

— C'est exact », dit Sherman.

Il était évident qu'il était déjà partie prenante de ce plan. Il pouvait même très bien en avoir été à l'origine.

« Qui dit que, dans tous les livres d'histoire que nous avons sur nos étagères, les références à Nostradamus ne sont pas en réalité des références à… » Il chercha dans la liste des noms et des dates. « … Michael Davies ? Surtout qu'on sait que "Nostradamus" était le nom latin adopté par Michel de Nostre-Dame. Ou que l'homme que nous connaissons sous le nom d'Isaac Newton n'était pas en réalité… je ne sais pas… Jeffrey Mason. Certains hommes exceptionnels avaient des connaissances très en avance pour leur époque, mais le principe reste le même. Nous lisons peut-être aujourd'hui des livres d'histoire qui mentionnent des hommes que nous n'avons pas encore renvoyés en arrière.

— Et comment faites-vous pour les financer ?

— Des pièces d'or, des diamants, des pierres précieuses, dit Sherman. Ce genre de choses peuvent assez facilement servir de devises quel que soit le siècle choisi.

— Mais ils ne peuvent rien emporter avec eux qui soit "vivant", dit Alison. En fait, je crois qu'ils ne peuvent même pas emporter de vêtements. Ils se retrouvent donc complètement nus et sans un sou dans un siècle qui leur est totalement étranger. Comment voulez-vous qu'ils réussissent ?

— C'est justement là où Charlie s'est avérée tellement utile, dit Sherman avec un sourire entendu. Surtout que, comme toutes vos petites bestioles adorées, elle était "taguée". »

Alison comprit soudain que quelque chose lui avait échappé. Charlie avait effectivement été taguée ; une petite capsule insérée dans son cou, comportant toutes ses caractéristiques et pouvant être scannée et lue à tout instant. Elle aurait aussi permis de suivre Charlie partout dans le bâtiment si jamais elle s'était échappée de sa cage. Et pourtant, après le départ de Charlie, la cage était vide. Pas de souris. Pas de capsule.

Autrement dit, la capsule étant entourée de matière vivante, elle était partie avec elle.

« Mettez-vous-le dans le cul, dit Kerr en reprenant les propos d'Alison, avec un petit sourire triomphant, mais nettement moralisateur.

— Mettez-vous-le dans le cul, répéta Klein visiblement amusé.

— Bon Dieu, vous en parlez comme si ça allait vraiment arriver, dit Alison. Comme s'il n'y avait plus aucune hésitation.

— C'est déjà en train d'arriver, dit Klein d'un ton laconique. J'en ai déjà parlé au procureur général – qui est très excité par nos recherches, je dois dire –, et nous négocions en ce moment même la libération conditionnelle de certains détenus. »

Alison secoua la tête et prononça un mot tout bas.

Ça ressemblait à « merde ».

Mason attendait, l'air imperturbable. En chair et en os, il avait l'air encore plus imposant et plus agressif que sur les nombreuses photos de Marshall, lequel ne s'était jamais autant réjoui de l'invention du « verre trempé ».

Il portait la combinaison orange réglementaire, avec les manches relevées pour montrer les multiples tatouages ornant ses bras énormes. Plusieurs signalaient ses précédentes affiliations à des gangs, et un disait « Kitty », le seul souvenir que Mason avait gardé de la fille tuée au cours de la fusillade qui avait finalement conduit à son arrestation et à sa condamnation.

Parmi les dix principaux chefs d'accusation actuellement répertoriés aux États-Unis, Mason était coupable de huit, dont certains à plus d'un titre. Ayant tué aussi bien avant qu'après être entré dans la vie carcérale (meurtre d'un employé de prison ; meurtre d'un détenu d'une prison d'État condamné à vie pour cinq chefs d'accusation – meurtre, meurtre au premier degré, enlèvement aggravé, agression sexuelle aggravée et vol aggravé), seuls « meurtre au cours d'une évasion » et « meurtre d'un individu de moins de 6 ans » manquaient à son palmarès.

Les autres : meurtre d'un fonctionnaire de sécurité ou d'un pompier ; meurtre au cours d'un enlèvement, cambriolage, vol, agression sexuelle aggravée, incendie criminel, obstruction ou représailles ; meurtre commandité et meurtres multiples avaient tous été commis au cours d'un long accès de folie meurtrière entre 2024 et 2026, période au cours de laquelle Mason ne se croyait pas simplement au-dessus des lois, mais probablement au-dessus de Dieu lui-même.

Il était, comme Drinkard l'avait dit à Marshall par téléphone la veille sans lui épargner le moindre détail de ses atrocités, « un homme avec qui il ne fallait pas jouer ».

Et pourtant, Marshall était sur le point d'aller jouer avec lui, pour autant que Mason y soit disposé.

Il prit l'écouteur en main. Mason n'en fit rien. Il resta assis le regard fixe, avec des yeux froids et sans émotion. Marshall lui fit un signe, mais Mason demeura imperturbable. Au bout de quelques instants, et seulement quand il fut prêt, il décida alors de prendre l'écouteur et de parler.

« Tu n'es pas mon avocat. » Sa voix était vulgaire, son accent indéniablement texan.

« Non, effectivement, dit Marshall. J'ai passé un accord avec votre avocat en titre, et je suis maintenant ici pour vous aider. »

Mason rit dédaigneusement.

« M'aider ? Y a pas d'autre enculé à part Mason qui va aider Mason. Mason va continuer à vivre.

— Peut-être, répondit Marshall sans s'émouvoir. Mais où ? »

Mason se pencha vers la vitre et se frotta la barbe de la main droite, comme s'il réfléchissait profondément. Comme s'il en était capable. « Justement, j'ai lu quelque chose à propos de ça. J'ai du temps, tu vois ? Apparemment, je vais jusqu'aux Walls dans une belle bagnole. Et le lendemain, on me met sur une civière, comme si j'étais malade, et on me fait une piqûre. Mais ils ne vont pas me guérir, non, monsieur, parce que seul Mason peut guérir Mason. Alors ils vont essayer de se débarrasser de moi. »

Il se rejeta en arrière, tout sourire, le combiné encore appuyé contre son oreille. « Mais Mason va continuer à vivre. Dans le cœur et la tête de tous ceux qui ont essayé de baiser Mason. Et leurs familles et leurs amis et même leurs putains de chiens. Personne ne va oublier Mason. Jamais. Il continuera à vivre longtemps après que le chlorure aura fait son boulot et qu'ils auront gaspillé leur foutu billet de cent. »

Son sourire s'accentua encore.

Et Mason avait raison. Si Marshall n'arrivait pas à obtenir un accord, il passerait sa dernière journée aux Walls. Vingt-quatre heures plus tard, il serait effectivement ligoté sur une civière, et se verrait injecter une dose létale de sodium penthotal comme sédatif ; du bromure de pancuronium, un relaxant musculaire, qui paralyserait son diaphragme et ses poumons ; et du chlorure de potassium qui, sans tenir compte des autres produits, ferait s'arrêter complètement son cœur. Sept minutes plus tard, il serait mort et le coût pour le Département de justice criminelle du Texas atteindrait en effet un peu moins de cent dollars.

Visiblement, Mason s'en foutait complètement. Il avait vu suffisamment d'avocats en son temps pour savoir qu'ils ne valaient pas tripette. Comme cet autre type, commis d'office. Il ne se rappelait même pas son nom, sauf que c'était un sale métèque. Il se montrait plus souvent à la télé que de l'autre côté de cette vitre. Pour lui, les avocats pouvaient tous aller se faire foutre. Ils ne se souciaient que des dollars, pas du client. Peut-être celui-ci, avec son costard de luxe et son joli bronzage, voulait-il aussi exhiber ses dents blanches à la télé en défendant Mason, alors qu'il savait pertinemment qu'il était trop tard.

Pas question. Pas tant que Mason avait son mot à dire. Il pouvait rentrer à son beau bureau et se trouver une autre poire pour se faire de la publicité. Mason s'en foutait complètement.

Il fit un grand sourire et souffla un baiser à Marshall.

« Qu'est-ce que tu dirais de ramener ton joli petit cul à la grande ville et de laisser Mason s'occuper de cette petite situation à sa façon ?

— Je n'ai jamais prétendu être le putain d'avocat de qui que ce soit, rétorqua Marshall avec mépris, avec l'air de dire : "Ça suffit de te foutre de moi." Et contrairement à ces avocats dont vous parlez, je peux vous faire sortir d'ici dès ce matin. Si, évidemment, vous pouvez la boucler quelques minutes pour écouter ce que j'ai à dire. »

Mason plissa les yeux et s'enfonça dans son siège. Il ne s'attendait pas à ça.

« Si t'es pas avocat, dit-il finalement, t'es qui alors ?

— Je m'appelle Marshall, répondit-il en sortant tranquillement une carte de visite de sa poche de poitrine et en l'appuyant contre la vitre froide. Et je travaille pour des gens très importants. Et maintenant, apparemment… » Il sourit d'une façon étrange, un sourire que Mason ne savait pas très bien comment interpréter. « … vous aussi. »

Mason se pencha vers la vitre et lut la carte. « Mason ne lit pas très bien », avoua-t-il, mais il lisait suffisamment bien quand même. Il ne pouvait pas s'empêcher de prononcer les mots en silence tout en les lisant à part lui.

Robert L. Marshall
Responsable des acquisitions
KleinWork Research Technology

20

Vendredi 10 juin 2011
Lenwood, Californie

Maggie assurant le service de nuit, elle n'était pas à la réception d'Oakdene quand nous arrivâmes. C'était un jeune type, dans les 22 ans, pas quelqu'un que je connaissais, mais lui reconnut Sarah car il lui adressa un grand sourire en levant les yeux avant de lui lancer un grand : « Salut. » Puis il se tourna, trouva la bonne clé et nous la remit sans poser de questions.

« Merci, Carey, dit Sarah, et nous nous mîmes en route. Carey est un gamin, m'expliqua-t-elle. Mais il est cool. Avec un bon cœur. » Puis elle regarda devant avec une autre expression. « Contrairement à une personne... »

Je regardai dans le couloir et compris aussitôt de qui elle parlait. Creed venait vers nous, avec ses chaussures crissant sur le vinyle, et ce sourire modeste qu'il affichait chaque matin tout en s'habillant pour aller travailler.

« Inspecteur ?... Et *mademoiselle Fiddes* ?... dit-il, surpris. Quel honneur inattendu de vous revoir si vite tous les deux. Vous venez voir la jolie Tina, sans doute. Rien de *grave*, je l'espère. » Il s'arrêta, visiblement disposé à passer sa journée avec nous. Je n'aimais pas beaucoup la façon dont il avait insisté sur le mot « grave ».

« La routine, c'est tout », dis-je. Je ne lui tendis pas plus la main qu'il ne m'offrit la sienne.

« Ah, je vois, dit-il. Peut-être puis-je vous aider en quelque chose ? »

Ce fut Sarah qui répondit.

« Non merci, monsieur Creed, tout va bien. Comme vous l'avez dit, c'est une simple visite.

— En fait, c'est *docteur* Creed », dit-il, l'air vexé.

En me voyant hausser les sourcils, il comprit que nous n'étions pas dupes. Nous savions aussi bien que lui qu'un doctorat en philosophie n'avait rien à voir avec les traitements dispensés ici. À moins, bien entendu, de vouloir vous assurer que vos patients se montrent « philosophes » à la perspective de ne pas quitter ces murs déprimants avant d'en être emportés, le visage recouvert.

« Mais vous êtes là tous les deux aujourd'hui, inspecteur, continua-t-il avec son sourire forcé. Alors il doit s'agir d'affaires *importantes*.

— En effet, monsieur Creed, dit Sarah en le contournant. Merci de vous en inquiéter. »

Elle me jeta un regard triomphant de côté tandis que je la suivais. J'imaginais facilement la tête de Creed.

« Je *déteste* cet homme, dit-elle en s'assurant qu'il ne pouvait pas nous entendre.

— Nous sommes deux, répondis-je. Je suis sûr que c'est un pourri.

— À un point inimaginable », répondit Sarah.

Dans l'escalier, la main courante s'écaillait et les marches étaient couvertes de crasse aux endroits inaccessibles au balai. Quand Sarah me demanda pourquoi je le détestais, je faillis ne rien dire. Après tout, sa sœur était bien obligée d'y vivre.

« Ça n'a aucune importance, dis-je. Ça remonte à très longtemps. »

Sarah esquissa un sourire. « Ne m'épargnez pas à cause de Tina, dit-elle. Pour l'instant, elle est ici, que cela me plaise ou non, et, comme on dit... le savoir donne le pouvoir. »

Je poussai donc un grand soupir et me mis à lui raconter. À *tout* lui raconter. À propos de Jennifer Sanchez, une jolie Costaricaine, qui avait été placée à Oakdene quand sa maladie de Gilles de la Tourette était devenue trop difficile à gérer pour ses parents âgés. Je lui racontai comment, d'après les informations recueillies, on pouvait à un moment avoir une conversation avec un ange, qui, l'instant d'après, donnait des coups de pied, crachait, hurlait et vous traitait de tous les noms.

Bien sûr, la plupart de ceux qui travaillaient à Oakdene étaient formés pour faire face à ce genre d'éclats, alors que Creed, lui, n'était même pas capable d'attacher ses propres lacets. Raison pour laquelle, j'ai compris depuis, il porte ces espèces de mocassins en moleskine. Il avait dit qu'elle avait perdu la raison, *ce qui est faux*, et qu'elle s'était précipitée sur lui. Quand il avait voulu l'éviter, elle avait pris la porte en pleine tête et s'était fracturé le crâne. C'était un vendredi, et Tony, l'équivalent latino de Maggie à l'époque pour la nuit, était en train de porter les draps de la journée à la buanderie.

Il était resté en bas pendant une demi-heure.

Assez longtemps pour que Creed, exaspéré par les cris de Jennifer, sorte de sa chambre volontairement spartiate, retourne à son bureau, s'empare de son trophée de football en bronze sur l'étagère, puis revienne lui en asséner un grand coup sur la tête. Le lendemain, quand je remarquai des taches de sang sur le trophée, il déclara qu'il avait saigné du nez dessus.

Il avait bien vu ce que je regardais. Il était en train de le nettoyer avant même que je lui pose la question.

« Elle s'est déchaînée quand il est entré pour lui donner ses médicaments, expliquai-je. Chose qu'il devait faire parce qu'ils étaient soi-disant à court de personnel. D'après moi, quand il est entré dans sa chambre, elle s'est mise à le traiter de tous les noms. Et qui sait, peut-être quelque chose a touché une corde sensible chez lui. Compte tenu des circonstances, je ne lui aurais de toute façon pas pardonné d'avoir perdu la tête, mais au moins j'aurais *compris*. Elle devait être sacrément difficile. Mais de là à l'enfermer, comme il l'a sans doute fait, pour retourner à son bureau, avant de revenir, muni de quelque chose de lourd… »

J'inspirai profondément. « Évidemment, je n'ai rien pu prouver… » Je continuai sans parler pendant quelques secondes et, après un coup d'œil dans ma direction, Sarah en fit autant. Mieux valait mettre un terme à la conversation. Je risquais, moi aussi, de sortir de mes gonds et de retourner en bas pour tabasser ce salaud.

« Qu'est-ce qui fait que ces types avec des mains propres font tellement attention de ne pas les salir ? » dis-je, furieux.

Sarah frissonna. « Je déteste tellement cet endroit, dit elle en insistant sur les mots. Pas autant que je déteste Creed, je dois bien vous l'avouer, mais je déteste même les murs. » Elle marqua une pause.

« Tina mérite tellement mieux.

— Alors pourquoi la laisser ici ? » demandai-je.

Arrivés en haut des marches, nous tournâmes dans le couloir. Des gémissements provenaient de la chambre 106.

« Il y a des tas d'autres endroits.

— Il y a des raisons, répondit-elle à sa façon énigmatique. Un de ces jours, je trouverai les choses que je dois trouver, et je veillerai alors à la mettre dans une institution publique. Elles se valent probablement toutes, mais le niveau d'hygiènc et de soins y est généralement meilleur. Et bien qu'il y ait des Creed à peu près partout, même dans les établissements gérés par l'État, ces types sont généralement beaucoup mieux encadrés. »

Elle réfléchit en silence. « Un de ces jours. Mais pour l'instant, Tina doit être à Oakdene, je ne peux rien faire d'autre que de venir la voir. »

Je savais ce qu'elle voulait dire à propos des normes en vigueur dans des institutions publiques équivalentes. La seule que je connaissais, à Thousand Oaks, était nettement plus propre et mieux gérée qu'Oakdene. Elle occupait un bâtiment récent un peu plus haut sur la côte après Los Angeles, juste à la sortie de la I-101 ; des coursives tout en verre d'un blanc éclatant donnant sur la mer, à cinq kilomètres de la ville du même nom. Certes, le centre d'essais de missiles du Pacifique était juste à côté, ce qui n'était pas idéal, mais, d'un autre côté, que pouvait-on demander de mieux en matière de sécurité ? Je savais aussi que la renommée de Thousand Oaks parmi les gens riches de Los Angeles dont les proches avaient perdu la boule impliquait une file d'attente conséquente, ce qui militait aussi en sa faveur.

Nous arrivâmes à la 113 ; Sarah jeta un coup d'œil à l'intérieur et sourit.

Tina était assise à la table, en train de lire au soleil, lequel, contrairement à ma précédente visite, s'étendait beaucoup plus loin à l'intérieur de la chambre. Le lit était toujours impeccablement fait, et par Tina elle-même, militairement, chaque matin, comme je l'appris plus tard. Elle lisait un livre d'Émile Zola. Me souvenant de ce que Maggie avait dit sur Tina, qu'elle était capable de lire dans cinq langues, je supposai que le livre était dans sa langue originale, en français.

Nous entrâmes dans la chambre. Tina leva les yeux en nous entendant et vit sa sœur franchir la porte. Son visage s'illumina alors comme sous l'effet d'un feu d'artifice. Je me souviens quand, il y a bien long-temps, j'avais demandé à Vicki si elle voulait aller à Disneyworld, et son visage s'était illuminé exactement comme ça. Le genre d'excitation enfantine qui se perd avec les années, et c'était étrange de la voir maintenant chez quelqu'un de l'âge de Tina.

Elles s'embrassèrent comme si elles ne s'étaient pas vues depuis longtemps, comme des personnes séparées à la naissance qui se retrouvent sur un plateau de télévision après des recherches dans le monde entier.

« Salut, ma douce, comment ça va aujourd'hui ? » demanda Sarah.

L'expression chaleureuse qui avait envahi le visage de Tina la dispensait de toute réponse. Nettement mieux maintenant. Quand elles s'écartèrent l'une de l'autre, Tina me jeta un coup d'œil, puis elle se tourna vers sa sœur. Je ne comptais pas. Puis elle se mit à tâter les poches de Sarah, exactement comme un chien quand il sait qu'il a été obéissant, avec un regard avide presque équivalent au halètement de la bête et à ses aboiements excités.

235

« Dans un instant, ma douce, dit Sarah gentiment. J'ai apporté du travail. »

Et Tina s'arrêta. Net.

Je m'adossai au mur, face à la fenêtre, pendant que Sarah et Tina s'asseyaient de chaque côté de la table. Sarah sortit un dossier de son sac à dos, et expliqua rapidement à sa sœur comment le tableau et le latin l'avaient dirigée vers une ville en France du nom de Serres. Puis elle lui montra toutes les photos et les notes sur la ville qu'elle avait imprimées.

« À mon avis, ce n'est pas tout, dit-elle doucement. Je crois que le latin me dira où je dois chercher. » Tina buvait ses paroles. Elle avait l'air aussi impatiente de l'aider que lorsqu'elle fouillait pour trouver les Snickers. « Pourrais-tu y jeter un coup d'œil, ma douce ? »

Visiblement d'accord, Tina écarquillait ses yeux brillants. Mais elle les écarquilla encore davantage quand Sarah sortit les deux Snickers de son sac à dos. « J'ai pensé que tu en voudrais un maintenant, et un autre après avoir regardé le dossier. Qu'en dis-tu ? »

Le sourire de Tina s'agrandit et elle tendit sa main, mais Sarah reprit doucement la barre. « J'aimerais que tu me la prennes à *ta façon*, ajouta-t-elle. Tu pourrais faire ça pour moi ? »

Tina regarda droit vers moi, et l'excitation dans son regard disparut aussitôt. Je n'avais pas la moindre idée de ce que voulait dire Sarah par « sa façon », mais ce n'était sûrement pas quelque chose que sa sœur aimait faire devant des étrangers. « C'est bon, ma douce, ajouta Sarah. C'est un ami à nous. Promis. »

Un ami à nous. Ça me plaisait bien.

Tina sourit. Elle paraissait encore un peu hésitante, mais, visiblement, si sa sœur disait que ça allait, peut-être qu'elle pouvait la croire. Sarah désigna quelque chose derrière moi : c'était un petit store en toile fixé au-dessus de la vitre dans la porte. Quand je me retournai, elle fit un signe de tête, et je descendis le store pour le fixer en bas.

Creed. Sarah ne voulait surtout pas qu'il puisse nous épier pendant qu'elle me montrait ce qu'elle voulait me faire voir.

Malheureusement, il n'y avait pas de crochet pour tenir le store. Seulement la corde du store lui-même et un trou circulaire de vingt-cinq millimètres dans la porte où un fermoir avait été autrefois fixé.

« Vous n'auriez pas un gros rouge à lèvres dans votre sac ? demandai-je à Sarah.

— Quel endroit », dit-elle d'un air accablé.

Elle fouilla dans son sac à dos et en sortit un gros marqueur noir d'un diamètre à peu près correspondant.

« Tenez, essayez ça, dit-elle en me le lançant.

— Vous trimbalez toujours un stylo de cette taille ?

— Ça écrit sur n'importe quoi, dit-elle. C'est un truc d'archéologue. »

Le stylo était juste un peu trop gros, mais comme il était effilé au bout, je pus le faire entrer dans le trou en forçant un peu. Une fois qu'il fut bien en place, je descendis à nouveau le store et enroulai la corde plusieurs fois autour du stylo pour que ça tienne.

Sarah posa soigneusement le Snickers sur la table devant Tina, à environ un mètre. Ses doigts étaient accrochés au bord de la table, ses pouces se touchant, et elle le regardait fixement. Elle ne faisait aucun effort particulier, pas plus qu'elle ne semblait se concentrer sur la barre. Elle se contentait de couver des yeux l'objet de son désir. Le genre de regard né d'une envie profonde. *Je le veux. Je le veux tellement.*

Et le Snickers se mit à bouger. Très légèrement,

mais j'aurais juré mes grands dieux que la barre avait bougé. J'en étais certain.

J'allais dire quelque chose, mais Sarah me fit signe sous la table de me taire. Je me contentai donc d'observer, bouche bée. Pendant quelques secondes, je me demandai si je n'avais pas rêvé ou si la barre avait réellement bougé. Ou si elle avait bougé, était-ce parce que l'un d'entre nous avait poussé la table par inadvertance ? Peut-être s'agissait-il seulement d'un simple effet de gravité.

Je ne me suis pas posé longtemps la question parce que, ensuite, elle l'a fait. Tina prit le Snickers à sa sœur *de sa façon spéciale*.

Encore une légère secousse, et le Snickers se mit à se déplacer sur la table comme une flèche ; comme s'il était en acier et que les doigts de Tina cachaient un aimant très puissant. Quelque part dans sa tête, elle avait activé un interrupteur, et ensuite levé la main pour le recevoir ; un receveur attrapant la balle. Elle savait que la barre allait venir tout droit vers elle, et elle savait à quel moment précis. Ses doigts avaient à peine bougé et elle était restée imperturbable.

Sarah lui sourit avec tendresse. « Bien joué, ma douce. » Elle me regarda, sans que je sache vraiment quelle tête j'avais, mais elle, tout comme sa sœur, débordait d'une joie enfantine. Avec, disons-le, une touche de fierté. Tina avait déjà défait l'emballage, et, pendant qu'elle mangeait, elle rangeait les documents de Sarah de façon à se faciliter la tâche. Elle ressemblait à quelqu'un qui allait passer un examen ; stylo ici, gomme là, boisson là, calculette là. Prête à commencer.

« L'inspecteur Lambert et moi allons prendre un café, dit Sarah. J'ai l'impression qu'il en a bien besoin. »

Tina leva à peine les yeux. Comme si elle avait essayé mais que son regard était rivé sur les papiers avec un élastique, la forçant à rebaisser la tête aussitôt. Visiblement, c'était une passion qu'elles partageaient. Tina Fiddes n'avait pas vu sa sœur depuis deux ou trois jours, et elle allait se retrouver seule à nouveau. Pas pour longtemps, certes, mais seule quand même.

Pourtant, elle était davantage préoccupée par le « travail » que sa sœur avait apporté.

« Nous irons nous promener tout à l'heure, d'accord, ma douce ? proposa Sarah. Ça te dit ? »

Tina ne leva même pas les yeux.

« Je vous avais dit qu'un Snickers serait utile, ajouta-t-elle en se dirigeant vers moi et en me prenant le bras. Allons, inspecteur. Quittez cet air de "lapin effarouché" quelques instants, et peut-être que je vous dirai comment tout ça fonctionne en réalité. »

21

VENDREDI 10 JUIN 2011
LENWOOD, CALIFORNIE

« Dites-moi un peu, demandai-je, en évitant de trop prendre mon ton d'enquêteur. Ça vous faisait quoi, d'avoir une petite sœur qui vous volait du chocolat sans le toucher ? »

Sarah souffla en produisant de petites rides sur le goudron qui tenait lieu de « café au lait ». Plus précisément, une boue noire, surmontée de petits dépôts non solubles d'une substance poudreuse blanche.

« Étant enfants, nous vivions séparément, dit-elle en réprimant sa tristesse. J'ai même ignoré l'existence de Tina pendant longtemps, et n'ai réussi à la retrouver qu'il y a deux ans environ. À ce moment-là, elle avait déjà passé le plus clair de son existence dans une institution. »

Je restai silencieux. Il ne faisait aucun doute qu'elle et Tina étaient de la même veine, et, au premier coup d'œil, on voyait à quel point Sarah adorait sa sœur – et *vice versa*. J'avais du mal à imaginer ce que ça avait pu être pour elles d'apprendre l'existence d'une sœur après des années d'ignorance.

« Alors quand, et comment, avez-vous appris qu'elle pouvait... vous savez... faire ce qu'elle fait ? »

Je sentais qu'il fallait que je change de sujet pour dissiper le sentiment de tristesse qu'elle ressentait et lui faire retrouver sa bonne humeur.

Et effectivement, un clic sur la bonne touche avait suffi pour que son sourire revienne.

« Changer la séquence ? dit-elle. C'est comme ça que je l'appelle, parce que je crois que c'est ça qu'elle fait. Elle laisse s'écouler normalement la séquence du temps, mais fait bouger tous les autres nombres à l'intérieur dans une autre direction. Changer la séquence, répéta-t-elle, comme si ces mots recouvraient quelque chose d'inatteignable pour nous tous. C'est arrivé après que je m'étais fâchée un jour... » Elle replongea dans ses souvenirs et sourit une nouvelle fois. « J'étais ici... c'était peut-être ma troisième ou quatrième visite... et je ne savais pas encore vraiment comment la prendre. La patience n'a jamais été mon fort. J'essayais de lui brosser les cheveux, et elle se débattait pour aller chercher le Snickers que j'avais dans mon sac. C'était le mien, d'ailleurs, pas le sien. À ce moment-là, je ne savais pas encore qu'elle les aimait. » Elle reprit une gorgée de café. « Me voilà donc en train de la coiffer, et elle essayant de s'éloigner ; je devais être un peu frustrée et je me suis mise à crier. Et elle a perdu les pédales. » Elle secoua la tête.

« Bon Dieu, on aurait cru que je l'assassinais, vu la façon dont elle s'est emportée. Une minute ou deux après le début de cette crise, j'ai vu mon sac franchir la moitié de la distance entre nous. Environ un mètre. J'ai d'abord cru que c'était mon imagination.

— Mais ce n'était pas le cas ?

— Absolument pas, répondit-elle. Quelques semaines plus tard, ça s'est reproduit. Cette fois, je savais qu'elle aimait les Snickers et j'en avais apporté spécialement pour elle, mais je lui avais dit qu'elle ne les aurait qu'après que je l'aurais coiffée. Quoi qu'il en soit, j'ai dû mettre un peu trop de temps pour la coiffer parce qu'elle s'est encore fâchée, et a commencé à gratter comme elle le fait et... la barre s'est mise à glisser le long de la table avant de tomber. Alors qu'elle était au moins à trente centimètres du bord. »

Sarah inspira profondément.

« C'est à ce moment-là que j'ai compris que ce n'était pas un accident.

— Alors, qu'avez-vous fait ? demandai-je.

— J'ai commencé à lui en parler, en essayant de comprendre, ce qui m'a conduite à lui demander si elle pouvait le maîtriser. Ça a pris des mois, mais elle-même a fini par être contente en sachant qu'elle pouvait exercer dessus une forme de contrôle. Elle ne se concentre pas, elle ne fait que regarder quelque chose et le vouloir. Si elle le veut vraiment, ça se produit.

— Ce n'est pas dangereux ? » demandai-je.

J'avais vu bien trop de films de Stephen King.

« Je suppose que ça pourrait être le cas si elle se fâchait *trop*, mais, pour être honnête, Tina n'a pas une once de méchanceté. C'est probablement la dernière personne capable d'exercer ce don à mauvais escient. » Elle me regarda.

« Contrairement à quelqu'un que nous connaissons.

— Qui ça, demandai-je. Creed ?

— Non, dit-elle en riant. Creed ne verrait pas la différence entre son trou de balle et un trou dans la terre. Mais vous vous souvenez quand je vous ai dit que le type présent sur le champ de fouille américain était un scientifique ? »

J'acquiesçai.

« En plus de ses propres entreprises, il s'occupe

de certains projets pour le gouvernement, et donne même son avis sur des sujets comme les phénomènes paranormaux. »

J'avalai une grande gorgée de boue avant de le regretter aussitôt.

« Des études sur les phénomènes paranormaux ? Et il travaille pour le gouvernement ?

— Parfaitement, dit Sarah d'un ton laconique, perception extrasensorielle, télépathie, télékinésie, projection dans l'avenir, apport, vous avez le choix. Ainsi que des trucs plus occultes comme "la vision à distance", vous savez ? La capacité d'être au lit à Washington et de voir ce qui se passe dans une tanière terroriste au loin. La capacité, peut-être, de localiser cette cachette. C'est une chose à laquelle la CIA s'intéresse depuis la fin des années 1950. »

Elle me regardait comme si elle s'attendait à ce que j'éclate de rire, mais prête à me tuer si je le faisais. Si je n'avais pas vu ce que je venais de voir – et j'étais à peu près sûr de l'avoir vu –, j'aurais encore jugé tout ça du plus haut ridicule. Mais la performance de Tina avec le Snickers et le regard de sa sœur me disaient que c'était du sérieux.

« D'où votre intérêt pour les lois de la nature ? »

Sarah haussa les épaules.

« Bien sûr. Il n'y a aucune garantie que les tables offrent des réponses compréhensibles, mais commencer par les trouver constitue un bon début. En vérité, les physiciens des particules ont déjà commencé à comprendre la façon dont fonctionne le monde sans ces tables. Ils ont déjà compris que c'était numérique et qu'il existait des règles. Comme ce sont des scientifiques, ils refusent de croire que ces règles ne sont pas

243

accidentelles, voilà tout. Et depuis quelques années, ils se sont sacrément enlisés.

— Alors dites-moi, lui demandai-je en reprenant ses mots, comment le monde fonctionne-t-il exactement ? »

En dehors de Sarah et de moi-même, penchés sur nos gobelets en carton, la salle était vide, froide et sale. Quoi qu'il en soit, c'était ce qu'Oakdene offrait de plus ressemblant à une cantine.

À l'époque où c'était une école, ça s'appelait de façon beaucoup plus romantique un « réfectoire » : avec une brigade d'une quinzaine de personnes mitonnant une cuisine odorante pour nourrir vague après vague des gosses affamés. Maintenant, toute la nourriture d'Oakdene arrivait en camionnette, précuite et dans du polyéthylène, et cette salle ne comptait plus que trente tables en stratifié craquelées de partout, des chaises bancales et une machine à café totalement inefficace.

Elle réfléchit un moment, visiblement soucieuse de m'expliquer au mieux, puis se dirigea vers la machine à café et en revint avec huit gobelets en carton.

« Voyez-vous, il y a un problème qui a intrigué les scientifiques pendant des années », expliqua-t-elle en reprenant sa place.

Elle aligna trois des gobelets, laissant un tout petit espace entre chaque, et, un peu plus loin sur la table, disposa soigneusement les cinq autres, avec, entre eux, un espace suffisant pour intercaler un autre gobelet si nécessaire.

« Voilà le problème... Quand vous avez une feuille de carton avec deux fentes découpées dedans, symbolisées ici par les deux espaces étroits entre ces trois gobelets, et que vous faites passer une lumière à travers ces fentes, ce que vous obtenez sur le mur ou sur l'écran derrière est une série de taches claires et sombres avec un espacement et une largeur égaux. Et ce sont mes cinq gobelets et les espaces entre. Clair-sombre-clair-sombre et ainsi de suite. »

J'acquiesçai.

« Et ça c'est parce que la lumière voyage apparemment sous forme d'ondes. Donc, ce qui se passe, c'est que les ondes, en sortant des fentes, interfèrent les unes avec les autres comme des rides sur une mare, et, au moment où elles frappent le mur, soit elles s'ajoutent soit elles s'annulent.

— Comme des rides sur une mare ?

— Exactement. En fait, si vous répétez cette expérience dans un réservoir, en faisant passer de l'eau à travers les fentes au lieu d'une lumière, vous obtenez le même résultat. Parce que c'est ce que font toutes les ondes… eau, son, radio, ou toute fonction d'onde que vous pouvez nommer… quand elles se heurtent les unes aux autres. Elles interfèrent. Vous comprenez ?

— Je crois.

— Mais il y a un petit problème, Nick », continua Sarah.

Je reculai ma chaise en arrière et croisai les jambes. Comme si j'étais vraiment passionné, vous comprenez ?

« Ah bon ?

— Ah oui, dit-elle en acquiesçant et en ouvrant grand les yeux. En 1985, des scientifiques en Allemagne ont fait exactement la même expérience que celle que je viens de décrire. Sauf que… à la place d'un mur ou d'un écran, ils ont utilisé des photodétecteurs hautement sensibles, et, à la place de la lumière, un émetteur de particules capable de n'envoyer qu'un seul photon de lumière à la fois. Tout ça dans un vide absolu, sans interférences. Évidemment, il n'y avait aucune possibilité pour que des "ondes" de lumière se forment, pas à partir d'une seule particule, donc il n'y avait aucune chance pour que ces ondes s'entre-choquent. »

Elle ouvrit encore un peu plus grand les yeux.

« Mais devinez quoi ?...

— Ça s'est produit ? »

Je commençais à ne même plus sentir le goût du café.

« Tout à fait. Même si cela était scientifiquement impossible, les photons, plutôt que de trouver leur propre chemin et d'atterrir au hasard sur le détecteur photographique, continuaient à former un schéma. C'était comme si on leur avait dit où atterrir, que cela leur plaise ou non.

— Mais qui ? demandai-je, sceptique. Dieu ? »

Sarah haussa les épaules et sourit.

« Si vous voulez, bien sûr. Ils obéissaient certaine-ment à un ensemble de règles, et, dans ce cas, quelque chose non seulement *créait* ces règles, mais aussi *s'as-surait que ces règles étaient suivies*, même quand les circonstances environnementales leur permettaient de ne pas les suivre. Quoi qu'il en soit, ce quelque chose n'aurait jamais pu croire que l'homme puisse arriver un jour à pouvoir n'envoyer qu'une seule particule à la fois, et à mettre ces règles à la poubelle.

— Ce qui veut dire... quoi, exactement ?

— Ça veut dire que tout dans ce monde, chaque particule de matière dont toutes les choses sont com-posées, ne doit aller que là où c'est permis d'aller. La lumière peut passer à travers le verre mais pas la brique, bien que les deux soient faits du même matériau de base : la silice. Si le matériau est changé, il y a un nouvel ensemble de règles. Et la seule façon pour pouvoir faire respecter ces règles, c'est avec un énorme ensemble de coordonnées et de positions prédéterminées.

— Alors le monde n'est rien d'autre qu'un grand ensemble de chiffres ?

— C'est exactement ça ; chaque chose se voyant signifier où elle peut ou ne peut pas se mettre dans cet immense quadrillage. Et il n'est pas seulement question des objets, ni même des molécules. Il est question des particules, les choses qui composent les molécules. Des milliards et des milliards de particules, toutes maintenues solidement à leur place sur le quadrillage à un moment donné dans le temps.

— Et tout ça contrôlé par une espèce de dieu ? Ça représente beaucoup de particules à suivre. »

Sarah buvait maintenant son café sans grimacer, tout en secouant la tête.

« Non, c'est justement ça. Vous ne pouvez pas tout contrôler, alors il faut établir des règles pour les particules de base, que les autres doivent suivre. Par exemple, quand vous bougez votre doigt, vous n'ajustez pas le mouvement de chaque particule de votre système musculaire qui le contrôle. Il y a un élément clé. Vous ne savez pas qu'il existe et vous n'y pensez même pas, mais il est là. Vous ne faites bouger que l'élément clé et les autres suivent. »

Elle réfléchit.

« Quant au "faiseur de règles", si vous voulez, je ne le vois pas comme un dieu, mais comme une espèce d'ordinateur divin. Et je ne veux pas dire un IBM indifférent ou quoi que ce soit avec cartes, circuits et logiciels, je veux dire la plus grande force imaginable de traitement de chiffres.

— Dieu est un ordinateur alors ? »

Elle acquiesça avec assurance.

« Tout cerveau est un ordinateur, donc, faute d'un meilleur terme, oui, il l'est. Et à un bien moindre niveau, je crois que – en fait comme tous les êtres vivants – nous piratons cet ordinateur chaque jour, simplement en agissant réciproquement avec lui. Nous décidons où nous allons et ce que nous faisons en utilisant notre cerveau pour le faire. Mais nous devons aussi respecter les règles. Néanmoins, des personnes ouvertes d'esprit comme Tina, et beaucoup d'autres à travers le monde apparemment, peuvent pirater à un niveau supérieur. C'est possible qu'elles puissent voir les nombres, peut-être même sans s'en rendre compte, détecter des changements et, comme dans le cas de la télékinésie, les modifier à distance. C'est davantage sensoriel que mécanique. »

Je commençais à comprendre pourquoi Sarah avait préféré me montrer le tour avec le Snickers avant de se lancer dans ces explications. D'abord, j'aurais supposé qu'elle avait dû cohabiter avec Tina sans cela, et, ensuite, je pense qu'elle avait éprouvé le besoin de me montrer ce qu'une personne à un « niveau plus élevé » pouvait faire avant de tenter d'expliquer comment un tel niveau pouvait même exister.

« Vous pensez que Tina peut... disons... pirater les lois de la nature ?

— Pourquoi pas ? dit-elle. Ce n'est pas plus incroyable que ce que vous venez de voir. En fait, je crois que ça le rend encore *davantage* croyable, pour autant qu'il existe une explication. Tina a souvent le regard vide et donne l'impression qu'elle ne peut pas avoir de contacts avec d'autres personnes ni comprendre ce qu'elles disent. Je crois plutôt que, à cause de son état, elle n'est tout simplement pas sur la même longueur d'onde. Elle peut se concentrer tout aussi bien que vous et moi, mais elle ne peut pas le faire à *notre niveau*, voilà tout. Son esprit est bien plus ouvert ; plus large. Elle voit des choses que vous et moi n'oserons jamais voir. »

Je regardai tout autour de la salle sinistre, une sorte de boîte aux murs marron avec des arcades d'un jaune insipide. Et je dois dire, aussi fou que ça puisse paraître, qu'il y avait une logique dedans. Et la logique était quelque chose que moi, en tant que policier, je savais qu'il fallait respecter. Pas entièrement, peut-être, mais il fallait rester ouvert à la succession d'événements que cette logique impliquait.

Non seulement ça, mais j'avais vu des choses dans ma vie. Des choses que j'étais tout simplement incapable d'expliquer.

Une fois, j'avais essayé d'ouvrir la serrure de la réserve de la police, dont le sergent de garde m'avait assuré que la combinaison du jour était cinq-huit-trois-sept-un. Comme ça n'ouvrait pas, mon partenaire, Phillips, avait fini par me dire : « Essaye un-cinq-huit-trois-deux. » Ce que je fis, juste pour le ménager, et, clic, ça s'est ouvert, aussi simplement que ça. Phillips n'a jamais su comment ni pourquoi il connaissait cette combinaison. Ça lui était venu tout d'un coup, paraît-il. La combinaison changeait tous les jours. Il n'avait aucun moyen de la connaître.

Une autre fois, j'étais en train de poursuivre un voleur à la tire sur la 3e, devant le centre pour les arts du spectacle, et je savais que j'allais le perdre. Le type était beaucoup trop rapide pour mes poumons à vingt cigarettes par jour. En plus, il pleuvait des cordes et mes vêtements étaient trempés, lourds, me collaient comme un film alimentaire. Tout à coup, ce type tourne et s'enfonce dans une ruelle ; le temps d'arriver au coin, il a disparu. Pschitt ! Et il y a au moins *vingt* portes là-dedans. Certaines ouvertes sans doute, d'autres pas. Je suis fatigué, trempé, et sur le point d'abandonner, bien que je sache qu'il est forcément derrière une de ces portes.

Alors, presque sans réfléchir, je suis allé à la porte numéro huit sur la droite, j'ai sorti mon pistolet et j'ai ouvert. J'ai monté l'escalier et j'ai trouvé une lucarne de sécurité au dernier étage, qui ne pouvait pas s'ouvrir de l'extérieur. Et il était là.

Coincé.

Ne me demandez pas pourquoi j'ai choisi cette porte-là, parce que je n'en ai pas la moindre idée. Tout ce que je sais, c'est que je l'ai fait. À l'époque, j'avais appelé ça de l'intuition, et j'en avais été très fier.

Mais après tout, c'est quoi l'intuition ?

C'est sûr que ces deux événements ne peuvent pas se comparer avec le phénomène de lévitation, ni avec la localisation d'une scène de crime à partir d'un morceau de tissu venant des vêtements de la victime, ni même avec le fait de faire glisser une barre de Snickers sur un mètre pour la faire tomber dans ma main, mais chacun avait eu pour moi sa dose d'étrangeté à l'époque. Alors, j'ai pensé : pourquoi pas ? Donnez-moi une meilleure explication et je m'en contenterai.

Mais jusque-là…

Le café était presque terminé. Et chaque gorgée était de moins en moins surprenante.

« Alors, ces tables ? demandai-je. C'est la clé pour ouvrir cet ordinateur ?

— En théorie, dit Sarah en finissant son café, lançant ensuite son gobelet dans une poubelle en fil de fer comme une basketteuse, à trois mètres. Elles constituent une explication de la règle ; quelque chose qui pourrait faire l'objet d'une ingénierie inversée pour être comprises. La compréhension est toujours le premier échelon sur l'échelle du contrôle. Mais ce qui m'inquiète le plus, c'est le genre de piratage que peut faire Tina, même si, forcément supérieur à vous et moi, il est quand même très primaire. Est-ce que vous vous rendez compte de ce qui arriverait si vous pouviez pirater complètement, je veux dire *vraiment* contrôler vous-même les nombres ?

— Vous joueriez à Dieu, non ?

— Exactement, et *personne* ne devrait être autorisé à faire ça. »

J'étais d'accord avec elle.

« Alors, les tables, demandai-je, que sont-elles ? À quoi ressemblent-elles ?

— Personne ne le sait vraiment, dit Sarah. D'après le livre de l'Exode, elles portaient des inscriptions sur les deux côtés, rédigées par Dieu, et elles donnaient un pouvoir complet sur les éléments ; terre, ciel, feu et eau. En fait, je crois que Dieu a montré à Moïse quel pouvoir on pouvait atteindre avec elles avant de les lui donner.

— Lui a montré comment ? » demandai-je.

Sarah sourit. « *Et toi, lève ton bâton, étends ta main sur la mer...* » Son ton de voix ressemblait maintenant à celui d'un évangéliste à la télévision, délivrant une prophétie. Lent, clair, en articulant bien. « *... et fends-la et que les enfants d'Israël pénètrent au milieu de la mer à sec.* »

J'inclinai la tête en arrière vers le plafond haut et

froid, plein de toiles d'araignées poussiéreuses, et me mis à rire. « Le partage des eaux de la mer Rouge ? Vous croyez vraiment que ces tables pourraient donner le pouvoir de partager la mer ? »

Sarah secoua la tête et reprit son air sérieux. Ce qu'elle me dit ensuite était une autre de ces choses qui resteraient gravées dans ma mémoire.

« Non, Nick. Je crois sincèrement que ces tables donneraient un tel pouvoir que ce truc de la mer Rouge ne ressemblerait plus qu'à un minable tour de magie. »

Le silence s'abattit sur nous. Un interminable silence, plein de gêne. Puis la porte s'ouvrit d'un grand coup et je faillis sortir mon pistolet. Carey était dans l'embrasure de la porte, essayant de reprendre son souffle.

« Bon, dit-il, très fort et sur un ton colérique, mais avec l'air de quelqu'un qu'on ne doit pas prendre entièrement au sérieux. Lequel d'entre vous veut que je lui rappelle une nouvelle fois pourquoi nous ne permettons pas à nos patients de se procurer de gros marqueurs noirs ? »

22

DIMANCHE 3 AOÛT 2042
5ᵉ ET ALAMEDA, LOS ANGELES, CALIFORNIE

Ça n'avait pas été aussi facile que Klein l'avait espéré. Rien d'étonnant, d'ailleurs.

D'abord, il y avait les « souris ». Qui couraient pour lui et couraient pour fuir la justice, avait-il dit dans un sourire. De vraies ordures, tous autant les uns que les autres. Cinq en tout, mais leur nombre ne tarderait sans doute pas à augmenter en cas de succès, et encore plus en cas d'échec. D'abord, ces hommes devaient rester complètement à l'écart du monde ; Klein ne pouvait pas risquer que l'un d'eux ouvre sa grande gueule auprès d'un garde, d'un autre prisonnier ou des quelques parents qui leur restaient, lesquels étaient persuadés maintenant que leur rejeton était mort.

Cela avait nécessité la construction d'une installation particulière qui, pour des questions de logistique, avait été située sous le « labo secret » de plain-pied derrière la tour KleinWork. Le labo qui, pour le moment, était entièrement consacré au projet Séquence. Des cartes et des schémas montraient que cet endroit, à trois kilomètres de la zone où Los Angeles avait poussé comme une fleur de béton, était resté inhabité jusque vers 1892, et Klein ne pouvait pas imaginer pourquoi, sous prétexte de faire des essais à tout prix, il devrait renvoyer quelqu'un en arrière pour arriver après cette date.

Ainsi, une installation complète, située dans un sous-sol construit exprès, était devenue le nouveau « Polunsky » pour cinq hommes en colère. Ils prenaient leurs repas là, dormaient là, emportaient là toutes leurs cochonneries, sans aucun espoir de revoir la lumière du jour. Ce qui ne les empêchait pourtant pas d'être toujours vivants, pas vrai ? Et ils auraient bien le temps de voir le soleil quand Klein les aurait précipités dans le labyrinthe à fromage et les regarderait courir. Ça pourrait même leur donner matière à espérer.

Mais à des hommes endurcis comme ceux-là, il fallait des gardes encore plus durs, avec des mains capables de tuer et des armes qui pouvaient en faire autant, juste un peu plus rapidement. Klein détestait les fusils depuis toujours. Surtout au sein de ses installations. Mais comme tous les autres patrons, il savait que c'était un mal nécessaire, et tous les gardiens postés aux entrées étaient armés, mais c'est vrai qu'ils passaient leurs jours et leurs nuits avec des tueurs. Une seule erreur humaine suffirait à anéantir tout son projet, à le faire littéralement exploser.

Dans les « temps anciens », Klein avait pu confier les problèmes cruciaux de sécurité à Grier et à son équipe, sans s'en mêler personnellement. Mais à présent, il jouait gros : ces hommes supposés endurer ces conditions pendant quatre ou cinq mois maximum s'étaient retrouvés enfermés presque deux ans et demi. Ce qu'on désignait sous le terme aimable de « perturbation » revenait pratiquement toutes les semaines, et Klein, âgé maintenant de 70 ans, était devenu le directeur d'une prison comparable à une véritable poudrière, renfermant des hommes sans famille ni attaches, des hommes qui n'en avaient plus rien à foutre.

Ensuite, il y avait les tatouages. Tandis que la pratique du tatouage était déjà courante chez les Égyptiens en 2000 av. J.-C., et depuis longtemps une constante dans la société japonaise, trois candidats avaient dû être écartés car leurs tatouages étaient typiquement XXIe siècle. Seuls ces hommes ne s'étaient fait percer la peau qu'une seule fois, et c'était autrefois, aux Walls. Certains avaient dû subir un effacement au laser sur certaines parties de leur motif, mais même ceux qui ne portaient aucun tatouage avant leur condamnation avaient encore la « marque de la prison », que tous les prisonniers portaient depuis 2023, l'unique motif tatoué sur leur cheville gauche indiquant qu'ils étaient, ou avaient été, condamnés. À la fin, Klein avait choisi d'utiliser cette dernière marque à son propre avantage, pour prouver la réussite de son projet.

Le premier galop d'essai, le test de la séquence, avait d'abord été programmé pour la fin mai, et c'était un renvoi en 1865. Hélas pour Klein, suite à une bagarre à la cantine au cours de laquelle Jake Edison, l'homme choisi (et dûment briefé), avait eu la gorge tranchée avec une assiette cassée, le test avait dû être retardé. Bien qu'Edison ait survécu, Klein avait proposé que Leroy Stubbs, l'agresseur, prenne sa place. C'est seulement quand Sherman avait fait remarquer que Stubbs était noir et qu'« on lyncherait ce nègre dans l'heure suivant son arrivée » qu'on avait trouvé un remplaçant.

Greg Castle avait donc pris la place d'Edison et de Stubbs, et il n'était pas tellement ravi de jouer « la souris ». Il était persuadé que tout ça tournerait mal, qu'il mourrait dans les plus grandes souffrances, et il n'avait pas été particulièrement impressionné quand Klein, à travers la vitre blindée, lui avait conseillé de mettre en balance cette éventuelle douleur avec les huit mois supplémentaires qui lui avaient été donnés à vivre.

Pourtant, Castle aurait dû se réjouir. C'était de loin sa course la plus facile parce qu'il n'y avait vraiment rien à voler et pas de quoi risquer sa peau dans un monde lointain. Tout ce qu'il avait à faire, c'était de se procurer quelque chose, une chose typique du milieu du XIXe siècle, et de l'enterrer à l'endroit convenu, en même temps qu'un croquis de son tatouage de prison pour qu'il ne puisse pas y avoir d'erreur. S'il le souhaitait, il pouvait ajouter la mention exacte de l'heure et de la date auxquelles il arriverait, ainsi que tout ce qu'il jugerait bon de laisser ou de transmettre.

Le dimanche 3 août au matin, Castle fut préparé dans sa cellule, reçut un dernier repas de son choix, passa un examen médical complet, et on lui remit une balle jaune en caoutchouc contenant une petite quantité de grains d'or, trois diamants bruts et cinq allumettes. Comme tous les candidats, il avait déjà subi une intervention chirurgicale au laser destinée à effacer ses empreintes digitales. Dans des conditions adéquates, les empreintes digitales pouvaient rester intactes pendant des centaines d'années, et on ne pouvait pas risquer de voir un archéologue de pacotille relever sur une œuvre d'art historique les empreintes d'un homme qui, jusque très récemment, attendait dans le couloir de la mort.

À son arrivée, en cas de survie bien sûr, Castle devait utiliser l'or et les diamants pour acheter des vêtements et des provisions, et se servir d'au moins une des allumettes pour brûler la gomme, détruisant ainsi l'unique élément susceptible de servir de preuve contre lui. Il s'enfonça la balle dans l'anus, sous stricte surveillance, et fut conduit enchaîné et menotté par quatre membres de l'équipe de sécurité de KRT jusqu'à l'ascenseur qui l'emmènerait en haut.

Au cours du trajet, dirent-ils, il transpira, il jura, et il pria.

À 10 h 47 du matin, Castle, chaînes et combinaison rouge toujours en place, fut introduit dans le labo hermétique, et un masque descendit du plafond pour lui permettre de respirer quand la dépressurisation interviendrait. La seule autre modification apportée au labo lui-même avait été une surélévation du sol d'une soixantaine de centimètres, un complément d'enquête ayant situé le sol désertique du Los Angeles d'avant à quelque trente centimètres au-dessus du niveau actuel.

Castle était maintenant autorisé à se déplacer librement dans la pièce, dans les limites du raisonnable.

Ce qu'il fit, arpentant l'espace d'un pas hésitant, sans jamais regarder une seule fois en direction de la fenêtre. Les cinq membres de l'équipe du projet étaient présents pour l'observer, tous équipés de casques anti-bruit du rouge de la société et de lunettes panoramiques à lentilles rouges. Tous avaient l'air impatients. Pleins d'espoir.

Tous sauf Alison Bond. Bien qu'elle ait suffisamment ravalé son orgueil pour rester au sein de l'équipe, l'amertume qu'elle en éprouvait la rendait physiquement malade.

Klein, qu'une légère attaque trois mois auparavant avait temporairement cloué sur un fauteuil roulant, regarda à travers la vitre et dit : « Nous y sommes, messieurs. » Il se tourna vers Alison et leva les yeux.

« Et madame, bien sûr. C'est là que le passé devient vraiment le futur. »

Strauss, comme il l'avait déjà fait une fois, enfonça le bouton vert sur la console pour abaisser le bras, puis appuya sur l'autosenseur pour positionner les doigts. Castle, la sueur dégoulinant sur son visage et coulant dans sa moustache fournie, avait l'air désespéré et regardait de tous les côtés. Pour Alison, il n'aurait certainement pas eu l'air aussi inquiet s'il avait été étendu sur la civière aux Walls, car, au moins, il aurait su ce qui allait se passer. Ici, il n'en avait pas la moindre idée, pas plus, pour être honnête, qu'aucun des hommes à sa droite.

Strauss entra tranquillement 371 dans le terminal informatique sur le mur du fond. Le nombre qui, en théorie, devrait expédier Castle quelque part dans les environs de 1865. Pour autant qu'on en soit certain. Puis il glissa de nouveau vers l'avant, le doigt immobilisé au-dessus du premier interrupteur orange. Il regarda Klein, qui – après un temps d'arrêt et un petit sourire impatient – inclina la tête, et, l'interrupteur à peine activé, le bourdonnement commença à se propager.

Castle, plus agité que jamais, se mit à tourner en rond dans la pièce, jetant des regards dans tous les sens, l'air paniqué. Il n'aimait pas du tout ce qui se passait. Il n'aimait pas le bruit, l'impression. Il aurait voulu être ailleurs, et sans doute, pour la première fois en trente-sept ans, il aurait aimé que sa mère se penche sur lui et lui caresse le front.

Une fois l'affichage digital stabilisé à 371, Strauss regarda de nouveau Klein. Celui-ci ne se retourna pas, gardant les yeux rivés sur Castle, et sa bouche esquissa une petite moue indifférente, mais il inclina néanmoins encore une fois la tête, et le deuxième interrupteur fut enclenché.

Le hurlement éclata, et, sans qu'on puisse en identifier précisément la source, il était évident que Castle y participait lui aussi. C'en était presque comique, comme s'il s'appliquait à reproduire une bande-son préenregistrée. Il se déplaçait rapidement mais maladroitement à cause de ses chaînes qui traînaient par terre. Puis il se figea, le regard braqué sur Alison. Toute sa vie, elle se souviendrait de ce qu'elle avait éprouvé à cet instant, et de ce qu'elle avait lu dans ses yeux.

Voilà un homme qui avait battu sa femme à mort avec une chaîne de moto, mêlant la graisse à son sang, et qui, armé de son pistolet, avait tué de sang-froid et à bout portant trois autres innocents qui travaillaient dans une station d'essence située sur la route de sa cavale. Un homme qui s'était retrouvé confronté à quinze tireurs d'élite de la police et avait survécu pour livrer son récit, et finir par affronter une nouvelle fois la mort au bout d'une seringue. Voilà un homme qui avait probablement ignoré la peur, jusqu'à aujourd'hui. L'épouvante qu'elle voyait dans ses yeux ressemblait à celle d'un enfant de 5 ans terrifié par un monstre au fond d'un placard. Il se voyait mourir de la pire façon. Et sa mâchoire était tellement ouverte que, malgré la distance, elle distinguait les dents abîmées au fond de sa bouche.

Puis ce fut le flash ; l'éclair aveuglant qui envahit la pièce, plongeant tout dans un bleu pâle presque blanc. Et quelque part au milieu de cette lumière, Castle avait disparu en un instant. À ce stade, il était difficile de dire exactement où, sinon en théorie. Strauss se pencha pour actionner une nouvelle fois l'interrupteur, et le hurlement s'arrêta.

Mais pas dans la tête d'Alison.

Le labo était calme et fantomatique, avec les doigts toujours à la distance prévue de la sphère, et le masque se balançant doucement du plafond. À la droite de la sphère, la combinaison rouge était en bouchon, comme si elle avait été rejetée par un amant passionné pressé de sauter au lit. À peine visible en dessous, on apercevait un anneau des entraves de chevilles qui, quelques secondes auparavant, étaient solidement fixées aux pieds de Castle.

« Parfait », dit Klein tranquillement, comme si, pour lui, ce genre d'événement était quotidien. Il roula sa chaise derrière la caméra et appuya sur « stop », puis sur un second bouton, et le disque DVX s'éjecta dans sa main comme un toast. « À présent, dit-il, si nous faisions un petit voyage ? »

Le soleil d'un rouge profond était juste au-dessus de l'horizon quand ils arrivèrent au site. Strauss, chauffeur désigné, arrêta le 4x4 selon les instructions brèves de son supérieur, puis lui et Sherman descendirent et abaissèrent la rampe pour la chaise de Klein. En route, il avait visionné le disque DVX sur le lecteur du véhicule, s'arrêtant sur les deux images montrant Castle sur fond de désert. Ses vêtements, n'ayant pas été soumis à la gravité en un laps de temps aussi court, couvraient toujours son corps, mais ils étaient quasi transparents maintenant, et laissaient voir son corps en dessous. Sa bouche affichait une expression d'horreur. Il était impossible de dire si ce rictus avait été accentué par une mort immédiate et horriblement douloureuse.

Le sol à l'extérieur était durci par le soleil, permettant à la chaise de Klein de rouler très facilement. Sans même remercier pour l'aide qu'il avait reçue, il s'éloigna de la piste en direction de la façade rocheuse rouge vif qui se dressait au-delà.

« Pourquoi là ? demanda Kerr, qui ne manquait jamais de poser une question.

— Pourquoi pas ? dit Klein tout en continuant à actionner ses roues avec force. Il était difficile de trouver un endroit plus sûr. »

Ils étaient maintenant à cent trente kilomètres de Los Angeles, au pied de la montagne Eagle Crags et à même pas deux kilomètres de Cuddeback Dry Lake. Klein était venu là un peu plus d'un mois auparavant, avec Sherman, Castle et deux gardes, pour choisir le site. Il fallait qu'il soit facilement repérable, aussi bien à l'époque que maintenant, et il avait mis plus d'une heure à trouver l'endroit idéal.

Klein s'arrêta au pied d'un pilier composé de roches multicolores d'à peu près dix mètres de haut, situé tout près d'une falaise de même hauteur. Un lézard qui s'était abrité à l'ombre le regarda approcher, puis s'enfuit à toute vitesse sous un rocher. Sherman, pelle à la main, ne quittait pas Klein, laissant les autres derrière.

« Faites-moi les honneurs, Dave », dit Klein.

Sherman sourit. Vous pouviez bien prendre vos souris et vous les farcir jusqu'à ce que vous en recrachiez vos dents. S'ils trouvaient aujourd'hui ce pourquoi il priait, ça justifiait sa théorie ; le monde n'était qu'une affaire de chiffres. Mieux, ces chiffres pouvaient être vérifiés. Renvoyer les gens en arrière n'était qu'un début. Il se foutait complètement du passé, comme du futur d'ailleurs. Sa seule préoccupation était aujourd'hui, et comment ce moment pouvait être manipulé au moyen de la vérité que lui, et lui seul, avait révélée à Klein.

Les gamins indiens capables de plier l'acier ressembleraient à des clowns, avec les possibilités qui allaient se présenter. Klein n'en avait plus pour longtemps, sa chaise roulante et ses traits légèrement déformés suite à son attaque prouvaient bien que sa santé déclinait rapidement, et il n'avait pas d'enfants.

Que KleinWork Research Technology soit ou non transmise à Sherman, ce que rien n'indiquait, la technologie elle-même lui reviendrait sans aucun doute. Il la comprenait et la maîtrisait parfaitement. L'immense fortune que Klein avait accumulée sa vie durant ressemblerait bientôt à de la petite monnaie quand Sherman aurait repris les cordons de la bourse.

Il enfonça la pelle dans le sol et rejeta une motte de terre rouge pâle compacte sur le côté.

« Je n'aime pas ça du tout », dit Alison. Elle aurait préféré garder cette remarque pour elle, mais malheureusement elle ne l'avait pas fait. Elle avait parlé à haute voix.

« Votre opinion est toujours respectable, Alison, dit Klein sans se retourner. Mais vous n'êtes pas payée comme vous l'êtes pour aimer ce que nous faisons. Seulement pour vous assurer que nous le faisons. »

Kerr et Haga la regardèrent. Sentant leurs regards peser sur elle, elle se tut.

Sherman était en nage, le trou atteignant maintenant près de soixante-dix centimètres. Il était prévu que le trou soit profond, étant donné le phénomène d'érosion venant à la fois de la paroi rocheuse et du pilier au niveau du sol, mais à chaque coup de pelle il se sentait de plus en plus frustré. Il n'y avait rien là. Rien du tout. Si Castle avait réussi à revenir en arrière dans le temps, alors il avait échoué dans sa tâche.

Il cessa de creuser et s'appuya sur la pelle. Sa colère était à son comble. « Rien », dit-il.

Klein soupira. Lui aussi était visiblement ennuyé, mais ce n'était pas la fin du monde. D'ailleurs, la route des découvertes était pavée d'échecs. « Dans ce cas, nous essayons une nouvelle fois, dit-il, plus calmement qu'il n'en avait l'air. Et nous continuons à essayer jusqu'à ce que nous y arrivions. »

Sherman soupira et regarda dans le trou. Il avait du mal à croire qu'il avait conduit jusque-là par cette chaleur et attrapé une hernie en maniant la pelle pour rien. Le gros du travail, en fait. « On n'aurait jamais dû faire confiance à ce péquenaud, dit-il à propos de Castle. Un type même pas foutu d'attacher ses lacets. » Il se mordit les lèvres, le regard furieux, puis il leva la pelle en l'air et la jeta dans le trou. « Espèce de fils de pute… »

Et la pelle s'arrêta net, comme prévu. Avec un drôle de bruit. Celui du métal cognant contre quelque chose de dur. De dur et de creux. Quelque chose qui pouvait ressembler à une boîte en bois.

Lentement, tous s'avancèrent vers le trou, sauf Alison, puis se regardèrent. Pendant quelques instants, Sherman s'abstint de recommencer à creuser, comme s'il n'osait pas. Quelques instants auparavant, il s'inquiétait de ne rien trouver, maintenant il s'inquiétait de savoir précisément ce qu'il allait trouver. Il y avait quelque chose dans le trou, juste à l'endroit prévu, ce qui ne pouvait signifier qu'une seule chose…

« C'est une boîte, n'est-ce pas ? » dit Haga en s'approchant.

Même Alison, au comble de l'inquiétude à propos de cette découverte et qui priait pour que l'expérience échoue, ne pouvait pas s'empêcher d'être captivée par l'instant. « Je crois qu'il n'y a qu'une seule façon de le savoir », avança-t-elle.

Sherman dégagea soigneusement la terre, découvrant une plaque de bois. Puis il enfonça les mains et sortit une poignée après l'autre de sable d'un rouge profond. Au bout de quelques minutes, il parvint à passer les doigts de chaque côté de la boîte et la souleva avec précaution. Le bois était sombre et abondamment sculpté, avec des gonds et un fermoir en cuivre qui brillaient toujours dans la chaude lumière du soleil couchant.

Il la posa sur le sol devant Klein, lequel se contenta de la regarder pendant un moment avec une expression amusée, animé de pensées qu'il n'était visiblement pas prêt à partager.

« C'est beau », dit Alison.

Klein acquiesça. Ça l'était. Et d'une façon parfaitement inimaginable.

« Ouvrez-la », dit-il.

Sherman ouvrit le fermoir et souleva le couvercle ; un grincement troubla le silence ambiant. Il l'ouvrit un peu, à la façon d'un démineur, puis le tira complètement en arrière pour en révéler le contenu. Six paires d'yeux inquiets plongèrent à l'intérieur. Le contenu de cette boîte avait été caché pendant cent soixante-dix ans par un homme qui hurlait devant eux à peine quatre heures plus tôt.

« Messieurs, finit par dire Klein, la voix étranglée, je crois que nous avons un gagnant. »

23

Vendredi 10 juin 2011
Lenwood, Californie

Tina l'avait fait. Peu importe ce dont il s'agissait.

Le store sur la porte était relevé, et elle se tenait dans la pénombre à gauche de la pièce, le dos au mur et le regard admiratif. Elle avait un gentil sourire et penchait la tête, comme quelqu'un qui vient de décorer son appartement et est en train d'admirer son choix de couleurs.

Ce qui n'était pas faux, car Tina avait effectivement fait un peu de « décoration » dans la pièce où elle vivait. Comme aurait pu le faire un gosse de 3 ans qu'on aurait laissé seul face à une toile vierge de trois mètres de haut et un gros stylo marqueur, c'est tout.

Sur le mur de droite, sa réponse s'étalait dans la lumière jeune du soleil, et encadrée par la saleté. C'était créatif. Expressif. Ce qu'on attendrait de quelqu'un trop longtemps privé d'une telle liberté. Elle avait explosé et s'était déchaînée avec le pinceau. Ou le marqueur, en l'occurrence. En grosses lettres épaisses de deux centimètres et de trente centimètres de haut.

Et in arcadia ego.

Sarah se tourna vers Carey. « Vous avez de la

peinture dans vos réserves ? » Carey, visiblement stupéfait et curieux, acquiesça. « Bien. Si vous aviez la gentillesse de m'en prendre un pot, je suis certaine que Nick pourra remédier à ça pendant que j'emmène Tina se promener. » J'inclinai la tête, ayant compris où Sarah voulait en venir : *se débarrasser de Carey.*

Quand il fut parti, Sarah referma la porte et regarda sa sœur. Elle vit aussitôt qu'elle allait bien, qu'elle était heureuse. Elle s'approcha alors de la table, fouilla parmi les morceaux de papier et finit par trouver le texte latin. Elle se mit ensuite en face du travail de Tina et son visage s'éclaira.

« C'est une anagramme, dit-elle, comme si les choses étaient évidentes maintenant. Et une adresse.

— Que voulez-vous dire ? demandai-je.

— C'est comme lorsque vous écrivez une lettre, dit-elle, les yeux toujours rivés sur le mur. Vous écrivez le numéro de la maison d'abord, puis le nom de la rue et ainsi de suite. Mais la poste travaille en remontant de la base. Il leur faut d'abord le pays, puis la ville, puis la rue et ensuite le numéro de la maison. C'est pareil avec le latin. »

À l'entendre, on avait l'impression que, malgré l'évidence, elle ne pouvait toujours pas vraiment y croire. « En partant du bas, cela nous indique de compléter le carré de Teniers. Donc, en premier, vous avez le tableau, puis les villes, puis *voyage sans tentation*, et ensuite, en haut, *Itegoarcanadei ; va à l'endroit où je cache les secrets de Dieu.* Mais ce n'est pas ça, n'est-ce pas, ma douce ? »

Elle se tourna vers Tina, mais sa sœur ne répondit pas. Elle continuait à admirer son œuvre, le visage éclairé par un petit sourire plein de fierté.

« C'est une anagramme, n'est-ce pas, ma chérie ?

— Auriez-vous la gentillesse de bien vouloir me la traduire ? demandai-je.

— Et en Arcadie je suis, dit Sarah. Ou plutôt : et je suis en Arcadie. »

Je m'approchai d'elle et examinai les mots.

« Arcadia est une banlieue de Los Angeles, non ?

— Parfaitement, et c'était déjà une banlieue de Los Angeles en 1645, espèce d'idiot, dit Sarah d'un ton sarcastique. Non, la raison pour laquelle une banlieue s'appelle Arcadia, c'est parce que c'est là que se trouve l'arboretum de Los Angeles. En 1888, quand ils l'ont installé, ils lui ont donné le nom d'une région de la Grèce antique célèbre pour son caractère pastoral.

— Femme, y a-t-il quelque chose que vous ne sachiez pas ? » dis-je.

Elle sourit à ce compliment. « Pas vraiment. Mais je dois bien reconnaître que j'ignore – encore – où se trouve *notre* Arcadie à nous. En raison de la connotation pastorale grecque, Arcadia peut maintenant signifier une sorte de paradis ; ou une... *utopie*, si vous préférez. N'importe quel endroit offrant une simplicité rustique ou un contentement. Maintenant, je vous parie que, quelque part dans Serres, je vais trouver un bâtiment, probablement d'une simplicité rustique, avec une référence quelconque à Arcadia dans son nom, ses murs ou son histoire. »

Sarah, avec son apparence étrange et ses connaissances infinies, me rappelait un autre jeune que j'avais rencontré autrefois, Kenny Wilding. Lui aussi, par son allure et sa façon de s'habiller, montrait une nette tendance pour le satanique. Une tendance juste un tout petit peu trop prononcée toutefois, étant donné sa prédilection à faire sauter des bâtiments. C'était d'abord un pyromane, mais également un pyromane explosif qui éprouvait un intense plaisir devant d'énormes détonations. C'était il y a sept ans environ, et il nous avait fallu près d'une année et six explosions pour le rattraper et lui en coller pour quinze ans.

Au crédit du gosse, il faut dire qu'il œuvrait toujours sur des bâtiments vides, la nuit, et qu'il n'avait pas mis une seule vie en danger pendant sa brève carrière quelque peu merdique. Quand nous avons fini par le coincer, il devait avoir dans les *19 ans*, et vivait chez sa mère, et pourtant, à voir ses engins, on aurait pu croire à un artificier aguerri. Tous les composants qu'il utilisait, soit il les avait construits lui-même, soit, ce qui est plus inquiétant, il les avait achetés sur Internet, et il avait fini par concevoir des engins extrêmement sophistiqués. Sacrément malin, le gamin.

Ce gosse était en réalité un génie dans tous les sens du mot. Malheureusement, le truc avec lequel il prenait son pied ne pouvait pas être pratiqué chez lui dans sa chambre sans envoyer cette même chambre en plein dans la ville voisine.

Exactement comme Sarah. Jeune, l'air bizarre et pourtant extrêmement douée. À les voir tous les deux, on ne l'aurait jamais cru, mais sous la surface… Il me restait à espérer que Sarah utilise son génie à bon escient. Le monde serait vraiment complètement pourri s'il rejetait quelqu'un avec un intellect comme le sien.

Carey resurgit par la porte avec le pot et le pinceau. Sarah les prit avec un sourire et me mit le pinceau en main avec une petite tape. « Merci, Nick. Vous êtes un chef. »

Ainsi, pendant que Sarah et Tina partaient se promener dans le parc, je commençai à recouvrir la solution de peinture.

24

MARDI 12 AOÛT 2042
5ᵉ ET ALAMEDA, LOS ANGELES, CALIFORNIE

« *Notre Agneau a vaincu, suivons-le.* » La brève
histoire de Joseph Klein concoctée par Alison quand
elle s'était moquée des idées auxquelles elle était
confrontée n'était pas entièrement exacte. Les parents
de Klein avaient effectivement émigré aux États-Unis,
et il avait ensuite étudié au MIT, mais pas « juste
après la Seconde Guerre mondiale ». Sa famille s'était
d'abord établie au Royaume-Uni en profitant de l'aide
des autorités. Son gouvernement, tout comme les gouvernements américain et russe, souhaitait s'attacher les
services de scientifiques, d'ingénieurs et, malheureusement aussi, de généticiens venus de l'ancien Reich.
Compte tenu du degré d'avancement des systèmes de
propulsion, ils étaient particulièrement désireux d'attirer ceux qui avaient participé depuis le début au programme des missiles V2. Le Royaume-Uni n'avait pas
su s'assurer les services de Wernher von Braun lui-
même (il commencerait par contribuer au programme
des missiles V avant d'obtenir un diplôme d'un lycée
américain et finir par collaborer à la Nasa elle-même),
mais avec Johann Krass, Dietrich Klein, âgé de 53 ans,

et Erik Valk, ils avaient acquis respectivement les deuxième, troisième et quatrième meilleurs éléments.

Krass, Klein et Valk étaient sans aucun doute membres du parti des Chemises noires, et des nazis idolâtres du Führer, mais, comme von Braun, ils étaient aussi des nazis utiles, et, à y regarder froidement une fois la paix revenue, la poursuite de leurs projets semblait bien préférable à la persécution de leurs idéaux. Au cours de la guerre froide qui avait suivi, le roman *1984* avait été réintitulé *1948* (car l'année précédente était terminée), et, à la manière d'un autre ouvrage orwellien, tous ceux qui avaient été égaux voulaient maintenant être encore un peu plus égaux que les autres. Et surtout, tout le monde voulait gagner la course spatiale.

(Après avoir suivi mes précédentes discussions, vous connaissez mes théories concernant les atterrissages lunaires – et je travaille avec un peu plus de recul que vous-même – mais je vois les choses d'une manière aussi simpliste que celle-ci : tout le monde – et j'entends bien tout le monde – se battait pour être le premier quand il s'est agi de prétendre mettre un homme sur la Lune.)

Le nom de la famille Klein devint momentanément « Cain » (et pendant un moment, Dietrich se sentit devenir aussi important que lord Mountbatten lui-même), on leur délivra des papiers, et, pour donner un sentiment de stabilité à celui qui avait déjà été trois fois déraciné (deux fois par le Führer en personne), « Joe Cain » fut envoyé en pension. Une pension morave dans le Nord de l'Angleterre, dénommée Fellbeck.

Le mouvement de l'Église morave remonte au

XVe siècle dans ce qui est maintenant la République tchèque. Étant un groupe mineur animé de solides idéaux, ils furent persécutés pendant la contre-réforme et survécurent un peu moins d'une centaine d'années. L'Église rénovée ne devait pas refaire surface avant 1727, quand des réfugiés venus de Moravie se virent autorisés par le comte Nicolas de Zinzendorf à s'établir en Saxe, près de la frontière de la Pologne. C'est dans cette région que Dietrich Klein, son père, le père de son père et tous les pères avant lui étaient nés et avaient grandi. La colonie portait le nom de « Herrnhut » – « sous la protection du Seigneur ».

C'est de là, et sous ces auspices, que l'Église commença à répandre leur message. Plutôt efficacement, apparemment, pour une institution aussi petite.

Le but du comte Nicolas et de son groupe disparate n'était pas que les Moraves deviennent une Église séparée, mais qu'ils constituent des sociétés à l'intérieur d'Églises plus établies et prospèrent en leur sein. Encore maintenant, c'était une caractéristique que Joseph admirait. Naturellement, il avait appliqué cette même technique avec succès pendant toute sa vie professionnelle. Ne jamais tenter de rivaliser ouvertement, plutôt : mettre un pied à l'intérieur, écouter, s'instruire, nouer des liens et finir par dépasser. Après avoir formé des alliances avec, et à partir de, quelques-uns des gouvernements et des sociétés les plus puissants au monde, KleinWork Research Technology avait été elle-même bâtie selon la philosophie morave.

Chaque dimanche après-midi au cours du trimestre, Klein et plus de trois cents autres élèves devaient se rendre dans une petite chapelle située sur le terrain de l'école. Pour beaucoup de pensionnaires, c'était l'une des trois occasions hebdomadaires où ils pouvaient se mélanger (sinon de loin) avec leurs homologues des écoles de filles avoisinantes ; les deux autres étant les activités sportives les samedis et mardis soir quand l'occupation des terrains de jeux se chevauchait. Klein ne s'était jamais intéressé aux filles, pas plus à cette époque que maintenant. Étant un enfant timide et dégingandé, il se montrait amical avec tous les autres élèves, mais ne devenait jamais leur ami, et on le voyait plus souvent plongé dans un livre que mêlé à des bagarres. Chaque semaine, donc, pendant trois ans, il se contenta de faire ce qu'on lui disait ; il prit place au même endroit avec exactement la même inscription en face de lui ; celle qui, à près de trois mètres de haut, entourait le vitrail représentant un petit agneau portant une croix rouge moralisatrice. Maintes fois, il avait lu et relu les mots jusqu'à ce que chacun soit définitivement marqué au fer rouge dans son cerveau d'enfant.

« *Vicit agnus noster, eum sequamur.* »

« *Notre Agneau a vaincu, suivons-le.* »

Tout enfant déjà, Joseph Klein...

(Joe Cain)

... dont le père avait été un fervent partisan du plus puissant dirigeant de l'histoire allemande, un homme choisi par Dieu lui-même pour conduire et réformer le monde, et finir par commettre l'impensable et échouer, Joseph Klein s'était senti en affinité avec ces mots. Ils étaient tellement explicites. Ils lui allaient droit au cœur et lui disaient que, non seulement c'était une bonne chose de « conquérir » – que c'était digne de respect –, mais également que le plus faible des animaux, comme le frêle et studieux jeune Klein lui-même, était capable de semblables victoires. Qui plus est, s'il agissait ainsi, des gens suivraient. Qu'ils devraient être appelés à suivre.

Au cours de son dernier été à Fellbeck, ce fut dans cette même chapelle, coincé, en proie à ses pensées vertueuses entre l'école des filles et celle des garçons, que Joseph décida également pour la première fois que Dieu n'existait probablement pas. Ou, inversement, que s'il existait, il ne détenait que peu ou pas de pouvoir, l'ayant imprudemment transmis à ses créations libres penseuses. C'était à la fin juin, le monde était identique à ce qu'il était toujours – et les derniers éclats du soleil du solstice, déjà teintés de rouge, étendaient leurs rayons à travers les hautes fenêtres, tandis que de légers tourbillons de poussière formaient un arc-en-ciel au gré des vitraux.

C'était un bon garçon, toujours parfaitement poli, deux qualités qui devaient lui éviter de faire honte à son nom de famille, et parce que également, à la demande de son père, il avait accepté de ne pas attirer l'attention sur lui pour ne pas révéler son ascendance allemande. Nous n'étions pas encore en 1970, et les gens ne se traitaient pas de « bâtard » ni d'« enculé ». Pourquoi l'auraient-ils fait d'ailleurs, puisque « boche » était encore la pire des insultes ?

Klein se trouvait dans la chapelle ce dimanche-là avec tous les autres pensionnaires. Il avait rempli les trois principaux critères, présence, ponctualité et présentation soignée. Il s'était frayé un chemin jusqu'au milieu du troisième rang, avec les autres élèves âgés de 12 ans, et sa chevelure sable coupée au bol avait repris sa place dans la tapisserie.

Mais quelques instants après, cette touche d'ocre clair disparaissait du paysage, et ceux qui étaient chargés de la surveillance des élèves remarquèrent aussitôt son absence.

En l'espace de cinq minutes, Klein avait enduré

les prémices de la première des nombreuses crampes d'estomac invalidantes dont il souffrirait toute sa vie, le premier stade de la maladie de Crohn qui devait le contraindre à prendre des immunomodulateurs jusqu'à aujourd'hui. Pendant que les autres enfants écoutaient attentivement le prêtre, il mit sa tête entre ses jambes, le visage crispé de douleur et les dents serrées. Quand les autres se relevèrent pour entonner les cantiques choisis, le dos bien droit et le menton levé vers le Seigneur, il garda la tête baissée tandis que des larmes ternissaient le brillant de ses chaussures bien cirées.

La vengeance de Dieu ne survint jamais. Seulement celle des hommes. Et de quelle façon...

Après le service, Klein décida de renoncer au repas du soir, pourtant obligatoire (comme la messe), sauf accord préalable, et préféra regagner sa couchette dans le dortoir. Là, il reposa doucement sa tête, les jambes repliées, tout en espérant que si un dieu l'écoutait, il voudrait bien calmer sa douleur. Il était là depuis une quinzaine de minutes à peine quand Martins, un des pensionnaires plus âgés, surgit au pied du lit avec un sourire en coin. Klein était convoqué par Chamberlain, le principal. Une convocation qui n'augurait rien de bon. Chamberlain était un homme très occupé, en charge de cinq cents élèves (y compris les externes), avec un million de choses à faire. Un homme trop occupé pour perdre son temps à féliciter ses pupilles, ce qui ne signifiait qu'une chose : une sommation à se rendre aux « appartements de Chambers », comme cela avait été annoncé, était rarement bon signe. C'était la plupart du temps un mauvais signe.

Un très mauvais signe.

Klein tenta en vain de se relever de sa couchette, tandis que la douleur lui déchirait les entrailles comme une scie en action. Si bien que Martins, toujours souriant, l'avait attrapé par cette même chevelure – celle dont l'absence au sein du rang trois lui avait été fatale –, arraché du lit et précipité par terre. Puis, comme il l'aurait fait avec un sac de pommes de terre, il avait soulevé le garçon qui hurlait maintenant et l'avait remis debout.

Le jeune garçon fut précipité d'un coup de pied en bas de la première volée de marches, traîné le long de la seconde, et il n'arrêta plus de pleurer jusqu'en bas de la troisième.

Chamberlain était grand et mince avec de petites lunettes cerclées de métal, et une chevelure grisonnante rejetée en arrière. Il se reposait sur deux choses : la Bible et sa canne. Avec un penchant malsain pour la canne. Plus rétrograde peut-être que l'histoire sainte elle-même, dont il se réclamait avec tant d'insistance. En ce qui concernait l'Église, il y avait les trois devoirs requis, que Klein avait tous remplis cet après-midi-là, mais quand Dieu et Chamberlain étaient en question, il y en avait un quatrième incontournable : le respect. « Malheur advienne à ceux qui n'en font pas preuve. » Si le respect n'était pas au rendez-vous, la peur pouvait constituer une alternative convenable. À cette fin, il gardait une canne en rotin marron foncé sur des supports de cuivre derrière son bureau. Une canne qui était lisse et luisante dans la partie centrale à une extrémité, preuve qu'elle servait souvent et que, quand elle servait, il la tenait toujours de la même façon.

Pendant les quelques minutes qui s'ensuivirent, entre les boiseries en acajou rouge foncé et les nombreux classiques jamais lus garants d'une insonorisation quasi parfaite, ce Chamberlain au regard éternellement dur abattit sa canne avec une force de bête sur les paumes de Klein, jusqu'à ce que le garçon de 10 ans sente que sa peau tendre ne se reconstituerait plus jamais. Après cela, pendant des jours, il crut sincèrement qu'il ne pourrait plus jamais serrer les poings.

Chamberlain scandait chacun de ses coups avec des passages vibrants du Nouveau Testament. Mais où était Dieu, se demandait Klein, pendant que cette torture lui était infligée ? Dieu le miséricordieux, Dieu tout-puissant, Dieu à ce point omniprésent dans ce monde et dans le prochain qu'il remarquait la moindre transgression. S'il en était ainsi, ce grand témoin à la vision universelle devait aussi voir quand un enfant était malade et lui pardonner ses offenses. Luttant contre la douleur, Klein ferma les yeux et repensa au passage qu'il avait retenu de cette messe interminable. Marc, chapitre 2, verset 10.

Le fils de l'Homme a le pouvoir sur terre de pardonner les péchés.

L'Agneau. L'Agneau avait le pouvoir de pardonner.

Tout comme l'homme. Il choisissait simplement de ne pas en faire usage.

Au lieu de graver la bonté et la parole du Seigneur dans son âme, chaque coup, chaque nouvelle vague de douleur qui submergeait sa paume étroite, écartait encore un peu plus le jeune Klein de Dieu. Il comprenait que ce n'était pas la religion qui était en tort. Ni la croyance en un pouvoir suprême. C'étaient les règles édictées par l'homme en son nom. « Vous ne ferez pas tout ce que je décide. » Des règles qui ne venaient de nulle part et qui, si elle survenait, finiraient par y retourner quand la fin des temps tomberait comme une brume et se répandrait comme une peste à la surface du monde.

Les hommes de Dieu prétendaient toujours (mais de

qui étaient-ils vraiment les avocats ?) qu'ils détenaient les réponses à tout. Mais ils ne donnaient jamais ces réponses aux peuples, bien sûr, sinon que deviendraient les gens dans le besoin une fois leurs besoins satisfaits ? En fait, songeait Klein, les prêtres, les ministres du culte et les évêques ne détenaient peut-être pas la moindre réponse. Et si tout ça se résumait à des promesses inatteignables. Il faut croire, mon enfant. Avoir la foi, mais n'en attendre jamais, jamais de preuve.

Si la rédemption avait une couleur, ce serait l'orange. C'était une carotte, au bout d'un très long bâton.

Couché dans son lit cette nuit-là, les paumes ouvertes répandant du sang dans les draps, Klein comprit définitivement que Dieu n'incarnait pas le pouvoir dans ce monde. Dieu ne pouvait pas incarner le pouvoir car il était invisible. Même l'électricité, dont la capacité à fournir la lumière servait plus à l'humanité que celle de Dieu et du soleil réunis, pouvait devenir visible dans sa forme la plus pure sous certaines circonstances. Dieu, lui, ne le pouvait pas. Vous pouviez le remercier ou le blâmer à votre gré, mais, que ce soit ou non par sa volonté, il restait improuvable de toute façon. Si un homme était un homme de Dieu, il s'attendait donc à ce que sa parole soit crue sans équivoque. Si c'était un prêtre, il tenait alors une congrégation dans le creux de sa main.

Les yeux de Klein avaient beau être pleins de larmes, il lui apparut avec la plus grande clarté que les ministres « ordonnés », les évêques et les prêtres, ne valaient pas mieux que les télévangélistes des chaînes à péage ; des hommes qui étaient suffisamment malins pour formuler et répéter constamment ces mêmes réponses, mais pas assez pour se souvenir que lorsqu'ils intimaient à leurs ouailles de « se mettre à genoux et de commencer à prier », ils risquaient qu'on entende « payer » à la place de « prier ».

Les gens étaient des moutons prêts à suivre aveuglément les hommes porteurs de réponses. Un peu de persuasion pouvait parfois s'avérer nécessaire, mais, avec les bonnes réponses, les moutons finissaient même par suivre les agneaux.

À l'âge de 10 ans, un jeune garçon aux yeux bleu aryen, avec une tignasse blond clair et une volonté farouche de réussir dans certains domaines où le Führer (et en conséquence son père) avait échoué, décida que si Dieu ne donnait pas au monde les réponses qu'il désespérait d'avoir, alors, peut-être, les scientifiques les lui donneraient.

« *Notre Agneau a vaincu, suivons-le.* »

Klein deviendrait un scientifique. Il apporterait des réponses, et le monde l'aimerait pour ça.

La chevelure blond clair avait disparu depuis longtemps, remplacée par des mèches grisonnantes de plus en plus clairsemées. Confiné dans une chaise roulante, Klein avait préféré se raser complètement la tête au début de l'année, ce qui avait accentué la sévérité de ses traits émaciés. Dans son bureau triangulaire avec une paroi entière en verre fumé gris-bleu situé au dernier étage de la tour KleinWork, Klein était plongé dans un dossier digital projeté dans la zone de verre incurvée qui formait l'arrière de son bureau. Un petit sourire creusait des rides profondes dans ses joues décharnées et très bronzées. Les réponses étaient proches. Il avait à peine été capable d'apprécier le goût de la nourriture ces dernières années, et pourtant il les sentait. Elles avaient exactement le goût du futur. Un goût métallique et doux.

Montée sur un socle en titane de huit centimètres de haut, une barre de savon non raffiné fabriqué à base de graisse animale détonnait sensiblement sur ce bureau en verre. Bien que le carbonate de soude ait supplanté la graisse animale dans cette fabrication dès la fin des années 1800, cette barre était dans un parfait état. Elle aurait pu avoir été fabriquée et vendue le matin même. Une note sur du papier épais et rugueux : *Mains propres à présent ? – 10 septembre 1865 (matin)* ainsi qu'un croquis sommaire du tatouage de prisonnier de Castle étaient à présent accrochés derrière le bureau, le seul élément ornant les deux murs lambrissés en bois sombre à ne pas être une projection digitale et à ne pas se fondre toutes les demi-heures dans une nouvelle image.

Le savon comme la note avaient été découverts à l'intérieur de la boîte en bois de Castle, avec cinq balles datant du XIXe siècle – soit l'intégralité de la chambre du pistolet Paterson à barillet tournant de 1836 – et une photo sépia passée tirée d'un négatif humide au collodion, autre procédé depuis longtemps dépassé et oublié de tous.

L'image, prise à l'extérieur d'une ferme rudimentaire entourée de plantes grasses rachitiques, montrait un Castle barbu, avec ce qui devait être sa femme et son enfant. Une vérification approfondie des archives avait montré que Greg Castle était très probablement devenu Gerald Castell, un bûcheron qui avait habité avec sa femme et sa fille à quelque deux cents kilomètres au nord-est du site de la découverte. Son nouveau nom provenait sans doute d'une mauvaise prononciation, compte tenu du parler de l'époque, et son prénom corrigé pouvait témoigner d'une vaine tentative pour gravir les échelons d'une société dont il ne comprenait pas très bien les codes. Castell avait acheté les terres agricoles en 1867 et y était resté jusqu'à sa mort en 1898, due à « une maladie effrayante ». D'après les archives, il avait 72 ans.

Klein referma le dossier et leva les yeux en entendant Alison entrer dans la pièce et s'avancer d'un pas décidé sur le sol poli.

« Vous avez demandé à me voir », dit-elle. C'était une constatation, pas une question.

Juste à l'heure et droit au but, pensa-t-il en esquissant un sourire : typique d'Alison. « Asseyez-vous. »

Elle s'assit de l'autre côté du bureau en face de lui, les jambes croisées, laissant sa jupe sous sa blouse de laboratoire remonter un peu au-dessus de ses genoux.

« J'ai besoin que vous fassiez quelques recherches pour moi, dit-il.

— Vous m'enlevez de Séquence ? » répliqua Alison.

Elle paraissait surprise, mais au fond elle ne l'était pas. Peut-être manquait-elle de capacités extrasensorielles, mais, compte tenu de son attitude envers le projet depuis le début, il n'était pas vraiment nécessaire de faire preuve d'un sens de la perception exacerbé pour comprendre ce qui allait se passer.

« Pas du tout, répondit Klein d'un air pensif, les mains jointes devant le visage. Plutôt l'inverse, en fait. Cela fait partie intégrante du projet et c'est pourquoi je dois faire appel à quelqu'un de l'équipe.

— Pourquoi moi ? » demanda Alison.

Elle semblait perturbée à l'idée qu'au sein d'une telle équipe la femme soit tout à coup devenue l'assistante de luxe. « Je ne suis pas chercheur. Vous feriez mieux de demander à quelqu'un comme Haga qui est… »

Klein secouait déjà la tête. Il se tourna et éloigna sa chaise du bureau en direction de la fenêtre pour contempler le panorama du nouveau Los Angeles. Trois nouveaux gratte-ciel en verre doré avaient poussé depuis que le quartier général de KRT occupait ces deux hectares et demi de terrains récupérés, et, malheureusement, leur présence conjuguée obstruait désormais la vue sur les collines derrière.

« Je pense sincèrement que vous êtes la seule capable de le faire », dit-il.

Alison était intriguée. La recherche était la recherche, non ? Elle n'avait personnellement accès à aucune information particulière. Aucune, en tout cas, dont elle ait été consciente. « Que voulez-vous dire ? »

Klein réfléchit quelques instants puis leva les yeux. « Parce que cela dépasse la recherche, dit-il, bien qu'il fût évident qu'il parlait d'un autre endroit. J'ai besoin de quelqu'un qui donne un sens aux choses qu'il trouve ; peut-être même en tire des conclusions. J'ai besoin de réponses, Alison, et il me faut ces réponses très rapidement, j'en ai peur. »

Alison plissa les yeux.

« Dans quels délais ?

— Avant vendredi.

— Et qu'est-ce qui se passe vendredi ? » demanda-t-elle.

Klein sourit.

« Je pars pour la France, dit-il.

— La France ? Qu'est-ce que vous allez faire en France ? »

Klein regarda de nouveau par la fenêtre, de l'autre côté de la ville. Le moment était venu, pensa-t-il, c'était le moment de savoir s'il pouvait compter sur la discrétion d'Alison. Il se demandait si c'était bien le cas. Il se demandait s'il pouvait compter sur la discrétion de qui que ce soit, sinon la sienne. Mais l'aurait-il conviée dans son bureau aujourd'hui s'il n'en était pas persuadé ?

« Je vais travailler à Cardou pendant quelques semaines. »

Alison était perplexe à présent, ce qui lui arrivait très rarement. Elle avait entendu parler de Cardou. En tout cas, elle en savait autant que les collaborateurs de KRT. C'étaient les terres acquises par le gouvernement des États-Unis au tournant du siècle. Klein lui-même avait travaillé là autrefois, mettant apparemment ses connaissances scientifiques au service de fouilles archéologiques. Rien n'avait été trouvé et le site avait fini par être cédé à KRT, qui l'utilisait maintenant à des fins beaucoup moins excitantes.

« Mais il n'y a rien là-bas. Sauf notre CERB. » Elle faisait allusion à la requalification du site de Cardou en Centre européen de recherche sur le bétail. C'était un petit centre situé en plein champ, peuplé de trois hommes seulement, de quinze vaches avec un rendement laitier plus élevé que la moyenne et de quelques moutons dont la toison, avec davantage de soins, pousserait peut-être un rien plus vite.

Klein avait l'air sérieux. Il regarda tout autour de la pièce, par la fenêtre, puis revint vers Alison, qui attendait toujours patiemment une réponse. Il regardait partout, mais il était difficile de dire ce qu'il voyait vraiment. Pour l'instant au moins. Il fit un signe de tête en direction d'un dossier posé sur son bureau et attaché avec un plastique rouge translucide. « Tout est dans le dossier », dit-il.

Alison ne le prit pas tout de suite. Elle avait l'impression qu'il lui cachait encore quelque chose, et même si son instinct n'était pas aussi aiguisé que celui de Klein, il se trompait rarement. Elle savait que, dans ces pages, il s'agirait seulement de faits – et non de réponses.

« Que se passe-t-il, Joseph ? demanda-t-elle doucement.

— Il y a six mois, nous avons transféré le CREB en Angleterre, dit-il à voix basse, comme s'il confessait un péché, et nous avons restructuré le bâtiment à Cardou. Nous avons créé une pièce hermétiquement close avec des murs isolés, nous avons augmenté l'alimentation en électricité et ajouté une pompe à vide. Vendredi, cette pièce sera opérationnelle et j'aimerais beaucoup y être à ce moment-là. »

Elle voyait enfin clair. Tellement clair. Un autre site ; un site européen. Un endroit d'où des souris pourraient être renvoyées plus loin en arrière, sans crainte d'atterrir dans un environnement désolé peuplé d'Indiens.

Ce qu'elle avait dit durant la réunion lui revint brusquement en mémoire. *« Vraisemblablement quelque part en Europe... »* C'était donc ce que Klein avait fait. Entre les multiples propriétés de KRT situées dans le monde entier, il avait trouvé l'endroit idéal pour poursuivre ses buts grotesques.

« Et vous y avez envoyé la deuxième sphère, dit-elle, sans pouvoir s'empêcher de penser aux conséquences. C'est pourquoi vous en aviez coupé deux avant de distribuer le reste. Vous saviez à quoi vous vouliez en venir. »

Klein secoua la tête. « Pas à ce moment-là, non, dit-il. Mais Dieu n'emprunte-t-il pas des voies mystérieuses ? Je trouvais prudent de garder quelque chose en réserve, c'est tout. Si je ne l'avais pas fait, j'aurais toujours pu prendre celle d'en bas. C'est vrai que la chance sourit au prudent, mais qu'à présent il semble que je n'en aie plus besoin. »

Alison se leva et s'approcha de la fenêtre, contemplant le panorama avec d'autres yeux. Elle voyait le monde comme il était. Son fou de patron le voyait dans un autre endroit, un endroit où il voulait l'attirer.

Elle se retourna brusquement avec de grands yeux inquisiteurs.

« Que cherchez-vous vraiment ici, Joseph ? » demanda-t-elle. Toute cette affaire prenait maintenant un tour très particulier. C'était pour cette raison qu'il voulait qu'elle effectue des « recherches ». Il voulait qu'elle trouve quelque chose pour lui. Pas n'importe quoi. *Quelque chose.*

Il la regarda d'un air contrit. « Vous avez toujours été très perspicace, dit-il. C'est une des qualités dont vous avez fait preuve à votre époque de NorthStar, si je me souviens bien. » Il esquissa un petit sourire et prit une profonde respiration rauque.

« En vérité, je n'ai jamais cessé de chercher quelque chose de toute ma vie, continua-t-il, et maintenant cette vie arrive à sa fin. Mais voilà que brusquement, comme un don de Dieu lui-même, on me donne l'opportunité non seulement de le trouver maintenant, mais également d'être la raison pour laquelle je ne l'ai jamais trouvé avant. C'est presque comme s'il voulait que je le trouve, comme si j'étais béni en quelque sorte. » Il regarda en direction du dossier et cligna des yeux, comme s'il réalisait l'impossible et lisait les mots à l'intérieur. « Qui sait ? Peut-être suis-je le tout dernier des Templiers. »

Alison s'efforçait de réfréner ses pensées et les paroles qui risquaient de lui échapper machinalement.

Qu'est-ce que Klein savait de Dieu ? Qu'est-ce qu'il pouvait bien croire à son propos ? Pas grand-chose, sinon rien, à son avis. Ce qui ne l'empêchait pas, alors que son corps avait été affaibli par son attaque et son esprit également mis à l'épreuve, d'évoquer la possibilité d'être « béni ». Ou d'être un « templier », comme si sa quête pour le pouvoir et le profit était devenue une parodie de croisade.

« Qu'est-ce que vous cherchez ? demanda-t-elle avec un calme affiché. À quoi voulez-vous que je trouve des réponses ?

— Notre Agneau a vaincu », dit Klein, comme s'il se parlait à lui-même.

Puis il leva les yeux et Alison vit une flamme dans son regard habituellement sombre. C'était son dernier sursaut de vie. « Tout, dit-il laconiquement, avec un regain d'énergie dans sa voix lasse. Vous ne comprenez pas ? Je veux que vous me trouviez les réponses à tout. »

25

Vendredi 10 juin 2011
Los Angeles, Californie

Il avait fallu plus longtemps que prévu pour calmer un tant soit peu Tina. Elle était agitée comme un gosse à Noël, ou le jour de son anniversaire, ou encore comme un gosse entendant le signal du camion du glacier. Un camion du glacier qu'elle n'avait jamais vu. Elle était excitée comme une gamine d'à peine le tiers de son âge. Ça me donnait envie de retomber en enfance ; pour voir le monde et ses habitants avec la même dose d'innocence et d'acceptation naïve qu'elle. Le monde était un endroit merdique. Chaque fois que je regardais un enfant, j'avais envie de lui dire – de lui crier si besoin était – que c'était un endroit merdique, pour qu'il puisse prendre une longueur d'avance sur ses contemporains.

Quand je plongeais dans les yeux de Tina, ces yeux tellement brillants et innocents, je n'éprouvais jamais cette envie. Je priais seulement pour qu'elle ne se rende jamais compte à quel point c'était un endroit merdique.

Mon souhait ne se réalisa jamais.

Pendant que Sarah s'efforçait de distraire sa sœur en la plongeant dans *La San Felice* de Dumas en langue originale, je me réfugiai dehors pour fumer une cigarette. Si dix-huit blocs de béton carrés – chacun d'environ soixante-dix centimètres de côté – entourés par un mur de briques bas et accessibles seulement par un escalier de secours rouillé constituent une terrasse jardin, alors c'est ce que j'ai chez moi. C'est l'endroit où je vais généralement pour réfléchir, me livrer à toutes sortes de déductions et aussi, souvent, m'apitoyer sur mon sort.

Un jour, trois semaines peut-être après que Katherine était partie, j'y suis même venu et me suis mis le canon de mon 357 dans la bouche. Il sentait l'huile chaude, douce et pourtant aigre comme un fruit pourri. Le pistolet n'était pas chargé, bien sûr – je ne suis pas fou –, mais, pendant les quelques secondes où il était appuyé contre ma langue, je me sentis un peu mieux. Je compris qu'il y avait des choses pires dans la vie. Comme la mort. Je ne l'avais jamais fait avant, et je n'ai jamais recommencé ; je crois surtout que je pensais que personne ne me regretterait.

Et ça, c'était presque aussi douloureux qu'une balle.

Mon appartement était situé dans un bâtiment de cinq étages passablement négligé, et en conséquence le « jardin » avait une vue dégagée et parfois reposante sur une zone relativement vaste de Los Angeles sud. La zone en question était sans aucun doute plus susceptible de figurer dans un film de Spike Lee que dans un guide touristique, mais je l'aimais pour ce qu'elle était. Pour ce que je serai toujours. C'était chez moi, et, d'une certaine façon, j'y prospérais comme des microbes sur la merde environnante.

Ce jour-là, persuadé que je ne retrouverais pas le jardin avant un bon moment, j'avais fini par considérer l'étendue envahie de végétation qui entourait Oakdene comme un substitut moins agréable où rassembler mes pensées et essayer de comprendre où j'allais, en attendant que Sarah dise au revoir à sa sœur.

Ma tête était farcie de possibilités, comme New York l'est de mauvais conducteurs, de petits taxis jaunes indécis qui refusent catégoriquement toute suggestion rationnelle visant à leur faciliter la course.

Pour résumer la situation, autant que je puisse la résumer, j'avais un macchabée à poil sur les bras. Pourquoi il était nu n'était encore pas très clair, mais pourquoi il était mort commençait à trouver un début d'explication. Il avait pris possession de quelque chose, soit pour lui-même, soit pour le compte de quelqu'un d'autre. Ce quelque chose était une carte codée qui, si on pouvait la déchiffrer, pouvait le mener – lui ou eux – jusqu'à des trésors enfouis depuis des siècles. Il était peu probable que ces trésors renferment des réponses relatives à la vie elle-même, ou annoncent une nouvelle aube de l'humanité, mais je ne doutais pas un instant – à en juger par leur seule ancienneté – qu'ils soient extrêmement précieux. Ils pourraient même valoir suffisamment d'oseille pour qu'on tue pour les obtenir, surtout que, d'année en année, il fallait de moins en moins d'oseille pour envisager de commettre un meurtre.

Ainsi ce type, quel qu'il soit, avait dégotté une carte. À présent, il ne lui restait plus qu'à trouver quelqu'un susceptible de la lui traduire, tout en gardant à l'esprit qu'un système informatique ne serait ni utile ni décoratif. Certes, il pourrait constituer un élément décoratif plaisant, mais un élément pas spécialement utile, si bien qu'il avait apporté sa carte à L.A. car il avait eu, on ne sait trop comment, connaissance du nom de Tina comme étant le genre de miracle vivant qu'il recherchait peut-être. Ce qui m'inquiétait à ce stade de l'histoire, c'est que non seulement il avait été tué, mais aussi tué avec un certain degré de professionnalisme, ce qui avait poussé Deacon à mettre trois équipes sur l'affaire. Il n'avait plus de bouts de doigts, aucune pièce d'identité, et il avait été retrouvé sur le dos. Autrement dit, il n'avait pas été invité dans la ruelle, mais on l'avait tué et déshabillé avant, pour l'amener ensuite là et finir le boulot. Pourquoi ses tueurs ne l'avaient pas tué et transporté ensuite dans la ruelle demeurait un mystère. À moins, bien sûr, qu'ils ne l'aient déshabillé dans la ruelle. Auquel cas… pourquoi avoir pris ses vêtements ? Qu'est-ce que ses fringues nous auraient révélé ?

Ma crainte, que je préférais garder pour moi, était que cet homme ait été tué par des gens de « chez nous ». Les bons, si vous préférez. Je sais qu'une pareille accusation peut paraître démente ; elle le paraissait à l'époque et elle le paraît encore maintenant, mais, d'après Sarah, c'étaient *eux* qui avaient le site en France ; celui où même les Français n'étaient pas autorisés à pénétrer, et c'étaient *eux* qui au vu des choses avaient investi le plus d'argent dans ce projet. Mais il était évident, à ce stade, que mon macchabée avait des couilles bien avant qu'il n'en fasse étalage à la face du monde. Si Sarah ne se trompait pas, alors la carte était la clé, et peu importe qui avait fini par lui trouer la peau, à mon avis ils avaient passé pas mal de temps à le questionner de façon musclée à propos de cette carte. Il n'avait jamais cédé. Elle était restée cachée dans son arrière-train pendant tout le temps et il n'avait jamais cédé. Eux ne l'avaient certainement pas mise là, car ils la voulaient.

À moins, bien sûr, que nous ayons été en train de nous faire mener en bateau…

Peut-être le texte avait-il toujours été une fausse piste ; un éléphant blanc introduit dans l'affaire pour que les pauvres cons du commissariat, ma pomme y compris, le trouvent et perdent quelques heures précieuses à suivre sa trace tandis qu'ils continuaient à s'occuper de nettoyer toute la merde. J'espérais que ce n'était pas le cas, car, autrement, je ne me voyais pas sur mes vieux jours en train d'expliquer à la prochaine génération de piliers de bar de Cody's comment un jour j'avais trouvé un type à poil dans une ruelle avec un éléphant blanc dans le cul.

Mais si notre seule piste dans cette affaire était fausse, pourquoi les fédéraux se seraient-ils emparés de cette même affaire ?

Quelque chose clochait dans toute cette tragi-comédie. Ça sen tait mauvais, ça puait, même ; un signe indéniable, s'il en fallait un, que tout ça allait très mal tourner avant même qu'on puisse envisager que ça s'améliore.

La porte retomba derrière moi avec un bruit métallique et je me retournai tandis que Sarah descendait les marches avec un sourire forcé.

« Elle va bien maintenant. »

Il était évident que, avec le plaisir qu'elle et sa sœur éprouvaient à ces visites, toutes les deux détestaient le moment du départ.

« Où allons-nous à présent ? »

Sarah soupira et regarda au-delà de la rangée de pins et des voies désertées en goudron poussiéreux de la I-15, jusqu'au désert de cactus et d'armoises qui s'étendait au-delà de l'horizon. Cette année avait été particulièrement chaude dans le monde entier. La télé parlait de réchauffement planétaire ; l'équivalent pour le monde d'un cancer à évolution lente pour ceux qui s'en souciaient. Pour moi, si le monde était encore vivable à l'heure de tirer ma révérence, cela suffisait largement. Elle inspira péniblement et se redressa pour faire face à ce qui l'attendait. « Aéroport », dit-elle en tirant une mèche folle derrière ses oreilles et en remettant ses lunettes de soleil.

Elle sourit à nouveau. Peut-être un peu plus largement cette fois.

En descendant de voiture à Lax, Sarah me fit trois pro messes. Elle me téléphonerait dès qu'elle serait rentrée, elle me dirait exactement ce qu'elle aurait trouvé, et elle serait très, *très* prudente. À cet instant, je compris que l'affaire dans son ensemble ne m'appartenait plus. Malgré toute sa sincérité, ses promesses tenaient plus du compromis maladroit. Un compromis qui n'offrait aucune garantie. Je n'avais plus qu'à la laisser partir. Et je n'avais rien pour la faire rester. Rien multiplié par pas grand-chose, et quel que soit le temps que Deacon mettrait à remonter cette information, ce serait du temps perdu, car Sarah arriverait certainement à Serres, et à « Arcadie », bien avant qui que ce soit d'autre qu'il pourrait penser à appeler.

Étant donné les circonstances, il était peu probable que Deacon appelle l'équipe archéologique américaine en France pour leur faire partager ses récentes trouvailles. Il devrait plutôt passer par ses propres canaux pour trouver ce qui était caché dans le village, si toutefois il y avait quelque chose. Ces canaux qui, au mieux, étaient de simples filets d'eau, comparés au torrent d'excitation qui animait maintenant cette jeune fille.

Rentré au commissariat, et une fois regagné le

premier, j'eus l'impression que tout n'allait pas pour le mieux dans le meilleur des mondes. Il régnait une drôle d'atmosphère dans la salle, et pas des plus plaisantes. Presque tout le commissariat se trouvait là, ce qui en soi n'avait rien d'anormal, mais ils ne s'affairaient pas comme le petit essaim d'abeilles hyperactives qu'ils formaient normalement. Aujourd'hui, ils marchaient sans se presser, comme si le miel avait perdu la moitié de sa valeur et que leur monde avait décidé de marcher au ralenti pendant un moment pour compenser.

Ellis, dont le bureau impeccable se trouvait juste derrière le mien, était assis très droit, les coudes posés sur une pile de documents non classés. Pour Ellis, ce « non classé » était un parfait sacrilège qui devait le conduire tout droit à un séjour prolongé au confessionnal, suivi par une semaine de cilice cistercien et de « Je vous salue Marie ». Il avait ôté ses lunettes, les doigts fermement appuyés autour de son nez et les yeux fixés sur quelque chose que lui seul avait le privilège de voir.

« Comment ça va, avec le type à poil ? » demandai-je d'un air détaché. Sachant que j'en avais découvert tellement plus que lui et Dean, je devais à tout prix éviter d'afficher le sourire qui me brûlait les lèvres.

Il ne répondit pas. Pendant un moment, je crois qu'il ne se rendit même pas compte de mon existence. Pas plus que de la sienne, bien sûr. Au bout de quelques instants interminables, il leva les yeux, l'air toujours absorbé, et dit d'une voix digne d'un robot ayant gagné le gros lot de la loterie du Minnesota : « Deacon veut te voir. »

En me retournant, je vis l'inévitable Post-it collé sur le visage de Vicki. Pourquoi ne les collait-il jamais sur le visage de quelqu'un que je n'avais aucune envie de voir, comme celui de Katherine ? Je le décollai, comme d'habitude, près de le jeter dans la poubelle avec mon « va te faire foutre » typique, mais Deacon ne s'était pas arrêté là.

Pas cette fois.

Sous le Post-it, se trouvait un autre sticker – un de ces trucs blancs qui nécessitent au moins un seau d'eau chaude savonneuse pour pouvoir espérer les décoller. Avec écrit en tout et pour tout : « MAINTENANT !!! »

Mâchoires serrées, la respiration sifflante, je fis demi-tour et filai au deuxième.

Ellis se remit à regarder dans le vide.

Deacon était en train de remonter les stores et de regarder par la fenêtre la circulation en train de s'écouler sur la 5e. Jolies bretelles rouges aujourd'hui, Deac'. Il tenait un verre avec ce qui ressemblait à du Coca et de la glace, mais sur son bureau j'aperçus quelque chose qui m'indiqua que ce n'était pas seulement du Coca : une bouteille de whisky single malt à moitié vide et un autre verre avec des glaçons en train de fondre. Peu importe la raison, le whisky n'était jamais bon signe : la journée n'était certainement pas bénéfique.

« Wells et Rodriguez sont morts », dit-il de but en blanc, sans même se retourner. J'avais ma façon à moi d'entrer dans son bureau, et il n'avait même pas eu à vérifier qui c'était.

« Et vous ne vous occupez plus du mort à poil. Dans cet ordre.

— Morts ? » dis-je.

Avant d'ajouter après un silence un peu trop prolongé :

« Comment ?

— Aucun rapport, dit-il, comme si ça avait de

l'importance. Ils quittaient les archives municipales quand quelqu'un a volé une valise à un type devant eux. Ils l'ont pris en chasse, l'agresseur a été plus malin : arrivé dans une rue déserte, il s'est arrêté et s'est retourné. Il les a descendus tous les deux quand ils ont franchi le coin. En pleine tête.

— Nous avons arrêté le type ? »

Il secoua la tête.

« Non... et je doute que nous y arrivions. »

Ce n'était pas ce que je comptais entendre, Deacon avait changé de discours. Ce n'était pas les paroles d'un chef en train d'annoncer que deux de ses hommes avaient été supprimés dans une ruelle. Qu'est-ce qui se passait ?

« Alors pourquoi me décharger de l'affaire ? Je veux dire, je viens d'être... »

Deacon se retourna avec un regard qui ne me plaisait pas. Ce qui était plutôt habituel, c'est vrai, mais cette fois c'était pire. Il avait l'air mauvais.

« Je sais exactement où vous êtes allé. Comme les fédéraux, d'ailleurs. Grands dieux, vous n'auriez pas pu être un peu plus *discret* ? Vous auriez pu baliser toute la route jusqu'à Oakdene, pendant que vous y étiez. Vous avez fait chier Creed... *encore une fois...* et ensuite vous filez voir la sœur. Et pour couronner le tout, vous demandez le chemin au voisin. »

Il s'assit dans le fauteuil à dossier haut, et le cuir crissa au contact de sa chemise bon marché humide de transpiration. « Ensuite, les fédéraux débarquent ici et me bottent le cul. Et nous perdons tout dans l'instant. Merci infiniment, Lambert. En tout cas, ça suffit maintenant. Allez plutôt me débarrasser de cette autre merde sur votre bureau. »

Silence. On n'entendait plus que le léger mouvement

des stores rudimentaires achetés en gros et le bruit sourd de la circulation. Il fallait que je choisisse bien mes mots avant de répondre. Aussi je pris tout mon temps. Puis je me penchai par-dessus son bureau.

« Vous… plaisantez… je suppose ? dis-je en articulant soigneusement pour bien me faire comprendre. Cette affaire est importante. Non… erreur… cette affaire est *sacrément* importante. »

Je ne désespérais pas de la garder. Je *voulais* cette affaire à tout prix. Évidemment, je l'avais mauvaise, pour Wells et Rodriguez, mais ça faisait partie de notre boulot. Un jour, ça m'arriverait peut-être aussi de poursuivre le mauvais type dans une ruelle tranquille et de prendre une balle. Mais entre-temps, je pouvais toujours garder une longueur d'avance sur Ellis et Dean.

« Vous m'avez invité à la fête, vous ne pouvez pas me renvoyer dans mes pénates maintenant.

— Importante ? »

Deacon se mit à rire, mais il ne trouvait pas ça drôle. Pas drôle du tout. « Bien sûr qu'elle est importante. Ça m'a valu de passer une bonne partie de la matinée à me faire sacrément engueuler par le grand directeur adjoint dans le grand bâtiment blanc sur Wilshire. » Il avait haussé la voix. Pas beaucoup, mais suffisamment pour que ceux qui travaillaient de l'autre côté des stores lèvent les yeux pour jeter un coup d'œil dans notre direction.

Charlie Petersen. Directeur adjoint de l'antenne du FBI à Los Angeles sur… justement, Wilshire. Maintenant, je savais à qui était l'autre verre.

« Et ils nous dégagent ?

— Nous n'aurions pas dû agir à découvert, dit-il. Nous l'avions volée, cette affaire, pas vrai ? Ils l'ont juste reprise, c'est tout. »

Il me regarda en plissant les yeux, avec l'air de quelqu'un qui réfléchit à ce qu'il devrait dire ou à la façon de le dire. Avec un petit coup d'œil oblique, il renifla l'air. Comme si quelque chose avait brusquement pourri dans le minifrigo marron de Deacon.

« Nom de Dieu, Nick, vous avez bu ? » À présent, on aurait dit qu'il cherchait quelque chose à me mettre sur le dos.

Je me penchai de nouveau en avant, les doigts bien plantés sur son bureau, et le regardai droit dans les yeux. « Écoutez, éructai-je. Vous m'avez *demandé* de la voler et j'ai bien progressé. Et non, je n'ai pas bu. » Je mentais. « Sentez mon haleine. »

Il leva les yeux, reposa son verre sur le bureau avec un air résigné et se leva pour me faire face, les yeux dans les yeux. Il tendit le bras en direction de l'aquarium et reprit d'un ton aussi déterminé que le mien : « Même le poisson rouge sent votre haleine d'ici, Nick. Mais non… vous n'avez rien bu et vous avez bien progressé ? Décidément, et vous me pardonnerez mon scepticisme, ce sont deux choses qu'on n'entend pas souvent dans votre bouche, n'est-ce pas ? »

Il cherchait la bagarre.

« Allez vous faire foutre, Deacon », dis-je. Réponse bateau, pas particulièrement originale.

« Et je ne vous ai jamais *demandé* de voler la moindre chose, continua-t-il. Je vous ai demandé de collaborer avec une équipe, c'est tout. Ce que vous n'avez pas fait. Je ne me souviens pas de vous avoir autorisé à aller voir cette maudite sœur. Donc maintenant, l'équipe lève le pied, et je compte sur vous pour en faire autant. »

Je pouffai de rire d'un air sardonique et m'éloignai du bureau en secouant la tête, comme si je n'attendais plus rien de lui. « Une équipe ? Et de quelle équipe s'agit-il exactement ? *La nôtre... ou la leur ?* »

Il se rassit et but encore une longue gorgée, jusqu'aux glaçons. « L'une ou l'autre ? Les deux ? Ça se vaut, non ? » Visiblement, nous n'étions pas près de trouver un terrain d'entente.

« Vous laissez tomber cette affaire. Vous ne retournez pas à Oakdene, sauf sous la menace d'un pistolet, et vous ne retournez pas voir la sœur. Compris ? Vous laissez les choses mourir toutes seules.

— Et Wells et Rodriguez ? Vous les avez laissés mourir tout seuls ?

— Au cas où vous n'auriez encore rien compris, Lambert, il ne s'agit pas d'une discussion. Je vous convoque dans mon bureau. Je vous dis comment et quand vous barrer, et vous voilà reparti avec le même scénario. J'aimerais bien vous voir sortir d'ici la queue entre les jambes. »

Il fit tourner son verre jusqu'à ce que la glace prenne de la vitesse, le visage crispé à force de réfléchir.

« Autrement dit, vous êtes déchargé de cette affaire. Point final. Et pourquoi ? Parce que vous êtes un fouteur de merde.

— Allez vous faire foutre, vous aussi. Et plutôt deux fois qu'une.

— C'est la deuxième fois, et une m'aurait suffi pour vous suspendre. »

Il me regardait droit dans les yeux, et je compris alors qu'il ne me disait pas tout, comme je m'en doutais. Ça puait la combine. Qu'est-ce qu'on dit à propos des atouts ? Tu les joues seulement quand ça devient amusant.

« D'ailleurs, vous avez encore des congés à prendre, et ça ferait rudement meilleur effet sur des états de service aussi minables que les vôtres. Alors... personnellement... je suggère avec insistance que vous les preniez maintenant.

— Je ne veux pas les prendre maintenant.

— Dans ce cas, je consignerai ce commentaire dans votre dossier et, compte tenu du fait que des charges sont en train d'être réunies contre vous et que vous semblez incapable de suivre la plus élémentaire des instructions, *plus* le fait que je vous soupçonne de donner la gueule de bois à mon poisson rouge, *et* que vous me coûtez vingt dollars pour avoir tenu quatre jours sans fumer, je vais vous suspendre. »

Il sourit à sa propre plaisanterie. « Vous me direz si j'ai autre chose à vous coller sur le dos... n'est-ce pas, Nick ? »

Avec cette dernière remarque, il avait perdu son ton incisif. Le plan soigneusement réfléchi arrivait en première ligne, prenant le pas sur sa colère. Pour l'instant, je pouvais seulement me contenter de deviner. Sa voix était devenue douce, calme, et presque persuasive.

Nick ? Mais nous savons déjà que Deacon ne m'appelle Nick que quand...

Elles étaient là, et bien là. Les réponses à tous les mots que je n'aimais pas, servies sur un plat avec un brin de quelque chose de vert en guise de garniture. Rodriguez et Wells étaient morts, et pourtant Deacon *doutait que nous attrapions jamais le type*. Il avait tué un policier et nous mettions toujours le paquet pour coincer les assassins de policiers, pas vrai ? C'était comme ça depuis la nuit des temps. Alors quel poids avait Deacon maintenant ?

Il savait parfaitement que c'était du lourd. Petersen était venu boire un verre dans son bureau, nom de Dieu, on ne pouvait pas faire plus lourd. C'était tellement lourd, en fait, qu'il ne pouvait risquer aucun de ses inspecteurs. Peut-être y avait-il un lien qui m'échappait et il n'allait pas me le faire remarquer ; quelque chose du style « plus aucun de ses inspecteurs ». Mais si c'était le cas, je pouvais parier qu'il me ferait prendre le risque. Car, pour Deacon, Nick Lambert était totalement inutile. Et pourtant, il ne me *disait* pas les choses, à en juger par son ton.

Il me *demandait*.

C'était un truc de trouillard, pour sûr, mais visiblement c'était la seule issue que Petersen lui avait laissée. Je l'ai déjà dit... et je le redis. Peut-être Deacon n'était-il pas aussi bête qu'il en avait l'air.

Peut-être que personne n'est aussi bête que Deacon en a l'air.

« Qu'est-ce qui me reste encore, comme congés, exacte ment ? » demandai-je prudemment.

Il devait avoir fait ses calculs dans sa tête, car nous savions pertinemment tous les deux que j'avais moins d'une semaine.

« Deux semaines, dit-il avec assurance. Et je vous suggère de les mettre à profit raisonnablement. *Sobrement.* »

Je plissai les yeux et souris. Histoire de dire que je n'étais pas dupe. Que je comprenais vaguement et que je comblerais les blancs ultérieurement. Je sortis mon pistolet, détachai mon badge de ma ceinture et les posai tous les deux doucement sur son bureau. « Allez vous faire foutre, Deacon. » Troisième édition.

Il me sourit sans conviction.

Parfois je l'imagine, après que je suis sorti de son bureau. Enfoncé dans son fauteuil de ranch, toujours en train de tourner le verre dans sa main et de se demander ce qu'il était allé foutre dans cette affaire.

Il ne se doutait bien sûr pas que Wells et Rodriguez avaient été victimes du gouvernement. En tout cas, je l'espérais – et j'allais mettre encore des mois à comprendre la sinistre implication de la maison dans toute cette histoire, mais lui devait bien savoir que leurs décès avaient un rapport avec tout ça.

Petersen lui-même y avait peut-être fait allusion, s'en était servi comme argument. Non qu'il en ait eu besoin par rapport à Deacon, mais, dans des situations comme celle-là, je suppose qu'une touche de diplomatie ne peut pas nuire. C'est le truc, en matière de règles et de politique, on ne poignarde jamais quelqu'un dans le dos qui risque de ressurgir et de venir vous chatouiller les côtes à votre tour quelques années plus tard.

Peut-être le grand directeur adjoint avait-il regardé Deacon au fond de ses yeux ambitieux, et, très sérieusement, prononcé des paroles du genre… « Ce sont des types extrêmement dangereux, que nous poursuivons, Paul, peut-être guettaient-ils vos inspecteurs dans les galeries, ou vérifiaient-ils le latin. Peut-être serait-ce plus prudent de nous laisser nous occuper de ça. Vous savez ? Comme vous aviez dit que vous le feriez. »

Mais à la différence de Deacon, Petersen n'aurait pas demandé. Pas question. La diplomatie ne servirait en l'occurrence qu'à arrondir les angles, à raboter les bords de la porte pour qu'elle se referme impeccablement quand il la tirerait derrière lui.

À présent, quand je me représente Deacon, je le vois assis dans cette peau de vache soigneusement cousue, le visage blême. Je l'imagine restant assis là pendant un bon moment, à regretter de ne pas avoir passé l'examen médical du FBI l'année précédente. Parce que s'il l'avait fait, s'il avait eu une moyenne de 18 + au lieu des 16,5, alors sa petite vengeance minable n'aurait peut-être pas contribué à ce que son commissariat perde deux de ses meilleurs officiers. Qui étaient aussi des maris. Et, dans le cas d'Eric Wells, un père.

Revenu au premier, je rassemblai les quelques trucs dont j'avais besoin. En fait, je n'avais vraiment besoin de rien en particulier, mais ça me semblait la chose à faire. Ça collait avec l'ambiance, et je crois que si on faisait jamais un film à partir de ma vie, c'est là que l'acteur qui jouerait mon rôle aurait une petite scène avec une réplique déterminante pour la suite du scénario. Pour Ellis, en fait, quand il s'approcha avec ce petit sourire narquois qu'il semblait réserver uniquement à mon intention.

Ellis n'en rate jamais une. C'est un brave type, à condition que vous ayez un penchant pour des gens dont la seule ambition est de faire porter le chapeau à leur chef. Malheureusement, ça veut dire que le jour où la flagornerie devient discipline olympique, ce jour-là, on mettra une médaille de platine en jeu pour la passer au cou de petits merdeux dans son genre.

« Congé forcé », dis-je. Ce n'était pas la peine d'esquiver le « forcé ». De toute façon, Deacon se ferait un plaisir de lui susurrer : « Je lui ai suggéré de… », la prochaine fois qu'Ellis serait en face de lui dans son bureau.

« Des projets agréables ? »

C'était une plaisanterie, et plutôt du genre saumâtre. Il m'avait déjà fait mijoter pendant quelques semaines à la maison, rideaux tirés, avec quelques bouteilles de Jack, des plats tout préparés, et des heures de rediffusion de Jerry Springer animant une de ses discussions de société à une heure de grande écoute sur une chaîne de merde.

Justement, j'avais de meilleurs projets que ça. Bien meilleurs. En fait, j'avais des projets dont j'étais très fier, et c'était quelque chose d'assez rare pour pouvoir le mentionner, comparé à mon discours justifiant mes progrès après une période d'abstinence.

Je refermai le tiroir bruyamment et me retournai en relevant le col de ma veste dans un effort pathétique pour avoir l'air cool et détaché, histoire de l'énerver. D'ailleurs, j'y arrivai d'autant mieux que j'étais *vraiment* cool. *Vraiment* détaché. On aurait pu croire que j'étais en train de feuilleter un annuaire international offrant des possibilités infinies.

« Sais pas, dis-je. Quelque part au chaud. Le sud de la France, peut-être. »

Et avec cette façon de sourire, histoire de faire chier, que je réussis tellement bien, je m'en allai.

À présent, vous n'avez plus qu'à inclure *cette* petite sortie-là dans votre film.

Évidemment, je sais très bien que je ne suis pas du tout impartial, mais à mon avis il n'existe pas beaucoup de boulots moins gratifiants que le mien. Merdique est le mot qui lui colle le mieux. Non que les officiers de la loi doivent compter sur la gratitude des gens. Grands dieux, non, nous sommes supposés l'exercer pour le sens de la communauté, lequel est gravé de façon indélébile dans notre âme, ou une connerie dans le genre, mais une petite tape de temps en temps dans le dos, sincère ou pas, ne serait pas de trop.

Inversement, il n'y avait pas grand-chose de plus gratifiant, à mon avis toujours, que d'être exempté de ce boulot pendant un certain laps de temps. Officiellement en tout cas. Et j'en étais là, avec l'autorisation de faire tout ce que voulais pendant deux semaines. Et je pouvais le faire *n'importe où* où ça me chantait. Que Deacon ait déjà été au courant ou non, c'était dans un minuscule village en France, à la recherche d'une œuvre d'art religieux disparue depuis longtemps, et en compagnie d'une belle jeune femme.

À condition, bien sûr, que je puisse prendre ce vol.

Allons, avec des journées aussi merdiques que les miennes, ça valait quand même la peine de se bousculer un peu, non ?

Tout en traversant le parking souterrain pour rejoindre ma voiture, je dois bien reconnaître que je souriais comme ça ne m'était pas arrivé depuis longtemps, et que je lançais mes clés en l'air comme un quarterback vedette se rendant à l'entraînement... On aurait pu croire, étant donné que Wells et Rodriguez avaient écopé d'une balle dans la tête, plus le fait que je n'avais plus d'arme et l'allusion de Deacon me conseillant de passer mon temps « sobrement », que j'aurais ouvert l'œil. Mais je n'en fis rien. On entendait seulement le goutte-à-goutte d'une bouche d'incendie qui fuyait depuis toujours, et le bourdonnement monotone de la circulation de la mi-journée au-dessus qui se répercutait dans les bouches d'aération.

Je marchais – non, effacez ça –, *j'avançais* à travers le parking aussi vite que possible. Si je voulais prendre le même vol que Sarah, je n'aurais pas le temps de passer à la maison prendre un sac. Je devrais garder les mêmes vêtements – ceux que je portais déjà hier, mais aussi mes seuls vêtements propres. Compte tenu de la situation, ne pas avoir le temps de passer à la maison avait donc très peu d'importance.

Plongé dans mes pensées, je ne les entendis même pas derrière moi. Ils avaient dû me voir déboucher de la cage d'escalier et me suivre à distance pendant toute la traversée du parking, en gagnant peu à peu du terrain sur moi. Je n'avais rien entendu. Jusqu'à ce que ce soit trop tard. Maintenant, mon client mystère était juste derrière moi, et j'entendis une voix...

« Salut, inspecteur. »

Je fis volte-face, sur le point de prendre une arme que je n'avais pas. Puis je soufflai avec soulagement.

« Pitié, ne me faites plus jamais ça. »

Sarah était appuyée sur le côté, avec un grand sourire réjoui illuminant son visage, ses lunettes de soleil plantées dans sa chevelure rebelle et son sac à dos à l'épaule.

« Vous me permettez de partager votre taxi ? dit-elle.

— Vous n'auriez pas dû avoir déjà enregistré ?

— Prochain vol. Je ne pouvais quand même pas partir sans vous », dit-elle.

Nous arrivâmes à la Taurus et je lui ouvris la portière comme le gentleman que ma mère avait en vain essayé de faire de moi. « Et maintenant que vous avez deux semaines de suspension déguisées en congé, j'ai pensé que je ferais mieux de venir vous donner votre billet. »

Elle me regarda et agita une enveloppe blanche.

« En plus, vous avez besoin de vêtements de rechange. »

26

JEUDI 13 AOÛT 2043
LOS ANGELES, CALIFORNIE

Les reflets étaient brouillés. Comme toujours. On aurait dit qu'elle était dans un couloir et que ça sentait mauvais. Aucune lumière bien définie, juste une ombre longue qui ondulait. Toujours la même. L'odeur prégnante qu'elle avait sentie était certainement une odeur d'eau de javel ; un antiseptique, peut-être, mais elle ne donnait pas une impression de propreté, on se demandait plutôt ce qu'elle pouvait bien cacher. Elle parcourut cet endroit comme si elle volait. De l'autre côté du Styx ? S'il y avait eu une lumière au bout – s'il y avait eu la moindre lumière –, elle se serait peut-être demandé si elle était en train de mourir.

Puis une forme sombre ; une porte. Noire. Lentement – silencieusement –, elle s'ouvrit, et au lieu d'une pièce derrière, c'était une couche de brume en trois dimensions. D'un blanc laiteux. Tourné. Le ciel par un matin froid de février.

Ce n'est pas un rêve. Ça ne peut pas être un rêve.
(Parce que je ne dors pas.)

Il aurait dû faire froid. Toutes les couleurs et les sensations lui indiquaient qu'elle aurait dû être gagnée par le froid. Et pourtant, elle ne ressentait que de la chaleur. Elle était supposée être là. Elle devait se trouver là. C'était l'endroit qui lui était destiné.

(Être là.)

Une lumière maussade transperça l'air chargé non loin. Une lumière extérieure, peut-être, dans une pièce claire, mais, à présent, c'était difficile à dire. Une petite forme au-dehors. Plus légère que la lumière. Réfléchissante.

La forme bougea d'avant en arrière, maladroitement. Rien n'était fluide, et pourtant, dans ce monde, peut-être que ça aurait dû l'être. Mais la tête. La tête de cette petite forme ne coulait pas. Elle rebondissait comme une épave dans le port.

Quelque chose à propos de cette forme. Quelque chose d'important.

(Blanc.)

La première fois qu'elle était venue dans cet endroit, elle avait remarqué aussitôt qu'elle n'était pas le seul visiteur ; qu'il y en avait déjà un autre. Une forme mince, assise sur un lit de couvertures rugueuses. Elle avait l'impression que la tête était inclinée, bien que, dans son rêve, ce soit difficile à dire. Initialement, elle avait concentré tous ses efforts sur cet autre. Quelque chose lui disait que cela ne servirait à rien d'essayer de parler, le son n'existait pas dans cet endroit, mais elle avait tenté de toutes ses forces de voir le visage de la personne, dans l'espoir peut-être que cela lui expliquerait où était cet endroit. Pourquoi était-ce.

Elle n'avait jamais trouvé. Le visage n'était jamais apparu assez clairement et les yeux étaient des miroirs.

C'était comme si elle contemplait cet endroit à travers un voile. Un fantôme vivant. Elle avait l'impression que cette pièce était une cellule de prison, spartiate et nue. Il était tellement difficile d'en être sûre et tellement difficile de glaner des réponses d'après le peu qu'elle pouvait distinguer. Elle ne voyait rien de plus qu'une toile blanche parce que tout était une forme vague. Sans histoire.

Pourtant, elle l'avait su. Elle n'avait pas trouvé, mais elle l'avait su.

Qui elle était. Où elle était.

Cela la faisait sourire. La réchauffait et la rendait heureuse. Vraiment heureuse, pour la première fois de sa vie peut-être.

La seconde fois était comme la première. Tout était pareil. La troisième fois, elle vit une autre forme. Celle-ci dans la lumière.

Elle ne savait pas ce qu'elle voulait dire ni pourquoi elle était là, seulement qu'elle signifiait quelque chose, et, comme tout dans cet endroit, elle était là pour une raison. Une raison qui lui échappait alors aussi implacablement qu'elle lui échappait alors.

Elle était là maintenant. La tête rebondissant. Une épave.

De nombreuses années après qu'elle était venue ici pour la première fois – ou plutôt après qu'un ami intangible s'était introduit dans son esprit, avait doucement pris sa main et l'avait amenée ici –, elle avait été autorisée à rester un peu plus longtemps ; l'environnement le permettant. Le monde réel le permettant. Si c'était possible, parce que cet endroit était non seulement brumeux, mais il avait brouillé la ligne qui séparait jadis les deux.

Elle n'avait jamais su quand on pourrait l'amener ici, ni combien de temps son monde lui permettrait de rester.

(Lui permettrait de voir.)

Mais ses visites duraient plus longtemps. Plus longtemps chaque fois. Ce n'était pas la peine d'essayer de venir ici, parce qu'elle l'avait fait. Essayé, autrement dit. Non, elle était amenée là à la demande d'un autre. Un dont le séjour était un peu plus permanent, dont les visites ne pouvaient pas être abrégées comme pour des enfants hurlants qu'on rend à leurs parents. Elle venait ici pour voir le monde comme il était vraiment. Vingt-quatre heures sur vingt-quatre, sept jours sur sept.

(Tête rebondissant. Épave. Dans un port.)

La porte derrière elle s'ouvrit à nouveau. Elle ne se souvenait pourtant pas de l'avoir refermée. L'avait-elle fait ? Quelle importance ? Une autre forme se tenait dans l'embrasure. Une silhouette sombre aux contours arrondis dans le brouillard. Pas noire, plutôt un gris terne comme un reflet dans une mare. C'était tout. C'était tout ce qu'il était, et elle savait que c'était un homme car elle avait senti son haleine à travers la brume. Des reflets.

C'était la troisième fois qu'elle le voyait, ou plutôt sa forme. La première fois, peut-être trois semaines auparavant, tandis qu'elle était assise chez elle en train de lire *Catch-22* de Joseph Heller, lumière baissée, elle était brusquement revenue dans cet endroit, seulement cette fois, elle s'était sentie comme si elle était tombée de tout son long. Elle avait froid. À l'intérieur, à l'extérieur, et tout autour, comme si la brume tournait en glace et se collait à sa peau. C'était cette forme – cet homme – qui lui avait donné cette impression. Le pire froid qu'elle ait jamais éprouvé. Plus froid même que la mort, peut-être ? Peut-être faisait-il aussi froid parce que c'était justement ça. La mort.

Et pourtant, même à ce point, elle sentait quelque chose d'autre, et c'était plus fort maintenant. Ce n'était pas seulement la mort qui voyageait avec cet homme, il y avait la vie aussi. Pas une vie chaleureuse, pleine d'amour et de générosité, mais la vie quand même. Cet homme lui évoquait plutôt la rue qu'une chambre d'enfant. Il se tenait dans l'embrasure de la porte, plus fier qu'il n'aurait dû l'être, tandis que la faible lumière filtrait autour de lui comme une illusion d'optique. Visages et vases, que voyez-vous ? Que voulez-vous voir ?

(Je veux voir ce qui arrive. Je veux savoir ce qu'il fait chez moi.)

Une voix dans sa tête. Une voix qu'elle reconnaît d'autant plus certainement qu'elle sait qu'elle ne l'a jamais entendue auparavant. Douce, consolante. Attristée. « Tu sauras. Tu as besoin de savoir. Mais ne te presse pas. Parce qu'une fois que tu sauras, tu ne pourras plus jamais revenir en arrière. »

Une fois qu'on sait, on ne peut plus jamais revenir en arrière.

(Catch-22.)

L'homme sur le seuil de la porte fit un pas en avant. Un seul. Toujours un. Pas un grand pas, mais qui exprimait une certaine détermination. Des choses à faire. Des choses qui auraient déjà dû être faites. Des choses qui ne peuvent pas être changées.

L'histoire, pensa-t-elle. L'histoire ne peut pas être changée.

Tandis qu'il s'avançait vers elle, elle sentit les yeux de l'homme, minables et sombres. Comme son pas, ils témoignaient d'une détermination certaine, d'un but sinistre qu'elle ne connaissait pas et qu'elle n'osait même pas essayer de deviner. Elle aurait voulu crier. Pas pour elle-même, car elle avait le sentiment que cet homme n'était pas venu pour elle. Il était venu pour l'autre, celui qui l'avait appelée pour voir, mais ne lui avait pas permis de voir quoi que ce soit. Pas encore.

Quand on sait, on ne peut plus revenir en arrière.

Une forme dans la fenêtre. Blanc pur. Comme un ange. Se déplaçant. Rebondissant. Observant. La voyait-elle ? Voyait-elle l'autre ? Ou l'homme ? L'homme qui entre. Voyait-elle quelque chose ?

Ou était-ce seulement des reflets ? Des reflets du monde réel.

Si un tel endroit existait, alors elle devait y retourner. Une voix inaudible lui disait que c'était important qu'elle rentre chez elle, pas seulement pour son monde, mais pour les deux mondes. Elle avait des choses à faire.

(Il est à l'intérieur, maintenant.) Elle ne savait pas en quoi elles consistaient, seulement qu'elles l'attendaient. Comme un supermarché. Qu'était-elle venue chercher ? Il se pouvait qu'elle l'ignore, mais elle savait qu'elle y était entrée pour quelque chose.

(Il est à l'intérieur de la pièce.)

Quelque chose à faire.

(Il est chez moi.)

Des choses importantes qui lui disaient qu'ils pourraient prendre cette ligne et l'effacer à jamais. Cet endroit est envahi par la peur, mais il ne m'appartient pas. Il se peut qu'ils enlèvent la brume et donnent un peu de clarté non seulement à cet autre endroit, mais à sa vie dans les deux. La peur. Elle la sentait dans cet endroit.

(Reflets. Clarté. Comme de nouvelles lunettes.)

Alison était rentrée chez elle à présent. Ses lunettes demi-lunes reflétaient trois écrans d'ordinateurs, chacun affichant une image différente. Elle les fixait intensément, puis tapait de ses longs doigts sur le tapis à pression pour modifier les informations devant elle, tout en buvant un café qui était déjà tiède une bonne demi-heure avant. Comme c'était toujours le cas quand elle revenait de cet endroit, elle entendait son cœur brinquebaler comme un tonneau vide dévalant une colline. Elle n'avait aucune idée du temps qu'elle avait passé là-bas. Le temps ne comptait pas dans le vrai monde, uniquement dans l'autre endroit. L'endroit où elle avait justement la sensation qu'il était compté.

Il fallait qu'elle fasse quelque chose. Qu'elle trouve quelque chose.

Mais quoi ?

Ça avait duré trois heures, cinq la nuit précédente et six la nuit encore avant. Ses yeux sombres accusaient la fatigue. Elle cligna des paupières pour dissiper le sommeil et s'efforça de continuer. Elle ne comprenait pas tout à fait pourquoi, mais il fallait qu'elle trouve toutes les réponses avant que Klein ne parte pour la France.

Les réponses à toutes choses, pour reprendre ses mots.

Mais pas ses réponses à lui. Plus maintenant ; *les siennes*.

En réalité, Alison avait déjà imprimé et classé tout ce dont Klein avait besoin, et ce dossier était posé sur son bureau bien avant qu'il n'arrive à 7 h 30 ce matin même. Et, bien qu'elle n'ait pas parlé avec lui depuis, elle savait qu'il aurait été sans doute très content. Ce qu'il cherchait, autrement dit ce qu'il avait « cherché toute sa vie », elle l'avait trouvé, et c'était ce qu'on appelait « les Tables du Témoignage ». Des tables de pierre antiques. Elles étaient décrites comme portant de saintes écritures araméennes, décrites à la fois comme « l'équation cosmique » et « les lois divines des nombres, des mesures et des poids ».

Le déchiffrage de ces inscriptions, considéré comme un art mystique, était supposé pouvoir être effectué au moyen du système cryptique de la kabbale. Et ces inscriptions, à condition qu'on veuille bien croire au mythe, à la tradition, aux diverses spéculations, et à Dieu sait quoi encore, renfermaient sans aucun doute les réponses de Klein « à tout ». Deux tables de pierre, supposées avoir été gravées par les mêmes mains que celles qui avaient moulé la Terre elle-même, et placées dans l'arche d'alliance ou l'arche de Sion, laquelle, pendant un laps de temps, voyagea avec Moïse, et le transporta, lui et ses fidèles, jusqu'en Terre promise.

Mais Klein voulait savoir où ces tables avaient achevé ce qui était, littéralement, un voyage épique de dimensions bibliques. Au terme de recherches intensives, le croisement d'innombrables archives numérisées et de bibliothèques du monde entier, Alison avait réussi à démontrer que l'arche elle-même avait très probablement suivi le « chemin connu » ; le chemin reconnu. Rien, en tout cas, ne prouvait le contraire. Cet énorme conteneur, soigneusement construit dans un bois d'acacia ancien, avait été transporté par Josué sept fois autour des murs de Jéricho, porté devant les Philistins par les fils d'Eli, et transféré par le roi David dans sa nouvelle capitale, Jérusalem, où le fils de David, Salomon, construirait un magnifique temple pour l'abriter.

Après des siècles pendant lesquels l'Arche fut pratiquement ignorée, elle disparut alors complètement dans des circonstances à peine mentionnées dans la Bible hébraïque. Le Temple lui-même fut détruit par les Babyloniens puis reconstruit ensuite. Mais aucune arche ne fut jamais replacée dans son sanctuaire. À en croire d'autres rumeurs, spéculations et mythes en tout genre, celle-ci, le plus sacré de tous les réceptacles, fut volée et échoua quelque part en Éthiopie.

Les Tables du Témoignage, elles, semblaient avoir pris un autre chemin. Selon des documents découverts par Alison, dont les écritures de Philon d'Alexandrie et de Flavius Josèphe, il semblait que les tables elles-mêmes soient restées à Jérusalem. Là, selon le Talmud, les tables furent cachées par Josias quand il comprit que le Temple allait être détruit. Flavius Josèphe rapportait qu'un faux prophète avait dit aux Samaritains de l'accompagner jusqu'au mont Garizim où il leur montrerait les « saintes tables » qui étaient enfouies là. Les Samaritains croyaient de longue date qu'un saint prophète, comme Moïse, ramènerait les tables au Temple, si bien qu'ils acceptèrent de faire le voyage. Le Memar Marqah, un texte araméen datant du IVe siècle de notre ère, faisait référence au mont Garizim à une époque où « ce qui est caché sera révélé ».

Les tables ne devaient pourtant pas être retrouvées à Garizim. Elles étaient restées enfouies sous le Temple, dans la grande écurie du roi Salomon. Pendant la première croisade, qui avait débuté en 1096, le gigantesque abri souterrain était décrit par un des croisés comme « une écurie d'une telle capacité qu'elle pourrait contenir plus de deux mille chevaux ». Apparemment, elle contenait aussi « d'immenses trésors, dont les Tables du Témoignage ».

Si les informations des Templiers étaient exactes, et malgré le scepticisme que peuvent susciter les spéculations d'un groupe aussi mystérieux, c'était cette immense réserve que visaient les chevaliers.

En 1127, les Templiers étaient comblés. Ils s'étaient emparés des Tables du Témoignage, ainsi que d'une énorme quantité de lingots d'or et d'objets précieux, qui avaient tous été entreposés sous terre longtemps avant la démolition et le pillage du Temple par les Romains en 70 de notre ère.

Après l'expédition, Hugues de Payns, chef des chevaliers du Temple, fut convoqué à un concile à Troyes présidé par le cardinal légat du pape, et il quitta Jérusalem en écrivant : « Le travail a été accompli, et les chevaliers voyageront à travers la France et la Bourgogne sous la protection du comte de Champagne, toutes les précautions ayant été prises. » À Troyes, la cour devait se livrer à un considérable travail de traduction sur les tables, après avoir, en prévision, subventionné de longue date un centre d'études ésotériques et cabalistiques.

Ils n'en eurent jamais l'occasion. En route, les tables furent dérobées. Alison était bien consciente qu'une fois Klein muni de cette information, comme c'était le cas maintenant, il voudrait s'assurer que les tables soient volées, bien à cause de lui cette fois et de son obsession pathologique de la perpétuité.

Et il n'y avait aucun moyen de l'en empêcher. Si elle mentait ou modifiait les faits, Klein s'apercevrait de la supercherie et mettrait un autre chercheur au travail. Puis, au bout d'un moment, il finirait par « remettre les choses en ordre », disposant déjà de la façon de le faire et des moyens.

Si Alison était la seule susceptible de l'en empêcher, alors elle était sacrément coincée. Klein finirait par récupérer la seule chose qu'aucun homme ne devrait être autorisé à posséder. Les divines lois des nombres, des mesures et des poids, et elle ne pouvait rien faire contre ça. Rien qui lui vienne à l'esprit, en tout cas.

Alison s'était sentie coincée pendant un bon moment, toute la nuit de mardi, et tout mercredi, pendant qu'elle imprimait et reliait le nouveau dossier de Klein. Jusqu'à ce soir, quand elle eut décidé que la direction que ses recherches avaient prise l'obligeait à quitter l'autoroute pour s'aventurer en territoire inconnu. Un territoire dont Alison allait devoir devenir à la fois l'exploratrice et la cartographe.

Elle avait un esprit d'une logique imbattable, et deux choses étaient restées gravées dans sa tête depuis qu'elle en avait pris conscience. Premièrement, que Klein avait cherché « toute sa vie » les tables ; c'étaient ses propres mots. Et pourtant, connaissant Klein depuis de très nombreuses années, elle n'en avait jamais vu la moindre preuve. Deuxièmement, et plus accablant encore, elle avait appris en consultant des dossiers anciens que, déjà en 2011, Klein avait servi de « conseiller » pour des fouilles archéologiques dans la région de Cardou.

Pourquoi ? Pourquoi Klein avait-il servi de conseiller pour des fouilles archéologiques en France ? Les tables avaient-elles été emportées en France par Hugues de Payns en 1127 ? Avaient-elles été volées en France ? Pourquoi Klein ne le lui avait-il pas dit ? Était-ce possible que, déjà en 2011, Klein ait pu croire qu'il les avait retrouvées ?

Si c'était le cas, qu'est-ce qui avait échoué ? Quoi, quand et comment ?

À l'aide de codes officiels, elle avait pu se connecter à tous les dossiers relatifs aux fouilles de 2011. Klein, apparemment, avait été très impliqué dans les fouilles de Cardou à partir de la découverte en 1992 d'un parchemin à l'abbaye de Fontfroide, en France. Il était resté complètement impliqué jusqu'en juin 2011, quand il avait été appelé en Sibérie pour y enquêter sur un site d'importance scientifique, mais sans aucun rapport avec les fouilles précédentes. Le site avait annoncé la découverte du sibérium justement nommé. Toutefois, durant les cinq jours qu'il avait passés en Russie, Klein avait reçu un email de la part de son chef de la sécurité sur le site de Cardou. Le général Peter Grier.

L'email disait : « Site vide mais avons localisé et intercepté ce que vous cherchez. Volé par inspecteur police de Los Angeles et fille, à présent décédés. Tables à Los Angeles, devant être transférées à Washington pour décodage. Grier. »

Le site fut fermé. Klein ne revint jamais à Cardou.

Deux années plus tard, la propriété du site de Cardou était transférée à KleinWork Research Technology, pour servir à la recherche sur le bétail.

Donc, si Grier avait intercepté ce que Klein cherchait, et à supposer que ce soit une référence aux tables ellesmêmes, pourquoi Klein ne les avait-il pas ? Pourquoi était-il encore à leur recherche ? Il n'y avait aucune indication sur l'endroit où les objets avaient été interceptés et comment diable un inspecteur de Los Angeles et une fille étaient arrivés jusqu'à eux, mais Alison était fascinée par toute cette histoire.

Brusquement, ce qui s'était produit en 1127 n'avait plus d'importance – c'était uniquement le problème de Klein –, et ce qui s'était produit en 2011 devenait évidemment primordial. Quelque chose se rapportant aux événements de ces quelques jours expliquait pourquoi Klein était toujours à la recherche de son trophée après toutes ces années.

Tout ce qui lui restait à faire était de trouver quoi. Ensuite, pour reprendre les paroles de Klein, remettre les choses en ordre.

Sous le laboratoire central, à un niveau sous terre dont beaucoup au sein de KleinWork Research Technology ne soupçonnaient pas l'existence et n'auraient de toute façon pas eu l'empreinte digitale génétique pour y accéder, huit gardes, quatre pour chacun, arrivèrent pour escorter les hommes depuis leurs cellules.

Deux restèrent à la porte, tenant les boutons étiquetés à leurs noms, boutons dont la simple pression déclencherait la lumière rouge sur les bracelets d'acier que les hommes portaient aux poignets et aux chevilles. Auquel cas, des engins explosifs explosant vers l'intérieur, inoffensifs pour les gardes, feraient sauter les mains et les pieds du malheureux détenteur. Apparemment, la technologie avait produit le café instantané, la pizza micro-ondes instantanée et, de façon plus inquiétante, la possibilité immédiate de frapper d'incapacité ceux qui ne respectaient pas les règles, peu importe la folie de ces règles.

Les six autres gardes se scindèrent en deux groupes de trois, des casques à visière et des vêtements de protection dissimulant à la fois leur corps et leur identité. Calmement et en parfaite synchronisation, ils gagnèrent leurs positions respectives.

Deux des hommes incarcérés se virent sommés de se lever de leurs couchettes dans leur cellule d'un mètre cinquante sur trois, et de se mettre le dos aux barreaux en tendant les mains à travers. Les bracelets de poignets et de chevilles furent attachés ensemble avec des tiges d'acier, restreignant au minimum les mouvements des jambes et des bras des hommes, au cas où il y aurait un problème avec les engins explosifs.

Quand les chaînes furent en place, les gardes reculèrent et firent un signe à leurs collègues à la porte. Ceux-ci entrèrent les codes activant les portes des cellules trois et neuf, dont les barreaux s'enfoncèrent dans le sol pour laisser sortir les hommes.

Michael Davies et Pierrot d'Almas, choisis personnellement par Joseph Klein, étaient en route.

« Où ? demanda Davies. Où allons-nous ?

— Ferme-la, Davies, dit un des gardes.

— Hé, connard ! » protesta d'Almas d'une voix pâteuse tandis qu'il était forcé d'avancer plus vite que les chaînes ne le permettaient.

Sur ce, le garde le poussa encore plus fort, le faisant trébucher.

Davies fut contraint d'attendre à un mètre de la porte jusqu'à ce que d'Almas, plus loin dans le couloir, arrive à son niveau. Les deux hommes se retrouvèrent alors debout côte à côte, cernés de toutes parts, pendant qu'un des gardiens leur expliquait les règles.

« Vous ne parlez à personne sauf à un garde, et uniquement pour répondre à une question. Faites tout ce qu'on vous dit de faire et tout se passera bien. Désobéissez à un ordre, peu importe la raison... » Il leva le bouton. « ... et vous vous retrouverez tétraplégiques dans l'instant. Est-ce que je suis bien clair ? »

Aucun des hommes n'acquiesça, mais ils comprenaient parfaitement tous les deux. Ils se regardèrent d'un air perplexe ; comme deux chrétiens athées poussés en direction des portes du Colisée. Ils savaient pourquoi ils étaient là, bien sûr. Mais pourquoi leur en fallait-il deux ? Et pourquoi la grande porte ? Plutôt que l'autre extrémité du couloir blafard où l'ascenseur les aurait conduits directement en haut. C'est par là que Castle était parti, et, d'après la rumeur, il avait survécu au voyage.

Un des autres gardes le leur avait dit, histoire qu'ils se tiennent tranquilles.

À leur droite, tandis qu'ils étaient escortés à l'extérieur de la pièce, d'autres yeux sombres les suivaient. Froids et ternes. Jeffrey Mason se tenait contre les barreaux et grommelait. Comme Davies et d'Almas, il portait la combinaison réglementaire rouge ; à la main, il tenait un gobelet en acier dans lequel il avait depuis longtemps fini de boire son café. Il était épais et noir, comme Stubbs dans la cellule onze, aimait-il répéter. Avec un goût de pisse. De la pisse de garde.

C'était le quartier le plus propre et le plus moderne où Mason n'avait jamais purgé sa peine. High-tech. Des murs blancs immaculés, des portes vitrées réfléchissantes impeccables et un éclairage horriblement moderne. Et pourtant, l'élément humain, indissociable des endroits où ses crimes l'emmenaient, rendait cette pièce blanche plus sombre que l'enfer lui-même. Il détestait la perspective de devoir passer un autre jour ici, plus encore qu'il détestait le fait d'avoir passé neuf mois dans le ventre de sa salope de mère.

Il voulait sortir, et maintenant il se foutait parfaitement de l'endroit où il irait. N'importe où où ils lui diraient d'aller. Cet homme qui n'avait jamais pleuré de sa vie était au bord des larmes à force d'ennui. Pourquoi Davies, d'Almas et Castle étaient-ils sortis avant lui ? Mason n'était-il pas assez bon pour eux ?

« Et Mason, connards ? cria-t-il d'un trait de sa voix pâteuse. Mason ne va pas aussi sortir de son sale trou ? Pourquoi ils s'en vont et pas ce pauvre vieux Mason ? »

Personne ne répondit. Quelques instants après, les dix hommes au complet étaient partis, et la grande porte, un miroir sans tain d'un seul tenant permettant de surveiller le couloir vingt-quatre heures sur vingt-quatre, glissait en place dans un murmure. Comme d'habitude, les lampes le long du couloir baissèrent d'un tiers. Mason lança la tasse à travers les barreaux. Elle heurta le miroir sans même égratigner la surface et rebondit bruyamment dans le couloir, disparaissant dans un coin sombre de la trois.

« Eh, cria-t-il à nouveau. Ne me laissez pas seul avec ce sale nègre.

— Ferme-la, connard », cria Stubbs depuis la onze, qui était hors de vue.

Sa voix résonna le long des murs nus derrière les barreaux, donnant l'impression qu'au lieu d'un homme en colère, il y en avait trois.

« Ouais ?... Va te faire foutre, espèce de nègre. C'est Mason qui parle. » Il regarda de nouveau vers la porte, voyant toujours les hommes s'éloigner. Quand allait-il pouvoir foutre le camp d'ici ? Il dit tout bas : « Enculés. »

Et à présent, c'était un homme qui se réfléchissait dans les lunettes d'Alison Bond. Un homme vieillissant, revenu de tout, qui aurait visiblement préféré qu'on ne le prenne pas en photo. Un certain inspecteur Nick Lambert. Un homme qui s'était engagé dans la police de Los Angeles à 23 ans et était devenu inspecteur à 28. Il avait été marié, et il avait divorcé en

2002, à la suite de quoi son ex-femme avait emmené leur fille de 8 ans vivre avec elle et son nouvel amant à Seattle. Dès lors, la carrière de l'homme avait suivi une pente descendante. Il avait connu un ou deux succès notables au cours des années suivantes, mais il avait fini par toucher le fond sans jamais s'en relever. En 2011, on lui avait confié la tâche d'enquêter à propos d'un texte latin découvert sur le corps d'un mort, et il s'était rendu dans une institution appelée « Oakdene » pour voir un pensionnaire. Alison réprima un sourire en lisant ça. Un texte latin. C'est ce qui avait conduit Klein à croire que ses chères tables avaient été retrouvées et interceptées.

Après s'être livrée à un examen approfondi des archives concernant la drogue V-2101 de la police pour la période de juin 2011, Alison était tombée sur le dossier BX9906808 détaillant la mort suivie d'enquête de l'individu initialement en possession du texte en latin. C'était dans ce dossier qu'elle avait pris connaissance de l'intervention de l'inspecteur Nick Lambert.

Après quoi, elle avait vu les photos ; cinquante-quatre en tout. Certaines montraient la scène de crime elle-même, l'homme recouvert d'un drap avec de grandes flaques de sang qui se répandaient sur le sol, d'autres l'enquête. Et certaines avaient été prises pendant l'autopsie du mort.

Pendant presque une heure, elle resta assise devant les trois écrans à se concentrer, son esprit d'une logique implacable s'efforçant de faire coïncider ce qui était déjà arrivé. Comment ça avait pu arriver. Ce n'était pas facile, même pour elle ; jamais elle ne s'était trouvée confrontée à une équation aussi complexe. Tous les éléments étaient là, au complet, mais comprendre comment et pourquoi ils agissaient entre eux, c'était une autre paire de manches.

Elle se leva et fit du café, mais c'était peine perdue. Elle ne voyait toujours rien, tout en sachant qu'il y avait quelque part une réponse mais qu'elle lui échappait. Elle connaissait l'homme sur la photo, elle l'avait vu de ses propres yeux, alors pourquoi était-elle incapable de trouver ce qui lui était arrivé ?

Et brusquement, elle eut une révélation, comme un éclair, et bien plus brillant que ceux qu'elle avait vus au labo. Elle en resta bouche bée. « Doux Jésus », dit-elle, trop fort à son goût, et elle se précipita de nouveau vers l'écran pour afficher une autre photo. À présent, Alison Bond avait un tel sourire qu'elle en avait mal aux mâchoires. Elle revint vers un des écrans, consciente d'une seule chose : elle venait juste de comprendre *exactement* ce qui allait arriver.

Sur cette nouvelle image, l'homme la toisait d'un air méprisant et, bien qu'ayant été arrêté et condamné très récemment, il ne manifestait aucun remords pour les crimes énumérés sous son nom. Ses yeux, qui la fixaient maintenant depuis l'écran, n'affichaient aucune émotion, sinon une sorte de savoir implicite. Qui ne regardait ni rien ni personne. Sinon lui-même.

C'était le genre d'homme qu'il avait dû être, songea-t-elle. Froid. Il était probablement persuadé qu'il vivrait éternellement, spirituellement au moins, et sa sélection en tant que participant au projet Séquence n'avait fait que renforcer cette croyance.

Alison le regarda à son tour bien en face, sans cesser de sourire elle aussi. Car elle avait vu les photos de l'autopsie. Toutes les photos. Le visage de cet homme figurait sur toutes, comme sur ce casier judiciaire. Elle savait donc parfaitement ce qu'il allait devenir en fin de compte, même s'il racontait aux gardes quelle réputation il avait encore en ville.

« Quelqu'un va te retrouver mort très bientôt, pas vrai ? » demanda-t-elle à la photo en se penchant tout près de l'écran et en plissant les yeux. Elle sourit au mot « bientôt ». Car tout ça s'était déjà produit. Il y a très longtemps.

Oh, on le retrouverait bel et bien mort, ça ne faisait aucun doute, et les photos de l'autopsie en étaient la preuve. Mort comme son regard. Elle sourit et but une gorgée de café en se répétant doucement son nom en détachant bien les mots, comme si elle se félicitait.

« Enculé. De. Jeffrey. Mason. »

27

SAMEDI 11 JUIN 2011
EN ROUTE VERS LA FRANCE

Je déteste prendre l'avion. Je ne le répéterai jamais assez. Et ça depuis toujours. Ce n'est ni le décollage ni l'atterrissage – lesquels sont statistiquement les parties du vol les plus susceptibles de se terminer par la mort –, qui représentent seulement quatre pour cent de la durée totale du vol. Plus l'avion se rapprochait du sol et plus vite il y parvenait – de façon raisonnable –, plus j'étais heureux.

Ce que je ne pouvais pas digérer, c'était de savoir, en regardant mes pieds, que quelques centimètres seulement de plaques métalliques séparaient les semelles de mes chaussures d'une chute de douze mille mètres, et huit minutes et demie interminables avant une mort certaine, pendant lesquelles – pour peu que je sois conscient – je risquerais de ne pas me contenter de hurler à perdre haleine et d'être une source d'embarras pour ce qui serait bientôt mon cadavre.

Les signaux affichant les ceintures s'éteignirent, la ceinture de sécurité resta en place et je commandai à boire. Sarah versa nonchalamment un peu de crème dans son café et dit : « Alors, dites-moi… pourquoi n'êtes-vous pas un bon inspecteur, inspecteur ? »

Je plissai les yeux sans la regarder.

« Dans la voiture, hier soir. Vous avez dit que vous n'étiez pas un bon inspecteur. Vous avez dit que vous récoltiez les boulots merdiques parce que ça n'avait pas d'importance si vous fichiez tout en l'air. Et alors ?… Pourquoi fichez-vous tout en l'air ? »

Je regardai mon verre. Comment lui expliquer ?

« C'est comme ça. »

Elle se pencha plus près.

« Il doit bien y avoir une raison. Vous m'avez dit que vous étiez inspecteur depuis l'âge de 28 ans. Vous ne pouvez pas avoir toujours été nul.

— Je ne l'étais pas.

— Qu'est-ce qui a changé, alors ?

— Des choses.

— Quel genre de choses ?

— Je n'en sais rien », dis-je.

Bien qu'en réalité je savais parfaitement ce qui avait changé. « Tout, je suppose. »

Elle inclina la tête. « Dites-moi ce que vous entendez par *tout*. »

Je secouai la tête. « Le boulot a changé. Il est devenu trop rapide… trop, j'en sais rien, *technique*… et je n'ai pas la moindre idée de la façon dont travaille une police moderne ; je ne connais rien… aux ordinateurs… ni aux logiciels. » Je me tournai vers elle.

« Vous savez, nous avons un logiciel appelé Vicap. Il est fantastique, apparemment. Il rassemble des informations sur le plan national et se débrouille, je crois, pour les rassembler sous un grand dossier unique. Et moi ? Je ne sais même pas comment accéder à ce truc.

— Vous voulez dire une base de données ? demanda Sarah.

— Voilà, dis-je. Vous voyez ce que je veux dire ? D'ailleurs, c'est quoi une base de données ? Comment ça marche ? »

Je poussai un nouveau soupir.

« Ils n'ont plus envie de quelqu'un comme moi, et ça commence à être réciproque. J'obtiens mes résultats grâce à mon instinct et mon travail. Je ne me sers pas d'un ordinateur pour fouiller dans les dossiers à ma place. Il pourrait rater quelque chose. Et vous savez quoi ?... Je ne *veux* pas changer. Si je suis une caricature, tant pis. Qu'on me laisse tranquille jusqu'à ce que je puisse prendre ma retraite.

— À vous entendre, je comprends que vous avez cessé de faire des efforts. »

Je soupirai. « Peut-être. »

Elle se tourna vers moi avec l'air de dire : « Accouche. »

« Alors, pourquoi avez-vous renoncé à faire des efforts ?

— Vous posez bien trop de questions.

— Je sais, répondit-elle d'un air entendu. Et vous ne donnez pas assez de réponses. »

Je soupirai encore. « C'est une longue histoire. »

Elle imita mon soupir. « C'est un vol longue distance. »

Il y a des moments dans la vie où les gens ne veulent pas parler, c'est tout.

Il y en a d'autres où ils ne peuvent pas faire autrement que de parler. Du genre « maintenant ou jamais ». Ce sont des scènes gênantes qui font partie de la comédie de la vie, et qui se produisent souvent devant un parent ou quelqu'un qu'on aime. Un individu se résout à ravaler le peu d'orgueil qui lui reste et se met à tout débiter de façon aussi cohérente que possible. Avec des détails comme « je suis gay », « j'adore porter des vêtements de femme » ou « j'éprouve un drôle de truc pour les écureuils, mais ce n'est pas joli-joli ». Et souvent des éléments importants sont laissés de côté pour ménager les sensibilités. Comme de dire à votre mère (ou à l'être aimé) que ses sous-vêtements sont plus confortables que ceux qu'on trouve dans les boutiques.

Je suppose que ces moments-là vous soulagent car ils achèvent de vous convaincre que, en fin de compte, vous n'aviez plus grand choix en la matière, ou pas de choix du tout. Il ne vous reste plus qu'à prendre le témoin et à vous sauver avec.

« Ma femme m'a quitté. » Je finis mon verre et fis signe à l'hôtesse.

« Pourquoi ? »

Maintenant, il fallait vraiment que je sois honnête avec elle ; et pas seulement parce que l'hôtesse avait déjà parcouru les trois quarts de l'allée en poussant son chariot brinquebalant.

« Je m'étais mis à boire.

— Et pourquoi vous étiez-vous mis à boire ? »

Seigneur, elle ne lâchait jamais le morceau ?

Il était clair qu'elle savait parfaitement qu'elle me cuisinait. Et que, non, elle n'allait pas lâcher le morceau. Jusqu'à ce que je lui aie tout craché jusqu'au moindre détail.

« Qu'est-ce que ça peut vous faire ? dis-je dans un soupir. Quelle importance ? »

Elle sourit.

« À cause de qui vous êtes.

— Et qui suis-je, exactement ? »

Elle souriait bizarrement, comme si elle savait quelque chose que j'ignorais. « Oh, c'est à vous de le trouver. » Puis elle me regarda bien en face. Au fond des yeux. « Allons, Nick, dites-moi pourquoi vous vous êtes mis à boire. »

Elle avait raison, c'était un vol longue distance. Et au moment de l'atterrissage, je trouvai qu'il m'avait paru encore plus long. Parce qu'il y avait des choses dans ma vie dont je n'avais jamais discuté. Avec personne. Et jamais sans avoir bu, en tout cas.

Et pourtant, j'en discutai au cours de ce vol avec Sarah. Je ne sais pas pourquoi, ni comment elle avait fait pour me les extirper comme des dents abîmées chez le dentiste. Elle avait juste omis de me dire de me détendre et de me rincer la bouche, que ça ne me ferait pas mal du tout. Mais ça me fit mal. Ça faisait toujours mal. Tellement que j'avais presque toujours besoin d'un anesthésiant. Ou deux, ou trois. Pur, avec de la glace.

« J'étais sur une affaire. Il y a longtemps. Une fille est morte.

— Et c'était votre faute ? »

Je souris à sa question sans trop savoir pourquoi. Peut-être quelqu'un formulait-il enfin quelque chose que j'avais gardé pour moi pendant tant d'années. Trop peut-être. « Oui, c'était de ma faute, dis-je enfin. Entièrement. »

Trois jours après mon vingt-neuvième anniversaire, moins d'un an après avoir endossé mon nouveau rôle d'inspecteur, j'étais sur une affaire de drogue. Aucune surprise à la clé. À cette époque, dans le quartier des grossistes, je crois que la plupart en étaient. Nous avions surveillé le type, un jeune Portoricain hâbleur du nom de Freddy Casparo, pendant plus de cinq semaines. Nous connaissions son territoire par cœur et, qui plus est, nous savions quand et comment il s'y déplaçait. Le 15 mars au matin, nous savions qu'il allait faire un transport ; pas son plus gros chargement, mais suffisamment pour l'envoyer au trou pendant sept à dix ans.

Les choses ne se passèrent pas comme prévu, mais je n'en étais plus à ça près. Sans que nous le sachions, Casparo devait prendre l'avion pour Mexico ce soir-là. Pourquoi il y allait n'avait pas beaucoup d'importance à ce stade, mais ce qui comptait, c'était qu'il avait, pour la première fois en cinq semaines, avancé son programme de trois heures. Chacun de ses sous-fifres le savait et chacun était prêt, mais nos sources ne descendaient pas aussi profondément que nous l'aurions voulu.

Quinze inspecteurs, dont moi, planquaient dans des voitures banalisées garées à intervalles réguliers à attendre un homme qui était déjà venu et reparti ; de prétendus passagers attendant au bord d'une ligne depuis longtemps désaffectée. Une heure environ après qu'il aurait dû nous tomber entre les pattes, nous renoncions et rentrions chez nous.

Personnellement, j'allai me mettre à l'ombre du store rouge, blanc et gris de chez Gray, le traiteur italo-américain au coin d'Alameda et de la 4e. Pour me remonter un peu le moral, je commandai un cappuccino et un sandwich au pastrami avec du pain de seigle. Je devais être au tribunal à midi, et j'avais fini par me convaincre que ce n'était pas la peine d'affronter la circulation pour retourner au commissariat, histoire d'en repartir une quinzaine de minutes plus tard. Si bien que je m'assis pour manger, tout en maudissant Casparo.

C'était le genre de fiasco qui ferait mauvais effet au déjeuner de travail de David, le directeur adjoint en charge des opérations. Il serait obligé d'expliquer à Perkins, notre chef de la police myope et pointilleux, pourquoi autant d'inspecteurs avaient été soustraits à leur service normal pendant un total de quatre heures, et pourquoi ils étaient revenus du marché bredouilles.

Ce qui signifiait, à peu de chose près, que David s'entendrait probablement conseiller de se torcher avec son formulaire avant de songer à demander un supplément de personnel. À moins de tomber sur un Casparo transportant quatre des cinq barrettes de colombienne dans la doublure de son Armani, il était déchargé de l'affaire. Pour le moment.

Et c'est à peu près ce qui allait arriver. Sauf que ce n'était pas dans la doublure de sa veste. Elle était rangée très soigneusement dans un élégant porte-documents marron. Et elle n'était pas colombienne, elle était américaine. Simplement, je ne le savais pas encore.

J'étais donc en train de boire mon café et je levai les yeux par hasard. Comme le font les gens. Bingo. Voilà le salaud qui passe juste devant moi, à moins d'un mètre, sans s'en faire le moins du monde. Dans une main, il a un téléphone mobile appuyé contre son oreille, dans l'autre, il tient le porte-documents. J'entendis seulement une bribe de conversation, mais ça suffisait pour qu'une tête brûlée dans mon genre se mette debout *illico*. « Relax, Carlo, je l'ai avec moi. J'suis en route. » J'avalai ma dernière gorgée de café, histoire de mettre quelques piétons entre nous deux, puis, à mon tour, je me mis en route.

Il s'avançait, ou plutôt se pavanait comme le font les petites merdes arrogantes dans son genre, le long d'Alameda en direction de Produce. J'avais le choix : le suivre et le pincer avec la mallette ou m'asseoir dans une salle de tribunal pleine de courants d'air et assister encore à une demi-heure d'audience pour une mise en liberté sous caution, présidée par encore un autre juge Judy qui se prend pour un juge. Si vous avez jamais assisté à une audience de mise en liberté sous caution et enduré les habituelles conneries sur le bon père de famille dévoué visant à leur permettre de gagner quelques jours dans la rue, vous comprendrez à quel point cette décision était facile à prendre. Si bien que je maintins l'allure et gardai mes distances ; pas plus de six mètres et pas moins de quatre derrière ce petit salaud de trafiquant.

Jusqu'à ce que j'aperçoive la Porsche devant, décapotée, avec une camionnette bleu foncé dans le rétroviseur du conducteur. Dernier modèle de 911, argent, capote noire. Exactement ce qu'on nous avait dit au briefing.

Je compris la situation en un éclair. S'il monte dans la voiture, il s'en va, et s'il s'en va, exactement comme le matin en question, je suis bredouille. Que dalle. *Nada*. Alors, pendant qu'il s'approchait de la voiture, je pris la décision de tenter une manœuvre, de jouer le tout pour le tout. Je m'avançai sur la rue le long de la camionnette et me positionnai près de la fenêtre du passager. Casparo se glissa à l'intérieur, posa la mallette sur le siège du passager et regarda droit dans le canon de mon 357.

« Salut, connard. »

Son visage grêlé afficha un air dédaigneux et il me regarda comme si j'étais une merde. « Eh ! T'es qui, toi ? » Colère. Méfiance. Mais sous tout ça, il y avait autre chose ; quelque chose que Casparo *refusait* d'éprouver : de la *peur*. Cette merde pensait que j'allais lui tirer une balle pour venger tous ceux qu'il avait dû rouler pendant toute sa carrière.

Je sortis mon badge de la main gauche et le tendis par-dessus la portière. « Clés sur le siège, mains sur le volant. »

Et le fils de pute se *détendit*. Je n'en croyais pas mes yeux. Avec l'air de dire : « Eh... pas de problème... c'est juste les flics, ou quelque chose dans le genre. »

« Ouvre la mallette, dis-je. Lentement.

— Vous avez dit : "Mains sur..."

— Ouvre cette putain de mallette, espèce de petit merdeux. Tout de suite ! »

Il bougeait lentement, en suivant son instinct. « Eh, *petit merdeux*, répéta-t-il, puis il se tourna vers moi, l'air sérieux. Vous êtes vraiment dur avec moi, inspecteur. Ça me fait mal ici, vous savez. » Il se frappa la poitrine avec le poing, puis s'employa à ouvrir la mallette. Les fermoirs glissèrent avec un bruit sourd et il souleva le couvercle. Je me disais : Pourvu que ce soit de la colombienne. S'il vous plaît, mon Dieu, faites que ce soit de la coke.

Mais ce n'était pas de la colombienne. C'était de l'américain. Pur jus. Washington, Lincoln et Jackson tous soigneusement comptés et impeccablement rangés par petites liasses. Il devait y en avoir au moins pour cinquante mille. J'essayais de ne rien manifester, mais, à l'intérieur, je n'arrêtais pas de crier « putain », comme si c'était le dernier mot qui restait dans le dictionnaire. Putain, putain, putain. Je me suis... bien... fait... baiser.

Casparo exprima alors ce que je savais déjà.

« Du cash, inspecteur. Eh, vous attendiez quoi ? De la drogue, ou un truc comme ça ? *Nada*, juste un peu de fric. J'ai vendu ma voiture aujourd'hui, ce qui fait que j'ai tout... ce... fric.

— Tu es assis dans ta voiture, connard. »

Il secoua la tête d'un air faussement consterné. « Oh, c'est *connard*, maintenant. C'est *vraiment* pas sympa. Vous voyez, je vends ma vieille voiture, inspecteur. Ma Mercedes. À présent, vous pouvez m'arrêter si vous voulez, mais je ferai envoyer les papiers de la vente par mon avocat. Vous voyez, je prends un avion à trois heures et vous savez quoi ?... Je dois être là-bas à l'heure pour le prendre. Alors, qu'est-ce qu'on fait ? »

Il chercha dans sa mallette en prenant soin de laisser ses deux mains en évidence, et prit une liasse qu'il me fourra dans ma poche de poitrine. Vous voyez ça ? Il me l'a fourrée dans ma poche. Et je ne l'en ai pas empêché.

« Vous êtes un bon inspecteur, je vois ça. Et vous savez que vous n'avez trouvé que dalle. Alors, qu'est-ce que vous diriez si je démarrais ma voiture, et si je m'en allais maintenant, histoire que nous ne perdions pas notre temps ? »

Deux dents en or massif brillèrent dans la lumière. « Vous payez un joli truc à votre copine, inspecteur, car nous savons tous les deux que ça... » Il fit un geste circulaire « ce n'est jamais arrivé ».

C'était une liasse de mille. Bingo. Je le sais parce que je l'ai prise. Vous avez entendu ça ? Je l'ai prise. Et Casparo est parti au volant de sa voiture.

J'ai essayé de me convaincre qu'il avait raison, que je n'avais rien contre lui sinon l'argent et que ça ne suffisait pas. Pour sûr, n'importe quelle expertise aurait trouvé des traces de coke sur l'argent, mais pour la seule raison, comme la défense ne manquerait pas de le faire valoir – même si je doutais qu'on en arrive même jusque-là –, que quatre-vingt-quinze pour cent de la monnaie américaine portait des traces de coke. Les documents de vente de la voiture auraient été rassemblés dans l'heure, et j'aurais été la risée de tout le monde quand Casparo serait ressorti libre.

Alors, pourquoi ai-je gardé l'argent ? C'est sûr, j'ai offert à la femme de ma vie *quelque chose de joli*, mais ce n'était pas Katherine. Grands dieux, non. J'ai acheté une console de jeux pour Vicki.

Au cours des mois suivants, j'ai fini par boire le reste.

Est-ce que j'en suis fier ? Sûrement pas. Est-ce que je recommencerai ? Jamais. Mais je l'ai fait… une fois… et que ça ait fait de moi un pourri ou non, en tout cas, ça m'en a sacrément donné l'impression.

Se sentir pourri était déjà suffisamment terrible, mais ce n'était rien en comparaison de la suite. Car, apparemment, Casparo rentra chez lui d'une humeur particulièrement exécrable, ce soir-là. Peut-être que j'en étais responsable, ou peut-être que c'était simplement le genre de type à exploser pour un oui ou pour un non. Je ne veux pas savoir. En tout cas, il entra dans une fureur noire contre « sa copine », une certaine Monica, âgée de 23 ans. Elle était jeune, très jeune, et un vrai canon d'après les photos. *Une jolie petite gosse.*

Ils se disputèrent donc, se battirent et s'insultèrent, comme les Portoricains savent le faire, et les Latinos colériques dans l'ensemble. Puis, au beau milieu de cette dispute très bruyante, Casparo fut aperçu se dirigeant d'un air furieux vers sa voiture, où il prit ce que les voisins ont décrit comme quelque chose ressemblant à un pistolet. Puis il rentra à l'intérieur et l'abattit de trois coups. Bang, bang, bang, morte. Comme ça. Qu'est-ce que vous en dites ?

En plus, la jeune Monica était enceinte de huit mois. Ils avaient acheté le berceau et tout. J'ai essayé de me persuader que c'était peut-être à cause de ça qu'ils s'étaient disputés. Que ça n'avait rien à voir avec le fait que je lui aie mis une fusée au cul et lui aie filé les jetons, ce qui l'avait autant ennuyé que si sa maternelle l'avait surpris sa bite entre les mains. Je veux dire, étant donné la réputation d'homme à femmes de Casparo, il ne devait pas aimer la perspective de se voir définitivement lié à une seule femme, sûrement pas. Mais son honneur latino l'aurait exigé. À mettre au crédit de Casparo, il s'est quand même senti mal pour ce qu'il avait fait. Suffisamment pour s'octroyer une des six balles restantes. Verticalement, à travers le menton.

À présent, vous décidez de me voir comme quelqu'un d'irrécupérable ou de simplement humain, à vous de choisir. Mais je crois honnêtement que j'ai quand même tout réussi à foutre en l'air à un moment donné. Ma carrière, mon mariage, un nombre incalculable d'affaires (bien qu'il me soit arrivé de temps en temps de réussir) et, oui, même Vicki. Cette ravissante fille de 25 ans qui se trouve être aussi ma fille ? En thérapie. Le psy estime qu'elle souffre d'un déficit d'estime personnelle solidement ancré et d'une défiance inhérente envers les hommes provenant probablement de sa toute petite enfance, ou une connerie dans le genre. Provenant de l'époque où j'étais son paternel. Ou plutôt quand j'étais l'homme supposé être son paternel, mais qui n'arrivait jamais à rester suffisamment longtemps à la maison, même avant l'entrée en scène de Jack. Je sais seulement que ce qu'elle est

– *tout* ce qu'elle est – est de ma faute à un moment ou à un autre, c'est tout.

J'aurais dû fouiller la voiture, trouver le pistolet et emmener Casparo quelque part où ses commentaires malins auraient amusé la galerie. Une cellule par exemple. J'aurais dû cracher sur son sale fric, le lui flanquer à la figure et me débarrasser de lui pour de bon. Mais je n'en ai rien fait. Je l'ai laissé partir et la fille est morte.

Elle ne méritait pas de mourir, pas plus que son enfant.

Je n'avais rien su de ce qui était arrivé avant de lire le journal le lendemain matin. Photos de Casparo (avec petit cliché inséré de Monica). Et des détails. Une foule de détails.

Je n'en voulais pas, de ces détails, de ceux qui expliquent qu'elle est tombée en arrière et que la police l'a trouvée étendue en travers du berceau du bébé, du sang coulant de son ventre, du bébé pas encore né, coulant goutte à goutte sur les draps blancs glacés.

Comme je l'ai dit, le journal a publié une photo d'elle. Histoire que je ne l'oublie jamais. Pas un seul jour ne s'est écoulé depuis sans que je me réveille avec ce visage devant les yeux.

« Et c'est là que vous avez commencé à boire ? » demanda Sarah. Gentiment, c'est sûr, mais toujours avec la même insistance.

J'acquiesçai.

« À peu près. Ça rend les choses plus faciles.

— Rend quoi plus facile ? »

Je réprimai un rire.

« Le fait d'être moi ? Me convaincre que ce n'était pas de ma faute ? Les deux ? Je ne suis pas un alcoolique, je fonctionne toujours. Je trouve seulement que je fonctionne un poil mieux avec un peu d'aide, c'est tout.

— Votre femme n'a pas pu supporter celui que vous étiez devenu ?

— Non, dis-je. Et je ne peux pas le lui reprocher. D'abord, j'ai commencé à rentrer tard, puis j'ai commencé à rentrer soûl. À la fin, j'ai fini par faire les deux à la fois, et, après ça, elle et Vicki m'ont toujours vu dans le même état. »

Je réfléchis quelques instants, puis essayai de rire de tout ça. En vain.

« À ce propos, justement, il m'en faudrait un autre, dis-je. Après tout, j'ai bien besoin de quelque chose pour égayer cette pitoyable existence, n'est-ce pas ? »

Je souris, histoire de lui faire comprendre que je plaisantais au moins sur un point, puis je fis à nouveau signe à l'hôtesse.

Sarah ne dit rien. Pas un mot. L'hôtesse s'approcha une nouvelle fois et me tendit, l'air réprobateur, un autre verre de glace, un autre de ces petits trucs carrés absorbants et ma troisième mignonnette de whisky.

J'en attrapai deux autres sur son chariot. Histoire de lui épargner un voyage.

Après qu'elle fut partie, Sarah bascula son siège en arrière et se détendit. Sans me regarder, presque comme si elle se parlait à elle-même, elle dit : « Vous savez, Nick, la véritable beauté de votre existence est que – pour l'instant – vous ne vous doutez absolument pas de son incroyable importance. »

28

SAMEDI 11 JUIN 2011
SERRES, PRÈS DE CARCASSONNE, FRANCE

Ils savaient parfaitement que nous avions pris l'avion pour la France.

Je le sais *maintenant*, je l'ignorais *alors*, c'est tout.

Je dormis la plus grande partie du voyage. Sauf quand je me livrais à d'autres incursions détaillées dans mon univers avant et après Casparo, ou que j'écoutais d'autres explications à propos des dons de Tina, encore plus détaillées, étranges et fascinantes, bien qu'assez tirées par les cheveux.

Compte tenu du décalage horaire et des correspondances, nous atterrîmes à Salvaza, le minuscule aéroport de Carcassonne, vers onze heures le lendemain matin. Je louai une voiture chez Europcar, une petite Fiat marron, affreuse, et un vrai cauchemar à conduire, mais, au moins, son toit ouvrant et ses fenêtres fonctionnaient. Après avoir mangé un morceau au-dessus des ruines du XVIe de Notre-Dame-de-la-Santé, nous empruntâmes la D118 en direction du sud.

Loin de la ville et privée d'éclairage, la départementale finissait par se rétrécir et devenir une petite route. Nous tournâmes vers l'est à Couiza et, pour les derniers dix kilomètres jusqu'à Serres, nous traversâmes des vallées étroites entre des collines verdoyantes et des vignobles, un paysage d'une beauté dont je n'avais jamais été témoin. Sinon dans un livre.

Pendant tout le trajet, Sarah resta appuyée sans rien dire contre l'encadrement de la portière, l'air songeur, comme en allant à Oakdene, et regarda le paysage défiler derrière les mêmes lunettes énigmatiques, avec des mèches de cheveux rebelles volant au gré du vent, et son mystérieux sourire. À une heure trente, nous entamions la dernière ligne droite et approchions de la route latérale d'un kilomètre cinq cents qui menait à Serres.

Je mis le clignotant, mais Sarah se pencha et l'enleva. « Pas tout de suite, dit-elle. Continuez. »

Quelques secondes après, nous dépassions le virage.

« Nous n'allons pas à Serres ? demandai-je.

— Bientôt », dit-elle.

Elle se tourna vers moi avec un sourire malicieux. « Je voudrais d'abord vous présenter quelqu'un. »

Nous continuâmes sur la grande route jusqu'à la ville d'Arques, annoncée par une petite pancarte en noir et blanc gagnée par la végétation quelque six kilomètres plus loin. À l'entrée, le donjon d'un imposant château gothique dominait la route sur la gauche. Sarah me fit me garer dans une rue principale bordée par des boutiques d'artisanat vieillottes qui, à peu près toutes, semblaient proposer les mêmes souvenirs grossièrement fabriqués à la main.

Nous descendîmes de la Fiat et, sur un signe de tête de sa part, nous nous dirigeâmes résolument vers une petite façade en pierre avec une grande pancarte pendant à un poteau indiquant « Bar Roché ». À la porte d'à côté, un bâtiment de pierre identique s'affichait, en français et en anglais, comme étant le lieu de naissance de Déodat Roché, un « éminent historien cathare ».

Quelques mètres après en descendant de la colline, un groupe d'étudiants en visite, peut-être huit ou neuf en tout, s'agglutinaient sous un portail avec leurs sacs à dos multicolores tandis que l'un d'eux s'efforçait en vain de déchiffrer une carte. Dans ces rues d'un calme troublant, on aurait dit que c'étaient les seuls êtres humains.

Sans ralentir le pas, Sarah s'engouffra par la porte ouverte du bar, et, après avoir jeté un coup d'œil rapide aux étudiants, je la suivis en me baissant pour éviter une poutre. À l'intérieur, tout était dans la pénombre, avec seulement quelques appliques orange sur les murs, dont deux ne semblaient même pas fonctionner à plein régime. Le plafond était bas et les murs en pierre à nu, avec juste quelques gravures encadrées de la vieille ville disposées à intervalles réguliers pour donner un peu de vie à l'endroit.

Il n'y avait qu'un autre client ; une jeune femme blonde proche de la trentaine. Elle ressemblait elle aussi à une étudiante, bien qu'un peu plus mûre, mais elle ne prit même pas la peine de lever les yeux. Elle continua à lire son exemplaire du *Monde* ouvert en grand et à boire sa bière en bouteille, tandis qu'un barman obèse aux joues rouges proéminentes avec un grand tablier blanc paraissait s'ennuyer et nettoyait des verres qui étaient probablement impeccables depuis déjà une heure.

Il s'avança avec un vague sourire, et Sarah commanda deux bières en français. Après avoir réglé en euros, elle me guida vers un des box qui tapissaient le mur de droite, à l'écart de la fenêtre mais pas trop, pour pouvoir regarder de l'autre côté de la rue. Ce qu'elle fit. Interminablement. Sans rien dire, me faisant taire chaque fois que j'ouvrais la bouche et sirotant machinalement sa bière.

Le groupe d'étudiants revint en ligne de mire et elle les dévisagea chacun à tour de rôle. Ceux-ci, ayant probablement déchiffré leur carte, ou compris au moins par où monter, empruntaient maintenant les pavés en pente abrupte sur notre droite. Quelques instants après, ils avaient à nouveau disparu. La ou les personnes que Sarah voulait me présenter n'étaient toujours pas là. Au bout de trois ou quatre autres minutes interminables, Sarah se mit à tousser, comme quand on veut attirer l'attention de quelqu'un, et l'étudiante au bar se retourna, mais pas dans notre direction. Elle scruta elle aussi la rue avec inquiétude, puis replia soigneusement le journal et s'approcha du box. Elle s'assit sans un mot et posa le journal sur la table devant elle.

« Voici Kelly Brown, dit Sarah en baissant la voix pour présenter la jeune femme. Elle est photographe.

— Du champ de fouilles américain ? »

La jeune femme ignora ma question et regarda Sarah d'un air méfiant.

« Qui est-ce ? demanda-t-elle sans ménagement, avec un signe de tête dans ma direction et sans me regarder.

— C'est un bon, dit Sarah, puis elle se tourna vers moi et continua sans élever la voix. Kelly est une amie à moi. Elle est pigiste pour le *National Geographic*, mais ses clichés ne peuvent être publiés qu'après qu'ils auront trouvé quelque chose, et à ce moment-là seulement. Ça finit par la rendre un peu... *nerveuse.* »

Kelly lui jeta un regard noir et but une gorgée de bière. Elle devait avoir dans les 27 ou 28 ans, avec un hâle prononcé et aucune trace de maquillage. Ses cheveux mi-longs étaient tirés en queue-de-cheval, avec des lunettes de soleil au sommet du crâne, et elle affichait un air froid et dur. J'avais le sentiment que c'était délibéré, histoire de donner l'impression qu'elle n'était pas du genre à se laisser emmerder. Alors que quelque chose chez elle indiquait plutôt le contraire.

De son journal replié, elle fit glisser une petite enveloppe marron en direction de Sarah. Ça devait être les photos qu'elle fournissait à Sarah, semblables à celles que j'avais vues sur son ordinateur.

« Tant pis pour notre amitié, ma chérie, dit-elle, si quelque chose sort de ce disque, je ne te connais plus. Tu peux en être certaine. »

Sarah sourit et sortit une enveloppe beaucoup plus petite de son sac à dos qu'elle lui glissa en échange. L'instant d'après, elle avait comblé le vide laissé par l'autre entre les pages du journal.

« Alors, quoi de neuf, là-haut ? » demanda-t-elle.

Kelly resta imperturbable. « Pas grand-chose, dit-elle en reposant brutalement la bouteille sur la surface de bois. Ils n'ont toujours rien trouvé, et, crois-moi, ils commencent à en avoir *vraiment* assez. Celui de Skull est presque fini. Entre-temps, Klein a disparu en hélicoptère il y a deux jours, une méga découverte en Russie, ou quelque chose dans le genre. On ne sait pas quand ni même s'il reviendra. Grier fait toujours ses va-et-vient à son gré, et je suis à peu près sûre que Dupont et Dupond mijotent quelque chose. »

Elle secoua la tête d'un air entendu.

Sarah se pencha en avant, visiblement intéressée. « Comme quoi ? »

Kelly haussa les épaules. « Sais pas, mais Grier a beaucoup insisté sur la sécurité récemment, et les Dupondt ont multiplié les déplacements. Après

quelques jours passés aux États-Unis, ils sont revenus ce matin, et, maintenant, c'est messes basses et
compagnie. En tout cas, je n'aime pas ça. Je crois
que je devrais même prendre un peu de recul. Juste
le temps que les choses se tassent. »

Sarah acquiesça.

« C'est probablement mieux, dit-elle.

— Comment va Tina ? » demanda Kelly, sans grand
intérêt apparent.

Je me demandai comment elle connaissait l'existence de la sœur de Sarah.

Sarah sourit. « Elle va très bien, merci. »

Kelly hocha la tête.

« Embrasse-la bien de ma part, d'accord ?

— Bien sûr, dit Sarah.

— En tout cas, reprit Kelly en finissant sa bière,
je suis là-bas. Si quelque chose d'important se pro-
file, j'essaierai d'entrer en communication, mais ne
t'attends pas à avoir de mes nouvelles, sinon. Je vais
faire profil bas jusqu'à ce que je sache ce qui peut
bien se passer là-haut. »

Elle se leva pour partir.

« Kelly », appela Sarah. Elle se retourna.

« Tu fais attention, n'est-ce pas ?

— Bien sûr », répliqua Kelly en imitant Sarah.

Sur un petit clin d'œil, elle rabattit ses lunettes de
soleil et disparut dans la rue ensoleillée.

Sarah fit courir son doigt du haut en bas de sa
bouteille en rassemblant les petites gouttes de conden-
sation.

« Kelly est une des meilleures photojournalistes sur
le marché. Je sais qu'elle peut être un peu rébarbative,
mais elle est géniale quand même, dit-elle.

— Donc, elle vous procure des photos et vous la payez ? » demandai-je.

Je bus une gorgée de bière.

Sarah secoua la tête avec véhémence.

« Je ne la *paie* pas. Elle me rend un service.

— L'enveloppe, dis-je. Je suppose que c'était…

— Ah, dit-elle en agitant le doigt d'un air réprobateur. Vous *supposez*. Quel drôle d'inspecteur vous faites.

— Alors, qu'y avait-il dans l'enveloppe ? demandai-je.

— Une lettre.

— De qui ?

— La raison pour laquelle je connais Kelly, expliqua-t-elle. Et la raison pour laquelle elle connaît Tina. Nous nous sommes rencontrées il doit y avoir un an, quand elle était encore au *Tribune*. Sa mère est à Oakdene ; elle est là-bas depuis huit ans à peu près. Alzheimer. Certains jours, ça va, d'autres, pas très bien. »

Comme beaucoup de ceux qui ont des parents malades, elle évitait d'employer le mot « mal ».

Rien n'était jamais mal, seulement « pas très bien ».

« C'est ce qui fait aussi que je ne suis pas trop entichée de notre M. Creed. Kelly m'a dit un jour de faire très attention en écrivant à Tina, et *vice versa*, car si une lettre arrive dans cet endroit ou en part, et qu'il n'apprécie pas le contenu…

— Il… les *ouvre* ? »

Elle acquiesça. « Parfaitement. Et s'il y a la moindre allusion à son propos ou à ses sales petites combines, comme par hasard la lettre se perd dans le courrier. Kelly a l'intention d'y consacrer un sujet un de ces jours, pour ouvrir la boîte et étaler au grand jour les pratiques de cette petite merde visqueuse. »

Elle ouvrit l'enveloppe qu'elle avait reçue et en sortit une carte mémoire d'appareil photo numérique, protégée par un boîtier en plastique transparent. Elle la rangea dans une petite poche de son sac à dos. Puis elle sortit une enveloppe crème encore plus petite, de qualité supérieure. Dessus, un simple mot s'étalait dans une écriture très lisible à l'encre bleu foncé : « Maman ».

« Quand je viens par ici, je sers de messager dans les deux sens.

— Ça arrive souvent ? demandai-je, soucieux de comprendre.

— Tous les deux mois, dit-elle, bien consciente de ma curiosité.

— Elle a le sentiment de vous devoir quelque chose ?

— Peut-être, mais si c'est le cas, ça se rapporte plutôt à autre chose. Quand nous nous sommes rencontrées et que nous avons commencé à parler, elle m'a dit qu'elle songeait à diversifier ses activités en dehors du *Tribune* et à devenir pigiste. Elle a ajouté qu'elle connaissait le rédacteur en chef photo du *National Geographic* et qu'il lui avait promis une opportunité si elle lui proposait quelque chose d'intéressant. Alors je me suis débrouillée pour...

— Laisser filtrer des informations au sujet de fouilles archéologiques majeures en France ? »

Je hochai la tête d'un air admiratif.

Elle sourit en voyant que je comprenais vite.

« Effectivement, j'ai dû en parler. Et j'ai dû aussi dire qu'elles bénéficiaient de subventions gouvernementales. J'ai même pu lui suggérer de prendre contact. Histoire de voir si elle pouvait s'assurer une exclusivité.

— Et ils ont accepté ?

— Klein, oui, dit-elle en hochant la tête. Il adore la publicité, il s'en délecte. Apparemment, il lui a dit de tout garder sous le boisseau jusqu'à "la découverte", mais une fois qu'ils auraient trouvé quelque chose, ce dont il était certain, ils disposeraient grâce à elle d'archives photographiques complètes. Du matos comme ça peut être sacrément utile pour assurer les relations publiques après l'événement. »

Elle regarda fixement devant elle pendant quelques instants, plongée dans ses souvenirs. Elle paraissait soucieuse.

« Grier, en revanche, *déteste* absolument que Kelly soit là-bas, et ça depuis le début. S'il ne tenait qu'à lui, ce site resterait bouclé. Il attend depuis longtemps de la prendre en défaut.

— Vous pensez qu'il y arrivera ?

— Il a toujours réussi », dit-elle.

Elle poussa un profond soupir. « Kelly l'ignore encore, c'est tout. »

Tout inspecteur de police, même minable, aurait compris que Sarah se reprochait déjà tout ce qui risquait d'arriver ensuite. Elle me regarda bien en face, étrangement imperturbable.

« Que ça vous plaise ou non, Nick, il faut parfois affronter les conséquences de ses actes, dit-elle. Avant qu'il ne soit trop tard. »

29

VENDREDI 14 AOÛT 2043
CENTRE EUROPÉEN DE RECHERCHE
SUR LE BÉTAIL,
MONT CARDOU, FRANCE

Situé au milieu d'un peu moins de cinq cents hectares de champs, de collines et d'affleurements de roches noircies, ce qui restait du Centre européen de recherche sur le bétail paraissait abandonné. Sur vingt-deux kilomètres à la ronde, les champs, propriété d'une filiale européenne de KRT, étaient désertés, et une légère brume collait au vert luxuriant, recouvrant l'intégralité du site comme un linceul blanc cassé.

Il y avait des choses dans son monde que même Dieu ne prenait aucun plaisir à voir.

À l'extérieur du bâtiment en pierre de plain-pied, la pluie dégoulinait des tuiles sombres du toit. Un véhicule solitaire était garé devant, le 4x4 appartenant à Klein et à son équipe. On n'entendait plus aucun bruit, maintenant. Quelques minutes plus tôt, un hurlement en provenance du bâtiment s'était propagé jusque dans les champs, comme s'il fuyait un mystérieux destin. Un genre de hurlement que personne n'avait jamais entendu, et qu'on aurait préféré ne jamais entendre.

Un autre véhicule, qui avait stationné devant le bâtiment du CERB durant presque toute la matinée, était maintenant parti.

Il était garé à présent trois kilomètres et demi plus loin, à Serres. Obéissant aux instructions d'une radio, Kerr, dans l'herbe mouillée jusqu'aux genoux, attendait sous une petite pluie dans un cimetière à l'extrême lisière de la ville. Il avait un étui d'ordinateur portable rouge à l'épaule et regardait le garde creuser le sol compact. Le garde, qui avait été, le matin même, un des trois à escorter d'Almas dans la chambre.

À sa gauche, le monticule de terre lourde, presque noire d'humidité, croissait de minute en minute, et on l'entendait respirer de plus en plus fort.

De retour au centre, tandis que Rachel, l'opératrice Séquence venue par avion de Los Angeles pour diriger le labo nouvellement construit, poursuivait la vérification des données, Sherman continuait à faire les cent pas dans la pièce contiguë. Entouré par des bureaux blancs et vides, il s'impatientait de plus en plus.

« Combien de temps ça peut prendre pour creuser une tombe ? » dit-il à la cantonade. Il se tourna vers Klein avec un air de défi. « Il vaudrait mieux que ça marche. »

Klein, toujours dans sa chaise, regardait par la petite fenêtre, et il esquissa un sourire. « Votre problème, Dave, c'est que vous n'avez aucune foi. »

Sherman ricana. « Ah oui ? Parfois, Joseph, vous en avez un peu trop. »

Klein n'était pas d'humeur à se lancer dans des explications. Il se contenta de dire : « Ça va marcher. »

Parce que c'est ce qui arriverait.

La pelle du garde cogna contre quelque chose de dur. « Je crois que nous y sommes, monsieur », dit-il.

Kerr sourit, détacha la radio de sa ceinture et communiqua l'information. Le garde, enfoncé jusqu'aux genoux dans le trou, prit la pelle verticalement et frappa violemment sur les derniers centimètres de terre, faisant craquer le bois vermoulu du cercueil.

« Doux Jésus, dit Kerr en détournant la tête. Ça pue. »

Le garde devint blême, comme s'il allait vomir. Un bras fermement collé en travers de son nez, il tendit l'autre vers le bas et brisa encore quelques morceaux de bois. Puis, il chercha à l'intérieur de sa main gantée et tâta tout autour. Rien.

« Continue à chercher », dit Kerr, toujours bien à l'écart.

Le garde continua à fouiller tout en retenant sa respiration, et il dégagea encore du bois, en le lançant de façon à ce qu'il atterrisse sur le monticule de terre. L'intérieur était doux, moisi, et étrangement chaud. Le genre de chaleur associée au phénomène de la décomposition.

« J'ai quelque chose, annonça-t-il après quelques instants.

— Sors-le », dit Kerr en se dirigeant vers une souche d'arbre pour poser l'ordinateur.

Moins d'une minute plus tard, le garde s'extirpait du trou, puant et maculé, avec un coffret métallique. Kerr s'efforça d'abord de l'ouvrir à la main avant de demander d'un ton furieux au garde d'apporter la pelle. Après quelques coups portés à la soudure, le coffret s'ouvrit, le métal rouillé se délitant et tombant en confettis par terre. Kerr chercha à l'intérieur.

Soigneusement, il en sortit un parchemin roulé, sale, fermé par un ruban rouge foncé. Quand il tira sur le nœud, le ruban se désintégra presque complètement dans sa main, et le parchemin se déroula. Il sourit en lisant le bas du document et en voyant le dessin du tatouage. Ça venait bien de d'Almas, il n'y avait aucun doute.

Ce salaud de Klein avait effectivement réussi.

Il étala le parchemin, ouvrit son téléphone et, après une rapide sélection à l'écran, le passa sur la surface vétuste du parchemin pour scanner l'écriture manuscrite. Puis il appuya sur la touche « Envoyer » et attendit.

La connexion hautement sécurisée atterrit tout droit sur le propre téléphone de Sherman, un petit signal le prévenant que le message qu'il attendait était enfin arrivé. Il regarda Klein, qui sourit.

« Je crois que c'est pour nous », dit le vieil homme.

Klein s'approcha en manœuvrant lui-même sa chaise roulante tandis que Sherman affichait l'image à l'écran. Chaque nuance, chaque détail, avaient été saisis par le scanner, y compris la trace d'un doigt, sans empreintes visibles, au cas où il y aurait eu le moindre doute. Klein lut le texte d'une voix altérée par son état de santé et la fatigue de son voyage.

Bien que d'Almas ait parfaitement réussi sa mission et rassemblé une grande quantité de détails, les principaux faits dont Klein avait besoin se trouvaient inclus dans le premier et le dernier paragraphe seulement.

1307, pas 1311 ! Trois templiers (sic) amis. Tables emmenées de Jérusalem à Troyes en 1132. Volées en route, possiblement pendant l'escale à Narbonne tard dans l'année, octobre ou novembre, mais personne ne le sait avec certitude. Descendus dans « auberge principale en ville » pendant une nuit, où les tables auront été soigneusement gardées. Dix hommes au moins montant la garde pendant toute la nuit. Auront été dans une boîte en bois avec la croix des Templiers – là, d'Almas avait tracé un croquis grossier de la croix en question. Tables n'ont jamais atteint Troyes et personne chez les Templiers n'en a entendu parler depuis. Amis trouvent que je pose trop de questions, mais c'était il y a près de deux cents ans, donc ça devrait aller.

Les deux paragraphes suivants détaillaient les diverses traditions des Templiers et d'autres objets dont il avait appris qu'ils étaient en leur possession après le sac de Jérusalem.

Le dernier paragraphe se rapportait aux sites d'inhumation.

Cette tombe deuxième seulement dans cimetière (d'où 1311 sur pierre). Aucune tombe ici jusqu'en 1309. Ai dû attendre quatre ans pour avoir des funérailles convenantes (sic) : deux personnes. Enterrées ce jour suivant. Ai fait ce qui était demandé mais nulle part pour enterrer ici jusqu'en 1309 au plus tôt. On me dit que première église bâtie en 850. Église différente de la vôtre, bien que structure pareille, donc probablement rénovée, et autel maintenant est pareil que le vôtre, donc peut-être original ?

Je suis un homme libre, pas vrai ? Ai une vie mer-dique.

Klein passa le doigt sur l'écran, retraçant le croquis grossier du tatouage de prisonnier de d'Almas.

« Nous avons réussi, dit-il à voix basse. Nous avons vraiment réussi. »

Sherman acquiesçait déjà. « Et maintenant ? Allons-nous briefer Davies ? »

Klein inclina la tête. « Bien sûr. »

30

SAMEDI 11 JUIN 2011
SERRES, PRÈS DE CARCASSONNE, FRANCE

Je pense à Sarah tout le temps. Ces dernières années, elle m'a beaucoup manqué.

J'ai du mal – encore aujourd'hui – à décrire le genre d'homme que j'étais devenu les années précédant notre rencontre. J'étais creux, vide. Ce sont des clichés, je sais, mais je suis un homme plein de clichés. Déjà à cette époque, j'étais conscient de mes défauts, mais je n'avais aucun désir de trouver les bonnes adresses et d'appeler pour essayer de mettre les choses à plat. La plupart du temps, je me réfugiais dans le « jardin sur le toit », ou au Cody's, et buvais suffisamment pour oublier ma journée, avant de recommencer le processus le lendemain matin, l'esprit libre – sinon déjà imbibé.

En étant honnête, ce que je méprisais le plus chez moi, ce n'était pas toute cette affaire Casparo, ni la boisson qui avait fait de moi une loque, ni même le fait d'avoir perdu Katherine et Vicki à cause de ça. Ce qui me faisait vraiment mal – ce qui m'atteignait au plus profond –, c'était de me retrouver seul face à mes échecs, et, pire encore, d'avoir la quasi-certitude que cet état de fait se poursuivrait probablement jusqu'à la fin de mes jours. Je savais que j'avais tout bousillé. Si j'avais été certain de ne pas tout foutre en l'air une nouvelle fois (ce qui n'était pas le cas), j'aurais pu faire un effort pour redresser les erreurs du passé, au lieu de quoi je repoussais les gens aussi loin que possible, surtout ceux auxquels je tenais vraiment. Je craignais, au cas où je perdrais encore une fois les pédales, de les entraîner avec moi vers le fond.

J'avais renoncé, tout en sachant parfaitement que demain était un autre jour, car je savais aussi que je serais toujours égal à moi-même, et j'imaginais que je manquais de force – physique ou autre – pour combattre mes propres démons. Quand on obtient toujours les mêmes résultats, que les conclusions sont toujours prévisibles et qu'on sent l'âge gagner ses artères, on en arrive à un point où il ne sert plus à rien de s'entraîner pour participer à la course. Vivement le jour où on cessera de vous demander une bonne fois pour toutes de vous présenter à cette course.

C'est pourquoi ce dont je me souviens surtout à propos de Sarah, à part son savoir contagieux et sa passion indéfectible, c'est la façon très subtile dont elle me ramena à la vie. Je crois qu'elle avait compris, comme moi maintenant, qu'un démarrage sur les chapeaux de roues s'achève à peu près toujours de la même façon. Elle ne voulait pas rallumer la flamme en moi. Pas n'importe quelle vieille flamme, en tout cas. Elle voulait allumer un feu de camp ; quelque chose qui se consumerait plus lentement et plus longtemps. Quelque chose qui me maintiendrait non seulement au chaud, mais vivant. Si bien qu'elle avait laissé le petit bois prendre avant d'ajouter les grosses branches.

Elle avait une réserve de bûches – de grosses bûches noueuses – qu'elle gardait jusqu'à ce que je sois capable d'entretenir le feu tout seul. Quand ce moment-là est arrivé, je peux vous assurer que le feu m'avait pris aux tripes et avait complètement embrasé ce qui me restait de clichés.

J'espère que vous aurez compris à travers ce discours interminable et peut-être pas très clair que Sarah Fiddes avait fait tout ce qu'elle pouvait pour me faire sortir de mes gonds.

À l'époque.

En moins de deux jours, elle avait réussi à me faire cracher toute ma culpabilité non seulement vis-à-vis de ma fille – ce qui était évident mais dont j'avais toujours refusé de parler –, mais également vis-à-vis de Monica, la petite amie de Casparo. Personne – je dis bien personne – n'y était jamais parvenu, ni avant, ni depuis d'ailleurs. En fait, personne, sinon Sarah, n'avait même jamais su que j'avais vu Casparo ce jour-là et encore moins pris le cash. Pire encore, des mots comme ceux-là, que ça vous plaise ou non, vous forcent parfois à affronter votre passé, et elle avait réussi à me donner le sentiment de m'être conduit comme une merde dans les deux cas.

Je la détestais pour ça.

Sarah avait pris la peine de me faire remarquer que la seule chose que je ne faisais pas, ou que je n'avais jamais faite, c'était d'accepter les changements du monde autour de moi.

Non pas que j'aie renoncé à quoi que ce soit, c'est plutôt que je ne m'étais jamais soucié de commencer.

Dire qu'il avait fallu une fille de presque dix-huit ans de moins que moi pour mettre en évidence mes échecs, une fille qui ne me connaissait pas depuis assez longtemps pour essayer de comprendre, tout ça me rendait furieux.

Pas furieux envers Sarah. J'avais essayé, mais ça ne marchait pas.

Furieux contre moi, c'est tout.

Ce qui ne voulait pas dire, incidemment, que j'allais miraculeusement changer du jour au lendemain ; voir enfin les choses en face et m'acharner à remettre de l'ordre dans ma vie. Beaucoup trop d'eau avait passé sous les ponts, et, honnêtement, je ne pensais pas en avoir la force, mais elle m'avait forcé à réfléchir. Et « que ça me plaise ou non », ça m'occupa pendant tout le trajet entre Arques et Serres.

Je me contentai de réfléchir.

Il y a une première à tout.

Pour être honnête, je ne me cassai pas trop au sujet de la jeune Monica, sinon pour reconnaître que sa mort avait en fait tout déclenché, mais je consacrai toutes mes pensées à ma fille, Vicki. Ça faisait presque un an que nous ne nous étions pas parlé, quand je l'avais appelée pour lui souhaiter ses 18 ans.

Presque un an. Trois cent soixante et quelques jours. Et comme si ça ne suffisait pas, ça faisait pratiquement trois ans que je ne l'avais pas vue, de mes yeux vue. Trois cent soixante et des poussières multipliés par trois.

J'avais bien essayé de me trouver des excuses, sous prétexte que Seattle était loin. Ce qui était vrai. Mais nous ne sommes pas dupes, vous et moi, c'est moi qui étais trop loin, pas Seattle.

Lors de ce dernier appel téléphonique, et juste après que je lui avais promis encore une fois de venir bientôt la voir, elle m'avait quitté très vite, voulant me passer sa mère.

N'y tenant pas du tout, je l'avais presque suppliée de ne pas le faire.

Elle m'avait passé sa mère quand même.

Katherine et moi nous étions disputés. Pour de multiples raisons, et surtout parce que non seulement Vicki consultait un psy, ce qui me désolait déjà, mais en plus elle avait jugé bon de laisser tomber l'université.

À entendre Katherine, Vicki devenait de plus en plus incontrôlable. Vous connaissez le genre, à traîner avec une bande néfaste et à rentrer à la maison tous les soirs de la semaine avec une nouvelle priorité imbécile. Et, sans l'exprimer directement, Katherine ne cachait pas que, malgré mes dix ans de présence, tout était de ma faute. Ce qui, finalement, était parfaitement typique de Katherine, qui ne ratait jamais une occasion de mettre les choses sur le dos des autres, mais tout à fait vrai quand même. Vicki n'avait pas cessé de sortir des rails depuis sa petite enfance. Elle avait été un élément perturbateur en classe, abusait des bontés de sa mère et du bon dentiste, et avait commencé ces derniers temps à s'habiller « bizarrement » et à se faire mettre des piercings à des endroits que Dieu, s'il y en avait un dans son monde, aurait sans doute préféré voir éviter à ses enfants.

Je connaissais la vérité aussi bien que Katherine. Nos disputes tenaient au fait que j'aurais préféré ne pas me voir rappeler que c'était de ma faute, c'est tout. Vicki ne sortait pas des rails depuis qu'elle était toute petite, c'était bien plus précis que ça. Elle déraillait depuis le jour où son père avait foutu sa vie à lui en l'air et qu'il lui avait montré la voie pour en faire autant.

Un jour, que ça me plaise ou non, j'allais devoir affronter ça.

En arrivant à Serres, j'avais enfin réussi à m'arracher à mes pensées pour considérer quelque chose de nettement plus positif – comme l'incroyable facilité avec laquelle cette mission se déroulait.

Serres, cette cité historique pour laquelle nous avions traversé la moitié du monde, était *minuscule*. Imaginez la plus petite de toutes les villes que vous connaissiez, un vrai trou, divisez-la en trois plus petites et mettez-en deux à la poubelle. Voilà où nous nous trouvions. Un tiers d'une toute petite ville de maquignons. Au mieux à la taille d'un âne.

« C'est ça ? dis-je d'un ton vaguement critique. *C'est…* notre ville ?

— Je sais, dit-elle avec un sourire. Fantastique, non ? »

Une rue principale et seulement cinq adjacentes, qui étaient plutôt de petites ruelles entre de hauts murs enduits. Pour les amateurs de paysages romantiques, l'entrée de la ville était gardée par le « château de Serres », un bâtiment en pierre du XIIIe siècle avec une tourelle accrochée à sa façade ouest. Dans un endroit aussi petit que Serres, je suppose que l'histoire est partout chez elle.

Le château pouvait parfaitement servir de cachette aux objets que cherchait Sarah, mais il y en avait d'autres.

Une statue de la Vierge Marie se dressait d'un côté de la rue, et au sommet de la colline, une petite église avec un minuscule cimetière derrière, niché dans les herbes hautes. Autant de cachettes idéales, d'après Sarah, parce qu'elles résistent à l'épreuve du temps. Jamais personne ne vient fourrer son nez dans ce genre d'endroit sacré. Il nous suffisait de trouver une tombe portant une référence quelconque à « Arcadia ». Nous nous garâmes à l'ombre de quelques arbres, juste en contrebas de la ville, et descendîmes de voiture en pleine chaleur de l'après-midi.

La rue pavée était en pente raide, et le soleil profitait des interstices pour la traverser de bandes brillantes. Sarah scrutait attentivement tous les bâtiments, les statues, les pancartes et les pierres.

En moins de dix minutes, nous avions parcouru toutes les artères, pour finir par l'église et les tombes situées tout en haut. Tous les bâtiments étaient quelconques, donnant directement sur la voie, et tous pratiquement identiques, sauf pour les portes en bois et les volets de différentes couleurs vives selon le goût des occupants, et les plantes et les fleurs variées ornant chaque appui de fenêtre. Tout faisait très méditerranéen, très carte postale, et était sans grande utilité pour nous. Nous n'avions remarqué aucun mot sculpté, ni pancarte en bois, ni inscription, ni date.

À mi-pente des pavés, un autochtone apparut, gravissant péniblement la colline dans notre direction ; un vieux type, à la démarche hésitante. Il avait le visage raviné, un maximum de dents manquantes, et portait un costume trop grand qui devait avoir cinquante ans.

En Grèce, il aurait probablement tiré cet âne auquel j'ai fait allusion, en ne s'arrêtant que pour les besoins de l'animal.

Sarah s'approcha de lui avec un grand sourire pendant que je m'asseyais pour regarder.

Son français n'était pas nul, dix fois meilleur en tout cas que le mien, mais elle avait reconnu ensuite qu'elle n'avait pas le don des langues que possédait Tina, en ajoutant, avec un petit sourire, que même Tina était incapable de les *parler* vraiment. Au bout de quelques « Est-ce qu'une pancarte d'Arcadie... ? », quelques « Pardon » et quelques « Non », elle renonça et le laissa poursuivre jusqu'en haut de la ville.

Dans les toilettes de l'avion, juste avant d'atterrir, Sarah avait pris le temps de se changer, troquant son treillis kaki pour un short olive qui exposait ses jambes bronzées au soleil de l'après-midi.

Pour moi, les femmes archéologues avaient toujours été forcément grosses et charpentées, avec des visages austères et de gros biceps, des femmes pieuses quelconques et conservatrices, très guindées et convenables. Sarah n'était rien de tout ça ; comme sa sœur, c'était une jeune femme d'une beauté incroyable, avec un corps à se damner et une personnalité qui irradiait par ses yeux et son sourire.

Je me demandais si elle était consciente de sa beauté, et si elle s'en préoccupait. J'avais plutôt l'impression que c'était le cadet de ses soucis. À ses yeux, il y avait des choses beaucoup plus importantes, ce qui me permit de comprendre quelque chose de primordial. Tina n'était pas unique, comme Sarah l'avait décrite.

Le monde avait en fait produit une véritable paire.

Elle se tenait à ma droite, mains sur les hanches.

« En tout cas, ce sont cinq minutes de ma vie que je ne récupérerai jamais, dit-elle d'un ton sarcastique. Je crois qu'il n'avait pas la moindre idée de ce dont je lui parlais.

— J'ai besoin d'un café », dis-je.

En réalité, j'avais besoin de quelque chose d'un peu plus fort, mais je trouvais plus raisonnable de garder ça pour moi.

Sarah regarda tout autour et dit d'un air renfrogné : « Ah oui ? Et d'où le sortiriez-vous ? »

Je hélai le vieil homme qui était en train d'ouvrir l'étroite porte en bois de ce qui devait être son humble demeure. Peut-être connaissait-il un café dans les environs.

« Monsieur ?... » Il se retourna et regarda en arrière de ses yeux enfoncés. « Un café, s'il vous plaît ? »

C'était à peu près tout ce que je savais dire en français, et je le débitai d'un trait.

« Oui, répondit-il d'une voix forte avec un grand sourire édenté. Oui, naturellement. Entrez ! » Puis il disparut dans l'ombre de sa maison.

Je regardai Sarah. Déconcerté.

« D'accord... je perds la boule ou il vient juste de dire que sa maison était un café ? »

Elle me jeta un regard navré. « Vous m'inquiétez vraiment, dit-elle. Café ?... Il vous propose... Oh, peu importe, venez. » Elle prit son sac à dos et se dirigea vers le haut de la colline.

Le type édenté fit le café. Épais et noir mais sacrément bon, et il sortit des chaises dans la rue. Nous nous assîmes tous les trois dans un mince rayon de soleil en face de l'église. Je dis église, alors que c'était plutôt une chapelle ; un petit bâtiment carré avec un petit clocher en ruine qui avait probablement jadis contenu une petite cloche toute décatie.

Ça ne servait à rien de parler au vieux, mais nous nous adressâmes quand même à lui pendant un moment. Il hochait la tête, souriait, se comportant comme tous les hôtes civilisés. Au bout d'un moment, je cessai même de le considérer comme une sorte de simplet d'un autre âge, car il avait les yeux pleins de vie. De passion même, et je commençais vraiment à admirer ça chez les gens. C'était quelque chose que je n'avais pratiquement jamais connu. La passion de vivre, tout simplement.

Ce qui lui avait probablement permis de rester dans le jeu pendant si longtemps.

Soudain, Sarah posa sa tasse par terre, fixa l'église, bouche bée, et dit : « *L'Arche de Dieu.* »

Je ne compris pas, mais le vieux comprit, lui. À présent, il riait et marmonnait quelque chose sans arrêt.

Sarah répéta lentement ce qu'elle avait dit, plutôt comme si elle pensait à haute voix. Et lui répétait tout en riant et en se balançant sur sa chaise, comme le font parfois les vieux quand ils sont excités : « Oui, *Arca Dei*, *Arca Dei.* »

C'était l'église de l'Arche de Dieu.

En latin, l'église de l'*Arca Dei*.

Ce qui ressemblait beaucoup à…

Je regardai de l'autre côté de la rue. La pancarte au-dessus de la porte était presque complètement décrépite, mais même moi, je voyais bien ce qu'elle disait, et ce qu'elle *pourrait signifier* une fois traduite.

Nous remerciâmes notre hôte pour le café en prenant le temps de lui serrer la main et de l'assurer de notre gratitude, puis je le quittai et traversai la rue pavée jusqu'à la chapelle. Sarah ne me suivit pas tout de suite, et quand je me retournai, elle était toujours en train de remercier l'homme avec un grand sourire.

« Vous venez ? dis-je.

— Même le plus audacieux des voyageurs ne peut pas être à deux endroits en même temps, Nick… » dit-elle, comme si c'était une citation.

Puis elle me décocha un sourire complice. Elle serra encore une fois la main de l'homme et se dépêcha de me rejoindre.

Les portes étaient larges, en arc de cercle, avec une peinture cramoisie qui s'écaillait. On aurait plutôt cru des portes de grange qu'un portail d'église. D'ailleurs, le bâtiment tout entier ressemblait plus à une grange qu'à une église. Au centre de chacune des portes, se trouvait un anneau en cuivre noirci qui faisait office aussi bien de heurtoir que de poignée.

Nous essayâmes les deux. L'un tournait, l'autre pas, mais notre manœuvre n'eut aucun effet. L'église était hermétiquement close.

Un cliquetis retentit alors derrière nous, et nous nous retournâmes à l'unisson. C'était le vieux, toujours assis au même endroit, avec un immense sourire édenté, et tout un lot de clés noires dansant comme des marionnettes sur un énorme anneau. N'étant pas un prêtre, ce devait être un gardien de fortune.

Ce qui collait avec le fait qu'il habite juste de l'autre côté de la rue.

« Vous voulez entrer ? » demanda-t-il. Nous acquiesçâmes avec véhémence, et il se leva lentement, marmonnant juste assez fort pour nous permettre d'entendre. « Mais oui, mais oui. C'est la maison de Dieu, après tout. Elle est pour tout le monde. »

31

VENDREDI 14 AOÛT 2043
CENTRE EUROPÉEN DE RECHERCHE
SUR LE BÉTAIL,
MONT CARDOU, FRANCE

Le plan était simple, à condition toutefois que ce genre de choses puisse être simple. D'Almas avait fait ce qu'il était supposé faire – trouver où et quand le trésor de Klein avait été volé –, et c'était à présent un homme libre. Ou, du moins, il l'avait été. À la différence de Castle, plus personne n'avait plus jamais entendu parler de lui. À présent, Davies, dont les moindres mouvements étaient surveillés par les cinq gardes restants, et qui était nanti de l'information que Klein et Sherman venaient de recevoir, allait être renvoyé en arrière.

Plus tôt même.

La date était approximative, mais il était impératif qu'il arrive au moins deux ans avant 1132. Peu importe ce qu'il ferait pendant ces deux années, il devrait en tout cas se débrouiller pour arriver jusqu'à Narbonne, trouver un endroit où se loger et attendre. Il ne quitterait pas le port une seule seconde de l'année 1132 s'il le fallait.

Un jour, un groupe de soldats arriverait en ville, de retour de leurs victorieuses conquêtes en Terre sainte. Ils débarqueraient d'un bateau de fortune qui avait fait le pénible voyage depuis la Palestine, afficheraient de larges sourires et arboreraient des croix rouge vif sur leurs tuniques. Se croyant invincibles, ou sous la protection de Dieu peut-être, ils commenceraient probablement à se vanter des trésors qu'ils transportaient, et Davies, ayant suivi un cours intensif en vieux français, serait à peu près capable de comprendre ce qu'ils diraient.

Ils seraient fatigués de leur voyage, préférant, pour une seule nuit, occuper le premier logement confortable venu avant de reprendre leur périple à travers le Sud de la France.

Davies les regarderait boire, festoyer et, en gros, faire les imbéciles toute la soirée. Il pourrait même essayer de se lier d'amitié avec eux, s'il sentait qu'il pouvait s'y risquer, puis il les regarderait se retirer pour la nuit. Quel que soit l'endroit où ils avaient gardé leurs trésors, dont Davies prendrait certains pour lui, il mettrait alors dans une chope de bière à moitié vide quelque chose ressemblant à un ver mort reposant au fond du liquide.

Longue de quatre centimètres et de moins d'un de diamètre, cette bonde additionnelle, fabriquée dans un matériau lui permettant de rester immergée dans le liquide pendant près de dix minutes avant de se désintégrer, contiendrait suffisamment d'agent neurotoxique VX228 pour mettre K-O tout ce qui respirerait dans un rayon de huit cents mètres. Étant restée protégée à l'intérieur de Davies lui-même par sa coque en caoutchouc renforcé, la capsule commencerait à se dissoudre, laissant l'agent monter par effervescence et se répandre dans l'atmosphère, sans couleur ni odeur, et, plus important encore, sans se faire remarquer.

Quelques personnes seraient tuées, dont celles voisines de la chope au moment où le gaz envahirait l'atmosphère. Ce genre de détail ne risquait pas d'inquiéter Klein ni même Davies. La majorité du groupe, elle, perdrait simplement conscience pendant huit heures au maximum et resterait fortement indisposée pendant trois semaines. Au bout d'une demi-heure, l'air serait redevenu respirable et Davies pourrait retourner à l'intérieur.

Il faudrait qu'il évite tous ceux qui ne savaient rien de l'incident et qui n'avaient pas été affectés, et qu'il pénètre dans l'auberge la nuit tombée.

Il trouverait alors les tables et les récupérerait. Ainsi que tout ce qu'il serait en mesure de porter. Et de vendre.

Quand ceux qui auraient échappé à la mort se réveilleraient, ils ne se douteraient absolument pas de ce qui avait bien pu arriver, comment c'était arrivé, ni même qui était le coupable. Les tables auraient depuis longtemps disparu. À ce moment-là, elles seraient dissimulées à l'intérieur de l'autel de l'église cathare de Serres, et y resteraient parfaitement cachées pendant des centaines d'années. Pendant ce temps-là, diverses rénovations interviendraient dans la structure du bâtiment, mais l'autel lui-même resterait intact, comme cela avait été confirmé par d'Almas. Seuls Klein, Sherman et Kerr reverraient jamais ces tables.

Et ils les reverraient approximativement vingt-huit minutes après que Davies serait parti.

En raison d'une construction hâtive, on ne pouvait pas voir à l'intérieur du labo de Cardou, mais ça n'avait pas grande importance. Davies y serait avant que les portes ne se referment et en serait reparti quand elles ouvriraient à nouveau. Il n'y avait aucun moyen de s'échapper, même s'il le désirait. Ce qui, compte tenu de ses différentes options, n'était certainement pas le cas. Tout ce qu'il devait faire, c'était de se livrer à un simple vol suivi d'un simple travail de cache, moyennant quoi il serait libre de vivre le restant de ses jours dans un environnement qui lui conviendrait parfaitement, étant donné que sa connaissance du monde serait bien plus importante que celle de tous les autres autour de lui. Il serait le roi.

Évidemment, il ne disposerait d'aucun des luxes auxquels il s'était habitué, mais il pourrait profiter des deux choses de base dont il avait été privé pendant plus de cinq ans : l'alcool et les femmes. Qui sait, peut-être Davies pourrait-il parachever son œuvre ? La police du Texas l'avait arrêté après seulement douze de ses viols et de ses meurtres, dont neuf commis pendant qu'il vivait au Tennessee, mais il avait toujours espéré pouvoir en arriver à une cinquantaine.

Un nouveau monde l'appelait, maintenant, plein de délicieuses opportunités.

Le hurlement déchirant remplit le petit bâtiment et se propagea dans les champs désertés alentour, semblables à un plan large dans un film d'horreur. Il n'y avait personne dans les environs qui risquerait d'entendre, et, en tout cas, personne susceptible de comprendre de quoi il s'agissait. L'affichage numérique, modifié par Sherman lui-même, indiquait 527, presque le maximum que le système pouvait supporter, et le sol bougea légèrement, comme sous l'effet d'un tremblement de terre lointain. Un éclair aveuglant avait dû se produire dans la pièce, mais il était invisible à travers les murs de titane qui semblaient rester parfaitement plats de l'extérieur. Apparemment, seule leur face interne était affectée et déformée par la fluctuation temporaire dans le temps.

Sherman attendit que la poussière soit retombée, métaphoriquement parlant, puis il entra dans la pièce. Il revint quelques instants plus tard en tenant à bout de bras la combinaison rouge de Davies toute froissée. Le dur, celui qui avait violé toutes ces femmes et déclaré au cours de son arrestation qu'il n'avait peur de rien ni de personne, avait pissé sur tout le devant pendant les quelques secondes précédant son départ. Peut-être pissait-il toujours en arrivant. Glacé, tout nu, et dans un monde qu'il ne comprendrait jamais, il aurait, littéralement, pissé dans le vent.

Klein, assis dans sa chaise roulante, avait un grand sourire. « Alors, il est parti ? »

Sherman acquiesça. « Littéralement. »

Klein faisait déjà tourner sa chaise.

« Dans ce cas, ramenons-les à la maison.

— Peut-être devriez-vous attendre ici ? suggéra Sherman, espérant que Klein comprendrait qu'il s'inquiétait seulement pour sa santé. Je vais retrouver Kerr à l'église et nous les ramènerons ici pour vous. »

Il espérait que Klein accepte, mais le vieil homme secouait déjà la tête d'un air de défi.

« Pas question, dit-il. Nous emmènerons les gardes. Je les ai cherchées toute ma vie, Sherman, et je veux être là quand on les trouvera. »

À première vue, tout s'était déroulé selon les plans.

Le seul tort de Davies, apparemment, avait été de parler à tort et à travers quand il avait bu un coup de trop, en racontant le genre d'histoires qui, pendant des centaines d'années, alimenteraient le folklore, et d'avoir passé une nuit à Montpellier avec une prostituée africaine nommée Emerie. Trois mois après avoir caché les tables, il avait passé plus d'une heure à abuser sauvagement de son corps avant de se retourner en arborant un sourire cruel. Ensuite, pendant qu'il dormait, elle le tua avec un bloc de pierre. Puis elle prit les autres trésors qu'il avait volés aux Templiers et embarqua sur un navire à destination de l'Égypte.

La légende déboucha sur le soupçon, et le soupçon fit naître un sentiment d'inquisition. Au début de 1631, Pierre de Montfort, un fervent catholique et propriétaire de la plupart des terres autour de Carcassonne, entendit évoquer de grands trésors – volés aux Templiers eux-mêmes – qui auraient été enterrés quelque part sur son domaine. Persuadé d'y trouver de l'or et des bijoux, il fouilla toute sa propriété pendant plus de huit ans. Il ne trouva rien.

Puis, en 1640, Montfort et « tous les hommes de ses terres capables de manier une épée » furent appelés à rejoindre la principauté d'Aragon pour soutenir les Catalans dans leur guerre civile contre l'Espagne. Il se rendit aussitôt dans sa chapelle privée à Serres où il pria devant l'autel pour que Dieu les accompagne dans leur chevauchée, lui et ses hommes. Pour qu'il les ramène, saufs et vainqueurs, à leurs familles.

La pierre froide était lisse et parfaitement conservée malgré son âge. Les barres dorées, symboles des barres de l'origine en acacia qui avaient été recouvertes d'or par ordre de Dieu, étaient toujours en place à l'intérieur des anneaux en cuivre luisants, exactement comme cela avait été prévu. Mais, tandis qu'il s'agenouillait et priait pour que sa vie soit épargnée au cours des futurs conflits, le regard de Montfort se posa sur le dessous de la sculpture figurant sur l'autel.

Montfort remarqua alors qu'une des nombreuses pierres composant l'autel n'était pas parfaitement imbriquée...

Vingt-cinq minutes après que le départ de Davies eut été confirmé, le 4x4 s'arrêta brusquement devant l'église. Kerr et le garde attendaient déjà.

Kerr écrasa sa cigarette sur le mur, projetant de minuscules étincelles sur les pierres comme un feu d'artifice miniature. Sherman descendit par la portière du conducteur et se tourna vers la paroi coulissante sur le côté, abaissant la rampe pour que Klein puisse descendre. Il lança à Kerr un trousseau de clés et le regarda ouvrir le cadenas sur la chaîne passée en travers des portes et retenue par deux anneaux noircis. La chaîne que Klein et Sherman avaient installée la veille, quand ils avaient choisi l'église comme site et évoqué sa localisation avec un Davies sous haute surveillance. L'église était restée vide depuis vingt ans, les quelques autochtones résidant encore à Serres ayant depuis longtemps pris leur foi à bras-le-corps pour aller assister à la messe à Arques, à quelques kilomètres de là. Au début du siècle, il avait été décidé de refermer définitivement les portes de l'église et de laisser l'intérieur se dégrader tranquillement.

Klein ignorait tout ça, bien sûr, et n'avait aucune envie de s'instruire. Sa seule préoccupation était de savoir que l'autel était intact en 1132, et qu'il serait à peu près toujours intact quand il arriverait.

La porte grinça douloureusement, faisant retomber

une poussière épaisse. À l'extrémité de l'allée centrale, la faible lumière qui passait à travers les fenêtres fissurées et sales colorait l'ensemble en jaune-brun et donnait à l'endroit l'apparence d'une photo sépia venue du passé. Une fois la poussière dissipée, Kerr recula pour permettre à Sherman de pousser la chaise de Klein à l'intérieur. Le garde surveillait la porte. « Regardez ça », dit Kerr en braquant le puissant faisceau de sa torche devant lui.

Le soleil traversait maintenant l'extrémité de l'église, et l'intérieur, privé de lumière, était encore plus lugubre que lors de leur dernière visite. Les bancs avaient tous été retirés par le dernier gardien et utilisés pour faire du feu au cours de ce qui devait être également son dernier hiver. Les jointoiements intérieurs des murs étaient presque complètement partis, et il ne restait plus qu'un seul vitrail : celui de l'Enfant Jésus qui baissait les yeux sur les visiteurs qui entraient.

« Qu'est-ce qui s'est passé, ici ? » dit Kerr, le regard attiré par une tache rouge foncé sur les pierres juste à l'intérieur, qui paraissait très ancienne et avait subsisté faute d'entretien.

Klein regarda, puis détourna les yeux tout aussi vite. Il fit la moue.

« Comment savoir ?

— Quelle importance ? » ajouta Sherman sans même prendre la peine de regarder.

Ses yeux, comme ceux de Klein, étaient maintenant rivés sur la récompense devant eux.

32

SAMEDI 11 JUIN 2011
SERRES, PRÈS DE CARCASSONNE,
FRANCE

Si l'église ressemblait à une grange de l'extérieur, l'intérieur ne risquait pas de décevoir. Ou plutôt, il décevait vraiment, si vous voyez ce que je veux dire.

Il était froid, sombre et vide. Un de ces vides vraiment vides, comme si l'endroit était désaffecté depuis une centaine d'années. Deux rangées de bancs en bois sombre occupaient le devant, dont certains très abîmés ou cassés depuis suffisamment longtemps pour que le bois plus clair à l'endroit de la cassure soit devenu gris avec la poussière qui s'y était incrustée. La seule lumière provenait du grand vitrail qui projetait de grands rayons de couleur à l'intérieur, et le soleil éclairait par l'arrière la scène classique avec la Vierge Marie et l'Enfant, dans des teintes nettement plus ternes qu'à l'origine.

Les murs étaient nus, presque aussi délabrés que ceux de l'extérieur, avec des petits tas de débris au pied tombés des fissures entre les pierres. Dans le coin sur notre droite, on voyait deux cordes de cloche sales, usées, et une échelle métallique étroite, couverte d'une rouille orange foncé. Elle devait servir autrefois pour accéder à la cloche, disparue depuis longtemps.

Au pied de l'échelle, différents outils traînaient, ainsi que des barres en fer, abandonnés sans doute après les dernières réparations. Un plateau en bois destiné à la quête était posé à côté, recouvert au fond d'une boue grise durcie indiquant qu'il avait dû être mis à profit par la dernière équipe d'ouvriers pour mélanger leur ciment.

L'endroit avait besoin d'un gardien, ça ne faisait aucun doute, mais quelqu'un de plus actif que le vieillard ; capable non seulement de tenir un balai, mais de le manier, et quelqu'un qui serait fier de l'édifice plutôt que de laisser entrer des étrangers et de marmonner : « Là, vous y êtes », tout en retraversant la rue sans se presser pour reprendre sa place au soleil, comme le nôtre venait de le faire.

Sarah regardait droit devant elle, en direction de l'autel. Un endroit où jadis, dans des temps reculés dont j'ignorais tout, un homme avait pu se tenir, dans ses vêtements de gloire blancs, et ordonner à ses fidèles de confesser leurs péchés au Seigneur pour éviter la damnation éternelle. Un retour sur eux-mêmes dont le bâtiment lui-même n'avait jamais dû se soucier.

Elle s'avança lentement, posa son sac à dos par terre et passa les doigts sur la surface rugueuse de l'autel.

« Oh oui, dit-elle avec une nuance d'émerveillement dans la voix. C'est bien ça.

— Comment le savez-vous ? demandai-je en m'approchant tandis qu'elle faisait le tour du socle en scrutant attentivement les pierres.

— Parce qu'il s'agit de l'arche d'alliance », dit-elle, comme si c'était aussi évident que mon manque d'instruction.

Mes connaissances sur l'arche d'alliance se limitaient en gros à la dernière scène d'un film d'Harrison Ford. Malheureusement, c'était l'endroit où vous étiez supposé détourner les yeux.

« L'*Arca Dei*, continua Sarah. Celle-ci est très abîmée, c'est vrai, mais on ne peut pas se tromper. Vous voyez ? » Elle montra les deux anneaux en cuivre rouillés incrustés dans la pierre. « C'étaient les attaches dans lesquelles on mettait les poignées. »

Elle continua à tourner autour tout en s'efforçant de m'éclairer. L'arche originelle – l'arche biblique – était une boîte avec quatre pieds de cuivre qui, pour les besoins de l'autel, avaient été sculptés en pierre. On la transportait au moyen de deux perches insérées dans les quatre anneaux qu'elle m'avait déjà montrés. Au-dessus de ces anneaux, une grande surface biseautée représentait le couvercle.

Au sommet du couvercle originel, il y avait deux anges en or dont les ailes se rejoignaient. Sarah se lança alors dans une citation en caressant doucement l'unique ange de pierre restant et le socle cassé de l'autre. « Et les chérubins déploieront grand leurs ailes, et couvriront de leurs ailes le siège de clémence, le visage tourné l'un vers l'autre. »

Elle frotta doucement un dernier morceau de feuille d'or accroché à la pierre et il glissa doucement en direction de quelques autres au pied du socle massif.

« Ça devait être superbe. »

Puis elle souffla pour enlever la poussière de la surface, et le nuage qui se souleva la fit tousser.

« Comment allons-nous bien pouvoir parvenir à l'intérieur ? dit-elle lentement, tout en réfléchissant.

— En soulevant le couvercle ?

— C'est en un seul morceau, remarqua-t-elle. À la différence de l'original, il n'a pas de couvercle.

— Comment parvenir à l'intérieur, alors ?

— J'aurais juré que je venais de vous poser cette question », dit-elle d'un ton ironique sans même lever les yeux. Elle poussa la pierre, tira le cuivre et tripota un chérubin jusqu'à ce que la tête s'en aille.

« Oups », dit-elle avec un sourire coquin.

Ça ne devait pas avoir grande importance, compte tenu de l'état de délabrement de son compagnon décapité depuis longtemps.

Sarah examina le socle de plus près ; l'endroit où les pieds étaient sculptés. Ils avaient la forme de cupules retournées en direction de la pierre plate au-dessus. Mais comme l'original avait dû reposer sur ces pieds, laissant un vide en dessous, la pierre derrière était creusée pour créer une zone plus sombre quand elle était éclairée d'au-dessus.

Sarah esquissa un sourire.

« Voyons, qu'avons-nous là ?... » Elle parlait comme un douanier venant de mettre la main sur un bon lot de cocaïne caché sous un autre bon lot de sous-vêtements sales, beaucoup moins juteux, celui-là. Elle passa derrière l'autel et commença à pousser, doucement d'abord, sur la mince dalle de pierre située sous le bloc central. La pierre, ayant été creusée, donnait une impression d'ombre entre les pieds. Rien. Elle poussa plus fort. Toujours rien. Bientôt, elle étendit les jambes et les arc-bouta sur le mur du fond de façon à pouvoir peser de tout son poids sur la pierre.

La pierre bougea. D'une façon infinitésimale. Mais suffisamment.

« Eh, Nick, j'aimerais bien avoir un peu d'aide. Merci », dit-elle.

Une fois derrière l'autel, je passai les doigts dans le trou d'à peine huit centimètres de hauteur et poussai de toutes mes forces. Je sentais la pierre glisser petit à petit. Et mes doigts se casser à peu près à la même allure.

« Vous poussez, je reçois », dit Sarah en allant de l'autre côté.

Tandis que la pierre se délogeait lentement par à-coups, Sarah en prenait possession de l'autre côté en la guidant doucement. Je ne voyais rien de ce qu'elle découvrait à mesure que la surface apparaissait, mais son visage était éloquent ; envahi par l'émerveillement, un respect mêlé d'admiration et Dieu sait quoi encore.

Je ne sais pas ce qu'« elles » pouvaient bien être, mais elles étaient bien là. Les – comment les appelait-elle ? – « tables » étaient là.

À ce stade, la pierre s'arrêta net. Coincée. Les mains enfoncées dans le trou, je n'avais pratiquement plus aucune prise. J'arrêtai de pousser, ou d'essayer de pousser, et repris mon souffle. En me frottant les doigts, je regardai tout autour de moi pour voir si je trouvais quelque chose pour nous aider.

« Soutenez la pierre, dis-je à la fin. J'ai une idée. »

Je me dirigeai vers les cordes des cloches, les écartai du pied comme des serpents morts, et pris une des barres en fer. Tout sourire, je m'en donnai un grand coup dans la main, comme face à un pauvre punk avec ma batte de base-ball.

Soudain, la porte de l'église s'ouvrit violemment et Sarah se retourna, bouche bée.

En voyant qui c'était, elle se détendit. « Grands dieux, vous m'avez flanqué une trouille bleue ! »

De l'endroit où je me trouvais, je ne pouvais pas voir à qui elle parlait, mais j'entendis sa voix. Âgée, pâteuse. En français. Pourtant, ce n'était pas la même. Elle avait des intonations différentes. Je n'étais sûr de rien, mais quelque chose clochait subitement, ce qui était à peu près ce que le vieillard essayait de nous dire.

« Il y a un problème. »

Puis un coup de feu retentit, étouffé par un sacré bon silencieux, mais un coup de feu tout de même. J'en avais entendu suffisamment au cours de ma carrière, et l'utilisation d'un silencieux signifiait une seule chose : qu'il s'agissait d'un professionnel ou de quelqu'un du même acabit. Et ce quelqu'un voulait entrer et passer inaperçu, et mon petit doigt me disait qu'il aurait certainement préféré emporter les tables.

Une giclée de sang traversa mon champ de vision comme du café qu'on renverse. Le corps du vieux apparut ensuite, tombant en avant dans un silence total et avec une lenteur remarquable. Son corps toucha le sol un mètre à peine devant moi, et les os de son visage se fracturèrent sur les pierres glaciales comme un œuf qu'on vient de faire tomber.

« Où est votre ami ? »

C'était une nouvelle voix, une que je ne connaissais pas. Une voix dont je n'aimais pas particulièrement la tonalité, et pour des raisons évidentes. Elle était grave, vulgaire, et forcément américaine. Du Midwest, même, à entendre la façon dont il étirait les syllabes.

Je réagis alors, comme vous pouviez vous en douter. En commençant par repasser en accéléré le triste film de ma vie, puis en levant la barre à hauteur d'épaule et en avançant doucement. Très prudemment, les yeux fixés sur l'embrasure de la porte. En une fraction de seconde, j'aperçus l'avant d'un silencieux, avec une tête hostile derrière. J'assenai la barre sur son visage de toutes mes forces. Son nez explosa et le pistolet tomba juste avant qu'il n'en fasse autant. Son corps s'affaissa sur le sol aussi lourdement que celui du vieux.

Sauf que l'Américain était encore parfaitement en vie et tout à fait conscient, avec le visage couvert de sang. Je donnai un coup de talon dans le pistolet pour l'écarter de sa main et reculai pour le ramasser tout en brandissant de nouveau la barre.

Le temps qu'il réalise ce qui l'avait frappé, littéralement parlant, Sarah avait la barre en main, et le pistolet de l'intrus était braqué en plein sur son visage, nettement moins suffisant maintenant.

« Servez-vous de la barre, dis-je à Sarah en insistant. Sortez la pierre.

— Ne criez pas, dit-elle.

— Je vous en prie, Sarah. Allez-y… »

Compte tenu de l'urgence de la situation, il n'y avait plus qu'à s'exécuter.

En entendant les premiers crissements de la pierre derrière moi, j'enjambai le corps inanimé du vieux et m'accroupis pour regarder l'Américain en face. C'était un des deux visages que j'avais vus derrière Klein et Grier sur les photos de Sarah, le type au milieu de sa phrase. Il avait des traits aplatis (sans rire), des cheveux noirs hérissés et des yeux enfoncés sous des sourcils épais.

Le genre de visage qui vous fait réaliser à quel point Darwin avait raison.

« Donne-moi une bonne raison pour m'empêcher de te trouer ta sale gueule. » Je tenais le pistolet suffisamment près pour qu'il sente la menace, mais pas trop pour qu'il ne l'envoie pas valser à travers l'église s'il décidait, bêtement, de me décocher un coup de poing.

Il toucha son nez avec le dos de sa main et grimaça. « Allez-y, dit-il d'une voix nasillarde et hésitante en même temps qu'étonnement calme. Allez-y. Assommez-vous. »

Sa réflexion le fit sourire.

« Nick, il faut vraiment que vous voyiez ça. » La voix de Sarah venait du fond de l'église.

« Je suis occupé pour le moment, répliquai-je d'un ton sarcastique. Vous croyez que vous pourrez vous débrouiller sans moi ?

— C'est. Tellement. Beau », dit-elle en détachant les mots.

Je savais très bien que ce n'était plus à moi qu'elle s'adressait. Elle lui parlait, ou plutôt à elles. À ce qu'elle venait de trouver, en tout cas.

« Debout », dis-je.

À contrecœur, il se mit debout, toujours sous la menace du pistolet, et je reculai pour me rapprocher de l'autel en lui faisant signe de suivre. Au bout de l'allée, mon dos rencontra celui de Sarah, et je jetai un coup d'œil par-dessus mon épaule. Je disposais de très peu de temps pour voir ce qu'elle voulait me montrer. Ce type n'était pas idiot ; il profiterait de la moindre seconde d'inattention.

Ce dont je me souviens, c'est que cette dalle de pierre qu'elle venait d'extraire avait deux trous parfaitement symétriques, comme une sorte de tiroir à DVD médiéval. À l'intérieur de ces cavités, se trouvaient ce que je supposai être les tables, un mélange de disques, d'équipement industriel et de puzzle sculpté dans une pierre foncée.

Comme les trous dans lesquels elles avaient été placées, elles étaient circulaires avec des sortes de crochets, et sculptées habilement sur leur circonférence. Exprès, de façon à ce que les marques sur le dessus des disques épousent parfaitement la forme de ces indentations.

Mais ce dont je me souviens *surtout*, et je sais pourquoi maintenant, c'est que dans les quelque quinze centimètres de pierre entre les supports des disques il y avait une autre marque profonde et très nette, et gravée avec l'habileté d'un marbrier.

C'était un symbole, un symbole étrange que je ne connaissais pas. Même si j'en avais déjà vu un assez semblable. Pas exactement le même au premier coup d'œil, mais très semblable, en tout cas.

Il était tatoué sur la jambe gauche de mon macchabée.

Quand je regardai à nouveau l'Américain, il avait toujours la même expression méprisante. J'entendis Sarah extraire soigneusement les tables des renfoncements et les placer dans un carton qu'elle avait sorti de son sac à dos. Mais au lieu du bruit de la fermeture éclair, j'entendis un drôle de pop ! Comme une bulle qui éclate au loin ou un fusible qui saute.

Ou comme lorsqu'on arrache le couvercle d'un gros feutre noir.

Machinalement, nous nous retournâmes tous les deux, Sarah et moi, pour nous regarder chacun pardessus notre épaule. L'émotion qui se lisait dans son regard avait supplanté son espièglerie coutumière, et on la sentait au comble de l'excitation. Comme une gamine insupportable prête à enduire la chaise de sa maîtresse avec une colle à prise rapide.

« C'est presque fini », dit-elle.

33

Vendredi 14 août 2043
5ᵉ et Alameda, Los Angeles,
Californie

Le temps était compté et Alison aurait préféré ne pas perdre dix minutes à baratiner les gardes à la porte. Ils avaient trouvé suspect qu'elle veuille pénétrer dans la zone des cellules, mais elle avait rapidement fait valoir qu'elle en avait le droit. Et pourquoi seule ? avaient-ils demandé. Ce serait plus sûr que les gardes l'accompagnent ; si quelque chose se passait, ils pourraient alors actionner les boutons du détonateur et priver Mason ou Stubbs, les deux prisonniers restants, d'un membre ou des quatre.

Alison avait dû faire valoir à plusieurs reprises la nature extrêmement confidentielle de sa visite, disant qu'elle agissait sur instructions expresses de Klein. Devant leur refus, elle avait dû se résoudre en dernier ressort à mettre en œuvre un subtil cocktail de menace et de séduction. À la fin, ils s'étaient rendus à ses arguments et lui avaient transmis les détonateurs respectifs de Mason et de Stubbs, tout en acceptant de rester à l'extérieur et d'exercer leur surveillance à travers la porte miroir.

Elle les avait remerciés avec un sourire et avait pris une de leurs chaises pour l'emporter à l'intérieur.

Le temps de parcourir la courte distance jusqu'à la cellule de Mason, Mason lui-même, alerté sans doute par les lumières qui avaient retrouvé leur intensité, était déjà collé aux barreaux. Il bavait comme un chiot saint-bernard.

« Alors, ma jolie. Tu t'emmerdes, là-haut ? Tu rêvais de faire un câlin avec Mason ?

— Fermez-la, Mason, dit-elle en posant la chaise juste devant sa cellule et en feignant de ne pas remarquer le regard noir vicieux qui parcourait les courbes de son corps.

Il fit semblant d'être vexé. « Oh, je te vois bien en train de supplier là-haut pour en profiter, ma jolie. Et tu parles mal à Mason, maintenant. »

Alison se mit à rire et secoua la tête d'un air consterné. Ça allait probablement être beaucoup plus dur qu'elle ne le pensait, mais nettement plus amusant à long terme. Peut-être pas aussi dur que Mason l'était à ce moment, mais quand même très dur.

« Vous savez qui je suis ? demanda-t-elle.

— Une jolie dame scientifique, dit-il en remontant le regard de sa jupe. Une jolie dame très baisable et sacrément demandeuse, à mon avis.

— Peut-être qu'elle veut tâter de la bite nègre ? »

La voix graveleuse de Stubbs retentit un peu plus loin dans le couloir.

Alison se retourna, mais Stubbs n'était pas près des barreaux. Elle se leva, s'avança lentement mais résolument dans le couloir et s'arrêta net devant la cellule en faisant claquer ses talons.

De tous les hommes sélectionnés pour ce projet dément, Stubbs était celui qu'elle détestait le plus.

C'était le mal à l'état pur. Tous les crimes qu'il avait commis l'avaient été par pure malignité, y compris le fait de trancher la gorge d'Edison avec une assiette en mai dernier. Il était allongé sur sa couchette, ses gros bras noirs derrière la tête avec ses biceps luisants de sueur à la lumière du couloir. Elle le regarda bien en face, l'air impassible.

« Qu'est-ce que t'en dis, ma belle ? dit-il, les yeux fixés sur la surface blanche et monotone du plafond. Tu veux en tâter, de la grosse bite nègre ? »

Alison sourit.

« Mason est un opportuniste, dit-elle en baissant la voix. Un voleur. Il a toujours tué des gens pour se tirer d'affaire. On ne peut pas dire qu'il soit vraiment tout en douceur, mais vous ?... Vous, pour autant que je m'en souvienne, vous êtes un type autrement plus méchant...

— Un peu, ma jolie, dit-il sans bouger, mais visiblement flatté par ce qu'il prenait pour un grand compliment.

— Je crois que la dernière chose dans laquelle vous avez fourré votre grosse bite nègre – avant de la tuer, bien sûr –, c'était une petite fille de 8 ans. Ça fait de vous un vrai cinglé. Et à présent, surtout après votre petit numéro avec l'assiette, les gens qui gèrent ce projet, dont moi, n'envisagent absolument pas de vous voir partir où que ce soit. »

Elle leva le détonateur rouge vif, un peu plus gros qu'une télécommande, avec « Stubbs » écrit en blanc sur le haut.

« À mon avis, ça ne devrait empêcher personne de dormir si je laissais tomber ça accidentellement, non ? Histoire de voir s'il peut supporter le choc sans entamer la relation plaisante que vous semblez avoir avec vos mains. » Elle regarda Stubbs bien en face, en prenant bien son temps. « Car c'est vrai… je suis intéressée. »

Elle ouvrit lentement ses longs doigts, relâcha sa prise sur la commande. Stubbs écarquilla les yeux en le voyant descendre vers le sol comme au ralenti. Une seconde interminable plus tard, il atteignit le carrelage avec un clic, rebondit deux fois et s'arrêta aux pieds d'Alison. Elle observa sa chute jusqu'au bout, puis leva les yeux.

Stubbs mourait visiblement de peur, exactement comme elle l'avait espéré.

Un instant, elle se demanda ce que la petite fille avait vu dans ce même visage quand il s'était enfoncé en elle. Du désir, probablement, de la pire espèce. D'une espèce qu'avec de bonnes raisons, elle haïssait plus que tout au monde.

« Qu'est-ce qu'il y a, mon grand ? dit-elle en se penchant pour ramasser le détonateur et en le faisant sauter dans sa main, histoire de le mettre hors de lui. On a la frousse de mourir ? »

Stubbs paraissait toujours sonné. Comme il ne disait rien, Alison sourit et retourna dans le couloir en direction de Mason. Quelques secondes plus tard, ayant un peu retrouvé son sang-froid, Stubbs cria dans sa direction. « J'ai pas peur de mourir, ma jolie. Juste peur que tu me laisses sans mains pour me branler en pensant à toi quand tu seras partie, c'est tout. »

Ayant entendu la réflexion, Mason était tout sourire quand elle revint. Elle l'ignora, tourna la chaise pour que le dossier soit face à la porte et s'assit, juste hors d'atteinte. « Arrêtez de sourire comme ça », dit-elle. Mason produisit quelques bruits dégoûtants et se mit à agiter la langue de haut en bas. Sans lui prêter attention, Alison prit les deux détonateurs en veillant à ce que les gardes ne puissent pas la voir et, avec précaution, commença à en détacher l'arrière.

« Oh, là ! Qu'est-ce que vous fabriquez ? » dit Mason, nerveux à présent. Il considéra le bracelet sur chacun de ses poignets et les vérifia, s'assurant que les lumières rouges ne s'affichent pas. « Si ces trucs se déclenchent ?... »

Alison posa l'arrière des deux détonateurs sur ses genoux et commença à retirer le mécanisme de celui de Mason.

« Ils vont vous tuer, dit-elle en le regardant comme s'il valait mieux pour l'instant qu'il se tienne parfaitement tranquille.

— Qui va me tuer ? » demanda-t-il à voix basse.

Il était idiot, mais pas au point de ne pas comprendre que quelqu'un pouvait l'entendre.

« Klein et le reste de l'équipe, dit Alison en ôtant le mécanisme du détonateur de Stubbs. Ne me demandez pas comment je le sais, mais je le sais. Vous croyez que vous allez partir pour un voyage destiné à vous sauver ? Vous n'irez nulle part, Mason.

— Pourquoi ils vont tuer Mason ? » dit-il.

Il la croyait.

« Qu'est-ce qu'il a fait, Mason ? »

Alison échangea les détonateurs, essayant de ne pas trop penser aux crimes de Mason pour justifier la mort au moins trois fois plus douloureuse qu'elle allait lui administrer. Très soigneusement, le mécanisme de Mason prit place dans la boîte de Stubbs et inversement. Elle fixa à nouveau les dos en les enfonçant d'un coup du plat de la main, tout en priant Dieu pour que les gardes n'aient rien remarqué.

« Rien, dit-elle calmement. Rien encore.

— Alors, pourquoi tu t'en prends à Mason si Mason n'a rien fait ? »

Il paraissait nerveux maintenant, transpirant même un peu, apparemment.

« Tu viens là montrer ton joli petit cul ?

— Sûrement pas », dit Alison d'un ton sec.

Elle leva les yeux et sourit. « Je viens là pour sauver votre misérable petite vie. »

Mason prit un air méprisant. « Tu te fous de moi, dit-il d'un air de défi. Ils vont pas tuer Mason. T'as juste envie de t'amuser avec mon cul. » Il hocha la tête et sourit, comme s'il avait compris la plaisanterie.

« Très drôle. Cette fois, t'as bien failli avoir Mason.

— Je ne veux m'amuser avec personne, répliqua Alison, la voix toujours parfaitement calme. Et surtout pas... » Elle le regarda avec mépris. « ... avec vous. Avant la fin de la journée, ces deux gardes vont être envoyés ici, ils vont vous enchaîner et ils vont vous faire sortir par la grande porte. Ensuite, je ne sais pas quand ni où, ils vont vous tuer.

— Comment tu le sais ?

— Je croyais vous avoir dit de ne pas me demander ça.

— Et tu vas me sauver ?

— Pas forcément, dit Alison. Mais je vais vous donner une chance. »

Elle leva les détonateurs pour qu'il les voie. Il avait surveillé le moindre de ses gestes comme un mendiant collé à la devanture d'un restaurant. Il ignorait pourquoi elle faisait ça, d'ailleurs, il n'avait peut-être pas besoin de le savoir, mais on avait vraiment l'impression qu'elle était en train de l'aider. À quoi est-ce qu'elle pouvait bien jouer ?

« Alors, qu'est-ce que Mason devra faire ?

— La fermer, écouter et retenir, dans cet ordre, dit Alison à voix basse. Si je me trompe, ça ne vous coûtera rien de vous taire pendant cinq minutes, mais si j'ai raison, vous vous en sortirez peut-être la vie sauve, aussi merdique soit-elle. À vous de choisir. Et ensuite, une fois que je vous aurai aidé à en sortir, vous me rendrez un petit service en échange.

— Quoi ? »

Alison fit exprès de ne pas répondre à la question. Mason la dévisageait en s'efforçant de comprendre. Il était incapable de dire si elle disait la vérité ou non, mais c'était comme elle l'avait dit ; il n'avait rien à perdre. Surtout pas à l'écouter jusqu'au bout.

« OK, dit-il enfin. Mason écoute. »

34

Samedi 11 juin 2011
Serres, près de Carcassonne, France

Sarah dévalait devant moi la rue pavée. Grâce au silencieux de l'Américain, personne n'avait été alerté, l'endroit était tout aussi mort qu'à notre arrivée... et que le gardien, à présent. Je dois bien admettre, à ma grande honte, que j'avais eu peur à l'intérieur de l'église. Comme j'avais eu peur deux ou trois fois seulement dans toute ma carrière. Dehors, les choses étaient différentes. Dehors, j'étais en colère.

Deux choses me mettaient hors de moi.

Une aurait déjà suffi.

La première était que Sarah, même si elle m'avait paru contrariée par ce qui s'était passé quelques minutes plus tôt, n'avait pas eu l'air particulièrement effrayée. Contrairement à moi. Pas du tout, même. Plus inquiétant encore, elle n'avait même pas réussi à paraître surprise.

Ça me dérangeait. Comme le fait qu'elle ait poursuivi sa tâche ensuite. Elle avait sorti les tables, fait ce qu'elle devait faire avec le marqueur, puis replacé la pierre tranquillement. Elle aurait pu, pendant qu'elle y était, prendre le temps de discuter des avantages d'une monnaie unique.

Ensuite, en quittant l'église, je l'avais observée pendant qu'elle enjambait le cadavre du Français. Rien. Pas une once de compassion et toujours pas la moindre peur. Elle s'était contentée d'enjamber le corps comme on enjambe une bûche à la campagne. Je ne m'attendais pas à ça, et j'étais bien forcé de me poser des questions du genre : « Quelle sorte d'archéologue peut-elle bien être ? » Pas quelqu'un à fréquenter quand on tient à sa vie, en tout cas.

N'oubliez pas que j'étais toujours en plein brouillard à ce moment-là. Pour moi, si la mort de Wells et de Rodriguez avait le moindre rapport avec le texte, c'était qu'ils avaient été tués par « les méchants ».

Et c'est là que se situait le second de mes problèmes…

J'attrapai sans ménagement Sarah par l'épaule et la fis se retourner. « Qu'est-ce qui s'est passé là-bas, exactement ? » demandai-je. Soucieux de ne pas trop hausser le ton pour ne pas alerter les autochtones, je ne pouvais plus différer ma question. Il fallait que je sache.

« Je vous en prie, Nick, ce n'est pas le moment. » Elle se retourna et reprit sa marche.

Je la fis se retourner une deuxième fois, plus brusquement.

« Évidemment que ce n'est pas le moment. Un innocent se fait éclater le visage à moins de cinq mètres de vous et vous savez quoi ?… Vous ne bronchez même pas. Comme si ce n'était pas tellement étonnant. »

Sarah soupira doucement et regarda ses pieds. Visiblement désespérée. Désespérée de voir que, malgré ses protestations, je tenais à avoir cette conversation sur-le-champ.

« Et le type qui l'a tué, continuai-je, se trouve justement être un des types de votre bande de joyeux zigouilleurs ? À l'arrière-plan de la photo avec Klein et Grier ? Le type au milieu de sa phrase ? Et cette photo, au cas où vous ne l'auriez pas remarqué, a été prise sur un site de fouilles gouvernemental. Ce qui veut dire qu'il travaille pour le gouvernement. Ce qui fait une belle jambe au type dont le visage dégouline de sang par terre devant *Arca Dei*. »

Sarah jeta un regard de côté sans se départir de son calme.

« Sur la photo ? Vous avez remarqué ça ?

— Je suis un détective, Sarah. Je suis payé pour remarquer des trucs comme ça. »

Et brusquement, Sarah se mit en colère. Dans une colère noire.

Elle se pencha en avant et colla son visage contre le mien, histoire de me faire avaler ses paroles. Visiblement, je n'avais pas intérêt à l'interrompre, et au cas où j'en aurais eu envie, mieux valait y réfléchir à deux fois.

« À présent, vous comprenez que nous sommes vraiment dans la réalité, Nick. Il n'est pas question d'armement nucléaire, de domination Internet, ni même de la présidence des États-Unis. Il s'agit de quelque chose de bien plus énorme et d'infiniment plus important. Et vous vous étonnez que les bons tuent aussi ? C'est comme ça. Réveillez-vous et rendez-vous compte à quoi vous êtes mêlé ici.

— Ce à quoi vous m'avez mêlé, corrigeai-je.

— Vous avez vu le texte, Nick. La seule raison pour laquelle vous êtes encore vivant, c'est parce que je vous ai amené ici ; parce qu'ils se sont rendu compte que vous et moi étions sur une piste, et qu'ils voulaient nous laisser continuer. Si nous leur avions donné l'impression de ne pas avancer, ils nous auraient supprimés tous les deux hier. Exactement comme vos deux amis chez vous. »

Je me sentis rappelé à l'ordre. « Wells et Rodriguez ? »

Elle parut se détendre. Sa colère était retombée.

« Oui.

— Comment ?

— Vous verrez. Le moment venu. »

J'en avais assez de ce petit jeu « vous verrez, le moment venu ». C'était déjà assez nul avant, mais maintenant que des gens étaient morts...

« Pas question. Je veux savoir et je veux savoir *maintenant*. Qui sont exactement les méchants dans cette affaire ? »

Elle soupira de nouveau. « *Tout le monde*, Nick. » Elle souleva le sac à dos. « Tous ceux qui veulent mettre la main sur ces tables sont des méchants. C'est assez clair pour vous ? »

Je me penchai en avant et la regardai, les yeux dans les yeux. Elle avait un air de défi. Elle n'avait pas plus peur de moi que du type Milieu de Phrase.

« Et vous, Sarah ? Vous êtes dans quel camp ? Vous êtes une méchante ?

— Je pense que vous connaissez déjà la réponse, dit-elle. Sinon... ça ne va pas tarder. *Si* vous choisissez de rester dans les parages. Mais je vais vous dire quelque chose à tout hasard. Tant que nous avons ça, nous restons en vie. Que nous les perdions... ou que nous partions... nous sommes morts. »

Elle regarda vers le bas de la colline. « Et les types sur la photo ? Bien sûr qu'ils travaillent pour le gouvernement, mais devinez quoi ? Ils travaillent en équipe, Nick. Ils sont payés pour faire une chose et une seule. Ils *tuent*. Mais ils ne travaillent jamais, *jamais* seuls. Alors, si j'étais vous, je cesserais de vous faire du souci pour moi, et je commencerais à me demander où se trouve son petit copain. »

Elle jeta le sac sur son épaule et reprit sa marche. Ou plutôt sa promenade, comme si elle n'avait pas le moindre souci. J'attendis un instant puis lui emboîtai le pas…

Comme nous approchions du parking en bas de la ville, je retins Sarah. Sur la route devant nous, j'avais aperçu à travers la rangée d'arbres un autre véhicule garé à côté du nôtre, une Land Rover vert olive. Pas un véhicule militaire, mais nettement ressemblant.

Pire encore, au pied des arbres, je vis une paire de rangers, et une vague odeur de fumée remontait dans la rue étroite. De la fumée de cigarette.

Je commençais à en avoir vraiment marre, que Sarah ait toujours raison.

Sans rien dire, je lui fis signe de s'arrêter et m'avançai dans l'ombre du château tout en marchant autant que possible sur l'herbe et en lisière des arbres.

C'était bien le type à la cigarette ; parfaitement détendu, comme s'il attendait l'autobus. Un type était mort, et il était appuyé contre sa voiture, en train de fumer une autre cigarette en profitant du soleil. À la différence de son ami, lui portait ses lunettes de soleil. Il tenait sa cigarette d'une main, et de l'autre, hélas, une radio. Il portait un tee-shirt de marine à manches courtes, et, en avançant, je distinguai le tatouage bleu foncé presque noir ornant un des bras les plus larges qu'il m'ait été donné de voir.

Le tatouage n'était pas « bizarre », ni « tendance »,

comme celui du macchabée, mais il était immédiatement reconnaissable. C'était l'insigne des SeAL de la
marine. Ce qui expliquait que ces deux-là ne s'attendaient nullement à échouer, et pourquoi ils avaient
choisi la facilité et garé leur véhicule à côté du nôtre
plutôt que de le cacher un peu plus loin sur la route.
Ils pensaient que ça allait être facile, et, d'ailleurs, ça
avait bien failli l'être, mais ils s'étaient montrés trop
confiants, et, question adversaires, j'adorais ceux qui
avaient trop confiance en eux. En regardant la Fiat,
je compris que c'était un piège dans lequel je devais
éviter de tomber.

Je m'approchai de lui par-derrière, attendis qu'il
rejette une volute de fumée dans l'air, armai le pistolet
que j'avais confisqué à son collègue et pointai le silencieux trois centimètres derrière son oreille droite. Puis,
par-dessus son épaule gauche, j'agitai un trousseau de
clés avec le logo d'Europcar gravé sur la commande.

« Laisse tomber la radio, prends ces clés et démarre
ma voiture », dis-je.

Il ne se retourna pas ; il connaissait la manœuvre.
« Que je fasse *quoi* ?... » Sa voix était méprisante.

« J'ai dit... *démarre ma putain de voiture*. C'est
une voiture de location, et ça va me coûter très cher
si je ne la ramène pas en un seul morceau. J'aimerais
donc que tu y montes, que tu démarres le moteur, et
que tu t'assures que tout se passera exactement de la
même façon quand je monterai dedans. »

La radio tomba par terre avec un bruit sourd. Tandis
qu'il s'approchait de la voiture, je fis un signe à Sarah,
ramassai la radio et la lançai de toutes mes forces dans
les arbres. Puis, sans jamais le quitter des yeux, je
sortis les clés du démarreur de la Land Rover. Mais
je ne les lançai pas au loin. Pas encore.

Le type écrasa la cigarette sous sa botte, monta dans la Fiat et, en gardant la portière ouverte, inséra la clé dans le démarreur. Resté bien en arrière, je retins mon souffle, comme lui sans doute, même si je voulais seulement m'assurer qu'il n'avait pas piégé la Fiat. Le moteur démarra.

Je lançai les clés à peu près dans la même direction que la radio et lui fis signe de descendre de la voiture tandis que Sarah montait du côté passager. Puis je m'approchai de la portière du conducteur, restée grand ouverte.

« Tu sais très bien que nous vous aurons, dit-il d'un ton aussi méprisant que son regard. Dans pas longtemps. »

Il avait l'air d'un type à vous descendre de gaieté de cœur d'une main tout en mangeant tranquillement une glace de l'autre, ou en fumant une cigarette.

Il avait même l'air effronté, comme s'il se réjouissait vraiment d'en avoir l'occasion.

« Ton ami n'est probablement pas mort… *pour l'instant* », dis-je avec mon sourire le plus méchant, puis je me glissai sur le siège et passai en première.

Sarah regarda en arrière par la fenêtre, puis elle se tourna vers moi d'un air dubitatif.

« Vous vous êtes contenté de l'attacher aux cordes des cloches.

— Je le sais et vous aussi, mais, heureusement, il est bien trop bête pour le savoir. »

Il n'y a pas trop de radars sur la D113, Dieu merci, et les Fiat ne sont sans doute pas les voitures les plus rapides du monde, ce qui ne m'empêcha pas de monter presque jusqu'à cent avec la nôtre sur la route de Couiza, l'œil rivé au rétroviseur, m'attendant à chaque instant à voir apparaître la Land Rover.

Mais rien.

Un peu après Couiza, je jetai le pistolet par la fenêtre dans un des champs à perte de vue qui bordaient la route. J'aurais évidemment préféré le garder car il me donnait une impression de sécurité, mais je n'aurais eu aucun endroit où le jeter une fois sur l'autoroute, et je ne voulais surtout pas pénétrer dans un aéroport avec lui enfoncé dans ma ceinture, ni le laisser pour que les types d'Europcar le trouvent. J'avais déjà eu assez de problèmes comme ça.

Toutes les voitures qui passaient, tournaient devant nous, ou surgissaient un instant dans le rétroviseur, étaient une menace potentielle. Ces types étaient sérieux. Sacrément sérieux. Ils avaient supprimé le vieux, lui avaient tiré à l'arrière du crâne et l'avaient précipité tête la première sur la pierre sans l'ombre d'une hésitation, et ils l'avaient fait juste pour nous prouver qu'ils ne plaisantaient pas. Pour que nous fassions exactement ce qu'on nous dirait.

Les choses ne se passent pas toujours exactement comme prévu, pas vrai ?

Tandis que nous dépassions les pancartes annonçant Alet-les-Bains, je respirai un grand coup et me tournai vers Sarah.

« Alors... allez-vous finir par m'expliquer cette histoire de crayon ? »

Elle regarda droit devant elle et ne dit rien. Pendant quelques secondes, je crus que les choses allaient en rester là, puis elle inspira profondément. Sauf que chez elle, ça voulait plutôt dire : « Je ne vais pas vous dire ce que je ne veux pas que vous sachiez. »

« Ce n'est rien, dit-elle.

— Vous avez écrit : "Allez vous faire foutre, Klein", et ce n'est rien ?

— De toute façon, il ne le verra pas dans les temps, dit-elle. D'ailleurs, ce n'est pas ce que j'ai écrit qui vous préoccupe, n'est-ce pas ? C'est ce que j'ai *dessiné*. »

Elle m'avait encore bien eu. J'avais seulement jeté un coup d'œil, mais je savais parfaitement ce que j'avais vu.

« Comment connaissez-vous ce symbole ?

— Il est sur les photos que vous avez. Les autopsies du cadavre nu.

— Vous n'avez pas vu ces photos, dis-je.

— Oh non, je ne les ai pas vues, vraiment ? »

À voir son sourire, il était clair qu'elle voulait que je la démasque. Comme si j'avais été un jouet entre ses mains.

« Alors… allez-vous me dire comment vous connaissez ce tatouage ?

— Non, dit-elle doucement en se tournant vers moi avec un petit sourire, comme si elle avait tous les as en main et un atout dans sa manche. Disons, pas encore. »

35

Vendredi 14 août 2043
Serres, près de Carcassonne, France

L'ironie que ce soit une église n'avait pas échappé à Klein. S'il devait enfin trouver les réponses qu'il avait cherchées toute sa vie, ce serait un endroit plutôt amusant pour le faire.

Il ne lui avait pas échappé que la chapelle morave dans laquelle il avait ressenti ses premières crampes d'estomac annonciatrices de la maladie de Crohn présentait un plan identique à celui de cette chapelle. C'était avant que son système immunitaire ne perde sa bataille et que sa merde ne devienne rouge sang en permanence. Mais toutes les chapelles du monde ne se ressemblaient-elles pas, au fond ? Il y avait une nef centrale partant du portail principal, deux allées latérales, l'autel situé au centre et surélevé respectueusement, avec un vitrail derrière, placé de façon à répandre un maximum de lumière sur la congrégation rassemblée. La chapelle à Fellbeck présentait deux fenêtres de cette sorte, situées de chaque côté de la chaire, mais elles représentaient toutes les deux la même image : l'Agneau de Dieu, les pattes de devant autour du manche en bois d'un drapeau portant la croix rouge des croisés.

L'Agneau, comme dans toutes les publications de l'école, apparaissait toujours sur les panneaux colorés juché sur une petite colline à peine plus haute que les autres, symbole de sa victoire.

Il n'était plus nécessaire de manier l'épée et de répandre la mort pour remporter les batailles et les butins qui allaient avec, se disait Klein. Plus maintenant. Désormais, on cherchait plutôt à s'attaquer aux systèmes qu'aux villes. Des États-Unis à la Chine, tout le monde commençait à comprendre que la propagation des informations était beaucoup plus efficace pour influencer le cours d'une guerre que la propagation du feu, de la mort ou des agents chimiques et biologiques. Dans le monde moderne, le trophée suprême n'était plus les terres ni les biens, mais les cœurs, les esprits, les idéaux et la confiance de la population. On pouvait y parvenir de nombreuses façons. Et, bien entendu, compte tenu des progrès en matière de médias et de technologie, on pouvait aussi y parvenir bien plus vite qu'avant.

Une fois que Klein aurait obtenu ses réponses, et quand il les propagerait via les réseaux mondiaux en expansion toujours plus rapide, il remporterait la victoire technologique. Il ne gouvernerait peut-être pas les pays, mais il en contrôlerait les peuples. Il détiendrait une des armes les plus puissantes de l'histoire, celle que même l'enfant dans les bras de sa mère sur le vitrail ici à Serres n'avait pas réussi à obtenir complètement : un soutien populaire total.

Utilisant une de ses chaises de voyage, de conception plus classique, il roula sur toute la longueur de ce qui avait été autrefois l'allée centrale, le caoutchouc mince et résistant résonnant régulièrement au passage des fissures dans la pierre glacée. Il ne la vit pas en s'approchant de l'autel, mais il passa tout près d'une trace ancienne, profondément gravée dans les dalles du sol. Elle semblait avoir été faite par un ciseau.

Le chérubin qui avait jadis orné l'autel était pratiquement réduit à néant, maintenant, et il ne restait plus qu'un des quatre anneaux en pierre. L'édifice principal, loin de l'hommage glorieux au réceptacle de Dieu qu'il avait été jadis, était fissuré de haut en bas et s'ouvrait comme un tégument mûr. De grands morceaux de pierre jonchaient la base, vestiges d'une bataille sans armes et finalement inutile contre les outrages du temps.

Kcrr arpentait l'endroit en balayant les murs de haut en bas avec sa torche, comme horrifié par l'obscurité des lieux. De temps en temps, il donnait un coup de pied dans des morceaux de pierre ou des éclats de verre brisé qui allaient heurter les murs en résonnant. Pour quelqu'un comme lui qui avait été habitué toute sa vie au luxe, cet endroit était un vrai trou. Il leva les yeux vers un coin du plafond où une araignée avait tissé sa toile en travers d'une corniche en plâtre et s'était arrêtée pour les regarder.

« Quel dépotoir, dit-il.

— Tant mieux, répliqua Klein. Ça prouve que nous sommes les premiers à pénétrer ici depuis très longtemps. »

Sherman fit un signe de tête en direction de Klein, qui déplaça le faisceau, lui permettant de passer derrière l'autel et de peser de tout son poids contre le bloc. Il poussa de toutes ses forces. Rien. Puis il poussa encore plus fort, de plus en plus rouge et en grondant doucement, jusqu'à ce qu'il ne puisse plus pousser.

Il émit un dernier halètement désespéré et renonça.

À la demande de Klein, Kerr alla derrière pour l'aider. Il posa la torche face à la pierre, et, quand Sherman eut retrouvé son souffle, ils se penchèrent et poussèrent, en transpirant comme des femmes sur le point d'accoucher. Avec la fissure profonde la rendant de moins en moins capable de supporter son propre poids, la dalle brisée au-dessus produisait maintenant l'effet d'une presse de voitures dans une décharge, rendant la tâche trois fois plus difficile.

Klein soupirait d'un air impatient et se mordait la lèvre inférieure en signe d'agacement.

Alison regardait l'unique écran qui s'affichait en couleur, celui qui se trouvait au milieu des trois. Une photo de Mason apparaissait plein cadre ; il était mort et gisait sur la table d'autopsie, avec sa cheville tordue et tatouée bien visible. Elle s'enfonça sur son siège et souffla doucement sur le café qu'elle tenait entre ses mains, tout en priant ce qui lui tenait lieu de dieu pour qu'elle soit bien en train de faire ce qu'il fallait.

Ça avait été l'énigme la plus complexe qu'elle avait jamais eu à résoudre, et en un minimum de temps. Dans sa tête, elle avait essayé de prendre les faits un par un, et à partir de là de construire un tableau complet et très détaillé de la séquence des événements.

Qui aurait pu être où, et quand.

Pourquoi quelque chose se serait produit, et quand.

Qui, pourquoi, et quand.

Et comment ?...

À la fin, elle avait renoncé à la technologie et préféré s'en remettre à une méthode archaïque avec des fiches de couleurs différentes. Sur chacune, elle avait noté chaque événement de son écriture bleue bien lisible, et où il s'était passé, aurait pu se passer ou pourrait se passer un jour. Puis, en réexaminant le scénario à tous les niveaux, elle avait régulièrement corrigé ces cartes et en avait changé l'ordre, jusqu'à obtenir une forme de signification. Il ne lui restait plus maintenant qu'à attendre et à espérer, car cela prendrait très longtemps avant qu'elle sache avec la moindre certitude si ses estimations étaient un tant soit peu exactes.

Parmi ses nombreux espoirs, figurait celui que Klein ne trouve pas à Serres la seule chose dont il mourait d'envie.

Ce qu'elle savait avec certitude, en tout cas, ayant vu les photos et le rapport d'autopsie, c'était que, si son scénario était correct, Mason devait alors s'échapper, et elle ne pouvait plus compter sur la chance pour ça. Les conséquences seraient dramatiques si son implication était découverte, mais elle devait néanmoins s'assurer qu'il s'était échappé. Elle devait l'aider. C'était un énorme pari, comme elle n'en avait jamais pris, mais il fallait stopper Klein.

Mais était-ce vraiment de Klein dont elle avait peur ? Même elle était de moins en moins inquiète par rapport à son employeur, dont la santé déclinante semblait le rendre chaque jour plus impotent, et un candidat peu vraisemblable, mais beaucoup plus à propos d'un Sherman qui avait l'avenir devant lui. Il commençait à avoir le même regard que Klein autrefois ; de plus en plus avide de richesse et de pouvoir.

Il voulait de l'argent à tout prix. Bien qu'étant un scientifique, familier des lois de Kepler sur le mouvement des planètes, il était persuadé que c'était le fric qui faisait tourner le monde.

C'était un homme jeune et pas particulièrement plaisant. L'ambition couplée avec la jeunesse et une absence totale de valeurs morales ne laissaient aucune place à la charité.

Pour Alison, quelqu'un devait en tout cas être stoppé. Même si ce quelqu'un s'avérait être elle. Les tables ne pouvaient pas être retrouvées, elles ne le pourraient jamais, peu importe la forme qu'elles prenaient. Si malgré tout elles existaient, alors toute trace de cette existence devrait être effacée. Qu'il ne reste aucun indice. Et pour l'instant, Jeffrey Mason, que ça lui plaise ou non, venait de devenir l'élément clé permettant l'échec imminent de Klein, de Sherman et de toute autre personne prête à se lancer dans un combat de plus en plus dépourvu de lois.

Elle referma la photo de Mason et en afficha une autre, qui montrait un des policiers qui avaient été affectés à l'affaire Mason : Nick Lambert. Elle considéra ses traits froids, son air complexé, ses traits tirés et ses yeux las. Mais elle lisait autre chose dans son regard. Quelque chose qui ressemblait à de la compassion, comme si cet homme, sous ses airs de dur, avait un cœur.

Elle sourit. Tout ça allait marcher.

Elle le savait.

La pierre se mit à glisser. Lentement. Sous chaque poussée, la fissure dans la structure supérieure s'ouvrait un peu plus et ralentissait l'opération. Mais elle ne pouvait pas résister longtemps sous les efforts combinés de Sherman et de Kerr. Klein guettait le mouvement de la pierre avec impatience, le regard toujours avide malgré son handicap. Avec sa couverture sur les jambes pour le protéger du froid et dans un état de fragilité évidente, il ressemblait plus à un pensionnaire d'une maison de retraite attendant son assiettée de nourriture hachée qu'au P-DG d'un empire milliardaire impatient d'avoir la preuve du succès de sa toute dernière technologie.

Le mouvement devenait imperceptible à mesure que la pierre au-dessus exerçait de plus en plus de pression, sa fissure devenant de plus en plus visible et le craquement audible.

« À trois », dit Sherman en respirant un grand coup avant une ultime poussée.

Il compta, et les deux hommes poussèrent à mort, pesant de tout leur poids sur le bloc. Resté immobile une fraction de seconde, il céda brusquement dans un grand bruit qui se répercuta tout autour sur les murs nus. Le bloc pencha, et resta de biais face à Klein quand il atteignit le sol. Il se dressa en majesté face à lui tandis que la pierre au-dessus, celle qui constituait le corps principal de l'arche, cédait enfin et implosait dans le vide resté libre. Des morceaux tombèrent sur le sol et se brisèrent comme du verre.

Sherman et Kerr se laissèrent tomber à genoux, rouges et hors d'haleine. Sherman désirait par-dessus tout voir les tables, mais elles pouvaient attendre.

Elles avaient attendu pendant des siècles, elles attendraient sûrement qu'il reprenne son souffle.

Les deux hommes se serrèrent brièvement la main en se relevant et se dirigèrent derrière l'autel, chacun par un côté. Klein était toujours sur sa chaise, les yeux fixés sur le bloc face à lui, grand ouverts, mais sans exprimer la moindre admiration ni interrogation. Plutôt sous l'effet du choc. Du désespoir. Pour les deux hommes, il était évident que quelque chose clochait.

Ils s'avancèrent ensemble vers le morceau de pierre qui avait bien failli leur donner à chacun une hernie.

« Je n'y crois pas, dit Klein d'une voix résignée. Je n'y crois pas. » Il regarda Sherman, lui qui détenait les réponses en matière séquentielle, l'homme qui avait découvert cette science et en connaissait exactement le fonctionnement. Il mendiait presque, il le suppliait de lui donner une réponse qu'il était personnellement incapable de trouver. « Comment cela a-t-il pu arriver ? »

Aucune réponse ne lui parvint. Klein se retourna alors vers le bloc de pierre, fixa une nouvelle fois d'un air incrédule les réceptacles vides et le tatouage parfaitement gravé de Davies. L'homme avait accompli sa tâche, comme on le lui avait demandé, et les Tables du Témoignage, disparues des centaines d'années depuis leur vol à Narbonne en 1132, avaient été placées exactement où Klein l'avait ordonné. La marque en attestait.

Pourtant, elles n'étaient plus là, et ce n'était pas la peine de renvoyer quelqu'un en arrière pour traiter avec Davies, puisque la gravure prouvait que Davies n'était pas en tort. Le blâme en revenait à quelqu'un d'autre, quelqu'un que Klein ne connaissait que trop bien. Simplement, il ne comprenait pas comment cela avait pu se produire, c'est tout.

Il ne le comprenait pas encore.

Kerr contemplait ce qui était écrit, « Va te faire foutre, Klein », d'un air interloqué. Il regarda le symbole ; non pas les bords précis du dessin de Davies, mais la trace rapide au feutre d'un autre.

« De qui est-ce, le tatouage ? demanda-t-il.

— Mason », répondit Sherman.

Comme Klein et Kerr, il n'en croyait toujours pas ses yeux.

« Impossible, répliqua Kerr. Mason n'est pas parti. Il est toujours à L.A., non ? »

Le visage de Klein se crispa sous l'effet de la colère, avec un rictus découvrant ses dents comme un loup protégeant son petit.

« Finissez-en avec Mason, dit-il avec hargne.

— Mais, monsieur... » commença Sherman.

Il allait expliquer qu'en finir avec Mason ne servirait à rien, que l'histoire ne pouvait pas être changée, et que si Mason était venu ici, que ça lui plaise ou non, ni lui ni Klein ne pourraient rien y faire. Même si Mason était encore à Los Angeles pour l'instant, ceci s'était déjà produit et ne pouvait pas être modifié.

Klein ne voulait pas l'entendre. Quand il reprit la parole, on aurait dit un long hurlement désespéré, comme quand on vient de perdre quelqu'un qu'on aime.

« J'ai dit finissons-en avec cette petite merde. *Immédiatement !!!* »

36

Samedi 11 juin 2011
Carcassonne, France

« Le souhait du premier homme avait été la mort, et il l'avait obtenue. »

Après Limoux, la route devenait à deux voies, et la circulation n'avait cessé d'augmenter depuis. Soudain, Sarah ouvrit le sac à dos pour jeter un coup d'œil à son trésor. Je me demandais depuis longtemps quand elle allait le faire.

Dans l'église, elle les avait rangées dans une boîte en bois prévue à cet effet, une boîte de couleur claire, basique, du genre à mettre ses souvenirs avant de les ranger soigneusement en bas d'un placard. Par chance, elle était juste assez grande, les tables faisant un peu plus de quinze centimètres de diamètre, avec du coton au fond pour les protéger. On ne pouvait pas faire mieux.

Les tables avaient été sculptées dans une pierre d'un noir satiné, du noir le plus noir qu'on puisse imaginer, avec des reflets pourpres à la lumière. Essentiellement rondes, elles présentaient d'étranges manques à différents intervalles sur leur circonférence, peut-être une cinquantaine en tout, qui donnaient aux pierres l'apparence d'une sorte de système d'embrayage antique.

Mais au lieu de simples indentations, elles étaient incurvées comme une lettre « S », un peu à la façon du yin et du yang. En leur jetant de temps en temps un coup d'œil tout en conduisant, je voyais que les formes étaient parfaitement symétriques et que les tables devaient s'emboîter l'une dans l'autre à n'importe quel endroit. La surface était très décorée, avec une série de symboles sculptés et travaillés en relief comme je n'en avais jamais vu. Ils ne paraissaient pas tellement différents des hiéroglyphes qu'on voit sur les tombes égyptiennes antiques, tout en ayant également l'apparence de caractères grossiers comparables à l'araméen.

À moins que ce soit une combinaison des deux.

Qu'est-ce que j'en savais ?

Les symboles formaient une série de cercles ondulants qui produisaient des vagues qui s'emboîtaient, et ils étaient tellement fins qu'ils auraient pu être tracés au laser. Probablement, le fait de faire tourner les disques et de les enclencher ensemble à différents angles devait permettre différentes combinaisons de symboles, donc différents résultats. Peut-être tous les résultats avaient-ils leur propre intérêt, ou peut-être contribuaient-ils à un autre résultat, plus profondément dissimulé.

Puis à un autre et encore un autre.

Là encore, qu'est-ce que j'en savais ?

« Comment fonctionnent-elles ? demandai-je en me concentrant plutôt sur un autocar bleu foncé qui venait de signaler qu'il allait s'arrêter devant nous.

— Je n'en ai pas la moindre idée », dit Sarah en les retournant toutes les deux entre ses mains et en emboîtant les cannelures.

On aurait dit une ado face à son premier Rubik's

Cube. « Je compte quarante-neuf crochets et quatre côtés plans, ce qui donne un nombre de combinaisons égal à quarante neuf puissance quatre. Ce qui... »

En moins d'une minute, elle avait effectué le genre de calcul mental qui m'aurait pris au moins une semaine.

« ... donne près de six millions de combinaisons. Et ça sans tenir compte des cercles intérieurs.

— Il faudrait un ordinateur sacrément puissant pour décoder ça.

— Peut-être. Sauf que je ne vais pas en laisser l'occasion à l'ordinateur de qui que ce soit.

— Ce n'est pas justement la question ? Les déchiffrer ?

— Nick... elles constituent les réponses à la façon dont marche le monde. J'ai une théorie très précise sur ce qui arriverait si quelqu'un obtenait ces réponses... et disons simplement que ce n'est pas joli-joli.

— C'est-à-dire ? »

Elle s'appuya en arrière, leva les disques en direction du pare-brise et les fit tourner dans tous les sens en guettant les myriades de minuscules taches provoquées par la lumière.

« Vous m'avez dit un jour que si quelqu'un parvenait à contrôler les nombres, il pourrait se prendre pour Dieu, c'est bien ça ? » J'acquiesçai. « Je n'en crois rien, continua-t-elle. Je crois qu'il s'en approcherait, ce qui n'est pas du tout la même chose. Si ce qui peut être en train de nous suivre à la trace pour l'instant n'est plus nécessaire, et, pire encore, s'il est remplacé par la chose qu'il s'est toujours efforcé de contrôler, alors le monde que nous connaissons cessera d'exister. Nous tâtonnons beaucoup trop et comprenons trop peu de choses. Nous ne devrions pas être autorisés à réussir dans cette affaire. C'est comme pour les hommes politiques. Celui qui veut vraiment le devenir devrait automatiquement en être empêché. »

Nous empruntâmes une bretelle qui nous fit déboucher sous l'autoroute, et je pris à gauche sur la D6161.

« Vous pensez que toute personne qui cherche à décrypter ces choses veut devenir... Dieu ? »

Elle avait reporté son attention sur les tables et affichait un air d'intense satisfaction à la perspective de ce qu'elles pouvaient représenter. Elle les regardait comme s'il s'agissait d'une photo ancienne. « Disons peut-être pas Dieu en soi, mais en tout cas devenir quelqu'un dont il vaudrait mieux s'abstenir d'être, c'est sûr. »

Elle se tourna pour me regarder de côté d'un air inquisiteur. « Ce que nous avons ici, Nick, c'est une patte de singe. »

Je me tournai un instant et lui jetai un regard noir.

« Que voulez-vous dire ? C'est quoi, une patte de singe ?

— W. W. Jacobs, dit-elle. C'est un écrivain de livres d'horreur, bien que, comme beaucoup de ses confrères à l'époque, ce fût plutôt un philosophe. Il utilisait simplement l'horreur pour mettre en avant ce qu'il considérait comme des problèmes véritablement effrayants.

— Et il pensait qu'une patte de singe était effrayante ?

— Bien sûr. L'histoire concernait la famille White : la mère, le père et leur fils bien-aimé, Herbert. Un soir, un vieil ami de M. White était arrivé chez eux après avoir voyagé en Inde, et il avait apporté une patte de singe momifiée. Selon lui, elle avait le pouvoir de réaliser trois vœux de trois hommes différents. Il avait utilisé les trois qui lui revenaient, comme l'avait fait un autre homme, mais il n'avait pas paru particulièrement satisfait à propos de ceux qu'il avait faits lui-même, sans jamais expliquer en quoi ils consistaient. Ce qu'il avait dit en revanche, c'était que le troisième vœu du premier homme avait été la mort, et qu'il l'avait obtenue. Il avait été convaincu de remettre la patte à M. White, tout en reconnaissant qu'il aurait préféré la voir brûler.

— A-t-il fait ses trois vœux ?

— Il en a fait seulement *un*, expliqua-t-elle. Il souhaitait avoir deux cents livres. Rien ne se produisit de toute la nuit, mais, au matin, M. et Mme White reçurent quelqu'un de l'usine où travaillait leur fils. Herbert avait été happé dans une machine, et l'homme avait été envoyé pour leur proposer une compensation financière.

— Deux cents livres ? »

Elle acquiesça.

« Deux cents livres. Mme White demanda alors à son mari de faire un deuxième vœu : que leur fils soit toujours en vie. Et ça a marché. Herbert fut ressuscité des morts et revint frapper à la porte.

— Mais… ?

— Mais avant que Mme White n'ouvre la porte, son mari reprit ses esprits et mit le dernier vœu à profit pour renvoyer ce que leur fils était devenu dans sa tombe. »

Je me mis à rire.

« La morale de cette histoire étant… ? Ne jamais se fier à une patte de singe ?…

— Pas du tout. La patte n'a jamais eu le mauvais rôle dans l'affaire et n'a jamais été désignée comme telle. La patte a seulement servi à focaliser les désirs de quelqu'un. Des désirs *humains*. Exactement comme l'argent n'est pas la mère de tous les maux. »

Je hochai la tête pour lui montrer que j'avais compris.

« Mais l'*amour* de l'argent est… ?

— C'est ça, le problème. Il n'est pas question de ce que ces tables peuvent ou non permettre ; il s'agit de ce que les gens peuvent ou non réussir une fois qu'ils les ont. Pour tous les gens dans ce monde qui militent pour la paix et pour que ses habitants se sentent aussi libres que des oiseaux, je vous en trouve au moins deux ou trois prêts à tuer quelques oiseaux et à occuper le perchoir.

— Alors, qu'est-ce que vous allez faire avec ? » demandai-je.

Cela me semblait être la question primordiale, compte tenu de la méfiance innée que j'entretiens depuis toujours envers les gens qui se cramponnent aux choses sous prétexte qu'ils les jugent trop dangereuses pour être transmises à d'autres. « Vous avez probablement été missionnée par quelqu'un, et, pour toucher vos émoluments, il faut probablement que vous les lui donniez, non ? Ou nous nous sommes levé le cul et nous avons failli mourir pour des clopinettes ? »

Sarah sourit.

« J'ai été missionnée par quelqu'un, dit-elle. Mais comme je vous l'ai déjà dit, le paiement que je reçois n'a rien à voir avec ce que vous pouvez croire. Donc, il ne va pas les récupérer. Le seul paiement que je veux maintenant est la certitude qu'elles ne seront jamais retrouvées. Jamais.

— Alors, qu'est-ce que vous allez faire avec ? »

Elle commença à les remettre dans la boîte, comme si elle avait brusquement l'impression, rien qu'en les tenant, de s'aventurer sur un terrain beaucoup trop sanctifié. Elle referma le couvercle, les faisant disparaître.

« S'il y a au moins une chose dont je suis certaine, c'est que ce monde est ce qu'il est parce que deux séries de choses très distinctes s'y sont produites.

— C'est-à-dire ?…

— Premièrement, répondit-elle, il y a les choses que nous connaissons. Et deuxièmement, il y a celles que nous ignorons. Et ce n'est pas parce que nous *ignorons* quelque chose que ça signifie que son rôle n'a pas été déterminant. »

Elle respira à fond et regarda autour d'elle.

« Qui sait, peut-être quelque part dans les parages la technologie existe pour construire un engin tellement puissant qu'il pourrait détruire la planète entière en un éclair. Peut-être a-t-il déjà été construit et qu'il attend là-bas. Si quelqu'un est *au courant* de ce genre de technologie, je pense alors que la meilleure chose à faire vis-à-vis de nous tous est de ne rien dire, non ?

— Et vous croyez que ce que vous avez dans cette boîte est un signal ?

— En vérité, je ne sais pas ce que j'ai dans cette boîte. Honnêtement, je préfère même ne pas le savoir.

— Mais si cette chose ne devait pas faire sauter le monde ? Et si ce que vous avez entre les mains permettait de guérir toutes les maladies imaginables ? »

Tandis que nous entrions avec la Fiat dans le parking réservé à Europcar, elle eut un sourire résigné et replaça soigneusement la boîte dans le sac à dos. Bien en sécurité.

« Même si celles-ci *constituent* le remède ultime dans la prévention des maladies et les guérissent, le monde serait tout aussi cinglé, c'est moi qui vous le dis.

— Je ne vous suis pas.

— Des millions de gens en moins qui meurent prématurément ? La surpopulation atteignant des niveaux endémiques ? Ne pensez-vous pas que nos fantastiques... », et elle souligna le mot d'un ton sarcastique, « ... avancées en technologie font que déjà suffisamment d'entre nous sont en surnombre, et qu'il est inutile d'ajouter au problème ? Une perte de sélection naturelle conduirait à un effondrement économique planétaire. Pas suffisamment de travail, de nourriture, de logements, et une industrie médicale tout entière qui, en dépit de ses aspects plus noirs, contribue à soutenir cette économie déjà défaillante. Et que dire de la religion ? Les gens auraient-ils encore besoin de quelque chose vers lequel se tourner en absence de douleur et de souffrance ? Qu'est-ce que Dieu sans la mendicité, et qu'est-ce que la mendicité s'il reste de moins en moins de choses à mendier ? »

Elle regarda par la fenêtre et observa le monde qu'elle s'efforçait de protéger.

« Ne vous y trompez pas, Nick, il y a des loups déguisés en agneaux.

— Pourquoi ne pas simplement détruire les tables et en finir avec ça ? Quel que soit l'endroit où vous les cachez, elles finiront par être retrouvées, même si ça doit prendre encore trois cents ans. C'est la loi des grands nombres.

— Ce que Dieu a uni, ne laissons pas l'homme le séparer », dit Sarah, sa voix sonnant comme un défi dans la voiture.

Son raisonnement était simple ; sauf exception, compte tenu de ses attaques incessantes sur la planète Terre elle-même, comment l'homme pouvait-il détruire ce que Dieu avait créé ?

Je lui jetai un coup d'œil approbateur. « Vous l'aviez déjà dit, vous le redites. Vous connaissez votre bible par cœur. »

Elle sourit.

« Risque du métier.

— Qu'allez-vous en faire ? Les cacher ? »

Elle réfléchit un moment à ses différentes options. Quand elle reprit la parole, on aurait dit qu'elle n'avait toujours pas trouvé de réponse ; comme si celle qu'elle avait choisie était un pis-aller.

« Non, je ne crois pas que je vais les cacher. »

Sur ce, je passai de « un peu incertain » à « sérieusement perturbé ».

« Vous n'allez pas les cacher ?

— Non », dit-elle.

Elle détacha sa ceinture, descendit de la voiture et se retourna, en baissant légèrement la tête pour me regarder par la portière ouverte ; comme lorsque nous étions arrivés à son appartement. « *Vous* allez le faire. »

37

VENDREDI 14 AOÛT 2043
5ᵉ ET ALAMEDA, LOS ANGELES,
CALIFORNIE

Les lumières du couloir retrouvèrent toute leur intensité, et, quelques secondes plus tard, la porte en miroir s'ouvrait dans un murmure. Deux gardes entrèrent, dont l'un resta à la porte avec la commande, tandis que l'autre franchissait les quelques mètres jusqu'aux barreaux de Mason.

Mason n'avait pas pris la peine de se lever.

Pas cette fois.

« Debout, tourne-toi, le dos contre les barreaux. »

Pour la première fois de sa vie, Mason ne savait plus quoi faire. Apparemment, les choses se passaient exactement comme la salope l'avait dit, mais il ne pouvait pas en être certain. D'ailleurs, quel intérêt avait-elle à vouloir aider Mason ? Elle le détestait, ce qui l'enchantait. Peut-être était-ce un piège. Peut-être miss String voulait-elle simplement qu'il tente quelque chose pour qu'ils puissent déclencher le système. Mais pourtant, elle avait échangé le système ?... Il resta sur sa couchette, sans bouger, et réfléchit quelques instants, essayant de décider quoi faire. Mais il réfléchit un peu trop longtemps.

« J'ai dit debout, espèce de petite merde. Tourne-toi et mets-toi le dos contre les barreaux. »

C'était un piège. Forcément. Il n'aurait jamais dû accepter de s'enfiler dans le cul la saloperie qu'elle lui... avait donnée. Ils allaient la trouver, même s'il se tenait à carreau, et ils en profiteraient pour se le faire. Mais ils ne devraient pas le tuer pour autant. Pas pour avoir eu un bouchon en caoutchouc là où le soleil n'avait aucune chance de pénétrer.

Il se leva lentement de la couchette en marmonnant et se tourna en s'appuyant contre les barreaux, comme on le lui avait ordonné. Et juste avant, il regarda le gardien à la porte, qui souriait probablement de toutes ses dents sous ce viseur tandis qu'il levait la commande ; avec Mason parfaitement visible dessus, blanc sur rouge. C'était sûrement le mauvais dispositif.

Vraiment ? La salope avait pu les échanger une nouvelle fois après son départ... Avec les deux mignons ici présents, elle avait peut-être imaginé un plan, du genre quand le chat n'est pas là... et ils voulaient s'amuser avec le petit cul de Mason ? Lui faire perdre quelques membres après avoir parié deux dollars ? Peut-être étaient-ils en train de mettre ce vieux Mason à l'épreuve, histoire de voir s'il était aussi bête qu'il en avait l'air ?

Faute de réponses immédiates, ou de choix possibles, il préféra s'exécuter et se tourna, le dos contre les barreaux. Les chaînes claquèrent quand elles furent mises en place, et le garde recula en faisant un signe de tête à son ami. Il entra le code correspondant à la porte de Mason, et l'ensemble des barreaux s'enfonça dans le sol.

Il se sentait nu. Pire encore, il se sentait terrifié. Jeffrey Mason sentait se dresser les poils sur sa nuque et son ventre gargouiller comme s'il était pris de coliques. Il se tourna face aux gardes en tremblant doucement.

« Où vous emmenez Mason ? demanda-t-il.

— Avance, dit le garde.

— Où vous emmenez Mason ? » répéta-t-il sans avancer.

Le garde jeta un coup d'œil à son ami pour s'assurer qu'il avait bien le doigt sur le bouton, puis il s'avança, son viseur juste sur le visage de Mason. « T'es déjà suffisamment dans la merde comme ça, Mason, dit-il d'un ton sévère. Il vaudrait mieux que tu n'aggraves pas ton cas. À présent, avance comme un gentil petit garçon. »

Tu es déjà suffisamment dans la merde comme ça, Mason.

Exactement ce qu'avait dit la salope. Dans la merde, et Mason ne savait même pas ce qu'on lui reprochait. D'après la salope, il ne pouvait pas le savoir parce qu'il ne l'avait même pas encore fait. Mais quelque chose d'important se préparait, quelque chose dont l'avait prévenu la salope, et Mason n'aimait pas ça. Et même pas du tout.

Il s'avança et se tourna vers la grande porte comme on le lui avait ordonné, tandis que le garde s'approchait sur sa gauche. En un éclair, il pivota, les chaînes atteignirent le garde en plein viseur et le précipitèrent violemment au sol. Stubbs, qui était resté assis sur sa couchette sans se préoccuper de rien, était maintenant cramponné aux barreaux pour voir ce qui se passait dans le couloir, et ses articulations noires blanchissaient à force de les serrer.

Le casque du garde tomba et glissa un peu plus loin sur le sol, sans que celui-ci comprenne tout de suite ce qui lui arrivait. Puis il leva les yeux, aperçut son partenaire et comprit qu'il hésitait, ne sachant pas comment réagir. La situation était bien réelle, exactement ce pour quoi ils s'étaient entraînés, mais justifiait-elle de presser le bouton ou s'agissait-il seulement d'un mouvement d'humeur sans conséquence, comme l'incident entre Stubbs et Edison à la cantine ?

Mais Edison s'était bien fait trancher la gorge, non ? Était-ce au tour de son partenaire de se faire trouer la peau, à présent ? Merde, c'était vraiment grave ou quoi ?

Le garde qui avait aboyé les ordres était couché par terre avec Mason, qui s'acharnait de nouveau sur lui en brandissant les lourdes chaînes, aussi prit-il la décision à la place de son collègue.

« Appuie sur le bouton. Appuie sur ce putain de bouton.

— Vas-y, enculé, hurla Stubbs plus loin dans le couloir. Appuie sur ce putain de bouton. Fais sauter cette espèce d'enculé avec sa grande gueule. »

Il était tout sourire. Le spectacle allait être à mourir de rire.

Une seconde encore, puis le garde se décida à agir – il appuya sur le bouton. Mason était maintenant en train de frapper le type au sol avec les chaînes qui reliaient ses poignets. Chaque fois qu'il frappait, il fermait les yeux avant que le coup n'atteigne son but, sans omettre de vérifier d'abord les lumières rouges à ses poignets.

Aucune ne s'était allumée.

Brusquement, Stubbs se sentit mal et baissa les yeux. Il avait aperçu quelque chose du coin de l'œil, sans comprendre de quoi il s'agissait. Pas du premier coup. Même quand il le vit pour de bon, il lui fallut un instant pour réaliser. Les lumières rouges sur ses poignets étaient allumées. Il tourna les bras et les fixa sans y croire. Puis, il leva les yeux et hurla.

« Eh ! ce n'est pas le bon... » Les quatre secondes s'étaient écoulées et ils explosèrent tous avec un parfait synchronisme. Six petits engins explosifs sur chaque membre, régulièrement espacés, et conçus pour se déclencher, comme des missiles miniatures, directement dans la chair. Un petit éclair apparut de l'autre côté du métal, et Stubbs écarquilla les yeux. Ça ne pouvait pas se produire. C'était un horrible cauchemar. Mais c'était bien en train de se produire, car l'instant d'après il vit ses mains, ses propres mains, tomber par terre, séparées de son corps comme dans un film d'horreur. Et son équilibre ? Où était parti son équilibre ? Car ce n'étaient pas seulement ces grandes mains noires qui tombaient, c'était aussi Stubbs lui-même. C'est probablement deux ou trois secondes après qu'il eut touché le sol, voyant le sang couler à flots de ses extrémités comme du vin renversé, qu'il finit par ressentir la douleur ; quelque chose d'inimaginable. Comme si, en plus de lui avoir arraché les mains et les pieds, on lui avait aussi enfoncé des fers rouges dans ses plaies.

Il hurlait à en faire trembler les murs.

Mason avait fini de s'acharner sur le garde et traînait ses pieds toujours entravés le long du couloir en direction de l'ascenseur. L'ascenseur menant au labo. Le gardien indemne regarda au bout du couloir, puis il s'avança, et, en passant devant la cellule de Stubbs, il vit une masse noire accrochée aux barreaux, avec du sang dégoulinant par terre. Il comprit aussitôt ce qui était arrivé. Il avait pris le mauvais détonateur. Mais comment... ?

Le plus rapidement possible, le garde entra de nouveau

le code de la porte et courut dehors en direction de l'autre. Mason jeta un coup d'œil à Stubbs, qui était maintenant allongé par terre, quasiment en position fœtale, en train de hurler et de gémir, et il sourit malgré lui.

Il ne ralentit pas, mais en profita quand même pour dire : « Ça doit faire drôlement mal, pas vrai, négro ? »

Qu'est-ce que la salope avait dit ? pensa Mason. Le code ? Elle lui avait donné un moyen pour le mémoriser, comme s'il était bête, mais elle avait dit que ça marcherait. C'était une sorte de truc pour se souvenir. *C'est une bonne position pour les gens que vous avez tués.* Il prit le pavé numérique en priant pour qu'elle ne se soit pas foutue de lui. Si c'était le cas, dans dix secondes, Stubbs ne serait plus le seul à être couché là sans mains ni pieds en train de hurler comme un bébé affamé.

Il prit le pavé numérique et leva ses deux mains que les chaînes séparaient encore d'une vingtaine de centimètres. *Une bonne position*, il s'en souvenait maintenant, *soixante-neuf*. Comme la position sexuelle. *Pour les gens que vous avez tués.* Tous les connards et leurs chiens savaient que Mason en avait descendu *quinze*. Le gros juge l'avait répété trois fois à l'intention des journaleux, cinq minutes à peine avant qu'il ne fasse retomber ce bon vieux marteau. Cette fois, les dés étaient jetés, et la salope avait intérêt à ne pas laisser tomber Mason, pensa-t-il. Il entra les chiffres aussi rapidement que ses bras entravés le lui permettaient. Six-neuf-un-cinq, et...

Les portes s'ouvrirent.

Pas le temps de souffler, car souffler c'était mourir. Qu'est-ce qu'elle avait dit, encore, à propos de l'ascenseur ? À propos des cellules fermées, car il y avait des bureaux dans le bâtiment à côté. Insonorisées, blindées, protégées contre l'humidité et tout. Parfaitement, tout. Comme les commandes. Elles ne fonctionnaient pas, pas à travers des murs et des portes d'une telle épaisseur. Mais s'il y avait un espace, ne serait-ce que d'un seul millimètre, quand le type presserait le bouton, alors il n'y aurait plus aucune garantie.

Il enclencha le système pour refermer la porte tandis que le garde qu'il avait tabassé courait dans le couloir pour le rattraper, glissant sur le sol ensanglanté et son propre sang coulant sur son front et dans ses yeux.

Les portes commencèrent à se refermer.

Le garde passa les doigts dans la fente. Juste le bout de ses doigts rouges de sang, cela suffirait. En fait, si on appuyait sur ce bouton, cela suffisait largement. Mason frappa sur les doigts du type, et le cliquetis de l'acier résonna à travers les murs de l'ascenseur métallique. Puis il entendit l'autre voix, l'autre garde.

« Dégage, Karl. »

Karl, le type qui recevait des coups sur les doigts. Son copain ne voulait pas qu'il soit pris dans les mini-explosions, au risque de perdre lui aussi un doigt.

La main recula et la porte se referma presque. Pas assez vite au goût de Mason. Ça lui laissait tout le temps qu'il fallait pour presser ce bouton et que Mason rentre chez lui en boitant. Ferme donc, nom d'un chien.

Mais un autre bruit retentit alors. Comme du plastique sur quelque chose de dur. Comme quand on laisse tomber quelque chose. Ouais, c'était bien ça. L'enculé avait tellement paniqué qu'il avait laissé tomber cette satanée commande.

Mason ne pouvait rien voir, mais le garde tomba à genoux et rattrapa la commande à son premier rebond. Il appuya sur le bouton tout en douceur. Il leva les yeux, son ami était assis dos contre la porte de l'ascenseur, épuisé. La porte qui s'était refermée. Il appuya une nouvelle fois. Rien. Il jeta la commande dans le couloir. Elle cogna contre le mur sur le côté de l'ascenseur et rebondit dans la cellule dix-neuf.

« L'escalier, dit Karl en se relevant. Va chercher les fusils. »

Ils sortirent du couloir en courant. Karl attrapa deux mitraillettes dans un râtelier au pied d'un escalier et en lança une à son partenaire. Les deux se précipitèrent en haut de l'escalier, leurs rangers résonnant sur les marches métalliques.

Mason, entre-temps, était déjà dans le labo. Il y avait tellement de choses à se rappeler, mais il n'avait pas vraiment le choix. Ils n'allaient pas tarder à arriver.

OK, pensa-t-il, grande pièce. Console en premier. La grande près de la fenêtre. Tout en bas à gauche, le bouton « Démarrer ». Remonte l'interrupteur sur « Autoposition » et appuie sur le bouton rouge. Puis, jusqu'à l'ordinateur, tiens… merde, c'était quoi ? « Échap » et « Retour », c'est ça, jusqu'à ce que la boîte apparaisse. Puis, entre un-huit-sept et appuie encore une fois sur « Retour ». Puis, de nouveau sur la grande console. Interrupteur rouge pour « Porte », sur la gauche, enfonce-le.

La porte est ouverte, bonne chose. Bras bloque le roulement, bonne chose aussi. À présent, bouton orange un, en haut à gauche. Allume-le. Où diable peut bien se nicher bouton orange un ?

Il examina intégralement la console de haut en bas, sans se souvenir de l'endroit où il devait se trouver. Puis il le vit, ou les vit, au milieu à droite. Deux boutons orange l'un à côté de l'autre. Et celui sur la gauche est numéro un. Allume-le – bien –, un écran numérique est en train de s'afficher. Alors, prépare-toi, car la salope a dit qu'à la seconde où tu appuies sur le bouton orange deux, tu as moins de cinq secondes pour te jeter sur la gauche et franchir cette grande porte. C'était le délai maximum autorisé par le système. Trois secondes, c'est déjà drôlement court quand on est libre de ses mouvements, et encore plus quand on a une barre en acier de vingt centimètres qui relie vos jambes.

Mason respira profondément, leva ses bras enchaînés au-dessus de l'interrupteur et se prépara. Il regarda l'affichage numérique, il avait cessé de monter et s'était arrêté ; un-huit-sept. On n'entendait plus qu'un bourdonnement, maintenant. Il n'était pas certain que ce soit seulement dans sa tête.

Puis il les entendit, les cons, en train de monter l'escalier quatre à quatre. Merde, merde, et trois fois merde. Il ne pouvait plus réfléchir, il n'avait plus le temps de réfléchir. Il appuya sur le bouton orange deux, celui à droite, et plongea à gauche, tournoyant sur ses pieds et retombant en arrière dans le sas. Il appuya sur l'interrupteur, et le demi-cercle dans lequel il se trouvait tourna de façon à le mettre face au labo.

Il voulut respirer, mais en vain. C'était comme si tout l'air autour de lui avait été volé, ce qui ne l'empêcha pourtant pas de se jeter sans rien voir à l'intérieur. L'autre porte menant au labo s'ouvrit alors en grand, et, à travers la vitre, apparut Karl, le type aux doigts meurtris. Mais un de ces doigts pressait maintenant sur la détente d'un fusil. Pourtant, il ne pouvait toujours pas respirer ; il avait l'impression que l'air lui tirait la peau.

On entendit un hurlement terrible, le plus fort qu'il ait jamais entendu, et même Mason se demanda s'il provenait de Mason. Puis une lumière brillante, plus brillante que le paradis, et quelques plus petits éclairs de lumière entre. Ceux-ci, toutefois, venaient du côté de chez Karl. Karl avec son gros con de fusil.

Des bruits. Des bruits forts. Comme du verre qui se brise en mille morceaux. Pas devant ni derrière, mais partout, tout autour de lui, les débris se fracassant sur le sol comme des plaques en acier. Mais pas seulement du verre. Non, une partie de tout ça était plus épais, plus lourd. Des carreaux en train d'être cassés avec un marteau peut-être, avec des tessons volant partout, et un brusque courant d'air froid autour de son corps.

Suivi par la sensation la plus chaude et la plus réconfortante que Mason ait jamais éprouvée de toute sa vie, comme s'il était plongé dans un bain chaud après avoir passé une semaine au froid.

Et cette lumière. Tellement brillante. Presque aveuglante, mais pas trop agressive quand même pour qu'on puisse la fixer. Il tourna la tête et regarda tout autour. Tout était blanc, bien qu'il ait l'impression de choses dissimulées. Des objets qu'il reconnaissait, mais tout... blanc. D'énormes poubelles blanches avec des roues blanches à côté de cartons blancs. Et il y avait aussi des portes blanches, et ce qui ressemblait à une issue de secours. Il regarda de nouveau les boîtes. Toutes avaient des choses écrites dessus, mais seulement des formes. Comme des symboles. Des caractères orientaux, peut-être. Du japonais ? Du chinois ?

Où diable pouvait bien être Mason, en tout cas ? Était-il mort ou vivant ? Il ne s'était jamais senti aussi vivant de sa vie, mais s'il était mort, il devait avoir atterri au paradis chinetoque par erreur. Et il sentait la chaleur de sa poitrine et de ses bras. Pas une chaleur stagnante, mais une chaleur active. Comme de la mélasse chaude lui coulant sur le corps de la tête aux pieds.

Il fallait qu'il fasse quelque chose. Il s'en souvenait, maintenant. Quelque chose pour la salope. Une sorte de « service », et ça concernait la chose qu'elle lui avait demandé de s'enfiler dans le cul ; un bout de papier, ou quelque chose dans le genre. Avec un nom écrit en haut et un numéro. Une fille. Il fallait qu'il retrouve la fille pour la salope. Il se sentait faible. Elle était dans un genre d'asile. Une espèce d'arbre. Non, pas ça, ça sonnait mal.

Seigneur Jésus, il se sentait vraiment faible. Qu'est-ce que ça pouvait bien faire, maintenant ? Il allait partir, et, merde, il ne serait pas question de paniquer à ce moment-là. C'était dur à comprendre, mais il serait sain et sauf. Libre. Définitivement dans ce putain de monde. Il s'en préoccupe rait à ce moment-là. Pourquoi n'arrivait-il pas à respirer ? Après tout, il pourrait parfaitement livrer ce truc, la salope lui avait quand même sauvé la peau, pas vrai ? Même si elle ne l'avait pas fait, elle avait quand même trouvé un moyen pour le faire sortir des cellules, le libérer. Doux Jésus, que lui arrivait-il ?

Et tout était toujours tellement blanc. D'un blanc immaculé, encore plus blanc à chaque seconde de sa vie qui s'en allait ; les détails les plus ténus des objets qui l'entouraient s'effaçant progressivement. Plus blanc et plus blanc, jusqu'à ce qu'il n'y ait plus rien, sinon le blanc absolu de la blancheur elle-même.

Recroquevillé en position fœtale sur les pavés glacés de la ruelle derrière le supermarché chinois de M. Yang, Mason était mort.

38

SAMEDI 11 JUIN 2011
CARCASSONNE, FRANCE

L'aéroport Salvaza, de Carcassonne, n'a pas grand-chose à voir avec LAX. C'est même carrément un drôle d'aéroport, situé en campagne, à deux kilomètres du centre-ville, avec un seul terminal et une seule piste. Donc, sans beaucoup d'endroits où se cacher. Alors que nous allions en avoir bien besoin.

Et même très bientôt, à mon avis.

Après avoir rendu la Fiat et nous être fait arnaquer sur le kilométrage, nous entrâmes dans le terminal proprement dit et nous dirigeâmes vers le comptoir tout jaune d'Air Liberté pour acheter des billets pour le prochain vol vers Paris. Pendant que la femme vérifiait nos papiers, je trépignais d'impatience, en me retournant constamment pour regarder en direction des portes d'entrée. Ils devaient savoir exactement où nous nous rendions et ils ne tarderaient pas à être là. J'en étais sûr.

Finalement, on nous tendit nos billets et la femme nous informa, en parlant comme un ventriloque, avec ce sourire forcé typique du personnel aérien, qu'il nous restait une demi-heure avant le vol. Je priai Dieu pour que ça suffise.

J'allais me diriger tout droit vers la porte d'embarquement quand Sarah me demanda d'attendre et s'engouffra dans la minuscule boutique de cadeaux. Qu'est-ce qu'elle pouvait bien fabriquer ? J'occupai mon temps à regarder nerveusement à travers la vitre, et encore plus nerveusement à observer le terminal d'un bout à l'autre, m'attendant à chaque instant à voir surgir les deux têtes que je ne voulais surtout pas voir.

Ils avaient tiré sur le vieux en pleine tête, et je me doutais bien qu'ils ne se gêneraient pas avec nous. On pouvait aussi parier que les deux en question n'avaient aucune existence réelle, pas officiellement en tout cas. Comme le parchemin qu'ils avaient tellement tenu à déchiffrer. Ils n'avaient probablement pas de permis de conduire ni de numéro de Sécurité sociale. Ils surgiraient, nous verraient et nous transformeraient sur-le-champ en passoires, même avec cinquante personnes dans les parages. Ensuite, ils s'approcheraient comme s'ils allaient chercher le courrier, prendraient ce dont ils avaient besoin et partiraient.

Avant que les gens ne se rendent compte de ce qui s'était produit sous leurs yeux, ils seraient partis. Ils auraient disparu. Personne ne les reverrait jamais, n'entendrait plus parler d'eux. Je regardai tout autour et derrière les autres passagers.

Le vieil adage, plus on est nombreux, moins il y a de danger, s'était définitivement fait la malle.

Sarah ressortit quelques longues minutes plus tard avec du papier d'emballage et de l'adhésif transparent. J'avais beau avoir l'air pressé de foutre le camp de France, elle continua sur sa lancée sans se préoccuper de moi. Elle s'excusa et se dirigea vers les toilettes, à mon grand dam. Décidément, elle devait avoir envie de mourir ; elle avait peut-être passé un pacte secret pour aller retrouver son créateur.

Quand elle revint, au bout de cinq minutes, j'étais fou de rage. Elle portait quelque chose qui ressemblait à la boîte.

Enveloppée dans du papier kraft. Comme un cadeau.

« Qu'est-ce que vous foutez ? » demandai-je en lui emboîtant le pas sur toute la longueur du terminal. Elle se faufilait négligemment entre des gens qui semblaient ne pas savoir où ils se trouvaient, et encore moins ce qu'ils faisaient là.

« Je m'envoie un paquet à moi-même », dit-elle tout de go en s'arrêtant devant un comptoir DHL et en se mettant à plaisanter.

Le temps qu'elle enregistre le paquet, je commençai à comprendre pourquoi elle me mettait tellement hors de moi en permanence. C'était aussi pour ça qu'elle m'avait fait réfléchir sur la route de Serres et que je m'en étais pris à elle en en ressortant. C'était à cause de ce sentiment qu'elle suscitait chez moi.

J'avais cru que c'était de la culpabilité, mais ce n'était pas ça. La culpabilité, j'aurais pu vivre avec, étant donné qu'elle ne m'avait pratiquement jamais quitté toutes ces années. Non, ce que je ressentais maintenant, en sa présence, c'était une certaine inadaptation. J'avais été incapable d'affronter les conséquences de l'affaire Casparo, ce qui m'avait empêché d'y repenser sans m'abrutir au préalable dans les vapeurs de l'alcool. C'était ça qui avait poussé Katherine à partir en emmenant Vicki, et je n'avais pas réussi à mieux affronter ça. Je n'étais pas un méchant homme, seulement quelqu'un de complètement… inadapté. Et c'est ce qui me rendait tellement furieux, à présent. Je commençais à m'apercevoir que, tout en prenant part à cette joyeuse petite virée, je n'y jouais aucun rôle. J'étais la doublure de l'actrice la plus en forme du moment.

C'était Sarah qui savait ce que le latin signifiait, c'était elle qui avait remonté sa trace jusqu'en France et c'était sa sœur qui nous avait donné l'indice menant à l'église. L'indice que Sarah, encore elle, avait remarqué pendant que nous étions en train de boire notre café. C'était également Sarah qui avait décidé que nous ferions un détour pour voir Kelly, et Sarah qui avait décidé de perdre de précieuses minutes pour acheter de quoi emballer son paquet et se l'expédier à elle-même.

Qu'est-ce que je faisais là ? Tout le travail de policier était fait par une gamine qui était justement en train de signer des formulaires sur le comptoir devant moi. J'étais aussi inutile que ça ?

C'était ça qui me rendait tellement furieux ?

Ayant signé tous les documents nécessaires, Sarah paya en espèces, et le paquet vint grossir la pile en partance. Elle avait demandé qu'il soit remis en main propre au destinataire, elle-même en l'occurrence, ce qu'ils ne remarquèrent pas à l'antenne de DHL à LAX. Puis elle se tourna vers moi avec un sourire triomphant.

Mission accomplie, partons.

« Ils expédient à l'étranger directement d'ici et garantissent une livraison dans les dix heures, expliqua-t-elle pendant que nous nous dirigions enfin vers la porte d'embarquement, avec maintenant moins de cinq minutes d'avance. Avec le transfert à Paris, nous n'atterrissons pas à Los Angeles avant 11 h 30 demain. Le paquet y sera avant nous et nous pourrons le récupérer en arrivant.

— Et ce n'est pas dangereux ? » demandai-je.

Voilà qu'elle remettait les « Lois divines de Dieu et de l'homme », ou quelque chose dans le genre, aux bons soins d'un transporteur. Je ne voudrais pas jeter la pierre à DHL. Je suis certain qu'ils sont très soigneux, mais, personnellement, je n'aurais jamais quitté ces foutus trucs des yeux.

« J'ai souscrit une assurance supplémentaire », dit-elle avec un sourire en coin. Notre vol avait été annoncé et des voyageurs à destination de Paris commençaient déjà à présenter leur carte d'embarquement. « De toute façon, c'est nettement plus sûr qu'un bagage à main, dit-elle. Surtout si ces deux-là décident de nous suivre dans l'avion... »

Elle regarda brièvement en arrière.

Je compris aussitôt à qui elle faisait allusion. Je me contentai d'un petit coup d'œil, mine de rien, et je les vis. Ils étaient bien là. En train d'observer.

Le type Moitié de Phrase était debout, le visage en partie dissimulé par un pilier beige carré à une dizaine de mètres derrière elle, avec un nez dont on aurait juré qu'il avait combattu quinze rounds. Le Fumeur nous tournait le dos, la radio à l'oreille. Je ne sais pas s'il l'avait retirée avec les clés ni si son copain en avait une autre. Avec toute cette excitation, j'avais dû oublier de vérifier, mais de toute façon ça n'avait plus tellement d'importance. Ils savaient que nous étions là, ils savaient quel vol nous prenions, et maintenant, grâce à la radio, quelqu'un d'autre le savait aussi. À mon avis, il s'agissait de... comment l'avait-elle appelé ?... Grier.

J'ignorais quand ils étaient arrivés, ce qu'on leur avait demandé de faire et ce qu'ils avaient réussi à voir jusqu'à présent. Pourvu seulement qu'ils soient arrivés trop tard à l'aéroport pour voir ce que Sarah faisait au guichet DHL.

« Détendez-vous, dit-elle en tendant sa carte. Tout ira bien pour nous. Et pour eux aussi. »

Beaucoup plus tard, deux ans peut-être après tout

ça, j'étais assis seul dans mon nouveau refuge – les falaises de Montalvo –, en train d'écouter le bruit de cymbales des vagues s'écrasant en dessous et de penser à de drôles de choses, quand un élément capital me vint à l'esprit. Le Fumeur, quoi qu'il ait dit à Grier – sur le moment ou plus tard –, ne lui avait pas précisé où en France ils nous avaient suivis, Sarah et moi, quand nous avions trouvé les tables.

Ou, s'il l'avait fait, Grier n'avait jamais pris la peine de le dire à Klein.

Klein était presque seulement un scientifique, non ? Il servait seulement à trouver les tables, et ensuite à se débrouiller pour décrypter les informations qu'elles contenaient. Mais elles avaient été retrouvées, maintenant. Brusquement, les où et pourquoi n'avaient plus tellement d'importance.

Ce qui était une erreur grossière de leur part, je dois dire ; tellement typique de ces méthodes d'investigation différentes que j'ai évoquées précédemment. Nous voulions savoir pourquoi le type était mort ; eux, non. Ils étaient seulement bien contents qu'il le soit. Et maintenant, ils se moquaient bien de l'endroit où se trouvaient les tables ; ou comment nous les avions retrouvées. Ils voulaient juste les récupérer.

S'ils n'avaient pas réussi du tout à récupérer les tables, peut-être se seraient-ils davantage renseignés sur notre enquête, et encore davantage sur le village assoupi de Serres. Sauf qu'ils n'avaient pas échoué. Ils avaient obtenu exactement ce qu'ils voulaient et ils avaient mis dessus leur esprit le plus perspicace – le cerveau le plus puissant – au travail.

Avec l'aide de Tina, il avait fallu à l'équipe de Klein moins de sept mois pour les décrypter.

39

DIMANCHE 16 AOÛT 2043
5ᵉ ET ALAMEDA, LOS ANGELES,
CALIFORNIE

Klein était assis, plongé dans la contemplation de l'horizon ultramoderne de Los Angeles. Déjà un vieillard, il paraissait quinze ans de plus encore.

Toutes les avancées scientifiques mondiales ne lui servaient plus à rien, maintenant. Il n'allait plus récupérer après sa dernière alerte, et il le savait. Il le *sentait*, ce qui n'empêchait pas le monde de tourner, complètement inconscient de la réalité et de la façon dont il fonctionnait encore, alors que les sous-fifres mettaient à profit leurs maigres talents de hackers pour imaginer ce qu'ils auraient pour dîner le soir, ou décider où passer les deux semaines réglementaires offertes par leurs employeurs pour qu'ils ne viennent pas travailler.

Les yeux vitreux et la respiration pénible, il réfléchissait à la façon dont il avait bien failli réaliser le rêve de toute sa vie. Il avait travaillé toute sa vie, littéralement, pour un jour qui arrivait déjà à son terme, et il n'était pas plus avancé qu'avant. Il ne s'était jamais marié, et avait même rarement profité des femmes étant jeune, préférant se plonger dans le travail. Tout ça n'avait jamais vraiment compté pour lui jusqu'à maintenant.

Jusqu'à aujourd'hui.

D'autres auraient pu penser que ça avait manqué à Klein, lui savait que ce serait largement compensé quand son jour viendrait ; quand il serait reconnu dans le monde entier comme le plus grand scientifique de tous les temps. Et ça, durant sa vie, il en avait toujours été persuadé, pas via un truc posthume dont il ne serait jamais témoin. Newton, Einstein, Hawkins, Crick et Watson seraient éclipsés le jour où Klein atteindrait son but ; leurs mânes s'inclineraient devant lui et l'applaudiraient pour avoir enfin réussi à mettre un terme à tous les dilemmes scientifiques, une bonne fois pour toutes. Pour tous les temps.

Plus maintenant. À présent, tout ça avait disparu et, à la différence de ses échecs de la première partie du siècle, Klein savait que si c'était un hoquet, alors c'était le hoquet ultime, et pas même le choc qu'il éprouvait à présent n'allait le guérir. Il ne se présenterait plus d'autre occasion. Le jour de Klein était arrivé, puis il était reparti sans autre preuve que le poids de ses pensées. Il se demandait si les choses auraient été différentes si la décision de se débarrasser sur-le-champ de Mason n'avait pas été prise. Ne se serait-il pas échappé ? Les tables auraient-elles pu être sauvées ?

Même la réponse à cette question semblait être un « non » définitif. Comme Sherman s'était péniblement efforcé d'expliquer au cours du vol de retour de France, les tables avaient disparu depuis longtemps avant que lui, Klein et Kerr ne pénètrent dans la chapelle de Serres. Elles avaient disparu vers le milieu de l'année

2011, compte tenu du chiffre que Mason avait réussi à entrer dans la séquence.

C'était surtout ça qui taraudait Klein, à présent.

Quelque part, d'une façon ou d'une autre, quelqu'un avait trahi, et il ignorait qui et pourquoi. Au début, ses soupçons s'étaient portés sur les gardes, mais s'ils avaient eu la moindre chose à dire, les techniques mises en œuvre n'auraient pas manqué de le leur soutirer. Rien.

Au terme d'une enquête plus poussée, les soupçons étaient tombés sur une autre personne, celle qui, dans quelques minutes, entrerait dans le bureau de Klein où il l'attendait avec Sherman.

Elle n'avait jamais aimé l'idée, et ce depuis le début. Qu'est-ce qu'elle avait dit ? « La pire idée dans une longue succession de très mauvaises idées. » Mais étant donné qu'elle n'avait aucun contrôle sur la suite des opérations, elle s'était tue en attendant son heure. C'était une femme très intelligente. Le moment venu, quand les autres étaient en France, elle avait simplement décidé de tout saboter. Elle était allée voir Mason sans autorisation, ce matin-là, et avait emporté la commande de son détonateur et celle de Stubbs à l'intérieur des cellules.

Tout en parlant à Mason, elle avait échangé ces commandes. Elle avait donné à Mason l'occasion de s'échapper et fait sauter les extrémités de cette grande gueule de Stubbs. Pendant que Mason s'enfuyait, les gardes avaient tiré et ils étaient certains de l'avoir touché. Pourtant, Mason n'avait pas été tué. Il ne pouvait pas l'avoir été. Le croquis grossier de son tatouage n'avait cessé de s'imprimer dans le cerveau de Klein au feutre noir brûlant.

Comment Alison avait-elle pu le trahir, elle, entre

tous les gens ? Si Klein ne pouvait plus lui faire confiance, à qui diable pouvait-il faire confiance ici ? Grands dieux, il la connaissait depuis toujours.

Bien qu'ayant écopé d'une enfance pourrie, Alison Bond avait été comblée pratiquement toute sa vie. Et c'était comme ça qu'elle entendait rembourser sa dette ? La salope.

« Qu'allez-vous faire ? » demanda Sherman, assis devant le bureau de Klein avec un café noir épais.

Klein étouffa un grognement, toujours plongé dans ses pensées, puis il dit : « La tuer. »

Il sortit de sa poche une petite boîte rouge, moitié moins grande qu'un étui à lunettes, et l'ouvrit en grand. À l'intérieur, se trouvait un ensemble de comprimés de diverses couleurs. Bleu, rouge, vert, jaune et rose. D'un côté, bien rangée avec son propre fermoir, on remarquait une capsule noire, deux fois plus grosse que les autres. Son entourage savait que c'était ce comprimé-là qu'ils devaient lui faire avaler de force s'il perdait complètement conscience. C'était l'unique chance qui pourrait lui permettre de prolonger sa vie. Il sortit une pilule blanche, de la mésalamine, semblable à l'aspirine, susceptible de soulager la sensation de brûlure qu'il éprouvait, et referma la boîte.

« Et les tables ? » Comme Klein, c'était tout ce qui importait à Sherman.

Klein fit rouler le comprimé avec sa langue pendant quelques instants puis l'avala. Au début, il détestait le goût de la plupart de ces médicaments et s'efforçait de les avaler sans rien sentir. À présent qu'il en était à huit par jour, y compris trois de ces beautés, il ne les sentait même plus.

Il inspira profondément, la gorge râpeuse. « Elles ont disparu », dit-il, comme si ces mots lui faisaient mal.

Sherman soupira et se mordit la lèvre tandis qu'une lumière clignotait sur le bureau de Klein. Celui-ci acquiesça et appuya sur le carré rouge sans attendre la voix à l'autre bout.

« Faites-la entrer. »

La porte s'ouvrit, et Alison entra. Elle savait parfaitement pourquoi elle était là, bien sûr. Seigneur, elle leur avait laissé suffisamment d'indices. Pas besoin de chien renifleur, rien qu'un œil avisé et une dose de bon sens. À présent, elle entrait dans la phase suivante, et son succès dépendait de l'extrême attention avec laquelle elle choisirait ses mots. Elle sortirait de cette pièce morte, ou extrêmement vivante. Comme lorsque Klein avait ouvert l'autel, c'était son moment de vérité. Celui qu'elle avait attendu toute sa vie.

« Mademoiselle Bond, dit Klein en regardant toujours à travers la vitre. Je suis heureux que vous ayez pu vous joindre à nous. »

Ils l'avaient bien percée à jour. Klein avait recommencé à l'appeler « mademoiselle Bond ». Elle avait beau essayer de se convaincre que c'était une bonne chose, que c'était seulement la phase un, ce n'était qu'une façon de se rassurer. Au fond d'elle-même, elle était une vraie loque.

Elle s'avança jusqu'au milieu du parquet laminé du bureau, ses hauts talons résonnant à chaque pas, et s'arrêta au centre d'un tapis japonais très orné, dont la forme faisait comme un cadre autour d'elle. Ses cheveux étaient attachés en arrière, comme toujours, son manteau blanc drapé sur des vêtements plus décontractés. Et quand Klein se retourna, il lut de la peur derrière ses lunettes demi-lunes. Elle avait toutes les raisons d'être terrifiée, pensa-t-il. Toutes les raisons de craindre pour la vie confortable qu'il lui avait assurée. Lui seul pouvait la lui reprendre en un instant.

« Qu'avez-vous à me dire à propos de la petite catastrophe de vendredi ? » demanda-t-il en s'efforçant de garder son calme.

Alison resta imperturbable. Elle se força à le regarder bien en face et dit :

« Mason s'est échappé.

— Et pourquoi s'est-il échappé ? » demanda Sherman.

Sans l'ombre d'un remords dans la voix, comme si elle constatait un état de fait des plus normaux, Alison répondit : « Parce que je l'ai aidé. »

Klein leva les yeux. Il était blessé, c'était évident.

« Vous l'avez aidé ? » Sa voix était enrouée sous le coup de l'incrédulité, comme quand un fils rebelle s'aperçoit que c'est sa mère qui l'a livré aux flics. Quelle trahison.

« Oui.

— Dieu tout-puissant, Alison, pourquoi diable avez-vous fait ça ?

— J'avais mes raisons. »

Sherman la foudroya du regard. Il avait beau essayer de rester imperturbable, désinvolte, son sentiment de supériorité n'était visiblement pas loin.

« Comme vous êtes dans une sacrée merde, je propose que vous nous fassiez partager ces raisons. »

Klein la regardait aussi, guettant désespérément une réponse qui lui permettrait de se sentir moins floué.

« Allez-y », dit-il.

Alison les regarda tous les deux, très calmement. « Parce que j'ai continué les recherches après votre départ, dit-elle. Et j'ai découvert pourquoi vous vous étiez intéressés à Cardou il y a toutes ces années. »

Klein parut perplexe devant ce changement de tactique.

« J'étais conseiller sur un site de fouilles, dit-il. Ce n'est pas un secret.

— Vous cherchiez les tables, continua Alison. En fait, ce site vous servait de prétexte pour trouver les tables, n'est-ce pas, Joseph ? »

Klein regarda Sherman, puis revint vers Alison.

« Oui, dit-il, encore une fois, ce n'est pas un secret. Quel rapport avec Mason ?

— Quand étiez-vous là-bas ? » demanda Alison.

Klein haussa les épaules. Sa mémoire n'était plus tout à fait aussi bonne.

« Je n'en suis pas certain. 2010, peut-être… 2011 ?

— 2011, dit Alison sans ménagement. Et pourquoi avez-vous abandonné le site ? »

Klein se remémora les événements à l'époque. Tout ça était arrivé pendant qu'il était en Sibérie, en train d'assister à la découverte du Siberium. Il avait reçu un e-mail de Grier, qui s'occupait de la sécurité sur le site de fouilles de Cardou.

« Nous pensions que les tables avaient été retrouvées, dit-il. Aussi, je suis revenu de Russie et nous avons entamé leur décryptage.

— Mais ce n'étaient pas les tables, n'est-ce pas, Joseph ? »

Il secoua la tête.

« Non.

— Attendez un instant, dit Sherman. En 2011, vous êtes en train de fouiller en France pour trouver les tables. Vous croyez les avoir trouvées en 2011, et nous venons de découvrir non seulement que Mason les a volées, mais qu'il les a volées en 2011 ? Suis-je le seul à ne pas voir le problème que ça pose ? »

Alison sourit, consciente de sa propre supériorité. À présent, c'est elle qui les tenait par les couilles.

« Qu'est-ce que vous en dites, Alison ? demanda Klein.

— Que nous pouvons parfaitement trouver une solution, à condition de nous montrer très, très malins. »

Sherman lui jeta un regard méprisant.

« Vous voudriez nous faire croire que vous pouvez réussir là où nous avons échoué, c'est bien ça ?

— N'oubliez pas, Sherman, que le génie ne consiste pas à concocter des projets tirés par les cheveux. »

Elle se tourna et lui jeta un regard noir. « Le génie consiste à les faire fonctionner. »

Sherman voulut reprendre la parole.

« Je me demande comment vous, surtout…

— Continuez, Alison, coupa Klein en faisant grincer à Sherman ses dents ridiculement onéreuses.

— Je me suis aperçue, après que vous étiez partis, que Mason était arrivé le premier jusqu'aux tables, expliqua Alison, d'où le dessin du tatouage, et j'ai compris que, même si nous le voulions, nous ne pouvions pas changer ça. Comment il s'est débrouillé pour les trouver n'a plus d'importance maintenant, mais il l'a fait. Où elles sont passées ensuite, c'est ça qui compte, surtout. Donc, ce que nous pouvons faire, c'est ce que vous avez proposé à la toute première réunion Séquence. Nous pouvons être la *raison* pour laquelle Mason a fini par échouer. »

Sherman plissa les yeux. « Mais Mason n'a pas échoué. Il a trouvé les tables. »

Alison sourit. « Dans ce cas, où sont-elles, maintenant ? »

Klein et Sherman se regardèrent.

Tous les deux l'ignoraient.

Klein s'enfonça dans sa chaise roulante pour réfléchir.

Sherman jetait des regards de tous côtés comme un animal acculé par la montée des eaux, près de se noyer. Il avait découvert cette science, nom de Dieu, il savait mieux que quiconque comment ça marchait. Pourquoi Alison détenait-elle des réponses que lui n'avait pas ? Pourquoi ne pouvait-il toujours pas les trouver ?

Klein leva les yeux et esquissa un sourire. « Donc, vous suggérez que nous envoyions quelqu'un pour les voler à Mason ? »

Alison acquiesça.

« Exactement. Les lui voler, ou, de préférence, avant. Nous savons qu'il les a volées, et nous savons où. Il ne nous reste plus qu'à les voler à notre tour, quelque chose qu'il n'est sans doute pas assez intelligent pour avoir prévu. Ensuite, nous choisissons un nouveau site, et où que ce soit, c'est-à-dire où elles se trouvent en ce moment.

— Et le dessin ? Le message ?

— À mon avis, il a écrit ça en découvrant qu'elles n'étaient pas là. »

Klein avait l'air soucieux.

« Alors, que faisons-nous avec les fausses ? Elles ont existé. Probablement, ça non plus ne peut pas être modifié.

— Non, reconnut Alison. Mais nous pouvons nous en occuper. Nous savons que Grier est celui qui les a trouvées. D'après ce que je comprends, les fausses étaient trop grosses pour que nous puissions les renvoyer maintenant. Nous devons donc faire en sorte que la personne que nous enverrons en arrière crée les fausses pour que Grier les trouve. Comme ça, vous récupérez de fausses tables en 2011, vous passez sept mois à essayer de les décrypter et vous vous apercevez que ce ne sont pas les vraies. Rien ne change. »

Sherman en était bouche bée.

« Si je comprends bien, dit-il, vous proposez que Joseph fasse créer de fausses tables pour que lui-même passe plus de la moitié d'une année à essayer de les décrypter, histoire de découvrir qu'elles sont les fausses et, de nombreuses années après, qu'il les a créées. Et il fait tout ça sans même s'apercevoir qu'il le fait ? »

Alison affichait un sourire confiant. « C'est vous qui avez décidé que tout ça était possible. Vous n'avez pas bien compris, à l'époque, c'est tout. »

Klein était toujours plongé dans ses réflexions, mais il ne paraissait pas très enthousiaste. En vérité, il avait toujours l'air soucieux. À son avis, Alison n'avait pas tort. Mason avait effectivement volé les tablettes et, pour autant qu'il le sache, il les avait remplacées par les fausses qui avaient été autrefois le centre de la vie de Klein. Si quelqu'un pouvait être renvoyé en arrière pour voler les tables à Mason, et soit lui permettre de créer des faux, soit en créer d'autres rien que pour eux, alors, les originaux pourraient parfaitement être cachés ailleurs. Comme Alison l'avait fait remarquer, ils pourraient être là-bas, maintenant, attendant d'être découverts.

Il restait pourtant un problème, et un problème de taille. Un problème qui se résumait au seul mot absent du vocabulaire de Klein depuis l'instant précédant l'arrivée d'Alison dans son bureau, moins de dix minutes auparavant. La confiance.

« Je ne sais pas, finit-il par dire. C'est compliqué. Plus compliqué que tous les autres. Stubbs est mort, et il ne reste plus qu'Edison, qui sera à l'hôpital pour au moins quelques semaines encore. Et même quand il sortira, je ne suis pas du tout certain qu'il ait les qualités pour ce genre de boulot. C'est très astucieux, Alison, mais, en toute honnêteté, je ne crois pas que nous puissions faire confiance à qui que ce soit pour s'en débrouiller. »

Klein avait raison. Stubbs s'était vidé de son sang dans sa cellule, les gardiens étant bien plus concernés par le sort de Mason que par le sien, et Edison était loin d'être sorti d'affaire, même une fois sa gorge cicatrisée. Ce qui signifiait, aux yeux de Klein, que, pour l'instant, toutes les options étaient écartées. Peut-être pourrait-il en obtenir d'autres de la part de Polunsky et les former, mais ça prendrait du temps, et Alison était à peu près certaine qu'il n'aurait aucune envie de rester à attendre.

Il n'avait plus beaucoup de temps. Pas dans cette vie.

« Combien de temps faudra-t-il pour réparer le carreau ? demanda-t-elle.

— Ça peut être fait d'ici demain, si nécessaire, répondit Klein, mais ça ne sert à rien si personne n'est prêt à partir.

— Mais si, dit Alison en haussant les sourcils au-dessus de ses demi-lunes.

— Qui ?

— Moi. »

Sherman faillit s'étrangler avec son café.

« Vous plaisantez ?

— J'ai un répertoire plus hilarant que ça, David, dit Alison.

— C'est à cause de vous que nous sommes dans ce merdier. Vous laissez Mason partir, et vous croyez qu'on peut vous faire confiance ? Pas question.

— Non, rétorqua Alison. Mason devait partir. Et

d'après les lois qui régissent toute cette affaire merdique, il devait être parti avant que vous n'ouvriez l'autel. J'étais forcée de l'aider. Il avait les tables des années auparavant et rien ne pouvait changer ça. Ça s'est mal passé parce que ça devait se passer mal, et j'ai fait ce que je devais faire, pour nous tous, en m'assurant que les choses se déroulent ainsi. »

Klein hochait la tête. « Elle n'a pas tort, Dave. Sans l'aide d'Alison, nous serions encore bien plus dans la merde. »

Bien que s'adressant à Sherman, il regardait Alison tout en parlant. « Au moins, comme ça, nous avions des preuves tangibles du départ de Mason, et nous pouvions voir où il était retourné. S'il l'avait fait au milieu de la nuit avec l'aide de quelqu'un d'autre, les ordinateurs auraient pu être nettoyés et, pour autant que nous le sachions, il aurait parfaitement pu retourner en 1850. En plus, n'oublions pas que c'est le travail acharné d'Alison sur les recherches qui a permis d'abord de relier la séquence des événements en 2011 au départ de Mason. Ce qu'elle a réussi à faire avant que l'autel ne soit ouvert. »

Il la regarda et sourit gentiment. Le sentiment de trahison avait laissé la place à un sentiment de fierté ; presque paternel. C'était vraiment une jeune femme très intelligente. Il avait eu raison d'approuver son entrée dans la fondation NorthStar.

Et pourtant, il y avait encore une chose que Sherman ne pouvait pas comprendre.

« Pourquoi vous, Alison ? » Chacun dans la pièce mesurait ce qu'une telle tâche impliquait. Elle ne pourrait plus jamais revenir.

« J'aimerais parler à Joseph, dit-elle en regardant Sherman. Seule à seul, si possible.

— Pas ques... » commença Sherman.

Une nouvelle fois, Klein l'interrompit au milieu de sa phrase.

« David, si vous alliez nous chercher encore un peu de café ?

— Mais... ? » commença-t-il, mais Klein avait levé la main pour l'arrêter.

Ça ne servait à rien de discuter.

Sherman se leva à contrecœur et sortit de la pièce, en jetant au passage un regard noir à Alison. La porte en chêne massif retomba bruyamment derrière lui.

« C'est parce que... commença Alison, mais Klein avait levé la main une nouvelle fois.

— Ne vous inquiétez pas, dit-il, son sentiment de fierté contribuant à effacer quelques-unes de ses rides. Je crois que je sais déjà. »

40

Dimanche 12 juin 2011
Aéroport international
de Los Angeles, Californie

Il fallut faire la queue pendant plus de dix minutes au comptoir de DHL. Une vieille peau, au visage tellement tiré qu'on se demandait si elle pouvait fermer les yeux la nuit, était en train d'envoyer quelque chose à son cousin à New York.

« Et arrangez-vous pour en prendre soin, jeune homme, il y a une bouteille de parfum de cinq cents dollars là-dedans, et c'est fragile. Vous comprenez ? » Elle répéta le mot comme si le gamin au comptoir n'était jamais allé à l'école. « Fra... gile. »

Ça me faisait rire. Elle s'inquiétait pour une quelconque eau hors de prix prévue pour que son vieux cousin ne sente plus l'urine, et Sarah venait d'envoyer des tables de pierre très anciennes qui, si elles étaient authentiques, avaient probablement une valeur dépassant celle du Nasdaq. Elle n'en avait pas fait toute une histoire en les envoyant, pas plus qu'elle n'avait manifesté d'impatience en allant les chercher. Sans le moindre « à présent, écoutez-moi bien, jeune homme ». Elle s'était contentée d'attendre calmement.

Comme si elle était certaine qu'elles arriveraient intactes.

Évidemment, j'étais étonné que l'envoi et la récupération des tables aient été aussi simples. Ça avait dû prendre à peu près une dizaine de minutes, en tout. Vous voyez, la chance ne ressemble pas à la femme de Columbo ; vous arrivez quand même à la voir de temps en temps, et si elle vient frapper à ma porte, je lui ouvre et l'invite à boire une bière n'importe quel jour de la semaine.

Le paquet à nouveau dans le sac à dos vert olive de Sarah, nous sortîmes dans le soleil matinal et retrouvâmes la Taurus au parking longue durée. Elle était restée garée là pendant tout ce temps, et rien, et surtout pas la voiture elle-même, n'avait été volé. Il fallait que ce soit une sacrée poubelle pour qu'on puisse la laisser garée sans vitre du côté passager et la retrouver entière. Tandis que nous franchissions les barrières et rejoignions la circulation en direction de la I-405, je mis mes lunettes de soleil et posai la question que je pensais la plus cruciale de la journée. Bien entendu, ça ne l'était pas.

« Alors… où allons-nous, maintenant ? »

Sarah, comme toujours, regardait le monde aller son cours. « Quincaillerie », dit-elle tout de go.

Nous nous arrêtâmes à l'All-Mart, sur Dewberry. Tout ce dont vous pouvez avoir besoin sous un seul toit – et tellement plus ! Sarah me demanda d'attendre dans la voiture, ce que je fis. Elle disparut pendant quinze minutes à peine, et j'en profitai pour descendre et m'appuyer négligemment contre la voiture pour fumer une cigarette et prendre le soleil. Quand elle revint, c'était une publicité parfaite pour All-Mart, avec ses deux pelles, une boîte avec Magellan écrit dessus en lettres rouge foncé, une carte de Californie, un sac de sandwichs, diverses choses à grignoter et un pack de douze Bud. « La reine des bières », dit-elle avec un sourire ironique.

Elle mit les pelles dans le coffre, rechaussa ses lunettes de soleil, et nous retrouvâmes la chaleur torride de la Taurus.

« OK, où, maintenant ?

— Vous continuez à conduire, dit-elle, et je continue à vous diriger. »

Elle me guida sur la I-405 jusqu'à ce que nous ayons rejoint la I-5 en direction du nord. À mesure que nous quittions l'agglomération de Los Angeles, les environs ressemblaient de plus en plus à un désert, et le soleil semblait devenir infiniment plus chaud à travers la vitre. Sarah chercha à l'arrière et prit deux bouteilles de Bud, qu'elle décapsula avec son porte-clés avant de m'en tendre une.

Au bout d'une heure environ, nous empruntâmes Grapevine Canyon et passâmes devant les pancartes indiquant le Fort Tejon State Historic Park, à cent vingt-deux kilomètres de Los Angeles.

« J'y ai amené ma femme, une fois, dis-je. Avant qu'elle ne soit ma femme. À ce moment-là, j'essayais encore de l'impressionner. Elle s'intéressait beaucoup à l'histoire, et nous avions fait le déplacement. »

Sarah sourit. « Quel vieux romantique. » Son ironie était perceptible.

« Pas vraiment. J'avais détesté ça. Et j'ai passé tout le retour à le lui dire. Je m'étais débrouillé pour passer une journée entière, une journée dont je ne me remettrais jamais, à écouter des acteurs minables en costumes 1850 ressasser des détails sur les corvées, comment ferrer les chevaux et faire de la menuiserie de merde. Nous avons même dû assister à la reconstitution d'un raid des Indiens chemeheui sur les baraquements par une horde d'acteurs encore pires. Je ne m'intéressais pas du tout au passé à l'époque, et pas plus maintenant. Je voulais seulement sauver mes billes.

— Ça a marché ?

— Bien sûr. »

Je souris dans mon for intérieur.

« Aucun intérêt pour le passé, alors ?

— Aucun.

— Alors, vous ne croyez pas au voyage dans le temps ? »

Je me mis à rire.

« Pas vraiment.

— Moi, si, dit-elle, et elle se tourna.

— Vous, quoi ?

— Je crois au voyage dans le temps, dit-elle, un ton plus bas. J'y crois beaucoup.

— Vous voulez dire, le vrai truc à la H. G. Wells ? »

Elle acquiesça. « Vous ne croyez pas ça possible ? »

Je me mis à rire. « Pas un seul instant, non. » Me considérant comme un homme raisonnablement sain d'esprit, je n'avais aucune raison de croire à un truc pareil.

« Pourquoi me demandez-vous ça ?

— Vous croyez pourtant dans ce que Tina peut faire ?

— Vous voulez dire le truc avec les Snickers ?

— Je veux dire avec *n'importe quoi*. Vous l'avez vue avec un Snickers, c'est tout. »

Je réfléchis un instant.

« Je n'en sais rien, dis-je, et c'était vrai. Je ne crois pas que vous l'ayez simulé, si c'est ça que vous voulez dire, mais j'ai encore du mal à m'y faire.

— Mais êtes-vous prêt à accepter que ça *pourrait* être possible, qu'elle ait fait bouger cette barre de chocolat rien qu'en y pensant, en voulant simplement qu'elle bouge ?

— D'accord. Si ça peut aider, dans ce cas, ça pourrait être possible.

— Donc, le voyage dans le temps pourrait également être possible ?

— Je n'ai pas dit ça, rectifiai-je. Pas plus que je n'ai dit que les aliens existent, ni que Kennedy a été victime d'une conspiration gouvernementale. Ça n'a pas grand-chose à voir.

— Les aliens et Kennedy, non. Mais le tour de Tina et le voyage dans le temps, oh oui ! C'est exactement pareil. »

Je fronçai les sourcils.

« Pas de mon point de vue.

— Mais si, protesta Sarah. Forcément. Car si Tina déplace quelque chose… n'importe quoi… dans ce cas, elle doit changer une séquence de nombres, ceux qui déterminent l'endroit où se trouve la barre de Snickers. Trois dimensions : largeur, profondeur, hauteur. D'accord ?

— D'accord.

— Et quelle est la quatrième dimension ?

— Je n'en ai aucune idée, Sarah, c'est quoi ?

— Le temps, idiot, dit-elle, comme si c'était évident. C'est un fait scientifique que le temps est la quatrième dimension, car un objet se trouve seulement au point x comma y comma z à un moment donné du temps t. Avant et après ce moment dans le temps, il pourrait être ailleurs. Donc, Tina ne peut changer les points x, y et z que si elle connaît aussi le point t ; le point dans le temps où l'objet se trouve en premier.

Ensuite, comme le temps lui-même, t poursuit à son allure normale, elle modifie les autres coordonnées, et le Snickers avance vers elle, *par-dessus le temps*. Peu importe que ce soit une minute, une seconde ou un clignement d'œil, il doit y avoir un élément de temps associé.

— Alors, si je comprends bien, si Tina pouvait aussi ajuster le point t dans son esprit, elle pourrait faire disparaître le Snickers, pour qu'il réapparaisse une heure plus tard ?

— Quelque chose comme ça, oui. Ou plus tôt. »

Je secouai la tête d'un air de défi. « Je ne marche pas. »

Elle essuya une goutte de Bud sur son menton du dos de la main.

« Mais ça *pourrait* être possible ?

— Si ça peut vous faire plaisir, oui, je reconnais que ça *pourrait* être possible. »

Sarah sourit, visiblement contente de son œuvre.

« Mais je ne crois toujours pas que ce soit vraiment possible », ajoutai-je. Délibérément.

« Et je suis tout à fait certaine que ça l'est, dit-elle doucement.

— Ah, dis-je, venant juste de me souvenir de la question initiale de Sarah. Attendez un instant, nous parlons bien de voyage dans le temps ?

— Exact, dit-elle.

— Comme dans voyage *humain* ? Comme je l'ai dit, le vrai truc de H. G. Wells ?

— Parfaitement.

— Alors, comment Tina ferait ça ? Comment modifierait-elle la séquence pour un être humain ? Répondez à ça...

— Elle ne le ferait pas, dit Sarah laconiquement.

— Qui le ferait, alors ?

— Pas qui, Nick, quoi.

— OK, dis-je. Qu'est-ce qui ferait ça ?

— Quelque chose de suffisamment puissant pour pou voir influer sur le temps.

— Comme quoi ? »

Elle réfléchit quelques instants. « Vous savez ce qu'est un trou noir ? »

Je haussai les épaules. « Un très mauvais Disney avec Maximilian Schell et un robot terrifiant ? »

Elle me regarda d'un air sévère.

« Non, dis-je. Je n'ai pas la moindre idée de ce qu'est un trou noir. Pas vraiment.

— Bien, dit-elle en s'éventant avec la carte. Laissez-moi vous expliquer… »

Quelques kilomètres après, sur la voie express allant de Fort Tejon à Mettler, Sarah me fit quitter la I-5, et nous atteignîmes le genre de région où les routes n'ont plus le moindre sens et deviennent une seule longue ligne droite, comme dans une pub Marlboro. Au bout de chaque ligne droite, c'était l'horizon, et derrière l'horizon, une autre longue ligne droite menant tout droit jusqu'au prochain horizon.

Et ainsi de suite.

Au moins, je savais que nous n'étions pas suivis par les jumeaux tueurs ni aucun de leurs collègues.

À moins, bien sûr, qu'ils ne soient en train de nous suivre par satellite.

C'était encore un de ces trucs qui me prouvaient que l'ironie n'épargnait pas non plus Columbo quand son emploi du temps n'était pas très fourni, et qu'il se rendait compte que jouer le rôle de sa femme était un boulot très mal payé.

41

MARDI 18 AOÛT 2043
5ᵉ ET ALAMEDA, LOS ANGELES, CALIFORNIE

La pièce encore. L'endroit sombre, et le seul carré de lumière – la fenêtre – avait rétréci, comme si le temps avait passé ; mais de peu. La pièce était beaucoup plus froide maintenant, même si elle sentait que ça n'avait pas grand-chose à voir avec le monde extérieur. C'était en rapport avec l'émotion qu'elle éprouvait ; une peur glaciale qui lui paralysait le visage.

L'homme aux yeux noirs et aux desseins encore plus noirs était venu et était reparti. Elle ne savait pas comment elle le savait, ni même si elle le savait, mais le sentiment qu'elle éprouvait était trop puissant pour qu'elle l'ignore. C'était comme le sang dans ses veines. Elle ne sentait rien mais elle savait que si elle pouvait, si on l'y avait autorisée, alors son odeur fétide empesterait l'atmosphère. La silhouette sur le lit était maintenant recroquevillée, comme sous l'effet de la douleur.

Elle essaya d'atteindre cette silhouette, comme on le ferait pour une victime dans un lieu public. Dans la rue.

(dans une ruelle)

... mais c'était comme si l'air entre eux s'était épaissi au point de devenir impénétrable. Elle essaya d'enfoncer ses doigts dans l'obscurité sans parvenir à percer la barrière.

(en tendant la main)

Elle sentit l'émotion l'envahir. La peur, oui, mais aussi la colère et le chagrin. Comme ce que pourrait ressentir un travailleur social. Il faut que j'aide... si seulement la...

(victime)

... me laissait m'approcher d'elle. Elle aurait voulu serrer cette personne dans ses bras, la réchauffer et la rassurer, mais ce n'était pas le moment. Elle le sentait aussi. Il y avait des barrières. Elles étaient là pour une raison et elles devaient être renversées. Doucement. Cette personne, cette...

(victime)

... avait aussi peur qu'elle de tout le monde. La confiance avait été trahie et il n'y en avait plus aucune à donner. Peut-être s'était-elle sentie en sécurité précédemment. Peut-être n'avait-elle aucune raison d'éprouver le contraire. Jusqu'à aujourd'hui. Jusqu'à cet homme. L'homme aux yeux noirs ; aux intentions noires.

(en tendant la main)

(victime)

(dans une ruelle)

Quand elle revint de cette pièce, elle ne fit pas le trajet seule. Elle rapportait avec elle la peur, la colère et le chagrin – le chagrin qui ne la quitterait plus jusqu'à sa mort –, mais elle avait également rapporté des réponses. En un instant, elle sut ce qu'elle avait à faire et comment elle pouvait faire pour que ça marche. Parce que, ces derniers jours, elle avait acquis la certitude qu'elle *devait* réussir. C'était trop important pour elle, bien sûr, mais ça se révélerait peut-être aussi trop important pour le monde. Ça prendrait des années, et elle ne serait pas là pour constater les résultats, mais elle ne devait pas échouer dans son entreprise. Dans son esprit sombre et fertile, comme dans les terres les plus riches, il était possible qu'elle porte la seule et unique chance de croissance.

(Une fois que vous savez, vous ne pouvez plus jamais revenir en arrière.)

Personne ne pourrait ignorer une victime, surtout si elle était misérable et qu'elle mendiait... qu'elle suppliait comme un pécheur aux pieds de Dieu. Certains pourraient préférer le cacher, mais tout le monde avait un vrai cœur, au fond. C'était la détresse inhérente à la condition humaine.

Personne ne repousserait ses suppliques, et, jusqu'à ce que les barrières tombent et que la confiance soit rétablie, personne ne poserait non plus trop de questions embarrassantes.

Elle savait ce qu'elle avait à faire.

Alison ne pouvait même pas s'asseoir tellement elle avait mal aux fesses. Dieu sait comment elle s'était fourrée là-dedans. Heureusement, ils lui avaient permis de faire ce qu'elle devait faire en toute intimité. Bon Dieu, ils étaient tous complètement cinglés, mais ce n'étaient pas des pervers. En plus de la monnaie – des diamants et des billets, cette fois –, ses dix minutes de tranquillité lui avaient permis d'ajouter quelques petits joyaux à elle, façon de parler.

Seigneur, était-ce vraiment fou à ce point ? Évidemment,

ce n'était pas le genre de truc qu'on rêvait de faire après son bac. Cela dit, Alison débordait de rêves quand elle était gosse, et certains étaient sur le point de se réaliser, si tout se passait conformément à ce plan dément qu'elle avait concocté dans son imagination fertile.

Cela en vaudrait-il la peine ?

Elle s'interrogea. Elle réfléchit.

Mais pas trop longtemps.

Elle faisait donc les cent pas dans la salle de contrôle, vêtue de sa combinaison rouge, et les bras croisés. Elle était affreusement nerveuse, tout en sachant que ça marcherait. Ils l'avaient tous fait. Castle, d'Almas, Davies et même Mason avaient prouvé que ça fonctionnait, mais ça ne rendait pas pour autant les choses plus faciles à supporter. Cinq cents personnes auraient bien pu partir, qu'elle aurait toujours été aussi inquiète. C'était comme un voyage dans l'espace déjà effectué maintes fois, mais toujours une vraie folie pour n'importe quel individu doué de bon sens.

Elle en avait, du bons sens, non ?

Et la douleur ? Elle ignorait complètement si ça allait ou non lui faire mal. Aucune des souris n'en avait apporté la preuve, mais, en fait, chacune avait laissé des notes longtemps après le voyage. Ça aurait pu être la pire douleur qu'elles aient jamais endurée, elles avaient simplement négligé de le mentionner. Elle inspira profondément, puis expira bruyamment. Qu'est-ce qu'elle foutait là ?

Puis elle se souvint. Eh oui, même si la douleur était insupportable, ça en vaudrait *toujours* la peine. Elle aurait marché sur des charbons ardents, les pieds nus trempés dans l'essence, pour aller là où elle devait aller.

« Nerveuse ? demanda Strauss en se contentant de constater l'évidence, les pieds sur la console.

— Les intestins en compote, dit-elle.

— Pas étonnant. »

Il inspira longuement lui aussi en regardant la sphère à travers la nouvelle vitre ; les carreaux cassés par le coup de feu sur le mur au fond avaient été remplacés.

« J'ai du mal à croire que vous fassiez ça.

— Moi aussi.

— Je suppose donc que notre rendez-vous tombe à l'eau ?

— C'était de toute façon le cas. »

Elle le regarda.

« À propos, comment va Rachel ?

— Elle va bien. Elle dirige le labo de Cardou pendant un moment. D'ailleurs, elle revient la semaine prochaine ! »

Il se frotta les mains comme s'il se réjouissait vaguement. Il sourit. « Et... je *pourrais* bien justement lui avoir acheté un autre petit cadeau ! »

Alison plissa les yeux tandis que Strauss cherchait dans sa poche et en sortait un petit écrin en velours rouge. Il l'ouvrit en montrant le diamant monté sur platine à l'intérieur.

« Alors, le gri-gri n'a pas marché ? Du moins, pas pour elle. » Elle réfléchit un instant et sourit. « Bon, je suppose que nous avons tous notre croix à porter.

Strauss se pencha en avant. « Vous savez ce qui me chagrine, en fait ? »

Alison fit semblant d'être curieuse.

« C'est quoi ?

— Eh bien, j'ai 39 ans, et vous allez retourner peut-être trente-deux ou trente-trois ans en arrière, c'est ça ?

— C'est ça.

— Et pourtant, je ne me souviens pas du tout, quand j'avais 6 ou 7 ans, qu'une superbe femme soit venue chez ma tante pour m'emmener boire des milk-shakes.

— Que voulez-vous dire par là ? »

Strauss prit un air blessé. « Disons que non seulement vous vous débarrassez de moi maintenant, mais vous vous étiez également débarrassée de moi à l'époque. Vous avez raté deux occasions. »

Alison réfléchit un instant, puis elle sourit gentiment.

« Vous vous rappelez m'avoir raconté un jour que, lorsque vous aviez dans les 7 ans, vous aviez trouvé un petit chien abandonné devant chez vous, et que vous étiez tombé amoureux de lui et l'aviez gardé ?

— Youpi ? dit-il avec l'air d'attendre quelque chose. C'était vous ? »

Alison sourit. « Non. » Elle lui fit un clin d'œil. « Je vous ai bien fait marcher, en tout cas. »

Elle le regarda droit dans les yeux.

« Sérieusement, bonne chance avec cette affaire de... bague. Je n'y connais pas grand-chose en matière de... vous savez bien... mais elle a l'air superbe. De coûter *cher*. Au cas où elle dirait oui, j'espère vraiment qu'elle saura à quoi elle s'engage.

— Alison », dit Strauss d'un ton subitement sérieux.

C'était tellement peu son genre qu'on aurait cru quelqu'un d'autre. « Je traverserais des déserts, des océans et des montagnes pour cette femme. »

Elle sourit. « Espérons que vous n'en aurez pas besoin. Alors... sommes-nous prêts à partir ? »

Strauss plissa les yeux, lui sourit à son tour, et se tourna de nouveau vers la console.

« Vous avez encore le temps de changer d'avis, vous savez. À propos du voyage, pas du chien.

— Tout ira bien », dit-elle avec un sourire forcé.

Elle n'en était toujours pas tellement sûre.

Klein et Alison avaient passé presque toute la journée de la veille ensemble, car elle avait conduit sous sa direction afin de trouver un point de chute convenable. Il ne faisait plus confiance à personne, maintenant, et il voulait qu'ils soient les seuls à connaître exactement la localisation de ce nouveau site. Les autres le sauraient, bien sûr, une quinzaine de minutes seulement avant qu'il ne leur dise de commencer à creuser sous sa surveillance, alors qu'il serait confortablement installé sur sa chaise.

Ils avaient parlé longuement, surtout de ce qu'elle attendait vraiment de ce monde, et comment elle avait été finalement amenée à se porter volontaire pour une mission que seul un condamné à mort pouvait être tenté de remplir.

Néanmoins, la tâche d'Alison s'annonçait nettement différente de celle des autres – eux avaient gagné leur liberté de la même façon qu'elle allait perdre définitivement la sienne. Apparemment, les théories régissant le voyage dans le temps étaient simples, et on devait leur obéir. Au cas où ces théories s'avéraient suffisamment exactes pour devenir des lois incontournables. Quoi qu'il arrive, Alison n'aurait pas d'autre choix que de s'y conformer rigoureusement.

C'est pourquoi, malgré l'inquiétude de Klein, elle avait demandé à être renvoyée en arrière deux ans avant l'arrivée de Mason. Avant de faire ce qu'elle devait faire, elle avait besoin de temps pour faire ce qu'elle avait toujours voulu faire.

« Quelle charge allons-nous employer ? » demanda

Strauss. Ayant déjà positionné son bras, il roulait de nouveau sa chaise en direction de l'unité centrale de l'ordinateur.

Alison le regarda en face.

« Un-neuf-quatre », dit-elle. Compte tenu des calculs que Sherman avait depuis longtemps effectués sur son graphique chronologique, son arrivée devrait se situer fin avril ou début mai 2009.

« Dernière occasion de changer d'avis et d'aller faire la connaissance de Newton, plaisanta Strauss.

— Un-neuf-quatre », répéta Alison.

Elle n'était plus d'humeur à plaisanter. Plus maintenant.

Strauss entra les chiffres et roula de nouveau vers la console.

« Quand vous êtes prête.

— OK, allons-y », dit-elle, sans la moindre émotion dans la voix.

C'était un boulot comme un autre.

Elle voulut serrer la main de Strauss, mais il se leva de sa chaise et la serra fort contre lui.

Elle recula avec un sourire et l'embrassa doucement sur la joue.

« Merci, Pete. » Puis elle recula pour rentrer dans le sas et pressa le bouton ; le cylindre hermétique la fit pivoter légèrement pour l'amener face à la pièce. Elle se rapprocha aussitôt du masque qui pendait du plafond et le plaça sur sa tête en passant l'élastique derrière ses oreilles.

« Je n'arrive pas à croire que je suis en train de faire ça, dit-elle dans le masque, et sa voix déformée parvint dans les enceintes de la salle de contrôle de Strauss.

— Je n'arrive pas à croire que je vais vous voir toute nue sur mes deux écrans, ajouta Strauss avec un sourire malicieux tout en la cadrant dans l'objectif de sa caméra à trépied.

— Ouais… saluez Rachel de ma part, voulez-vous ?... »

Alison arpenta la pièce, le tube à air suivant chacun de ses mouvements, et passa la main sur la sphère en siberium. C'était la première fois qu'elle s'en approchait depuis le jour où Charlie avait disparu, et elle n'en avait jamais vraiment examiné la surface, qui était pourtant très belle.

Ici, pensa-t-elle, dans l'ultime sursaut de la vie d'une étoile, se cachaient les réponses à tellement de questions qui n'auraient jamais dû avoir de réponses. On aurait dit une mare incurvée d'un liquide rouge-orange, tellement lisse et parfaite à cause de la découpe au laser, et la surface reflétait son image en déformant ses traits. Elle se demandait comment elle allait bien pouvoir vieillir dans ce nouveau temps. Vieillirait-elle de la même façon ? Plus vite, plus lentement ? Comment savoir ?

Elle sentit quelque chose de collant dans sa main, comme si la sphère agissait comme un aimant, et elle recula en se frottant doucement le bout des doigts avec son pouce.

Strauss lui laissait le temps d'explorer la pièce et de se préparer mentalement ; bien plus qu'il n'en aurait laissé à une des souris. Quand elle se sentit prête, elle se tourna lentement vers lui, les bras collés au corps, et inspira une dernière fois longuement l'air de 2043.

Elle ferma les yeux et lui fit un signe de tête.

Au cours de ces derniers instants, après que Strauss eut appuyé sur « Orange-Un » et que le bourdonnement eut commencé à s'amplifier, elle pria dans son for intérieur pour que les choses qu'elle avait estimées exactes s'avèrent bien l'être.

Elle avait passé plus de six heures la nuit précédente, après être revenue du site de récupération avec Klein, à mémoriser chacune des fiches qu'elle avait rédigées quand elle s'efforçait de reconstituer la chaîne des événements, la séquence, et maintenant elle devait s'en remettre à cette mémoire toute-puissante dont elle avait été dotée. Tant de choses devaient se produire, et dans un ordre si clair et si précis, et elle espérait qu'elle aurait la capacité de s'en souvenir parfaitement le moment venu.

Elle avait bien tenté de se convaincre que ces événements étaient maintenant soumis à l'histoire, et qu'ils se produiraient, qu'elle joue son rôle ou non, mais elle n'avait toujours pas réussi à s'en persuader entièrement. Ce monde ne pouvait pas être totalement régi par le sort et le destin, il devait exister une sorte d'interaction humaine. Comme une comédienne de théâtre, elle avait un rôle à jouer, et elle devait connaître chacune de ses répliques avant que le rideau ne se lève. Il n'y aurait ni générale ni deuxième représentation si elle ratait la première. Tant de choses à faire, si peu... Elle se mit à rire doucement en elle-même, tandis que le son strident commençait à résonner dans la pièce... *de temps*.

Le hurlement atteignit un niveau d'aigu qui défiait les lois de la propagation, manquant de lui faire éclater les tympans. Elle vit Strauss se pencher, les écouteurs en place, et vérifier les données. Il la regarda et fit un signe de tête. Elle s'arrêta un instant et lui répondit d'un autre signe de tête.

Le moment.

De partir.

« Bonne chance, dit-il avec sincérité.

— Vous aussi », répondit-elle d'un air entendu.

Elle aussi était sincère.

Elle le vit bouger la main droite, il esquissa un sourire, et elle comprit qu'« Orange-Deux » avait été enclenché.

Juste à cet instant, la chose la plus bizarre se produisit. Le temps ne s'accéléra pas, ni ne devint un semblant de mouvement dont elle pourrait s'extraire en un clin d'œil. Au lieu de cela, il ralentit tellement qu'elle voyait la bouche de Strauss bouger au quart de sa vitesse.

Tout était tellement blanc, comme si elle regardait le monde à travers un voile de mariée. Ou un linceul, peut-être ? De plus en plus pâle avec un mouvement infiniment lent, jusqu'à ce que les moindres détails s'effacent autour d'elle. Puis ils réapparurent, nettement différents toutefois de ce qu'ils étaient auparavant.

Elle voyait des poubelles dans le labo autour d'elle, et des cartons vides répandus un peu partout. Des bâtiments paraissaient s'élever sur sa gauche et sur sa droite, en s'éloignant dans le lointain. Et il semblait y avoir un espace vide. Dans cet espace, il y avait des voitures, roulant au pas.

En moins d'une demi-seconde, à peine le temps de respirer, tout redevint parfaitement clair. La couleur revint dans son champ de vision, le linceul disparut, et les voitures se mirent à rouler à toute vitesse tandis que le bruit des moteurs résonnait dans la ruelle. D'autres bruits parvenaient en même temps, des sirènes, des machines et des voix, le tout mixé dans une étrange symphonie d'arrière-cour.

Froid. Elle avait terriblement froid, comme si elle

était dans un réfrigérateur. L'air n'était pas immobile, le vent soufflait autour de ses jambes, et des lambeaux de papier entraient et sortaient de son champ de vision. Elle regarda son corps et vit qu'elle était nue, aussi nue que le jour de sa naissance. Même si, à condition qu'elle ait bien traversé ce qu'elle pensait qu'elle venait de traverser, elle n'était même pas née du tout. Pas encore.

Une voix graveleuse retentit derrière elle. Âgée. Bredouillante.

Elle se retourna d'un bond. Un vieil homme était affalé derrière les cartons, vêtu de vêtements répugnants, avec une barbe hirsute collée par la poussière et la saleté. Il ne paraissait pas surpris par son apparition instantanée, ni par son absence totale de vêtements, mais arborait un grand sourire dépourvu de dents de devant. Il tenait un sac en papier kraft entre des mitaines, laissant apparaître des ongles noirs comme de la suie, et une bouteille verte sortait du sac.

Elle aurait dû être gênée de se retrouver nue, mais elle avait d'autres priorités. « Nous sommes en quelle année ? » demanda-t-elle. Elle avait même réussi à poser cette question comme si ça allait de soi. Malgré sa voix claire, elle se sentait faible, comme si on lui avait volé du sang quelque part en route.

Le sourire édenté du vagabond s'agrandit encore, mais seulement pour quelques instants. Puis il se pencha en avant et prit un air sérieux, un doigt en l'air comme pour vérifier le sens du vent. Très calmement, et en s'efforçant de ne plus bredouiller, il dit : « Quelle importance ? » Et il éclata d'un rire habité qui ne devait rien à une simple ébriété.

Le bruit résonna prophétiquement autour d'elle dans la ruelle triste.

Strauss passa soigneusement la bague par-dessus l'ongle manucuré de son annulaire gauche et sourit par-devers lui. Encore une semaine, et, quoi qu'il en soit, sa vie allait définitivement changer.

Encore juste une semaine.

Il sortit de sa poche de pantalon un dollar de la paix de 1922, un porte-bonheur qui lui avait été donné par son grand-père il y a longtemps, et le posa sur son pouce. Il fallait simplement que la pièce lui donne un signe ; lui dise qu'il avait des chances.

« Face, elle dit "oui". Pile... » Il inspira « ... elle dit... »

Il n'osait même pas l'envisager. Il se contenta de lancer la pièce.

Brusquement, la porte s'ouvrit et il fit volte-face. Burgess, un des hommes de la sécurité, était dans l'embrasure, hors d'haleine.

« Nous avons un problème », dit-il, le souffle court.

Strauss plissa les yeux.

« Quel genre de problème ?

— Cardou », répondit Burgess.

Il prit un air grave. « Il y a eu une explosion. Une *énorme* explosion. »

Pendant quelques instants, Strauss resta figé sur sa chaise. Lentement, comme s'il émergeait d'une anesthésie, la réalité s'empara de lui, puis la stupéfaction, avant que quelque chose ne se brise en lui.

Il parvint seulement à dire : « Rachel... »

Puis il se leva d'un bond et écarta Burgess pour s'élancer en courant dans le couloir. Quand Burgess se retourna pour le suivre, on n'entendait plus qu'un bruit de pas précipités au loin et le petit son métallique de la pièce qui tournait encore sur le carrelage froid ; plus vite et de façon plus aléatoire, jusqu'à ce qu'elle se stabilise et ralentisse avant de s'arrêter.

Il n'y avait plus personne pour voir quel côté elle avait choisi.

42

Dimanche 12 juin 2011
À quarante-deux kilomètres
au nord de Fort Tejon
State Historic Park, Californie

À dix-neuf kilomètres environ de la sortie de la I-5, Sarah cessa de s'éventer avec la carte, jeta un coup d'œil rapide par terre puis releva les yeux d'un air quasi triomphant. Elle me demanda de prendre la prochaine route sur la droite. Mais je ne voyais même pas de route sur la droite, rien que la même route interminable sur laquelle nous roulions depuis les vingt dernières minutes. Je continuai à chercher. Et à chercher.

« Ici », dit-elle brusquement, comme si le tournant me crevait les yeux.

J'enfonçai la pédale de frein, et la voiture dérapa sur la route poussiéreuse. Le paysage était désolé. Rien de rien. Sans arbres, avec à peine de végétation, et incroyablement plat, avec la silhouette sombre de collines au loin. Il y avait bien une route, c'est vrai, mais une seule, et apparemment nous étions déjà dessus. Puis, sur ma droite, j'aperçus une trace de pneus à peine visible s'éloignant en direction des broussailles.

S'enfonçant encore un peu plus loin dans les profondeurs torrides de nulle part.

« Vous plaisantez ? dis-je. Ce n'est pas une route, Sarah. C'est une... c'est... ce n'est pas une route, c'est sûr. »

Elle sourit. « Ça fera l'affaire. »

Je pris le tournant, et nous nous dirigeâmes vers... quelque part. Je n'en savais vraiment rien, à ce stade. Je ne voulais même pas essayer de deviner.

« Alors, vous pensez *vraiment* que le voyage dans le temps est faisable ? demandai-je quand le silence qui s'était installé devint un peu trop pénible.

— Oui, je le crois », répondit-elle avec un sourire appuyé.

Je souris à mon tour et secouai la tête. Beaucoup de choses dans ce monde avaient été impossibles, puis s'étaient brusquement avérées réalisables. Comme de voler. Le voyage dans l'espace, avec la possibilité des atterrissages lunaires. Moi, capable de m'enthousiasmer pour une affaire, comme je l'étais maintenant. Pas le voyage dans le temps. C'était quelque chose destiné à rester définitivement cantonné au rayon « Fiction », dans la plupart des bibliothèques de la planète.

Un peu comme mes vœux de mariage.

« Il y a probablement quelques affaires que j'aimerais réexaminer », dis-je. C'était une remarque sans conséquence, pas vraiment destinée à Sarah. Pas vraiment destinée à qui que ce soit.

Pourtant, Sarah réagit au quart de tour. Elle tourna brusquement la tête vers moi. « Qu'est-ce que vous avez dit ? »

Je me tournai vers elle.

« Des erreurs, dis-je en haussant légèrement la voix.

J'étais en train de penser que je pourrais peut-être revenir en arrière et en corriger quelques-unes.

— Je crains que ce ne soit pas possible. »

Elle avala une gorgée de Bud et détourna le regard.

« Pourquoi pas ?

— Vous ne pouvez pas... c'est tout, dit-elle en haussant les épaules. Si c'est arrivé à ce moment-là, c'est arrivé, et si ce n'est pas arrivé... »

Elle se tourna dc nouveau vers moi.

« Dans ce cas, je suis vraiment désolée, mais ça ne va certainement pas se produire.

— Ce n'est pas juste », dis-je.

Et cette remarque venait d'un homme qui, pour commencer, ne croyait même pas qu'une telle chose soit possible.

« Ce n'est pas moi qui fais les règles.

— Alors, qui les fait ? Le grand manitou des chiffres, au ciel ?

— Je suppose.

— Alors, à moins d'être un sport spectacle, à quoi ça servirait ? demandai-je.

— C'est ce à quoi j'ai pensé. Non, la seule raison du voyage dans le temps serait de pouvoir changer certaines choses.

— Vous venez de dire qu'on ne *peut* pas changer les choses.

— Non, dit-elle d'un ton sans réplique. J'ai dit qu'on ne peut pas changer le *passé*. Ça vous arrive d'écouter ?

— Seulement jusqu'à ce que je ne comprenne plus rien, ce qui incidemment...

— D'accord, expliqua Sarah. Disons que le temps est simplement un tapis, comme un tapis rouge déroulé pour une première de film, vous me suivez ? »

J'acquiesçai.

« Et il se déroule à la vitesse du temps. Une seconde par seconde. Nous, la race humaine et toutes les petites créatures à fourrure, savons seulement ce qui est arrivé dans le passé. Nous ignorons ce que nous réserve l'avenir, parce qu'il est encore roulé. Vous me suivez toujours ? »

J'éloignai la bouteille de ma bouche, répandant de la bière sur mon menton.

« Je crois.

— Donc, si c'est le cas, nous devons alors supposer que, compte tenu de notre position sur le tapis, nous marchons juste derrière le rouleau, exactement derrière, en avançant en même temps que lui.

— Ça paraît raisonnable.

— Donc… le tapis qui a déjà été déroulé a… déjà été déroulé. Comment il a été déployé ne peut pas être changé, car si une seule personne voyage en arrière dans le temps, il y a encore des millions de gens juste derrière le rouleau en train de considérer ce qui a été déployé. Il y a des livres d'histoire et/ou des souvenirs qui ne peuvent pas être modifiés. »

Elle me regarda.

« Je vous suis toujours, dis-je. Je ne comprends toujours pas le truc du "changement", c'est tout.

— OK, disons alors qu'une des personnes juste derrière le rouleau veuille lancer quelque chose par-dessus le rouleau, si bien que, peu de temps après, le tapis passera dessus et il y aura une boursouflure. Mais il ne peut pas car ce rouleau est énorme, et son angle bien trop droit.

— Alors, il fait quelques pas en arrière, trouve un meilleur angle et lance la pierre par-dessus le rouleau ? »

Sarah acquiesça.

« En termes de "passé affectant le futur", c'est ce

genre de chose. Le problème, à présent, est que vous ne pouvez pas lancer une pierre dans le futur, mais que vous pourriez en enterrer une dans le passé qui pourrait être exhumée dans le futur.

— Et à quoi ça servirait ?

— Parce qu'il y a une pénurie mondiale de pierres, se moqua Sarah. Il s'agit d'analogies, Nick.

— Je sais. Ce que je veux dire, c'est pourquoi enterrer quelque chose simplement pour que ce quelque chose soit exhumé plus tard ? »

Sarah réfléchit un instant, en respirant bruyamment.

« Exact, dit-elle, avec l'air de quelqu'un qui s'apprête à fournir des explications à un imbécile. Disons que votre grand-mère est mourante et que son seul souhait est de mourir avec sa première alliance au doigt, celle qu'elle a perdue il y a cinquante ans.

— OK, acquiesçai-je.

— À présent, l'alliance est définitivement perdue car personne ne l'a aperçue une seule fois au cours de ces cinquante ans. Mais vous voulez que votre chère mamie meure heureuse, alors vous pensez tout de suite : je vais retourner en arrière et lui voler cette alliance...

— La lui voler à elle ? Pourquoi ça ? Je veux dire, si je l'aimais vraiment ?...

— Parce que vous l'aimez. Vous ne comprenez pas ? L'alliance a disparu de toute façon ; vous ne pourrez jamais changer ça. Ce que vous pouvez faire, en revanche, c'est de devenir la cause de sa disparition. Il vous suffit, il y a cinquante ans, de l'enterrer dans un endroit où personne n'a jamais fouillé, mais où vous savez que mamie va creuser un trou, disons, cinq minutes après que vous serez parti.

— Mamie creuse donc un trou pour son arbre et, *illico presto*, dans la terre, voilà l'alliance qu'elle a

470

perdue il y a toutes ces années. Elle la ramasse, la met à son doigt, et, comme elle lui va toujours, elle meurt en étant la plus heureuse des mamies.

— Ce que vous êtes en train de me dire, c'est qu'on ne peut pas changer les choses qui se sont produites avant le moment où l'on part, mais que l'on pourrait retourner en arrière avec l'intention de changer quelque chose qui arrivera après qu'on sera parti ?

— Exactement. Au-delà du tapis roulé.

— Le rouge ?

— Exact.

— À vous entendre, on pourrait vous prendre pour une folle, mais vous n'avez pas du tout l'air gênée quand vous me déclarez que vous croyez franchement ça possible ?

— Vous-même avez reconnu que c'était possible.

— Oui, mais je mentais. En premier lieu, pour que vous me fichiez la paix. »

Sarah me sourit d'un air ironique. « Je me demande vraiment s'il vous arrive parfois de réussir quelque chose. »

Grands dieux, j'espérais vraiment qu'elle plaisantait.

Je crois que la seule raison pour laquelle rien d'autre ne tomba de la Taurus pendant que nous parlions, c'est que la Taurus était maintenant à court de choses à jeter par dégoût. Ce qui ne l'empêchait pas de rebondir et de déraper et de gémir. Et d'avoir chaud en plus. La brise qui s'engouffrait par l'espace précédemment occupé par la fenêtre ressemblait plutôt maintenant à un ventilateur d'air chaud. Du genre de celui qu'on utilise pour se réchauffer les pieds, pas pour se rafraîchir le visage.

Je regardai le compteur ; vingt-quatre kilomètres ; c'était la distance que nous avions parcourue depuis la grande route. La route proprement dite ; la vraie, celle qui était goudronnée. D'après mes calculs, nous étions à moins d'une trentaine de kilomètres de la réserve des Indiens mojave, probablement, dans son genre, le site le plus parfaitement sujet à la ségrégation de tous les États-Unis.

Brusquement, le chemin descendit à pic et emprunta le lit d'un lac ; une nouvelle étendue immense pas particulièrement excitante.

Sarah sortit alors le « Magellan » de sa boîte et inséra la batterie. Elle appuya sur un des boutons en façade, qui produisit un bip sonore. Il ressemblait à un téléphone mobile surdimensionné avec un écran rétroprojecteur éclairé et cinq ou six boutons en bas, dont quatre disposés en forme de flèche. Sur l'écran, s'affichaient un tracé digital grossier d'une carte et quelques chiffres.

Beaucoup de chiffres.

Aucun d'eux n'avait la moindre signification pour moi.

« Qu'est-ce que c'est que ça, précisément ? » demandai-je.

La voiture fit une embardée quand le chemin s'enfonça, apparemment pour occuper toute la largeur du lac desséché. Sarah faillit laisser tomber l'appareil, sans que ses yeux ne quittent jamais l'écran.

« GPS, dit-elle, laconique. Il nous indique exactement où nous nous trouvons sur la planète.

— Qu'est-ce qu'il dit, maintenant : "Comment savoir ?" "Perdus", "Trou du cul du monde" ?

— Pas du tout. Il dit : "Arrêtez la voiture, inspecteur Lambert, car Sarah aimerait beaucoup descendre, maintenant…" »

43

Mardi 18 août 2043
À quarante-deux kilomètres
au nord de Fort Tejon
State Historic Park, Californie

À part les quatre hommes qui traversaient en voiture le paysage désolé, il n'y avait pas âme qui vive dans les quatre-vingts kilomètres à la ronde. Au bout d'un moment, la lumière sur le combiné se mit à clignoter, et la voiture s'arrêta en dérapant légèrement sur la terre sablonneuse.

La région était parfaitement plate sur au moins un kilomètre et demi alentour, avec d'imposantes montagnes rouges tout autour la cernant comme une barrière de protection. C'est Klein qui en avait eu l'idée, animé par une paranoïa grandissante : mettre à profit la technologie disponible dans la première partie du XXIe siècle et choisir un site sans aucun point de repère, un site nécessitant un ensemble extrêmement précis de coordonnées pour pouvoir être localisé par d'autres.

À présent, tandis qu'on le poussait en bas de la rampe par une matinée californienne splendide, avec le soleil chaud qui projetait des ombres allongées sur la surface rouge pâle du lac asséché, même Sherman avait le sourire devant l'ingéniosité du vieil homme. On pouvait être certain que personne n'était tombé sur cet endroit au cours des trente-deux dernières années.

Bien qu'on ne leur ait pas encore confirmé qu'Alison avait commencé son voyage, ils devaient supposer que ça se passerait bien, qu'elle ferait ce qu'on lui avait demandé et qu'elle volerait les tables à Mason avant de les enterrer à l'endroit prévu. C'était presque tentant pour eux de commencer à creuser tout de suite, mais ils savaient au fond de leur cœur qu'ils ne pouvaient pas le faire. Alison devait être partie avant que la première pelle n'entame la terre sèche. À ce moment-là, les quatre hommes étaient convaincus que, sous la surface, ils trouveraient quelque chose de très exceptionnel, attendant d'être redécouvert.

La veille, Alison et Klein avaient passé plus d'une heure à cet endroit précis, après en avoir passé beaucoup d'autres à explorer les alentours. Alison avait apporté des bières, ce qui n'était pas dans les habitudes de Klein, mais il avait fini par reconnaître, comme Alison elle-même, que le choix du site final mériterait bien d'être célébré en buvant quelque chose. La chaleur torride ambiante leur donnait même un argument supplémentaire.

Klein était assis sur sa chaise à l'ombre du 4 × 4, et il contemplait la vue tandis qu'Alison ouvrait deux des bouteilles et lui en tendait une. Ils trinquèrent en les cognant l'une contre l'autre avec des sourires polis, puis Alison s'affala contre le flanc du véhicule. Une casquette de base-ball et des lunettes de soleil la protégeaient de la luminosité qui régnait dans la vaste étendue autour d'eux.

Après avoir bu, Alison, visiblement inquiète, avait profité du fait qu'ils étaient seuls pour lui poser la question qui l'obsédait depuis trop longtemps déjà.

« Qu'allez-vous en faire, Joseph ? Quand vous les aurez enfin récupérées ? »

Et Klein n'avait d'abord rien dit. Pas tout de suite. Un silence sinistre, troublé seulement par le craquement du moteur en train de refroidir, régnait sur les dix kilomètres carrés de terres en friche. Il avait repensé à la quête de toute sa vie et aux délais invraisemblables qu'il avait dû supporter pour parvenir jusqu'à quelque chose d'aussi précieux à ses yeux que les tables. Il avait repensé à tous les aspects de sa vie, les hauts et les bas, et s'était rendu compte, surtout au cours des derniers mois, que ce qui avait animé sa vie principalement, ce qui avait rendu cette vie amusante – parfois –, c'était de ne pas savoir, l'incertitude dans laquelle il semblait avoir toujours vécu.

« Quand j'étais enfant, dit-il au bout d'un moment, toujours plongé dans ses souvenirs, je lisais tellement. Jour et nuit. J'étais un vrai rat de bibliothèque. »

Il sourit fièrement. À ses yeux, c'était son amour des livres, sa soif de connaissances dans tous les domaines, qui avaient été tellement déterminants pour sa réussite.

« De la fiction, mais toujours quelque chose avec des éléments scientifiques, bien sûr. Le genre de livre qui prenait en compte la technologie présente dans notre quotidien et la poussait à des extrêmes que même les meilleurs scientifiques n'avaient pas encore envisagés, pour créer un nouveau monde excitant. Pendant un moment, il m'arrivait de me plonger dans un de ces livres, et, arrivé à la moitié, l'enfant impatient que j'étais reprenait le dessus et me forçait à aller directement à la fin, histoire de savoir comment ça se terminait. Il fallait encore que je lise le reste du livre, bien sûr, car je ne savais toujours pas comment les événements en étaient arrivés là, mais quelque chose me manquait. Je n'éprouvais plus aucune excitation. Je connaissais la fin. Ce qui ne m'empêchait pas, régulièrement, de sauter des pages, sachant parfaitement que j'allais tout gâcher. À la fin, je devais avoir dans les 14 ans, j'ai trouvé la force d'arrêter ça. »

Toujours plongé dans ses souvenirs, il regardait au-delà de la zone choisie, visiblement persuadé que la fin de sa vie était proche. Sa voix avait des intonations de confessionnal, celle qu'on prend pour faire la paix avec Dieu dans l'espoir qu'il vous ouvre les bras et vous accepte comme son enfant dans les mois ou les semaines à venir.

« À présent que je regarde en arrière, je me rends compte que je n'ai jamais arrêté. Ma vie tout entière a été consacrée à la découverte, à connaître la fin avant même d'en être arrivé à la deuxième moitié du livre. » Il secoua la tête avec désespoir. « Rien n'a changé. Je suis toujours le même enfant impatient. »

Alison le regarda bien en face. Ses yeux enfoncés, sans la moindre étincelle, exprimaient une certaine crainte. Elle comprenait parfaitement ce dont il avait peur. Il courait maintenant le risque d'être confronté aux ultimes réponses à ce monde, et il était parfaitement possible que l'unique but de ce monde consiste simplement en un voyage destiné à trouver ces réponses. Dès l'instant où elles tomberaient entre les mains des humains, la quête arriverait à son terme et le monde cesserait d'avoir un but. L'excitation de la découverte serait définitivement perdue, et chacun lirait le livre du monde tout en sachant par avance les choses à venir. Comme pour Klein et les poches qu'il lisait étant enfant, quelque chose manquerait désormais dans la vie de chaque personne destinée à fouler éternellement la terre.

« Il y a encore le temps », dit-elle, en se demandant s'il pourrait retrouver la force de ses 14 ans.

Il secoua la tête doucement. « Non, dit-il. C'est trop tard ; c'est déjà en train d'arriver. Même si vous ne menez pas votre tâche à bien, nous avons toujours le Siberium et nous avons toujours la technologie. L'humanité essaicra une nouvelle fois. Et recommencera jusqu'à y arriver. Si nous ne le faisons pas, vous pouvez être sûre que quelqu'un d'autre le fera. Le savoir ne peut pas être repris. Une fois transmis, c'est définitif. Nous ne pouvons pas plus décider de l'effacer que je pouvais décider d'oublier comment mon livre se terminait. Une fois que je le savais, je le savais une fois pour toutes. »

Il la regarda avec une sérénité pleine de résignation. « Je suis content, en tout cas, que ma vie arrive à son terme et de ne pas être là pour voir ce que j'ai fait. »

Pour Alison, c'était la confession d'un homme proche de la mort. Un homme en quête de pardon pour ce qu'il avait déclenché et qui serait impossible à arrêter. Elle se demandait si celui qui reprendrait le flambeau après lui aurait le culot de reconnaître qu'au fond toute cette comédie n'était qu'une énorme erreur. Quelqu'un comme Strauss l'aurait peut-être, mais elle était beaucoup moins sûre de Haga, de Kerr et, évidemment, de Sherman.

Sherman avait progressivement renoncé à son rôle de scientifique à mesure qu'il se rendait compte que le monde avait une structure propre, et que la structure pouvait très probablement être contrôlée. Manipulée. Commercialisée. Visiblement, il prenait davantage plaisir à la perspective de vendre une idée qu'à celle d'une aube nouvelle.

« Pourquoi me raconter tout ça maintenant ? demanda Alison.

— Je n'en sais rien, dit Klein doucement. De la culpabilité ? Les scientifiques peuvent en éprouver, vous savez. Voyons les choses en face, Nobel n'a décidé de léguer la majeure partie de ses neuf millions de dollars pour provisionner ses prix annuels, dont le prix de la paix, qu'à cause de la culpabilité qu'il éprouvait pour son invention de la dynamite. Il savait que c'était irréversible. Ce qui était fait était fait, mais peut-être voulait-il qu'on sache qu'il avait une conscience.

— Mais dites-moi, Joseph. Que cherchez-vous maintenant que vous avez trouvé votre chemin de Damas ? »

Elle haussa les épaules. « Le salut ? Les louanges ? Que désirez-vous, au fond ? »

Klein sourit avec avidité. Il adorait l'intelligence dont Alison faisait preuve. Il avait effectivement subi une conversion. Il n'était peut-être pas prêt à changer de nom ni à trouver une nouvelle Église, mais il ne faisait aucun doute que l'approche de la mort avait entamé ses certitudes. La conviction qui l'avait animé toute sa vie avait perdu de sa force. Quelque part en cours de route, elle avait relâché son emprise.

« Je veux la seule chose que je ne peux pas avoir, finit-il par répondre, d'une voix pleine de regrets. Je veux changer le passé. Le faire s'arrêter. »

Pendant les cinq minutes qui suivirent, les deux scientifiques parmi les plus brillants du monde, l'une jeune et l'autre vieux, restèrent tranquillement assis à l'ombre. Sans échanger le moindre mot. Klein se demandait en son for intérieur si, compte tenu de cette nouvelle « structure séquentielle » que possédait le monde, il y avait encore un paradis.

Il le verrait bien assez tôt, songea-t-il.

Probablement au même moment que sa fiche de refus.

Moins de vingt-quatre heures après cette confession, Klein contemplait encore une fois le site de récupération des tables, tandis que ses trois collègues attendaient avec impatience des nouvelles de Strauss. Il regarda ses paumes, dont les lignes de vie étaient certainement plus profondes qu'autrefois, mais pas plus longues, puis il ferma les yeux et pria pour que ses vœux se réalisent.

Kerr et Haga bavardaient de tout et de rien tandis que Sherman faisait les cent pas, la radio serrée dans la main droite. Il s'avança vers Klein et se plaça à droite de sa chaise sans même le regarder en face. « Êtes-vous certain qu'elle va faire ce qu'il faut ? » demanda-t-il.

Klein sourit. Il l'espérait, même si ce n'était pas au bénéfice de Sherman.

« Parfaitement, répondit-il. J'en suis sûr.

— Et l'explosion à Cardou ? Vous pensez que...

— Non, dit Klein en secouant la tête. À mon avis, c'est Mason que nous devons remercier pour ce petit cadeau. Mlle Bond fera exactement ce qu'on lui a demandé de faire, vous pouvez en être certain. »

Demandé ? pensa-t-il. Par qui ? Par quoi ?

Sherman jeta un regard soupçonneux à son patron et s'éloigna, tout en sachant parfaitement que les choses se déroulaient comme prévu. Qui aurait pu croire que le penchant de son ex-femme pour ce qu'il appelait de la télé low-cost lui aurait permis d'assister à tout ça ? La découverte de ce qui était probablement l'unique ensemble de lois à avoir échappé aux plus grands scientifiques du monde. Les lois qui reliaient les choses entre elles. Par son ascension au sein de KRT et la découverte accidentelle par Strauss du pouvoir du Siberium, Sherman était maintenant le membre le plus ancien de l'équipe la plus ancienne au sein de l'organisation. Ajoutez à ça des connaissances à revendre, ça faisait un sacré marchepied pour des semelles italiennes en 42…

Attention, pensa-t-il, c'était seulement un marchepied. Rien d'autre. Disons même un tremplin. Un tremplin à partir duquel David Sherman faisait un dernier saut, prêt à retomber à sa surface une dernière fois avant de se jeter dans les eaux cristallines de la domination scientifique planétaire. Tous les aspects du design, de la fabrication et de l'innovation seraient régis par une technologie surgie des réponses à tous les problèmes compliqués mis sur la table par les tenants désespérément affaiblis de la physique. Bien sûr, avec une telle technologie, les prix devraient tenir compte du brio incroyable et de la vitesse avec lesquels des avancées pourraient être réalisées.

Les ordinateurs seraient plus rapides, les voitures et les avions seraient plus rapides, et tous les progrès de la technologie seraient plus rapides. Au cours des jours grisants qui s'annonçaient, rien ne serait plus rapide que l'ascension météorique de David Sherman. Il n'aurait aucun besoin de concevoir ni de fabriquer quoi que ce soit. Il ne serait plus obligé de se soucier de bureaux et de frais généraux écrasants, ni du packaging et de l'expédition. Il n'aurait plus entre les mains que de l'information pure, immédiatement utilisable et *brevetable*, et il pourrait regarder son tas de royalties croître comme cela n'avait jamais été vu dans aucune autre société dans l'histoire.

Même Microsoft et ses habiles négociations avec IBM, et Apple avec ses iPad, iPhone et autres, s'émerveilleraient de cette nouvelle entreprise, s'étant convaincus – ainsi que d'autres – que le monde était tellement plus sage maintenant, et qu'une telle opération financière ne pourrait plus jamais se produire.

Sherman avait seulement 49 ans. Il était suffisamment mûr pour comprendre les bases du business auquel il allait être confronté, mais suffisamment jeune encore pour profiter de ce qu'un tel business lui apporterait. Aujourd'hui, ce n'était pas le jour de Joseph Klein, Joseph était bien trop vieux et faible pour apprécier tout ça. Aujourd'hui, c'était le jour de Sherman. L'avenir lui appartenait.

La radio crachota. Apparemment, même la technologie digitale ne parvenait pas à supprimer la quantité croissante de merde qui infectait l'atmosphère de ce monde. Puis la voix de Strauss retentit à l'autre bout. Résignée plutôt qu'excitée. Comme s'il regrettait déjà quelqu'un.

« OK, les gars, dit-il. Elle est partie.

— Bien », dit Sherman en refermant sans ménagement l'appareil.

Aujourd'hui, il n'avait ni le temps ni l'envie de plaisanter.

Klein soupira profondément, puis il fit un signe de tête à Haga et à Kerr, qui avaient l'air impatients. Ils échangèrent un sourire complice, puis se dirigèrent vers la camionnette, firent coulisser la porte latérale et en retirèrent deux pelles. Sherman les suivit et prit une mallette rouge foncé aux côtés rigides, rembourrée à l'intérieur, qui avait été prévue pour transporter les tables jusqu'à Los Angeles une fois qu'elles auraient été récupérées. Compte tenu de la santé déclinante de Klein et de son propre sentiment de supériorité pour avoir découvert cette technologie, Sherman décida de son propre chef de prendre la direction des opérations.

Il s'avança lentement sur le lit du lac aride, avec le GPS à la main, dont les chiffres se modifiaient à chacun de ses pas. Puis il s'arrêta, vérifia deux fois les coordonnées finales, et, du bout d'une de ses chaussures de luxe, il traça un « X » grossier dans la fine couche de sable qui s'était déposée sur le sol durci.

« Parfait, dit-il sans lever les yeux. Nous pouvons commencer à creuser. »

44

Mardi 21 avril 2009

Alison cognait contre la porte de toutes ses forces. Comme sur la plupart des portes dérobées cachées au fond de ruelles obscures ne servant qu'en cas d'incendie ou pour sortir la poubelle, il n'y avait aucune poignée extérieure susceptible de faciliter un cambriolage. Puis elle se mit à crier. Elle était toute nue, à peine dissimulée par la feuille de plastique à bulles qu'elle avait trouvée dans une poubelle. Si quelqu'un finissait par ouvrir cette porte, cette personne verrait aussitôt qu'elle ne portait rien en dessous, mais elle espérait qu'il lui resterait au moins un petit quelque chose à imaginer.

Elle avait ébouriffé ses cheveux de son mieux et, à l'aide d'une bouteille cassée trouvée près du vieux poivrot, avait légèrement entaillé sa joue droite tout du long pour accréditer l'histoire qu'elle avait imaginée. Le vagabond, qui avait été témoin de tout mais trop ivre pour y comprendre quoi que ce soit, était toujours un peu plus loin dans la ruelle en train de marmonner, perdu dans son monde. Il n'y avait personne d'autre.

Elle ne voulait pas aller au bout de la ruelle jusque dans la rue principale, par peur des gens et des questions qu'ils ne manqueraient pas de poser. Il valait mieux faire profil bas, la seule façon de traiter un incident embarrassant et aussi intime.

Après avoir frappé vigoureusement pendant deux ou trois minutes, et juste au moment où elle allait renoncer, elle entendit un petit bruit à l'intérieur. Puis il s'amplifia, et elle finit par reconnaître des pas sur une échelle métallique. Elle frappa encore plus fort, en dépit de ses mains endolories, et cria à plusieurs reprises : « Ohé ! »

Elle s'arrêta seulement en entendant le bruit de la barre intérieure sur laquelle on appuyait, et les loquets qui s'ouvraient en haut et en bas de la porte. Il s'était mis à pleuvoir à verse dès qu'elle était arrivée, et de grosses gouttes martelaient son vêtement improvisé et ruisselaient jusqu'au sol. Ses cheveux châtain clair avaient foncé radicalement, et le sang dilué par la pluie dégoulinait sur sa joue. Dieu merci, il y avait quelqu'un, pensa-t-elle.

Elle allait enfin pouvoir prendre les choses en main.

La porte s'ouvrit avec un grincement métallique, et une Chinoise âgée jeta un coup d'œil méfiant à l'extérieur. Comme celui d'un gosse poussant la porte grinçante d'une maison hantée dans une série B, son visage exprimait un mélange de curiosité irrépressible et d'inquiétude à la perspective de ce qu'elle allait découvrir. Elle tenait deux cartons débordant d'ordures qu'elle se préparait sans doute à aller mettre à la poubelle. Les cartons tombèrent par terre, et des emballages vides et des cartons plus petits se répandirent dans l'entrée. Elle ne réagit pas tout de suite, se contentant de rester là comme un voleur surpris et fixant un regard incrédule sur la malheureuse jeune femme trempée et terrorisée qui se tenait juste devant sa porte.

« Aidez-moi… je vous en prie, dit Alison d'une voix désespérée en la regardant avec des yeux suppliants. Ils… ils ont voulu me violer. »

Dix minutes après, Alison était assise dans le bureau douillet de M. Yang, porte fermée. On entendait retentir la sonnerie du tiroir-caisse dans le magasin tout en longueur, de l'autre côté. Elle buvait une tisane en serrant sa tasse entre ses mains tremblantes comme si elle mourait de soif, les yeux fixés sur ses pieds nus.

Elle portait un survêtement trop grand prêté par Mme Yang, avec une couverture à carreaux bleus et verts sur les épaules. Ses cheveux avaient été essorés avec une serviette, et le sang sur sa joue nettoyé, mais la coupure était toujours visible, dessinant une fine ligne allant de sous son œil droit au coin de sa bouche. M. Yang était retourné dans la boutique et servait des clients, en en profitant pour regarder dans la rue si quelqu'un était arrivé.

« Police vient bientôt, dit Mme Yang d'un ton rassurant. Vous voulez que j'aille vous chercher quelque chose ? »

Alison se réchauffait avec sa tasse, et la chaleur lui montait au visage. Elle secoua la tête. « Non… ou plutôt, merci. Je me sens beaucoup mieux, maintenant. »

Elle regarda tout autour du bureau et remarqua quelques objets d'un design un peu démodé, en comparaison de ceux dont elle se servait quotidiennement ; on aurait dit des pièces récemment entrées au musée, ou des éléments de décor des émissions « vintage » des chaînes numériques. Elle sourit. Elle était bien revenue en arrière, mais où et *quand*, comment savoir. La séquence avait été conçue par Sherman et une équipe de théoriciens ignares (en insistant bien sur la *théorie*) à partir d'un schéma très vague. Elle reposait sur les effets supposés d'une application de charge électrique et venait seulement de devenir plausible en tant que science. Il y avait encore un sacré bout de chemin à parcourir avant qu'on puisse envisager qu'elle devienne une science exacte.

Sur le mur, à gauche de la pièce, au-dessus d'un imposant coffre-fort bleu avec une masse de papiers dessus, était accroché un de ces calendriers mois par mois dont les fournisseurs inondent leur clientèle. Le mois d'avril était affiché, ainsi que le nom de la société qui avait fourni le calendrier, Ming-Ch'i, et la mention qu'ils avaient été élus meilleur distributeur de produits alimentaires chinois de Los Angeles 2006-2007. Ce qui ne voulait pas dire forcément que l'année en cours était bien 2007. Mais plus probablement le mois d'avril 2008, étant donné que la récompense avait déjà été attribuée. Elle était donc arrivée un an plus tôt qu'elle ne l'espérait. Aucune année n'était mentionnée sur la feuille du calendrier, mais à la place figurait le dessin d'un bœuf en haut de la page.

L'année du Bœuf, pensa-t-elle. À quelle année pouvait-elle bien correspondre ? Pourquoi était-elle tombée dans une supérette chinoise ? Pourquoi pas une italienne ? – elle parlait assez couramment l'italien – ou une boutique avec un calendrier normal, avec des dates normales ?

Quel animal était-ce lors de son départ ? Elle essaya de se souvenir du début de l'année, des quinze jours de fête célébrés par l'envahissante communauté chinoise de Los Angeles à cinq blocs de son appartement. Le samedi avait donné lieu à un spectacle fastueux avec des dragons de quinze hommes et une série de chars. Presque tous les participants qui n'étaient pas déguisés portaient des drapeaux, mais avec quelle créature dessus ? Réfléchis, réfléchis, réfléchis.

Le cochon, c'était ça. Certains s'étaient même déguisés en cochons. De drôles de cochons, mais des cochons quand même. 2043 était donc l'année du Cochon. Ce qui ferait pour celle-ci... elle se remit à contempler ses pieds, tout en se livrant à de savants calculs... 2033, 2021 ou 2009. Ce qui, en tenant compte de la distinction de Ming-Ch'i, voulait dire que ça devait être 2009. Ils devaient avoir été supplantés par un autre fournisseur en 2008, mais avaient préféré ne pas en faire la publicité.

Autrement dit, alors que le graphique de Sherman avait toujours été considéré comme une « estimation », il était en réalité sacrément précis. Alison Bond était assise dans le bureau d'une supérette chinoise de Los Angeles en avril 2009, et elle avait deux années entières devant elle pour faire ce qu'elle avait besoin de faire avant d'aider Mason à s'échapper. Elle avait réussi à ne rien manifester, mais, en réalité, c'était vraiment génial (et tant pis si ça pouvait être considéré comme une erreur).

En regardant de nouveau le calendrier, elle remarqua le proverbe correspondant au mois d'avril. Il était écrit au bas de la page en petits caractères romains noirs mâtinés de style chinois : « On peut se trouver au même endroit deux fois, mais même le plus audacieux des voyageurs ne peut pas se trouver à deux endroits en même temps. » Elle sourit. L'inventeur de la séquence avait, décidément, un sens aigu de l'ironie.

Mme Yang continuait à s'affairer comme une abeille

au milieu des fleurs. Elle s'inquiétait pour la jeune femme, mais ne semblait pas du tout surprise qu'elle ait atterri chez eux. Ni elle, ni son mari, ni évidemment aucun de leurs employés, ne s'étonnaient plus des actes de violence commis dans le voisinage. En huit ans, depuis qu'ils tenaient le magasin, ils avaient recueilli douze victimes de viols ou de tentatives de viol, été témoins d'innombrables agressions, de quatre fusillades (dont trois mortelles), et le magasin lui-même avait fait l'objet de pas moins de douze hold-up.

« Ils... vous ont violée ? demanda-t-elle en posant sa main fripée sur le bras d'Alison.

— Non, répondit Alison. Je me suis débattue. Ils ont pris peur et se sont enfuis. »

Elle faisait tout son possible pour paraître convaincante et parlait en détachant bien ses mots, avec ce qu'il faut de trémolos dans la voix, comme si elle était au fond du trou.

« Vous, beaucoup de chance, dit Mme Yang d'une voix pleine de compassion, à l'accent chinois prononcé. Vous pouviez être tuée. »

Alison acquiesça piteusement.

« Oui, je sais.

— Nous avons de la soupe aux nouilles. »

Elle prit un ton optimiste, histoire de remonter le moral de la jeune femme.

« Vous en voulez ? »

Alison regardait sciemment dans le vide en se mordant la lèvre, comme si elle s'efforçait de résoudre un problème, puis elle se ressaisit brusquement.

« Pardon ?

— De la soupe aux nouilles. Très bonne. Vous en voulez ? »

Alison sourit, mais Mme Yang se rendait bien

compte que quelque chose n'allait pas. « Ce serait gentil. »

Quelques minutes plus tard, Mme Yang lui tendait un bol en polystyrène plein de soupe avec une cuillère à fond plat. Alison souffla distraitement dessus puis en prit quelques cuillerées, en s'assurant que sa main tremblait juste assez pour secouer la soupe sans en répandre sur le sol.

Elle hocha la tête et sourit de son pauvre petit sourire malheureux. « C'est bon. » Elle ne dit pas merci. Les gens en état de choc ne se souvenaient plus qu'il fallait remercier.

« Plein d'herbes, expliqua Mme Yang. Bon pour restaurer Yang. » Elle s'assit près d'Alison pour attendre avec elle.

« J'ai été tellement bête, dit Alison en baissant la tête et en soupirant.

— Pas votre faute, protesta Mme Yang. Cet endroit très mauvais. Beaucoup de gens mauvais. Vous vous battre et c'est bien. Vous leur montrer qui le chef. Tout de même… beaucoup de chance. »

M. Yang entrouvrit la porte du bureau et passa la tête par l'ouverture en écarquillant les yeux. « Police vient », dit-il. Il se força à sourire, comme s'il ne savait pas quoi dire, puis disparut à nouveau.

Un homme et une femme en uniforme de la police de Los Angeles, avec de lourdes vestes noires, entrèrent dans la pièce.

L'homme, proche de la cinquantaine, était le plus âgé des deux, avec des cheveux gris coupés à la mode, une ombre sur le menton et des arêtes en haut de son nez pour ses lunettes de soleil, lesquelles étaient pour l'instant dans sa poche de chemise. La femme paraissait toute jeune. Dans les 20, 25 ans, avec un type hispanique et une lueur juvénile dans les yeux. Elle sourit à Alison en entrant. Le type portant un badge au nom de McInley la regarda à peine avant de se tourner et de s'appuyer contre le mur près de la porte. Il regarda par l'entrebâillement les gens dans le magasin et ceux qui passaient devant. Il aimait surveiller la rue, voir les gens. Il pouvait détecter un problème à un kilomètre, et il était toujours en alerte. D'ailleurs, il n'était pas vraiment indispensable dans cette affaire, c'était un truc de femmes entre elles. Mieux valait laisser Maria s'en charger...

L'inspecteur Maria Esperanza s'accroupit devant Alison.

« Pouvez-vous me raconter ce qui vous est arrivé, ma chérie ?

— Ils étaient trois, finit par dire Alison, les yeux toujours dans le vide. Des Blancs. En jean. Dans une... voiture. Une voiture noire. Une longue, vous voyez ? Ils m'ont arrêtée en ville pour me demander leur direction, puis ils m'ont fait monter de force. Un des types avait un couteau. Il a mis sa main sur ma bouche et a appuyé son couteau contre ma gorge pendant que les autres... », sa souffrance était évidente, la pire souffrance de sa vie, « ... ont commencé à m'enlever mes vêtements. »

Elle se mit à pleurer.

« Et où sont vos vêtements ?

— Je n'en sais rien, dit Alison en sanglotant. Dans la voiture, je suppose.

— Comment se fait-il que vous vous soyez retrouvée ici ? Dans la ruelle ?

— Un des types, un type aux cheveux noirs. Il conduisait pendant que les autres... pendant qu'ils... En tout cas, ils m'emmenaient quelque part pour...

abuser de moi… je crois. Ils m'ont conduite jusqu'ici et m'ont dit de descendre. Je… je ne sais pas… j'ai eu peur et j'ai paniqué. Je me suis mise à hurler, à crier de toutes mes forces. Ils paraissaient vraiment surpris. Ils ne s'attendaient pas à ça. Ils sont remontés dans la voiture et sont partis.

— Aviez-vous déjà vu un de ces hommes, auparavant ? »

Alison secoua la tête.

« Non.

— Pourriez-vous les reconnaître ? Ou la voiture, peut-être ?

— Je n'en sais rien, dit Alison. Ça s'est passé tellement vite. C'était seulement… »

Elle se mit à sangloter de plus belle, incapable d'en dire plus.

« Ne vous en faites pas, dit Maria en posant une main compatissante sur celle d'Alison. Y a-t-il quelqu'un à pré venir ? Un parent ou un ami, peut-être ? »

Alison secoua la tête.

« Je suis… je suis de Chicago, dit-elle, toujours visiblement bouleversée. Je venais voir ma sœur.

— Et où habite votre sœur ?

— Elle est à Oakdene », dit Alison lentement, sachant la réaction que ce nom risquait de provoquer.

Puis Alison leva brusquement les yeux, comme sous le coup d'une évidence. Ce qui, d'ailleurs, était justement le cas. Sur le sol beige poli, elle avait vu le reflet de la pendule sur le bureau de M. Yang et s'était s'aperçue qu'elle indiquait 10 h 15. Ils l'emmèneraient à la gare, probablement toujours vêtue des vêtements de Mme Yang, mais quelle importance ? Elle n'aurait pas le temps de trouver un endroit où passer la nuit.

« Mon sac ?... dit-elle d'un ton agressif à la femme policier. Ils ont pris mon sac. » Elle regarda d'un air absent autour de la pièce, en tournant la tête de tous les côtés.

« Ils ont mon argent, mes cartes, mes papiers d'identité, tout. Je n'ai... je veux dire. Je ne peux pas... je veux dire... je n'ai nulle part où aller.

— Ne vous inquiétez pas pour ça, dit Maria. Nous allons vous trouver un endroit où vous pourrez rester jusqu'à demain. Ou plus longtemps, si besoin. Vous disposerez gratuitement d'un téléphone. Demain matin, vous pourrez peut-être appeler la banque, ou chez vous, et trouver une solution. »

Alison faillit éclater de rire. Appeler la banque ? Elle en avait une, de banque, avec, à l'intérieur, deux mille dollars en billets de cent roulés serrés et trois diamants bruts qui en valaient peut-être encore vingt mille. Seulement, sa succursale avait la plus minuscule salle des coffres qui soit, et à ce moment précis elle était même assise dessus.

« Entre-temps, nous pouvons prévoir un examen complet, si vous voulez, continua Maria. Interne également... s'il y a quelque chose que vous ne nous avez pas dit ? » À savoir si ces salauds lui avaient ou non fourré leurs sales petites pattes – ou pire – à l'intérieur.

Alison leva les yeux. « Non, merci, je veux dire, ils ne l'ont pas fait. »

Maria hochait la tête. Elle comprenait. « Ne vous en faites pas, dit-elle doucement. Pour l'instant, je vais discuter avec mon partenaire, là-bas, et ensuite il faudra que nous vous emmenions au commissariat pour faire une déposition. Je resterai avec vous tout le temps, et ensuite nous verrons si nous pouvons vous trouver un endroit où aller, d'accord ? »

Sans cesser de regarder ses pieds, Alison fit semblant d'être soulagée, mais ne répondit pas. Maria rejoignit McInley et se mit à parler à voix basse. Alison ne parvenait pas à entendre tout ce qu'elle disait, mais elle saisissait l'essentiel. Il n'y avait pas grand-chose à faire dans l'immédiat. La fille était de toute évidence très secouée par l'agression, et ils n'obtiendraient probablement aucune description précise de la voiture et des trois agresseurs. Mieux valait se contenter de prendre sa déposition et de la mettre à l'abri pour la nuit.

Si quelque chose lui revenait ultérieurement, elle pourrait toujours appeler l'inspecteur Esperanza.

Alison savait aussi bien qu'eux que la plupart de ces délits, surtout dans ce quartier, n'étaient jamais résolus. Elle entrerait simplement dans les statistiques. Une façon de légitimer la seule chose dont elle avait eu besoin à son arrivée – une explication véritablement plausible justifiant son apparition toute nue dans une ruelle, sans papiers d'identité ni argent.

Quand ils eurent fini de parler, McInley haussa les épaules, les yeux toujours fixés sur la rue à travers les étagères bondées du magasin. Un groupe de six ou sept jeunes Chinois était en train de se former au bout de la rue, et il voulait voir s'ils se contentaient d'échanger des cigarettes et rien de plus fort. Ils avaient un drôle d'air et, malgré la voiture de police garée en évidence devant le magasin, ils traînaient dans les parages depuis un petit peu trop longtemps.

Maria revint vers Alison et s'accroupit de nouveau, un bloc noir dans une main et un crayon dans l'autre. « Bon, dit-elle, j'ai juste besoin de noter quelques détails. Et d'abord, comment vous appelez-vous, ma chérie ? »

Alison leva les yeux très lentement, le regard

toujours vague, avec un mélange de stupéfaction, de désespoir et d'incompréhension digne d'un oscar, devant la situation dans laquelle elle s'était retrouvée.

Elle fit semblant de réfléchir, et de réfléchir de toutes ses forces.

« Fiddes, finit-elle par dire, avant d'épeler le nom à l'intention de la jeune policière. Sarah Fiddes. »

45

DIMANCHE 12 JUIN 2011
À QUARANTE-DEUX KILOMÈTRES
AU NORD DE FORT TEJON
STATE HISTORIC PARK, CALIFORNIE

Nous étions presque au centre du lac asséché ; probablement la plus vaste étendue de terre parfaitement plate et monotone qu'il m'ait jamais été donné de voir, cernée au loin par le genre de montagnes qui semblent toujours s'éloigner à mesure que vous avancez. Quand j'arrêtai la voiture et que nous en descendîmes, je m'attendais à voir quelqu'un passer à toute vitesse devant nous pour tenter de battre un record. Franchement, j'ignorais qu'il existait des endroits pareils ; je croyais qu'on les fabriquait pour la télévision. Ma chemise me collait à la peau, et mes lunettes de soleil ne parvenaient même pas à atténuer la force du soleil. Le silence absolu qui régnait était pire que tout ce que j'avais précédemment expérimenté. Plus pénible que la chaleur.

Sarah avait l'air ravie et affichait sous ses verres foncés ce sourire entendu quasi permanent dont elle avait fait sa spécialité. Ce n'était pas la peine que je lui pose de question, elle n'en changerait pas. C'était sa façon de me tenir en haleine, me fournissant des bribes d'information chaque fois qu'elle sentait mon niveau d'excitation retomber, tout en me préparant pour la grande finale. C'était peut-être ça, cette vaste étendue de désert, et en ce cas il ne lui manquait plus que le mot « déception » écrit en travers à l'encre indélébile.

Je posai une bouteille à moitié vide sur le toit, et me tournai pour allumer une autre Marlboro et contempler les trois cent soixante degrés de néant qui nous entourait. Elle était déjà en train de mettre le sac sur son dos, m'ignorant complètement, puis elle s'éloigna lentement, les yeux rivés sur l'écran.

« Où allez-vous ?... » commençai-je, avant de m'arrêter. Je me contentai de récupérer ma bière et lui emboîtai le pas.

Au bout de quelques centaines de mètres, elle s'arrêta brusquement, scrutant toujours l'écran et tâtant le sol du bout d'une basket vert olive. Puis elle traça un « X » sur le sol. « Ici, dit-elle en levant les yeux vers moi d'un air interrogateur. Vous avez apporté les pelles ? »

Curieusement, je réussis à garder mon calme. Personne ne m'avait parlé de ces pelles. L'air faussement indigné, je retournai jusqu'à la voiture tandis que Sarah posait le sac à dos par terre et en sortait avec précaution le paquet DHL. Puis, très doucement, elle le posa sur le sol.

Je revins, lui tendis une pelle et commençai à entamer le sol aride qui se craquela d'abord, avant que la terre ne veuille bien se laisser extraire. Elle s'entassa bientôt d'un côté tandis que ma chemise devenait carrément trempée.

« Pourquoi ici ? » demandai-je.

Elle se mit à creuser à côté, agrandissant le trou

sur ma droite. « Pourquoi pas ? dit-elle. Cet endroit ne vous plaît pas ? » Évidemment, elle avait fait exprès de ne pas répondre à ma question et entendait bien me le faire remarquer.

« Comme endroit où cacher quelque chose et être certain qu'il ne soit jamais retrouvé, c'est parfait, dis-je. Si vous ne voulez pas me dire pourquoi vous avez utilisé un système GPS plutôt que de choisir un endroit au hasard, je ne vais pas tarder à agrandir le trou pour pouvoir y loger aussi un corps de femme. »

Sarah sourit. « Mais je tiens absolument à ce qu'il soit retrouvé. » Elle s'arrêta, le temps d'essuyer la sueur de son front. « Mais pas avant environ… », elle pencha la tête en faisant semblant de réfléchir, « … trente-deux ans, c'est tout. »

Le tas continua à grossir jusqu'à ce que le trou soit assez profond pour contenir le paquet resté dans le papier d'emballage, avec le code-barres DHL dessus.

Elle se releva et soupira, puis le ramassa et le déposa très soigneusement au fond du trou.

« Ça devrait aller », dit-elle en commençant à jeter dessus le sable plus foncé.

Je ne pris même pas la peine de l'aider, pas cette fois. Je me contentai de m'appuyer sur ma pelle et de la regarder, attendant une explication. C'était trop demander, vous vous en doutez.

« Vous m'avez dit que vous ne vouliez pas que les tables soient retrouvées, dis-je au bout d'un moment dans l'espoir de provoquer une réaction. Jamais. »

Elle leva les yeux sans cesser de manier la pelle.

« Ce n'est pas vrai.

— Mais… dans les toilettes… à l'aéroport… ? dis-je, voulant au moins tirer ça au clair. Vous avez bien mis les tables dans le paquet, non ? »

Elle haussa les épaules tout en continuant à combler le trou. « J'ai dit que j'avais mis les tables dans le paquet ? » Elle me regarda d'un air surpris.

« Je ne me souviens pas de l'avoir dit.

— Alors, qu'est-ce qu'il y a dans le paquet ? »

Je commençais à en avoir assez, et ça ne m'amusait plus du tout de faire semblant.

Elle ramassa une dernière pelletée de sable, la déversa et tapota avec le dos de la pelle pour égaliser la surface. Puis elle donna un coup de pied dans le reste pour qu'il se répande tout autour.

Elle leva les yeux, visiblement très satisfaite de son travail de la journée.

Vraiment très satisfaite.

« Ce qu'il y a dans le paquet », dit-elle en levant les yeux au ciel. Puis elle se tourna de nouveau vers moi et haussa les sourcils avant de s'éloigner.

« En tout cas, ce n'est pas ce que *moi* j'ai mis dans le paquet. Ça, c'est certain. »

46

MARDI 18 AOÛT 2043
À QUARANTE-DEUX KILOMÈTRES
AU NORD DE FORT TEJON
STATE HISTORIC PARK, CALIFORNIE

C'est la pelle de Haga qui cogna en premier. Un petit bruit sourd, mais nette ment audible.

Ce n'était pas un rocher qu'elle avait frappé ; c'était quelque chose de creux, correspondant exactement à ce que ça devait être : une boîte.

Kerr se pencha prudemment dans le trou qui faisait un peu moins d'un mètre, et se mit à dégager le reste du sable à mains nues. Sherman et Klein regardaient sans rien dire, et si Klein paraissait inquiet, plein d'appréhension, Sherman, lui, débordait d'enthousiasme et d'impatience. Son pied droit martelait doucement le sol, et il se grattait machinalement le menton, comme pour s'occuper les mains.

Aux yeux de Klein, il avait l'air d'un drogué en manque depuis des jours en train de regarder sa petite amie chauffer une dose pour la lui injecter dans le bras. Il était désespéré, car il désirait ça de toutes ses forces. Pire, il en avait besoin, et il en avait besoin maintenant.

Kerr, enfin parvenu au but, passa les doigts d'un côté du paquet, et le papier se déchira un peu quand il tira. Il réussit peu à peu à le dégager, puis il se coucha sur le ventre et passa l'autre main dans le trou à peine plus large que la boîte. Il la tenait presque quand il relâcha sa prise ; la boîte retomba dans le trou.

« Doucement », dit Sherman, furieux de tant d'incompétence.

Ce crétin ne mesurait-il pas l'importance de ce qu'il avait tenu un instant entre ses mains maladroites ?

Lentement, le paquet monta à la surface pour la seconde fois. Kerr le posa sur le côté, essuya le sable de sa surface et roula sur le dos. Il regarda le ciel limpide et souffla longuement.

« Ouvre-la », lui intima Sherman.

Klein, entre-temps, fit rouler sa chaise sur le sol durci par le soleil. Les rides autour de ses yeux ressemblaient à des cicatrices dans un visage de pierre. Il avait l'air de plus en plus inquiet à mesure qu'il approchait. Kerr était maintenant agenouillé devant la boîte. Il commença à dégager le papier d'emballage avec précaution, le laissant voleter doucement dans la brise à peine perceptible.

Sherman posa sa serviette par terre, mit la radio d'un côté et défit les fermoirs, comme pour y loger les tables. Il sortit quelque chose de l'intérieur et se leva pour s'approcher des autres par-derrière. Haga était à genoux, lui aussi, maintenant en train de regarder si Kerr allait l'ouvrir pour découvrir les trésors espérés.

« C'est bien ça, dit Kerr en déchirant le reste du papier, les yeux rivés sur la boîte.

— On l'ouvre, n'est-ce pas ? dit Haga d'une voix excitée. Ouvrez-la.

— Je ne crois pas », dit Sherman avec un calme olympien.

Klein regarda Sherman : il avait le doigt sur la détente d'un pistolet automatique qu'il tenait de la main droite. Dont le canon se trouvait à quelques centimètres à peine du crâne de Haga, lequel ne se doutait évidemment de rien. Une forte détonation retentit, qui se répercuta dans le désert, un jet rouge jaillit du visage de l'homme, et des morceaux de cerveau se répandirent sur la surface lisse de la boîte.

Haga s'affaissa en avant comme une poupée gonflable à moitié gonflée, et son corps roula sur le côté, les yeux grand ouverts, avec une déchirure rouge béante à la place du front.

Kerr jeta un rapide coup d'œil autour de lui. Il se trouvait face à Sherman, à un mètre à peine. L'instant d'après, il affichait un air de complète stupéfaction. Il avait à peine eu le temps de comprendre ce qui s'était passé que le canon était déjà braqué dans sa direction.

« Qu'est-ce que... ? », et le pistolet tira une nouvelle fois, renvoyant Kerr en arrière, de nouveau face au soleil. Son corps se tordit lentement et ses jambes se plièrent. L'instant d'après, il était mort.

« David, qu'est-ce que vous faites là ? » dit Klein. Il ne semblait pas aussi stupéfait qu'il aurait dû l'être.

« À votre avis ? aboya Sherman en se tournant vers son patron et en braquant le pistolet en plein sur sa tête. Le vieux. »

Il insista sur le mot comme si c'était la pire des insultes. « Je prends ce qui m'appartient de droit. »

Klein paraissait incroyablement serein. Résigné.

« Ça ne vous appartient pas, David. Et à moi non plus. Ça n'appartient à personne. » Il regarda la boîte

501

qui attendait patiemment sur la terre durcie. Le sang de Haga commençait à former une mare à son pied.

« Ça appartient à Dieu.

— Dieu ? éructa Sherman. Dieu ? Avez-vous déjà oublié que Dieu n'existe pas, que j'ai prouvé une fois pour toutes qu'il n'existe pas ? »

Klein détourna les yeux et regarda l'étendue comme s'il sentait une odeur de fleurs dans l'air. Il paraissait trop calme, trop détendu et bien trop heureux, compte tenu de la tournure des événements.

« Dans ce cas, qui a écrit la séquence ? » demanda-t-il.

En cours de route, Sherman avait apparemment préféré oublier la première question qu'il s'était posée pendant toutes ces années ; la première question qu'il avait posée à Klein quand il était entré dans son bureau, débordant de nouvelles théories excitantes.

Et si Dieu existait vraiment ?

« Qui nous a créés, vous et moi, David ? Qui a établi les règles ? »

Il parlait maintenant comme un universitaire venant juste de découvrir la faille dans la thèse d'un étudiant pour lequel il nourrissait une inimitié farouche ; avec un mépris total devant une absence totale de compréhension.

« Tout ce que vous avez découvert, David, c'est que Dieu a une structure tangible dans la manière dont il travaille. Rien d'autre. Vous pensez que vous avez prouvé qu'il n'existe pas ? Très bien. Dans ce cas, vous pourriez peut-être me dire qui a écrit toutes les réponses ? Celles dont vous voulez tellement faire croire que ce sont les vôtres ?

— Quelle importance de savoir qui les a écrites ?

dit Sherman en détachant les mots. Elles sont à moi, maintenant.

— Certainement pas », dit Klein.

Il ferma les yeux à moitié et regarda vers le sol. « Si vous essayez d'ouvrir cette boîte, vous allez en être empêché. »

Sherman ricana d'un air méprisant.

« Empêché, David. Par un pouvoir qui vous dépasse.

— C'est quoi, ces conneries ? »

Sherman hurlait presque, agitant les bras dans tous les sens. « Le vieux nous fait une crise de conscience ? Il voudrait se mettre à genoux et reconnaître l'existence de son créateur car il a la trouille de se retrouver en face de lui ? Quoi encore, Joseph ? Vous allez vous confesser ? » Il secouait la tête avec mépris.

« Seigneur, vous voilà prêt à supplier un dieu qui n'existe pas, et lui demander pardon pour avoir prouvé qu'il n'existe pas, et c'est moi le cinglé ? Sérieusement, Joseph, c'est quoi cette histoire de fou ?

— Quelqu'un a écrit la séquence, Dave. Continuez à discourir tant que vous voulez, mais c'est le seul fait irréfutable que vous ne pouvez pas nier.

— Vous oubliez ce que nous sommes, Joseph, dit Sherman avec toujours la même ferveur quasi religieuse. Vous avez perdu de vue la raison de notre existence. Nous sommes des scientifiques. C'est notre boulot, de prouver que Dieu n'existe pas. Et maintenant, juste au moment de réussir, vous vous dérobez. »

Il pouffa. « Exactement comme les autres. »

À mesure qu'il parlait, Sherman était de plus en plus exaspéré.

« Et... et... de toute façon, et votre rôle dans tout ça, professeur ? Il y a quelques instants, vous mouriez d'envie de tenir les réponses entre vos mains, n'est-ce pas ? Jusqu'à aujourd'hui, elles n'étaient pas trop sacrées pour vos sales petites mains, pas vrai ? Bien sûr que non. Et maintenant, vous voulez rester là et... et... me sermonner pour me dire ce qui est bien et mal ? Le mot hypocrite ne fait même plus partie de votre vocabulaire ?

— J'ai pris la décision il y a longtemps, dit Klein d'une voix lasse. Nous nous contenterions d'y jeter un coup d'œil, c'est tout. Et après avoir regardé l'œuvre de Dieu, nous saurions, une fois pour toutes, que, malgré toute notre science et toutes les fausses informations que nous avons diffusées à propos de la marche du monde, il y a quelque chose de plus important... quelque chose que nous ne comprendrons jamais. Il existe, Dave, que ça vous plaise ou non. Et une fois que vous auriez su la vérité, comme moi, et qu'en fin de compte nous sommes toujours aussi ignorants, je serais parti seul pour les enterrer à nouveau. Quelque part où on ne les aurait jamais retrouvées.

— Pourquoi agir aussi stupidement ? »

Klein esquissa un sourire. « Pour empêcher de sales petits merdeux comme vous de mettre la main dessus, dit-il, sarcastique. Vous débloquez complètement, Dave. »

La pire insulte qu'on puisse faire à un scientifique.

« Je débloque, Joseph ? Et vous, alors ? Arrêtez. C'est moi qui ai découvert cette technologie, vous l'avez oublié ? Je l'ai trouvée et je l'ai élaborée. » Il montra la boîte du doigt. « Vous avez passé des années à les chercher, et puis... rien ! Et alors, boum ! » Il frappa la main tenant le pistolet contre la paume de l'autre main. « J'arrive et je vous donne les moyens d'y parvenir. S'il y a bien quelqu'un qui débloque, ici, c'est vous, Joseph.

— Vous êtes vraiment malade, Dave.

— Non, Joseph, vous, vous êtes enfermé dans votre petit confessionnal, moi, je vois très, très clairement. Et vous savez ce que je pense de votre précieux créateur ? Votre être suprême qui a mis la séquence entre les mains de l'homme ? »

Il se rapprocha. « Vous savez qui il est vraiment, d'après moi, Joseph ? »

Klein secoua la tête, l'air de plus en plus las.

« Non, Dave, je n'en sais rien. Mais je suis sûr que vous brûlez d'envie de me le dire.

— Moi ! dit Sherman avec un sourire diabolique. C'est moi, Joseph. Vous savez pourquoi ? Parce que quand je saurai que ma vie est terminée, quand je me verrai transformé en épave comme vous l'êtes à présent, vous savez ce que je ferai ? Je monterai dans notre petite pièce là-haut et je retournerai en arrière. Loin, loin en arrière. Et peut-être que je me trouverai un auditoire au sommet d'une montagne, et je livrerai tout ce que je sais, je le leur rendrai, Joseph. Et tout recommencera… une nouvelle fois. »

Pour Klein, ce n'était même plus de la mégalomanie. C'était une psychose de la plus belle espèce.

« Vous êtes en train de me dire que les tables elles-mêmes, les réponses à notre univers, existent… à cause de vous ? Que vous pouvez les avoir maintenant parce que vous les avez remises dans la boucle après en avoir fini avec elles ? Et maintenant, vous pensez que vous êtes quoi… Dieu ? » Il secoua la tête. « Vous êtes fou.

— Fou ?… dit Sherman d'un air songeur. C'est la deuxième fois que vous me dites ça. Si je ne me trompe pas, Joseph, vous m'avez déjà dit ça une fois, vous vous en souvenez ? Quand je suis entré pour la première fois dans votre bureau avec l'idée que tout ça était possible. Et regardez-moi, à présent. Regardez les merveilles que j'ai créées pour vous. Et vous dites que je suis fou ?

— Non. Vous êtes bien, bien pire.

— Vous savez ce que je vais faire, maintenant ? continua Sherman en revenant vers la boîte d'un pas décidé. Je vais vous laisser regarder la seule chose que vous avez cherchée pendant tout ce temps, et ça juste avant votre mort. Je vais vous prouver, Joseph – une bonne fois pour toutes –, que votre précieux Dieu n'existe pas. Je vais vous montrer que ces lois sont l'œuvre de l'homme. Et quand vous aurez compris qu'il n'y aura aucune entité divine pour vous accueillir de l'autre côté, je mettrai un terme à votre souffrance et prendrai possession d'un pouvoir dont vous avez dit qu'il ne m'appartiendrait jamais. »

Il dégagea du pied le corps de Haga, et le visage du mort apparut, l'air horrifié, la douleur gravée dans ce qui lui restait de traits.

Sherman s'accroupit devant la boîte et caressa doucement la surface de la main, puis il passa soigneusement les doigts autour du couvercle, posa les pouces sur les fermoirs et les ouvrit d'un coup.

Il leva les yeux, le regard illuminé, et souleva le couvercle en disant : « Voici la gloire du Seigneur votre Dieu... »

Je détestais devoir me répéter, mais, avec un peu d'emphase, je crois que je me fis parfaitement comprendre.

« Sarah... qu'est-ce qu'il y a dans ce foutu paquet ? » Je la suppliais presque.

« Difficile de savoir exactement, mais... » dit-elle d'un ton énigmatique en se penchant en arrière comme pour réfléchir.

Elle me regardait bien en face, et ses verres teintés ne parvenaient même pas à dissimuler son regard espiègle. Ses sourcils dépassèrent un instant de la monture de ses lunettes.

Puis elle finit par me le dire.

L'air faussement contrit et honteux, elle jeta la pelle sur son épaule comme Timide et se dirigea de nouveau vers la voiture. Totalement insouciante. Elle aurait pu siffler l'air des sept nains pendant qu'elle y était.

Qu'est-ce qu'elle avait dit ? Je ne savais même plus si j'avais bien entendu. J'avais cru comprendre : « J'espère bien que la bombe est assez puissante. »

Klein, resté un peu à l'écart, regarda Sherman, puis la boîte, et finalement le papier d'emballage, dont un petit morceau dépassait toujours de dessous le cadavre de Kerr. Il esquissa un petit sourire. Même lui ne s'était pas attendu à ça.

Il était tellement content de l'avoir vu.

Quelle maligne.

Il avait prié pour qu'Alison comprenne les vérités qu'il lui avait révélées la veille seulement. Était-ce bien la veille, d'ailleurs ? Ou des années auparavant ? Cela avait-il encore la moindre importance ? Le fait qu'elle *ait* compris. Elle avait perçu ses craintes, et, mieux encore, il semblait qu'elle les avait peut-être partagées.

Klein savait que ses jours étaient comptés. Il avait les yeux rivés sur le canon d'un pistolet, et, que ce soit ou non Sherman qui le tienne en joue, l'approche de la mort lui causait la pire des peurs. Il avait peur, non seulement à cause de la façon dont il avait géré cette situation depuis le début, mais aussi pour la façon dont il pourrait la récupérer à son profit.

C'est pour ça qu'il avait accepté de renvoyer Alison. Ainsi, la décision lui reviendrait à elle. Malgré toute l'intuition dont Klein pouvait faire preuve, Alison était beaucoup plus logique et visionnaire que lui.

Depuis le début, depuis son enfance au sein de NorthStar, Alison avait démontré une formidable capacité d'anticiper. Selon lui, mieux valait lui accorder deux ans pour évaluer la situation, analyser les différentes options et leurs conséquences, pour ensuite agir en connaissance de cause.

Qu'est-ce que Grier lui avait dit, il y a si longtemps ? Qu'ils avaient intercepté le paquet intact, mais que ça leur avait causé un dilemme. À savoir, comment se débarrasser du policier auquel on l'avait pris. Ils avaient considéré les différents choix avant de prendre une décision.

Ils s'étaient contentés de refermer le paquet et l'avaient remis dans le circuit.

Sans Tables du Témoignage à l'intérieur, en tout cas. Plus maintenant. À la place, Grier et son équipe avaient mis une petite surprise, une qui réglerait le problème de l'existence du flic sur cette terre une fois pour toutes. Et ils s'étaient donné un mal fou pour s'assurer qu'il ne se douterait de rien. Ils avaient ouvert son paquet très soigneusement et l'avaient reconstitué tout aussi soigneusement.

À l'identique, jusqu'à la marque de l'adhésif et le code-barres sous lequel il avait voyagé.

C'était cette étiquette qui apparaissait justement de sous le cadavre, s'agitant doucement au gré de la brise.

Si vous essayez d'ouvrir cette boîte, vous allez en être empêché... Par un pouvoir qui vous dépasse.

C'était bien la vérité.

Avec son incroyable logique, Alison Bond était effectivement une sacrée jeune femme.

Elle faisait sa fierté.

Sherman ouvrit la boîte, les yeux émerveillés.

L'instant d'après, ce fut l'horreur. Sa mâchoire s'affaissa, ses yeux s'agrandirent. Il n'eut même pas le temps de hurler. Une lumière jaune l'aveugla, et la déflagration les déchiqueta, lui, Klein et les deux cadavres.

En même temps, l'explosion souffla une couche de sable à la surface du lac asséché, comme s'il était à nouveau rempli d'eau et qu'une pierre était tombée du ciel en son centre. Une onde de choc se propagea du cœur de l'explosion sur presque quatre cents mètres dans toutes les directions, faisant alors exploser la camionnette.

Puis un silence absolu retomba.

Sans la moindre créature vivante à quatre-vingts kilomètres à la ronde.

La dernière pensée de Klein avant de rencontrer son Dieu avait été de se demander ce qu'Alison avait choisi de faire avec les tables. Elle savait parfaitement, comme lui, que les détruire serait le pire sacrilège, mais trouverait-elle... *pourrait-elle* trouver... un moyen pour qu'elles ne soient plus jamais découvertes par l'homme ?

Seigneur. Il l'espérait vraiment.

47

Dimanche 12 juin 2011
À quarante-deux kilomètres
au nord de Fort Tejon
State Historic Park, Californie

« Vous voulez dire que je me suis promené avec… une bombe ? Dans ma voiture ? »

Sarah me décocha son sourire énigmatique pour la énième fois.

« Probablement.

— Nous aurions pu nous faire tuer !

— Je savais qu'il n'y avait aucun risque.

— Comment ça ?

— Vous tenez vraiment à savoir ce qui se passe, Nick ? »

Numéro trente-huit dans une liste de quarante-sept questions idiotes.

« Évidemment.

— Bien, dit-elle doucement. Garez la voiture. »

Nous avions regagné le bord du lac desséché, d'où le chemin remontait dans les montagnes. Il était impossible de se garer sur le côté, si bien que je me contentai d'arrêter la voiture sur place. Nous nous installâmes derrière, face au lac. Le soleil était bas et, au loin, les bords du lac tremblaient comme un mirage. Mais la surface nous apparaissait toujours aussi clairement.

À mi-distance, on apercevait toujours une petite étendue de terre décolorée, le site de l'enfouissage.

Sarah resta silencieuse quelques instants, en soupirant longuement à plusieurs reprises. Puis elle commença à m'expliquer ce qui se passait.

Ou, plus précisément, ce qu'elle espérait être en train de se passer, car elle admettait ne pas pouvoir en être sûre à cent pour cent.

Première chose entre beaucoup d'autres, c'est que notre paquet n'était jamais arrivé à LAX. Du moins, pas sous sa forme originale. Évidemment, le Fumeur et Moitié de Phrase nous avaient vus aller au comptoir DHL, comme Sarah le prévoyait. Ils avaient alors fait au moins une chose, soit ils nous avaient vus monter à bord du vol de Paris et avaient intercepté le paquet avant sa réception à notre arrivée à Los Angeles, soit, plus probablement, ils l'avaient intercepté à Carcassonne. En tout cas, le résultat était le même.

Ils avaient eu le paquet entre les mains pendant plus d'une demi-journée, et ils en avaient profité.

Quand ils l'avaient ouvert, avec beaucoup de précaution, ils avaient trouvé exactement ce qu'ils cherchaient, les Tables du Témoignage. Ils s'en étaient réjouis, évidemment. Tellement, même, qu'ils n'avaient pas pris la peine de nous attendre au moment où nous viendrions les récupérer. S'ils avaient trouvé à l'intérieur un ours en peluche ou une bouteille de vin, ça aurait été une tout autre histoire, mais non... ils avaient les tables. Ce qui voulait dire que Sarah et moi étions complètement idiots et qu'ils pourraient maintenant se débarrasser de nous d'une manière nettement plus expéditive.

Sauf que ce n'étaient pas les tables. Elles paraissaient bien, c'est vrai, mais elles étaient parfaitement fausses.

C'étaient des reproductions.

D'après Sarah, celles dans la boîte étaient beaucoup plus simplistes. Elles étaient heptagonales (sept étant une sorte de chiffre hébreu divin, ou quelque chose dans le genre) avec des tas de trucs en araméen écrits d'un côté. Maladroitement, certes, mais qui pouvait savoir que ce n'était pas véridique ? Elle avait mis trois jours pour les dessiner avec son logiciel et créer un système complexe. Le résultat paraissait finalement assez authentique, tracé au laser avec une finition grossière par un ami de Sarah travaillant à Caltech.

On pouvait composer des centaines et des centaines de mots en tournant ces tables, presque comme avec les originaux, mais il n'y avait qu'une seule vraie solution. Sarah avait bien veillé à ce qu'il faille un temps fou pour la trouver.

Comme je l'ai mentionné précédemment, je crois que ça avait pris huit mois en tout.

D'après elle, ça avait été finalement plus facile que prévu, car, lorsqu'on a déjà la solution, il ne reste plus qu'à la dissimuler dans le texte, et à travailler ensuite en revenant en arrière, en enfouissant cette réponse de plus en plus profondément dans l'énigme à chaque tour.

Mais même si Grier et ses deux acolytes étaient persuadés qu'ils détenaient l'objet authentique, il leur restait encore à se débarrasser de Sarah et de moi. C'était indispensable. Dans toute cette affaire, nous en avions beaucoup trop vu. Nous avions même pratiquement tout vu, et ils ne pouvaient pas nous laisser respirer encore longtemps.

Mais comment ? Peut-être avaient-ils déjà réfléchi à ça, ou peut-être était-ce un de ces éclairs de génie. En tout cas, c'était génial ; même moi, je dois bien le reconnaître.

Ils avaient mis une bombe dans la boîte.

Une bombe prévue pour exploser au moment où on ouvrirait le couvercle.

Ils avaient refermé le paquet très soigneusement et mis à profit leurs contacts pour le remettre dans le circuit, lui permettre de continuer jusqu'à sa destination première. Ainsi, ils avaient déjà rempli leur premier objectif – la récupération des tables –, et quand nous viendrions chercher le paquet et que nous irions l'ouvrir quelque part – n'importe où –, ils rempliraient le second.

Sarah, moi-même, et toute personne à moins de trente mètres à ce malheureux instant, serions mis en pièces pas plus larges que la main.

D'une pierre deux coups, mais avec un engin sacrément explosif.

Très malin.

Mais Sarah ne l'était pas moins. À tel point qu'elle avait probablement tout prévu avant eux. C'est d'ailleurs pour ça qu'elle avait choisi une boîte avec un couvercle à clapets, pour leur faciliter un peu la tâche. Elle avait été capable d'envisager différentes options, et de planifier tout ça bien à l'avance. Ce qui leur permettait de croire en ce moment... de supposer... que nous étions morts tous les deux, et expliquait pourquoi ils n'avaient pas pris la peine de nous suivre dans ce trou perdu.

Ils préféraient ne pas se trouver dans les parages.

En tout cas, pas dans les trente mètres.

« Pourquoi enterrer la bombe, alors ? demandai-je. Et pourquoi utiliser des coordonnées aussi précises ?

— L'alliance de grand-mère », dit-elle avec un sourire.

Je réfléchis quelques secondes en regardant de nouveau à travers la plaine en direction du site, à peine visible à présent.

« Vous pensez que quelqu'un viendra un jour la déterrer ? »

Elle acquiesça sans un sourire.

« J'en suis sûre.

— Quand ? »

Elle réfléchit à son tour quelques instants.

« Pas avant très longtemps, dit-elle enfin, puis elle s'installa jambes croisées, bière à la main, sur le coffre allongé de la voiture et reprit ses explications. Vous vous souvenez de Joseph Klein ? Le type sur la photo avec Grier ? »

J'acquiesçai.

« Le type à moitié chauve ?

— C'est lui. Quand Klein avait 28 ans, le gouvernement a créé une entreprise pour lui. KleinWork Research Technology. Ils y avaient été obligés, car il travaillait à peu près exclusivement pour eux à cette époque, mais dans tout un tas de trucs avec lesquels ils risquaient de devoir prendre leurs distances si les choses venaient au grand jour.

— Quoi, par exemple ?

— Vous pouvez me faire confiance, dit-elle, mieux vaut ne pas savoir ce qui se passe, parfois. En tout cas, les gens du gouvernement ont mis sur pied une comptabilité, prévu des subventions et tout, et ils se sont enregistrés eux-mêmes parmi ses principaux clients. Mais ils tiraient les ficelles. Toujours. Klein dirigeait la société comme si elle était un prestataire de services, mais c'était également une société indépendante qui faisait des bénéfices, dont il touchait la plus grande part. Puis, un jour, ils l'envoyèrent enquêter sur un morceau de métal. Rien de particulier, ni pour eux ni pour lui. C'était quelque chose qu'ils avaient trouvé enfoui quelque part dans le sol. Seulement, ce n'était pas n'importe où, c'était en Sibérie. Pas très loin de l'endroit où un météore était tombé en 1907. Joseph se trouvait donc maintenant en possession d'un morceau de métal venu, disons-le, d'un autre monde.

— Une pierre de l'espace ? »

Sarah se mit à rire.

« Pas vraiment. D'accord, il ne ressemblait à rien de ce que nous avons sur Terre, en ce sens qu'il était très dense dans sa composition atomique, plus dense que tout ce que nous connaissons. Mais pendant très longtemps, les choses en restèrent là. Il n'était pas particulièrement explosif, ni une sorte de supraconducteur, pas plus qu'il n'avait de superpouvoirs, ou quelque chose comme ça. En fait, ils n'avaient même pas été capables de lui trouver la moindre utilité. Et l'excitation avait fini par retomber.

— Alors, c'était un morceau de roche inutile ?

— Ça l'a été pendant longtemps, oui. Une roche métallique inutile, comme du minerai de fer ou de la bauxite. Ils lui avaient donné le nom de "sibérium" à cause de sa provenance, et le numéro atomique 120. À présent, nous disposons seulement d'une table périodique qui remonte à 104, mais c'était tellement sorti de leurs préoccupations qu'ils avaient eu besoin de faire de la place pour d'autres entre-temps. Le matériau avait un poids atomique de 603, 498, deux fois et demi celui de notre élément actuel le plus lourd.

L'uranium. Il était tellement dense, en fait, qu'à un niveau moindre il exerçait sa propre gravité.

— Sa propre gravité ? »

Elle acquiesça.

« De façon très mineure, mais on pouvait presque la sentir à main nue. C'est seulement après des analyses de laboratoire qu'ils s'y sont vraiment intéressés.

— Et alors ?

— Rien. Et pendant des années. Ils ont fait tous les trucs que font les labos. Ils l'ont chauffé à mort, refroidi à mort, l'ont bombardé de protons, magnétisé encore davantage, et malgré ça il paraissait toujours inutile. Jusqu'à ce qu'un jour, ils décident de le plonger dans un vide complet et de lui envoyer d'énormes quantités d'électricité. C'est là que la comédie a commencé. Parce que c'était la première fois qu'ils n'aimaient pas ce qu'ils voyaient.

— Qu'est-ce qu'ils voyaient ?

— Ils ont vu les murs de leur labo *se courber*, Nick. Un blindage en titane massif, de presque dix centimètres d'épaisseur avec un centimètre et demi de carreaux, se courber vers l'intérieur pendant que la charge était appliquée. Comme du caoutchouc. Puis, quand le courant a été coupé, il s'est recourbé en arrière. Pling.

— Parce que la roche avait sa propre gravité ? demandai-je.

— Ne vous préoccupez pas de la gravité, dit-elle. C'est un détail. La gravité ne permettrait pas de courber les murs, Nick, elle les casserait. Ils imploseraient et les carreaux tomberaient vers l'intérieur. »

J'avais besoin d'une cigarette. Je réussis à en extraire une de ma poche et l'allumai tant bien que mal, la flamme du briquet vacillant dans la brise.

« C'était quoi, alors ? »

Sarah se retourna et sourit comme un gosse devant un nouveau cadeau. « Du temps, Nick. C'était du temps. »

Je toussai et laissai tomber la cigarette.

« Elle courbait le temps ?

— Non, Nick, elle courbait les murs. Elle *modifiait* le temps. Essayez de suivre. Je vous ai parlé des trous noirs, non ? Eh bien, cette... cette roche était le *centre* d'un trou noir. Délogée par un événement qui avait dû se produire il y a des milliers et des milliers d'années-lumière, probablement avant même que la Terre ne soit née. Évidemment, elle avait déjà une force gravitationnelle, mais quand l'électricité lui a été appliquée dans son environnement naturel, c'est-à-dire un vide absolu, cette gravitation a atteint des niveaux incroyables. Le genre de force capable d'attirer la lumière, comme un trou noir. »

Je regrettais de ne pas avoir été plus attentif à ses théories sur les trous noirs. Quelque chose à propos d'une force gravitationnelle tellement forte que même la lumière ne pouvait pas lui résister, et quelque chose à propos d'Einstein nous disant que le temps s'arrêtait à la vitesse de la lumière.

Quelque chose comme ça.

« Donc... continua Sarah, Klein constitua une équipe de son côté parce qu'il voulait en savoir plus là-dessus. Ils se sont livrés à des tests, très prudemment bien sûr, et les résultats ont été transmis à ses théoriciens, les gens dont le boulot consiste à collecter les données, les analyser et revenir avec des réponses sur ce qui est et ce qui n'est pas théoriquement possible. C'est-à-dire, avant qu'ils se tuent accidentellement ou quelque chose dans le genre.

— Et qu'est-ce qu'ont dit ces théoriciens ?

— Ils ont confirmé que l'équipe de Klein avait bien découvert quelque chose d'extrêmement puissant. La possibilité théorique de placer un tissu vivant dans un vide en même temps que le sibérium, d'augmenter la charge électrique tout autour et de renvoyer ce tissu en arrière dans le temps.

— Pourquoi seulement du tissu vivant ?

— En tant qu'élément de ce monde séquentiel, comme celui que Tina semble capable de voir et avec lequel elle peut interagir, seul le tissu vivant, ou quelque chose entouré par du tissu vivant, peut effectivement être affecté par le temps. Même si on ne s'en rend pas compte. En conséquence, il est impossible de renvoyer quelque chose en arrière si – comme, disons, une brique – cette chose ne peut pas comprendre ce qui lui arrive. Il faut qu'il y ait une forme de compréhension de la séquence pour subir son action.

— Et c'est… le *voyage dans le temps* ?

— En quelque sorte. »

Je me mis à rire.

« Sauf que ce n'est pas possible.

— Et pourquoi ? dit Sarah en se tournant vers moi. Vous avez vu Tina réarranger les chiffres. Elle a demandé au Snickers de passer d'un ensemble de coordonnées à l'autre. En franchissant une période de temps. Comme je vous l'ai dit, le temps est la quatrième dimension. »

Elle but encore un peu de bière et s'essuya la bouche du revers de la main. « D'après les théoriciens, l'équipe de Klein pourrait seulement revenir en arrière. Ce qui n'est déjà pas mal, si vous vous souvenez de notre petite discussion à propos du temps qu'on pourrait comparer à un tapis roulé. Nous devons supposer que nous nous trouvons juste derrière le rouleau, en train de regarder la séquence se dérouler devant nous. Ce qui veut dire que les choses à venir ne se sont encore jamais produites. »

Elle haussa les sourcils.

« Mais le passé est quelque chose de très différent, non ? Nous savons ce qui est arrivé... nous pouvons le constater. Et si nous pouvons le constater, nous pouvons y avoir accès.

— Mais nous ne pouvons pas le changer ?

— Non, nous ne pouvons pas le changer. Ce qui veut dire que l'équipe de Klein avait réussi quelque chose de très, très extraordinaire. Sauf que, même s'ils pouvaient renvoyer un être humain en arrière dans le temps, ils avaient en tout cas découvert le tour de magie le plus sidérant et le plus inutile que l'humanité serait jamais capable de réussir.

— Mais on pourrait changer le futur ?... Les choses qui arrivent après votre mort ? »

Elle sourit et me tapa sur l'épaule. « Vous m'écoutiez quand même, apparemment ? »

Écouter, d'accord. Comprendre, sûrement pas. « Le truc de l'alliance ? »

Sarah s'éloigna de la voiture, fit quelques pas dans les broussailles et trouva un endroit dégagé.

« Parfaitement, dit-elle, mais au lieu d'une alliance, imaginez un peu ça... Je veux le corps du Christ. Je ne l'ai pas pour le moment, donc si ça doit jamais se produire, ça devra se produire dans mon avenir. Ce qui est parfait. Donc, il ne me reste qu'à vous mettre dans le vide, augmenter la charge et... bang ! » Elle fit un grand geste. « Je viens de vous renvoyer jusqu'en 32 de notre ère. Une fois arrivé là-bas, vous volez le corps pour moi et vous l'enterrez dans un endroit où moi seule pourrai le retrouver. Ici… »

Elle traça un « X » sur le sol avec son pied.

« Et ensuite, *après* que je vous aurai envoyé… je creuse cet endroit, et *voilà*, il est là.

— Et moi, alors… où suis-je, maintenant ?

— Vous, Nick, vous êtes dans un endroit qualifié de "merdique". Parce que vous ne pourrez jamais, jamais revenir. Il vous manque la technologie.

— Je suis coincé là-bas ?

— Hélas. Mais ce n'est pas le vrai problème. Le vrai problème est que je vous renvoie en arrière, que je creuse ensuite à cet endroit et que ma récompense n'est pas là…

— C'est que j'ai échoué ?

— Vous avez échoué, et je *ne peux pas* modifier le fait que vous avez échoué… Mais je peux encore en être la *raison*. »

Elle leva les yeux vers moi.

« Parce que je peux envoyer quelqu'un d'autre en arrière et lui confier une nouvelle tâche. C'est-à-dire… soit voler le corps *avant* vous, ou vous le voler *à* vous, ça revient au même. Bien sûr, je ne lui parle pas du tout de ce que vous deviez faire, car je suis parano.

— Bien sûr. »

Je n'y comprenais rien du tout.

« Donc, ayant déjà creusé cette parcelle de terre, je dis à mon nouveau type d'enterrer le corps à cet endroit… »

Elle définit un nouvel endroit avec son pied.

« Si, quand je creuse à cet endroit, il n'est toujours pas là, je me contente simplement de persévérer jusqu'à ce que je réussisse.

— Et ça a quelque chose à voir avec les tables, et pourquoi elles étaient cachées ?

— Oui, mais pendant que Davies faisait le boulot qu'il était supposé faire, il a merdé.

— Attendez un instant... Qui est ce Davies ?

— Un solitaire de la plus belle espèce doublé d'une belle ordure, dit-elle sans état d'âme. Aucune famille et pratiquement pas d'amis. C'est aussi quelqu'un qui a été jugé pour de nombreux viols et meurtres, et condamné à être exécuté par injection. »

Elle sourit d'un air entendu. Encore une fois.

« À moins, bien sûr, qu'il ne veuille passer le reste de ses jours libre comme l'air. En en payant le prix.

— C'est-à-dire ? De devoir vivre le reste de ses jours dans le passé et d'être obligé de voler quelque chose en arrivant là-bas ? Vous êtes vraiment complètement ridicule, à présent.

— Vraiment ? dit-elle. Très bien, si vous n'y croyez pas, tant pis... essayez seulement de l'*imaginer*. »

Je cédai alors pour lui faire plaisir, en lui précisant que je ferais de mon mieux.

« Très bien, donc... l'idée est qu'une fois qu'il a accompli sa mission, sa vie lui appartient, mais il a toujours été parfaitement clair que son exécution risquerait de durer un peu plus longtemps s'il refusait. Les doses pourraient être insuffisantes, ou quelque chose dans le genre. Par inadvertance, bien sûr, mais la mort serait très lente. Très douloureuse. Mais s'il accepte de s'acquitter de la tâche, il ne peut pas l'ignorer quand il arrive là-bas, ni, bien entendu, la saborder. Sinon, quelqu'un sera renvoyé pour choisir un nouvel endroit... » Elle montra du pied le deuxième "X". « ... et remettre les choses en ordre. Mais la première partie de sa tâche sera sans aucun doute d'effacer toutes ces années supplémentaires que Davies venait de s'acheter.

— Mais je croyais que vous m'aviez dit que Davies *avait* merdé ?

— Effectivement. Disons à son crédit qu'il a bien volé les tables, et qu'il les a cachées à l'endroit prévu. Mission accomplie ?... Apparemment, mais hélas, à un moment quelconque, il semble que Davies s'en soit ouvert. Peu importe à qui. En tout cas, ça devient un thème de légende et se propage à travers les temps jusqu'à ce qu'un jour, des centaines d'années après sa mort, quelqu'un découvre les tables. Ces gens ne savaient pas du tout quoi en faire, si bien qu'ils les ont remises en place. Mais pas avant d'avoir laissé quelques indices. Ils ont demandé à Teniers de peindre le tableau, et les tables ont été retrouvées, si bien que Klein a dû renvoyer quelqu'un en arrière pour régler le problème.

— Et ça a marché ?

— Je n'en sais encore rien.

— Alors, si tout ça est vrai, ce dont je doute, comment pouvez-vous bien être au courant de tout ça ?

— Parce que je ne suis pas vraiment une archéologue, Nick, dit-elle lentement. Je suis une scientifique. En fait, je suis même une excellente scientifique. Pour dire la vérité, je fais partie de l'équipe qui a découvert que c'était vraiment possible. »

Je retirai mes lunettes de soleil et plissai les yeux. « Dans ce cas, ça voudrait dire que vous avez travaillé pour Klein ? »

Elle sourit d'un air désolé. « Effectivement, Nick. » Elle balaya du regard le lac tari. « Et devinez quoi ? Je continue. »

Klein était en train de chercher les tables en France,

et pourtant Sarah avait réussi à s'immiscer dans cette affaire et les avait trouvées avant lui. À présent, ses hommes étaient en train d'essayer de les récupérer et de nous tuer tous les deux pour nous punir de les avoir trouvées. Ce qui signifiait probablement que Sarah avait fait cavalier seul. Elle avait essayé de voler les tables pour son propre compte.

« Alors, vous avez trahi votre patron ? »

Elle acquiesça.

« En quelque sorte.

— Et le paquet ? La bombe, s'il s'agit bien de ça ? En supposant que vous avez créé de fausses tables, comment savoir si les vraies ne sont pas enterrées là-bas ? »

Je montrai du doigt un endroit au loin.

« Parce que les vraies sont ici, Nick. »

Sarah chercha dans son sac à dos et en sortit un gros paquet enveloppé dans des mouchoirs en papier. Elle le défit avec précaution pour laisser apparaître les tables, dont la surface noire brillait au soleil.

« Pourquoi alors avoir enterré une bombe ? Pour quelle raison ? Pour que Klein la déterre ? »

Elle acquiesça.

« Pourquoi ?

— Parce que Klein veut me tuer.

— Et pourquoi j'ai du mal à y croire ?

— Parce que vous n'avez pas vécu ce que j'ai vécu, c'est tout, dit-elle en repliant soigneusement le papier autour des tables et en les remettant doucement dans son sac.

— D'accord, alors, racontez-moi. Racontez-moi par quoi vous êtes passée, dis-je. Racontez-moi tout.

— J'en ai bien l'intention, mais il faut d'abord que

j'aille voir Tina, dit-elle en regagnant la portière. Vous voulez bien m'y conduire ?

— Pas avant d'avoir obtenu des réponses, non. »

Elle me jeta un regard intense.

« Vous n'avez pas besoin de toutes les réponses, Nick. Pas encore. Ce dont vous avez besoin, en revanche, c'est de rentrer dormir chez vous. Ne le prenez pas mal, vous êtes dans un état lamentable. Mais si vous me déposez à Oakdene en passant, demain, je vous promets que vous aurez toutes vos réponses.

— Et comment savoir si je peux vous faire confiance ? »

Elle haussa les épaules avec indifférence.

« Vous ne pouvez pas. Tout ce que je vous demande, c'est si vous voulez bien m'y conduire. »

48

DIMANCHE 12 JUIN 2011
RESEDA, LOS ANGELES,
CALIFORNIE

Pour le meilleur et pour le pire, pardon pour cette remarque ironique, j'habitais toujours dans l'appartement que je partageais autrefois avec ma femme et Vicki – un vieux bâtiment imposant à Reseda, situé juste du mauvais côté de Hollywood. Il n'était plus dans un très bon état, mais c'était chez moi. Il y avait un lit, une télévision, un endroit où planquer mon Jack et un compartiment à glaçons. À peu près tout ce dont j'avais besoin. Ayant déposé Sarah devant Oakdene suivant ses consignes, je garai la voiture devant mon immeuble sans prendre la peine de la fermer à clé à cause de la vitre. À un moment ou à un autre, je la ferai réparer ou j'essaierai de le faire moi-même, mais je n'en étais pas encore là. Je me sentais complètement anéanti, et si ça se voyait autant que ça, je ne devais pas avoir l'air frais.

En ouvrant la porte d'en bas, je ne me doutais pas à quel point ce simple fait jouerait en ma faveur.

J'étais épuisé par la chaleur, épuisé par le vol, le trajet en voiture, puis le vol, et encore le trajet en voiture. J'avais dormi dans l'avion, mais ça n'avait rien à voir avec le vrai sommeil – quand on est blotti bien au chaud dans un endroit pour lequel on a beaucoup économisé. Je regardai le courrier, mais, au vu des factures et des prospectus me proposant encore d'autres crédits, je les laissai dans la boîte et grimpai bruyamment l'escalier en bois nu. J'étais tellement crevé que j'aurais été incapable de monter encore un étage. Nicola, la pute bisexuelle au deuxième, m'aurait retrouvé endormi contre sa porte demain matin ; comme si j'avais campé dehors en attendant l'ouverture de ses soldes ou un truc comme ça.

Arrivé péniblement au troisième, j'avançai au jugé ma clé en direction de la serrure et… la porte s'entrouvrit. D'une fraction. Jusqu'à cet instant, je n'avais même pas remarqué que la serrure était fracturée. J'ouvris la porte en grand et forçai mes yeux à en faire autant.

Le spectacle n'était pas particulièrement réjouissant.

Je ne prétends pas un instant être du genre parfaitement ordonné, car je sais que ça ne passerait pas, mais j'ai quand même des normes. Assez basses, certes, mais cette fois elles avaient été sérieusement mises à mal. On aurait dit qu'un train était rentré dans l'appartement. Suivi par une bombe. Et une petite grenade pour finir le travail en beauté. Les tiroirs étaient béants, avec des vêtements et des magazines répandus partout sur le sol. Le canapé avait été renversé, et le téléviseur en morceaux formait un drôle de tas de plastique noir et de verre dans le coin opposé.

Tout ce qui s'était trouvé sur le passage avait été brisé, et tout le reste cassé également, pour faire bonne mesure. À un moment quelconque au cours de ces derniers jours, mon appartement avait été saccagé de fond en comble.

Disons aussi que j'ai la sale habitude de laisser des tasses de café en équilibre précaire sur la pile de magazines à côté du canapé. Et comme il est rare que je finisse ma tasse avant de passer au régime de la seconde partie de nuit, ces tasses restent généralement à moitié pleines. Comme celle qui se trouvait là maintenant, sauf qu'elle n'était plus pleine, parce qu'elle aussi avait été renversée. Ce qui là encore n'avait rien de surprenant. Le fait que le café soit toujours en train de se répandre l'était plus, en revanche. Tout ça ne s'était pas produit au cours des derniers jours. Ça venait d'arriver.

C'était même probablement en train de se produire. Maintenant !

Un type (Milieu de Phrase, comme par hasard) surgit de derrière la porte. J'eus à peine le temps d'apercevoir son visage crispé par la colère et la rancune, avant que son poing ne s'abatte sur moi et m'expédie en vol plané sur le palier sombre.

Je trébuchai sur la moquette mal fixée et me retrouvai dos au mur, incapable de sentir le sol sous mes pieds. Puis le Fumeur et Milieu de Phrase surgirent tous les deux devant moi. Seulement, cette fois, ils paraissaient un peu bizarres, leurs traits formant des angles étranges. Plus étrange encore, il y avait une applique sur le mur derrière eux dont l'ampoule était morte. Ce qui, logiquement, voulait dire que j'étais couché sur le dos.

Ils regardèrent le palier tout autour. Vide. Je m'étais souvent dit qu'on pourrait tirer un coup de feu dans cet endroit sans qu'une seule porte ne s'ouvre, ce qui ne m'empêchait pas d'espérer qu'aujourd'hui j'aurais la preuve du contraire. Ils m'attrapèrent chacun par un pied et me traînèrent à l'intérieur, tout en attendant très aimablement que ma tête ait franchi le seuil pour refermer la porte.

« Tu n'es pas mort ! » dit Milieu de Phrase en braquant son pistolet sur la petite zone de peau libre entre mes sourcils. Il avait un sparadrap couleur chair en travers de son nez enflé, et une voix nasale presque comique. Apparemment, mes coups avaient porté.

« Pourquoi ai-je l'impression que c'est seulement temporaire ? dis-je le plus sérieusement du monde, d'une voix à peu près aussi nasale que la sienne.

— Probablement parce que c'est le cas. Où est la fille ? »

Sans être vraiment debout, j'avais donc intérêt à réfléchir droit. Et vite. Ils savaient que j'étais encore en vie, malgré la bombe, mais ils ne savaient sans doute rien pour Sarah. Si je pouvais gagner du temps, l'un de nous – pas moi, en l'occurrence – pourrait peut-être survivre jusqu'à la fin de la journée. Sinon, ils enverraient quelqu'un finir le boulot avant qu'elle ne soit même parvenue en bas de l'escalier d'Oakdene. Il fallait seulement que je me montre convaincant. Dans la mesure du possible.

« Vous avez fait le paquet, elle l'a ouvert, dis-je en détachant bien les mots, comme si toute la douleur du monde s'était abattue sur moi. Débrouillez-vous pour comprendre. »

Il plissa les yeux d'un air inquisiteur. « Comment se fait-il que tu sois encore en vie ? »

Je pris tout mon temps. Ce n'est jamais bon de se précipiter dans ce genre de circonstances, confondre vitesse et précipitation.

« Elle ne voulait pas me laisser voir ce qu'il y avait

dans le paquet. D'après elle, c'était quelque chose d'important.

— Effectivement », dit-il avec un sourire méchant, du genre à effacer avec une batte de base-ball.

Une grande batte. Peut-être même toute cloutée avec des clous rouillés. « Je l'ai enveloppée moi-même. » Il plissa les yeux. « Dis-moi... quand tu l'as vue en petits morceaux sur le sol, tu as trouvé que ça valait vraiment la peine de me casser le nez ? »

Je le regardai bien en face. « La seule chose qui ait valu la peine de te casser le nez, dis-je, c'était de te casser le nez. »

Le Fumeur, entre-temps, parlait à la radio, probablement à l'homme sans la permission duquel il ne pouvait même pas aller pisser. Il était en train d'expliquer que, « malgré les mesures qu'ils avaient prises », j'avais surgi dans l'appartement. Puis il écouta. À ce stade, il devait s'agir de savoir comment ils allaient me tuer, plutôt que de décider s'il fallait le faire. Doué comme j'étais pour les hypothèses, apparemment, j'avais tort.

Grier avait dû rencontrer un problème, et ils semblaient finalement avoir encore besoin de moi.

Comme je l'avais dit, j'avais le sentiment que c'était temporaire.

49

MARDI 14 JUIN 2011
COUIZA, FRANCE

À quelque dix mille kilomètres de Los Angeles, quelqu'un s'apercevait qu'une porte qui aurait dû être fermée était grand ouverte. À la différence de la mienne, celle-ci n'avait pas été fracturée. Pourquoi l'aurait-elle été puisqu'ils avaient une clé ? Une clé qu'on lui avait volée dans son sac pour la faire reproduire aussitôt qu'elle était entrée en scène, au cas où.

Mme Marcelle savait que ça ne ressemblait pas à sa pensionnaire de rester enfermée toute la journée dans sa chambre, bien qu'elle ne l'ait pas vue partir ce jour-là. De toute façon, la jeune femme allait et venait à des heures tellement irrégulières que c'était souvent difficile à dire. Elle aimait que sa pension, la plus agréable de Couiza à son avis, soit propre et en ordre à toute heure de la journée. Pensant donc que sa pensionnaire était sortie, elle avait décidé de profiter de l'occasion pour faire un brin de ménage. Enlever la poussière, changer les draps, des choses comme ça. Ayant trouvé la porte entrouverte, elle avait été un peu inquiète. Que sa pensionnaire soit ou non dans les lieux, cette porte restait toujours fermée à clé. Sa pensionnaire ne transigeait pas sur ce genre de choses. Elle aimait son intimité. À tel point, d'ailleurs, qu'elle n'avait même pas voulu utiliser le mobilier existant et qu'elle s'était acheté sa propre petite commode, une qui fermait à clé, et elle avait demandé à Mme Marcelle d'avoir l'amabilité de ne jamais essayer de l'ouvrir. C'était l'endroit, avait-elle dit, où elle rangeait ses dossiers personnels.

Bien entendu, Mme Marcelle avait accepté sans discuter. Après tout, les affaires de ses pensionnaires ne regardaient qu'eux, et elle n'était pas du genre à espionner. Elle aurait parfaitement pu utiliser une des commodes existantes, avait dit Mme Marcelle, et elle aurait promis de la même façon de ne pas l'ouvrir, mais sa pensionnaire l'avait assurée qu'elle se sentirait plus en sécurité en sachant qu'elle était la seule à avoir la clé. Une exigence étrange, peut-être, mais pas du tout déraisonnable. Qui plus est, c'était une des meilleures pensionnaires à long terme que Mme Marcelle n'ait jamais eues. Elle était toujours polie, payait toujours son loyer à temps et respectait toujours le règlement de la pension, qui n'était en rien excessif.

La chambre elle-même était petite, avec un grand lit qui occupait presque toute la place, mais elle disposait d'un coin cuisine minuscule, avec évier, micro-ondes et bouilloire, plus une salle d'eau contiguë avec douche. Les murs étaient presque entièrement couverts de photos récemment développées. Il existait d'autres endroits plus grands où habiter en ville, et même des appartements avec deux chambres à louer en banlieue sud, mais ce genre d'endroits nécessitait généralement de signer des baux à plus long terme, et peut-être la jeune femme avait-elle préféré un peu plus de souplesse.

Donc, si le fait de trouver la porte ouverte avait été surprenant, vous pouvez imaginer ce que Mme Marcelle avait pu éprouver quand elle avait trouvé la pièce apparemment vide avec le tiroir, le tiroir *secret*, resté grand ouvert. Il n'y avait pas eu d'intrusion, la porte n'avait pas été forcée. Sa pensionnaire devait être partie en hâte, probablement au petit matin, car elle-même était debout depuis sept heures et n'avait vu personne passer. Elle entra donc et referma le tiroir sans regarder à l'intérieur, même si, du coin de l'œil, elle avait remarqué qu'il était vide.

Elle ne pouvait pas le fermer à clé, bien sûr, mais les choses paraissaient mieux rangées, maintenant.

Les rideaux étaient toujours bien tirés, pensa-t-elle. Elle marmonna quelque chose dans sa barbe en français tout en les ouvrant pour laisser pénétrer le soleil matinal, puis elle se retourna et heurta quelque chose du pied. Ça semblait mou, presque spongieux, mais pas du tout solide comme un livre ou une boîte.

Elle baissa les yeux.

Quelques secondes plus tard, Mme Marcelle s'enfuyait en courant de la chambre, et ses pantoufles résonnèrent sur les marches tandis qu'elle hurlait de toutes ses forces : « Au secours ! Au secours ! »

Le corps de Kelly Brown reposait à côté du lit, les yeux exorbités et une langue toute bleue sortant de sa bouche. Elle était couchée sur le dos, les jambes tordues, mais sa chemise de nuit et sa culotte étaient toujours en place. Sa manche gauche était remontée haut, avec une ceinture en cuir formant garrot sur son biceps mince, et en dessous, dans le pli de son coude, une seringue vide encore plantée dans sa chair froide.

L'autopsie montrerait que Kelly ne s'était jamais droguée par injection, mais il était impossible de dire si elle avait utilisé d'autres méthodes non invasives. La seule certitude était que sa dose finale d'héroïne extrapure, administrée au moyen d'une seringue, avait été presque instantanément mortelle. Au cours des dernières secondes, il était possible qu'elle se soit rendu compte qu'elle était en train de mourir. Autopsie ou non, en tout cas, l'horreur absolue qu'on lisait sur son visage était assez révélatrice.

Le Fumeur et Milieu de Phrase avaient juste fait un petit détour. Ils étaient passés la voir en revenant de Cardou, à la demande expresse de Grier, avec les tables qu'ils avaient récupérées au guichet DHL de Carcassonne. Personne ne les avait vus entrer dans la pension, et personne ne les avait vus en sortir, et surtout pas Mme Marcelle, qui dormait sur ses deux oreilles depuis que son violent de mari était mort.

Même s'ils avaient été aperçus, ça n'aurait pas changé grand-chose. En compagnie de Grier, qui avait demandé que Klein revienne de Sibérie et le rejoigne à Los Angeles, ils se trouvaient à bord d'un avion charter privé en route vers les États-Unis, moins d'une heure après que le cœur de Kelly eut cessé de battre.

L'enquête conclurait à une mort accidentelle.

50

MERCREDI 20 MAI 2009
OAKDENE, LENWOOD, CALIFORNIE

Alison Bond, alias Sarah Fiddes, le nom qu'elle avait adopté, arrêta le compact Toyota qu'elle avait loué devant le bâtiment gothique d'Oakdene et descendit avec précaution sur le gravier. Elle considéra le bâtiment de haut en bas avec consternation. Il était dans un état bien pire qu'elle ne l'avait jamais imaginé, avec la pierre qui s'effritait, les peintures écaillées et la végétation poussant librement autour de l'entrée principale.

On aurait dit qu'il avait été abandonné aux éléments, alors qu'elle savait que ce n'était pas le cas. À l'intérieur, vivaient plus d'une centaine de personnes nécessitant qu'on s'occupe d'elles, et aucune ne recevrait l'attention nécessaire. Elle soupira sous le coup du désespoir, et, en même temps, d'une certaine appréhension. Le voyage jusqu'ici avait été long, mais ce voyage était maintenant terminé. Elle était enfin arrivée. Le bon endroit exactement au bon moment.

La lourde porte grinça bruyamment sur ses gonds quand elle la poussa, et le bruit résonna dans le vaste hall d'entrée à l'arrière. La grosse femme noire derrière le bureau ôta ses lunettes en l'entendant et leva les yeux. Elle attendit patiemment que Sarah se rapproche, puis elle dit :

« Je peux vous aider ?

— Je l'espère, dit Sarah. Je viens voir Tina Fiddes. »

Et elle remarqua aussitôt le regard de la femme. Une façon de dire que, même si ce n'était pas impossible, c'était très improbable. Apparemment, personne ne venait jamais voir Tina Fiddes. Personne n'était jamais venu. Et pourtant, elle plissa les yeux en dévisageant Sarah avant de parler.

« Vous êtes de la famille ? demanda-t-elle.

— Oui, répondit Sarah. Je suis sa sœur.

— Sa sœur, dit la dame, l'air sceptique. Elle est dans la chambre...

— ... 113. Oui, je sais.

— Je vois, dit la dame. Voulez-vous que je vous accompagne ?

— Merci, ce serait très aimable... ?

— ... Maggie, dit-elle en finissant la phrase de Sarah, tandis qu'elle se levait et lui tendait la main en guise de bienvenue. Je suis Maggie. Je suis la surveillante de service, aujourd'hui.

— Sarah. »

Et la dame ajouta : « Sarah Fiddes. »

Maggie referma ses dossiers en cours, qu'elle mit sous clé dans son tiroir, puis elle prit la clé de la 113 et elles empruntèrent le couloir.

« Elle ne vous attend pas, n'est-ce pas ? demanda Maggie, déjà certaine de la réponse.

— Pas du tout.

— Je ne crois pas que nous ayons jamais eu de visite pour Tina. Je ne savais même pas qu'elle avait une sœur.

— Moi non plus, jusqu'à récemment, dit Sarah avec un sourire ironique.

— Elle sait qu'elle a une sœur ? »

Sarah sourit.

« Pas vraiment. Nous avons été séparées pratiquement depuis toujours, si bien que nous n'avons jamais vraiment fait connaissance.

— C'est un jour à marquer d'une pierre blanche, alors ? »

Sarah acquiesça. « Pour toutes les deux. »

Elles s'engagèrent dans l'escalier menant au premier étage.

« Il y a un ascenseur, expliqua Maggie d'un air contrit, mais il lui arrive d'avoir des sautes d'humeur, si bien que nous préférons l'utiliser seulement pour un patient en chaise roulante.

— Comment est ma sœur ? » demanda Sarah.

Arrivée en haut des marches, Maggie s'arrêta un instant et se retourna. « Vous savez, dit-elle avec un sourire de fierté, votre sœur est une fille adorable. Jamais le moindre problème. Je suppose que vous savez qu'elle ne parle pas, n'est-ce pas ?... » Sarah acquiesça.

« Bien, mais n'oubliez surtout pas qu'elle entend, et qu'elle peut écrire, si besoin. Elle est très intelligente.

— Elle a l'air heureuse ? » s'inquiéta Sarah.

Maggie réfléchit un moment. Il était clair que la réponse était négative, mais qu'elle n'avait aucune envie de répondre à la question dans des termes aussi abrupts. « Eh bien, dit-elle après avoir réfléchi, disons simplement qu'elle ne paraît pas malheureuse. »

Sarah acquiesça. Elle comprenait.

Elles passèrent à côté d'une employée âgée, qui les salua d'un air fatigué. Elle portait un pot de peinture beige ouvert, de toute évidence la moins chère sur le marché. Puis elles continuèrent en silence le long du couloir supérieur jusqu'à la porte de la chambre de Tina. Maggie jeta un coup d'œil à l'intérieur pour s'assurer que tout allait bien, puis recula pour que Sarah puisse voir par elle-même.

Tina était assise sur son lit, les genoux remontés jusqu'au menton, en train de replier une feuille de papier d'un blanc immaculé pour en faire un oiseau fragile de style origami. Ses cheveux retombaient librement autour de ses oreilles, et elle arborait un gentil sourire malicieux.

« Elle adore lire, dit Maggie. Elle a toujours son joli nez fourré dans un livre ou dans un autre.

— Je vois que les chambres sont bien tenues », dit Sarah.

À part le coin où Tina était assise, tout était à sa place, et le lit impeccable.

« Nous faisons de notre mieux, rectifia Maggie, mais ce que vous allez voir dans la chambre de Tina est généralement l'œuvre de Tina elle-même. Elle ne peut pas supporter que la pièce soit en désordre, si bien que, pour être honnête, elle se charge généralement de tout ça elle-même. »

Dans cette chambre spartiate, il devait y avoir environ vingt livres de tailles différentes, rangés par ordre décroissant selon leur hauteur sur une étagère basse, dans le coin à gauche, de façon à obtenir une pente presque parfaite.

« À présent, je dois vous prévenir, dit Maggie tout bas, elle n'aime pas beaucoup les étrangers au début, et vous pourriez penser qu'elle, disons, qu'elle vous ignore. Ce n'est pas tellement ça, c'est plutôt qu'elle a besoin de voir quelqu'un plusieurs fois, et qu'il se montre vraiment très gentil avec elle, avant de l'accepter.

— Je comprends, dit Sarah.

— Je ne voulais pas que vous soyez déçue après être venue de si loin, dit Maggie. C'est vraiment une fille adorable quand on sait y mettre le temps.

— Merci, dit Sarah, visiblement reconnaissante. Pouvons-nous… ?

— Oh oui, bien sûr », dit Maggie en ouvrant la porte en grand.

Tina leva les yeux et vit Maggie tout sourire dans l'embrasure de la porte. Elle esquissa un sourire en retour mais ne parut pas disposée à se lever. Elle allait baisser de nouveau les yeux sur son livre quand elle vit que Maggie n'était pas seule. Pas aujourd'hui. Il y avait quelqu'un d'autre avec elle, une jeune femme avec des cheveux noir corbeau coiffés en queue-de-cheval et des vêtements noirs. Cette femme lui souriait gentiment, comme si elle la connaissait.

Tina se tourna sur le lit, posa la colombe de papier sur le dessus-de-lit et mit lentement les pieds sur le sol froid. Puis elle se leva tout aussi lentement, sans jamais quitter sa visiteuse des yeux. Sarah entra dans la chambre et se dirigea vers elle, mais Tina ne bougea pas. Elle restait immobile à côté du lit, comme un bleu pendant sa première inspection de chambrée.

Sarah s'approcha avec un sourire et des yeux débordants de chaleur.

« Je ne m'approcherais pas trop… » commença Maggie, mais c'était trop tard.

Sarah prit sa sœur dans ses bras. Là encore, Tina ne réagit pas. Pas tout de suite. Elle était visiblement émue, mais la réponse se faisait attendre.

Puis, lentement, ses mains commencèrent à bouger. Elles montèrent autour du dos de Sarah, sans la toucher, puis se plantèrent résolument entre ses omoplates, en l'agrippant étroitement.

Les deux femmes s'étreignirent pendant un très long moment.

Entre-temps, Maggie, uniquement soucieuse de Tina, guettait les yeux de sa patiente. Incertains d'abord, sceptiques, ils brillaient à présent et exprimaient un bonheur qu'elle-même n'avait jamais été capable de procurer à la jeune fille. Son sourire apparaissait parfois au-dessus de l'épaule de Sarah ; c'était le sourire d'un enfant découvrant le cadeau d'anniversaire de ses rêves.

« Est-ce qu'elle… Est-ce qu'elle sait qui vous êtes ? » demanda Maggie. Comment pouvait-elle le savoir ? Sarah ne lui avait-elle pas dit dix minutes auparavant qu'elles ne se connaissaient pas ?

Tina fixait à présent Maggie de ses grands yeux marron, comme pour la remercier de son cadeau.

Mais c'est la voix de Sarah qu'elle entendit.

« Oh oui, dit-elle d'une voix comblée. Elle sait qui je suis. N'est-ce pas, ma douce ? »

Maggie la vit hocher doucement la tête sans quitter un instant l'épaule de sa sœur. Sensible comme l'était Tina, il n'y avait rien d'étonnant à ce qu'elle reconnaisse sa visiteuse.

Elle la reconnaissait, c'est tout.

Tina savait exactement qui était cette étrangère, et si vous aviez connu Tina aussi bien que Maggie, vous auriez su qu'à propos de cette jeune fille des choses infiniment plus étranges s'étaient produites.

Tournant le dos à Maggie, Sarah serrait sa sœur de toutes ses forces.

Elles étaient maintenant réunies, et, pour les deux années à venir, c'était ça le plus important.

51

DIMANCHE 12 JUIN 2011
LOS ANGELES, CALIFORNIE

Je ne savais pas du tout où j'étais.

J'avais cru deviner pendant un moment que nous nous dirigions vers la plage, ce qui était certainement la direction que nous avions prise au début, mais j'avais ensuite perdu le fil. La camionnette n'avait pas de fenêtres, et, au bout d'un moment, je ne savais même plus si nous tournions à gauche ou à droite, surtout avec tous mes autres sujets d'inquiétude. Comme le type au nez cassé avec un pistolet braqué en plein visage du type qui le lui avait cassé.

Ensuite, il fallait que je trouve un moyen de me sortir vivant de la situation dans son ensemble, à condition que ce soit même possible.

La nuit devait être tombée à notre arrivée, bien qu'encore une fois je ne puisse pas en être sûr. Partout où ils m'avaient emmené, c'était toujours un de ces endroits avec un parking en sous-sol, vide, à part la camionnette dans laquelle nous venions d'arriver, et aucun moyen de savoir s'il y avait encore du monde à l'extérieur. Les deux hommes me tirèrent hors du véhicule, toujours menotté, et me firent monter dans un ascenseur. Ils appuyèrent sur le bouton du cinquième étage, sur huit en tout, et c'est à peu près tout ce que je pus avoir comme renseignements.

Le cinquième était, dans tous les sens du mot, un site de construction, bien que j'eusse deviné qu'il s'agissait plus de démolition que de construction. Ce qui avait été autrefois des bureaux était maintenant un amas de panneaux disloqués et de fils électriques pendant librement des plafonds. Il y avait bien quelques vieux immeubles de bureaux près du front de mer qui étaient en train de subir une sorte de cure de jouvence tardive, mais, malgré tout, je me rendais bien compte, comme pour la plupart des choses aujourd'hui, que leur présence ici serait seulement temporaire. Même si je sortais d'ici indemne et réussissais à retrouver ce bâtiment dans les semaines à venir, je savais qu'ils seraient partis. Ils étaient là parce que ça leur convenait d'être là – comme la plupart des autres particules dans ce monde – uniquement à ce moment précis dans le temps.

On me força à avancer dans ce qui était autrefois un couloir, puis dans une pièce sur la gauche, sans fenêtres, où Milieu de Phrase me précipita sans ménagement dans un fauteuil. Là, ils m'encadrèrent – à gauche et à droite – en se contentant de me fixer et de sourire, comme le font les gens quand ils sont certains d'avoir gagné la partie. C'était peut-être le cas, mais dans la camionnette j'avais carburé, et il m'était déjà arrivé de réussir dans des situations du même genre.

J'espérais seulement que ce serait pareil aujourd'hui.

Il était évident, partant du fait indiscutable que je respirais toujours, que je leur étais d'une utilité certaine, et sauf s'ils s'étaient déjà rendu compte qu'ils avaient de fausses tables, ce dont je doutais, je devinais qu'ils ignoraient complètement comment traduire ce qu'ils considéraient comme la véritable affaire.

Ce qui pourrait expliquer pourquoi je les avais trouvés en train de saccager mon appartement. Ils cherchaient quelque chose, n'importe quoi, qui soit susceptible de les aider.

Au bout de quelques minutes, Grier entra d'un pas décidé dans la pièce, un dossier sous son bras imposant, et tira la chaise en face. Il était grand, dans les un mètre quatre-vingt-dix, avec des cheveux noirs, courts, grisonnant sur les tempes. Il faisait plus jeune que sur la photo, dans les 45 ans, peut-être. Beaucoup plus jeune en tout cas que ma pauvre carcasse fatiguée.

Il s'assit en me jetant à peine un coup d'œil, comme si je n'existais pas, et ouvrit grand le dossier sur le vulgaire stratifié marron. J'aperçus divers documents à l'intérieur pendant qu'il les passait en revue, et j'eus l'impression qu'il avait profité du temps que nous avions mis à arriver, trois quarts d'heure peut-être, pour rassembler des notes. Je n'avais aucune idée de la portée de ces notes. Pas encore.

Beaucoup de documents comportaient des diagrammes et des chiffres, et un certain nombre étaient de simples tirages ; probablement un rapport. Un de ces rapports contenait une analyse chimique détaillée. Pourvu que Sarah m'ait dit la vérité à propos de ses faux sur la route d'Oakdene ; qu'elle s'était servie d'une dalle de pierre provenant d'une tombe égyptienne.

Si c'était bien le cas, ça voulait dire deux choses : d'abord, que, chimiquement, ses tables présentaient la bonne composition de matériau, et qu'ensuite, faute d'exposition récente aux intempéries, la datation carbone ne serait pas concluante (à moins, bien sûr, qu'ils ne prennent des échantillons sur les zones gravées, ce qu'ils n'oseraient pas faire avant un certain temps). Puis j'aperçus les photos. Les gros plans des tables qui avaient été pris pour les étudier. Ces satanés faux. Oh oui, ils avaient marché. Crochet, ligne, et toutes ces autres conneries.

Grier leva les yeux et fit un signe de tête à ses acolytes, qui reculèrent jusqu'au mur, dans mon dos, puis il s'adressa à moi, sans quitter des yeux les documents qu'il feuilletait d'un air désinvolte. Visiblement, il avait quand même remarqué ce qui avait été, jusqu'à l'intervention de Milieu de Phrase, un de mes meilleurs atouts.

« Ce nez me plaît, dit-il d'un air absent.

— J'essaie un nouveau look, dis-je, comme si je m'en fichais et que ça ne me faisait plus tellement mal. Je me suis dit, en voyant combien c'était seyant sur votre ami... »

Je sentis les poignards de Milieu de Phrase me transpercer le dos.

« Apparemment, vous êtes un homme très difficile à tuer, inspecteur, continua Grier d'un ton ironique. Ce qui est respectable, mais très ennuyeux, en fin de compte. » Il leva les yeux en haussant un instant ses gros sourcils gris touffus. « Dites-moi, vous savez qui je suis ? »

Brusquement, il avait la même expression que sur la photo sur le mur de Sarah ; sévère. Il me regarda droit dans les yeux, en essayant de toutes ses forces de me faire baisser le regard. Ce en quoi il échoua, d'ailleurs.

« Je connais votre nom. Est-ce que ça suffit ? »

Il me sourit avec l'air indifférent de quelqu'un en face d'un candidat lors d'un entretien de recrutement. « Pour l'instant. » Puis il sortit quatre tirages de photos noir et blanc de parfaite qualité, des faux ; deux du devant, et deux de l'arrière. Il les posa sur la table, face à moi. « Vous savez ce que c'est ? »

Je ne leur jetai même pas un coup d'œil. « Vous l'avez tuée, espèce de salaud. »

Je m'étais dit : reste calme, mais fais semblant d'être furieux. Fais-les marcher.

« Malheureux, mais nécessaire », dit-il. Visiblement, c'était un vrai faux jeton, et sa vague moue de regret était entièrement simulée.

« Pour être honnête avec vous, inspecteur, je trouve assez dommage que nous l'ayons fait.

— Ce sont des excuses ? » demandai-je.

Il avait l'air encore plus glacial qu'avant. « Je n'ai pas l'habitude de m'excuser pour ce que j'ai fait, inspecteur. Ce n'est pas digne de moi. Ça nous a juste laissés avec… un petit problème, c'est tout. »

Je souris. « Et de quoi s'agit-il ?… Une énigme que vous ne savez absolument pas comment résoudre, peut-être ? »

Il évita la question. S'il avait répondu, il aurait pu dire que ça leur aurait pris « plus longtemps » à résoudre, mais certainement pas que ça « ne pouvait pas » être résolu. Je sentais que « ne pouvait pas » était quelque chose qu'il avait définitivement banni de son vocabulaire. Peut-être existait-il des dictionnaires pour des types comme lui, omettant délibérément des mots comme « ne peut pas » et « échec ».

Mais où on y trouvait bien, en revanche, des mots comme « égotiste ».

« Nous savons que la fille… commença-t-il.

« — Sarah, corrigeai-je. Merci de mettre un nom sur la morte, Grier. »

Il s'arrêta un instant et sourit sans conviction. « Sarah... a déchiffré un code. Dont les résultats vous ont conduits ensuite tous les deux directement à l'endroit où les tables étaient cachées. Eh oui, je dois l'admettre, elle nous a damé le pion de justesse dans cette affaire... » Non, pensai-je, elle a réussi alors que tu as échoué, espèce de trou du cul. Tu entends ça ? Échoué. Le mot existe bien.

« Car comme tous les bons codes, il semble avoir une clé.

— Et vous avez compris un peu trop tard que celui-là devait aussi avoir une clé ? »

Grier paraissait à nouveau totalement déconnecté. Il voulait seulement des résultats pour que Klein puisse boucler son affaire, il ne voulait rien comprendre d'autre.

« Quelque chose dans le genre, mais...

— Et maintenant, vous voulez que je vous aide ? » l'interrompis-je.

Je ne lui laissai pas le temps de répondre à ma question. Comme je l'ai dit, je connaissais son nom et je savais encore mieux ce qu'il voulait. Un arrangement rapide.

« Donc, vous avez tué un malheureux Français parfaitement innocent, vous avez tué Sarah, et vous avez bien failli me tuer. » Je me penchai délibérément en avant en tendant le cou d'un air incrédule. « Et maintenant, vous voulez que je vous aide ? »

Il me regarda bien en face, de ses yeux noir de jais. Un regard sans vie, un regard mort. « Ce serait certainement très bénéfique pour votre santé, inspecteur, si vous nous disiez ce que vous savez. »

Je m'enfonçai dans mon siège et soupirai. Puis je fis semblant de réfléchir, hésitant à lui donner une réponse à deux reprises, puis me reprenant l'instant d'après. À la fin, je soupirai de nouveau et pris mon air le plus résigné.

« OK, dis-je. Je vais vous dire ce que je sais. »

Grier se pencha en avant. Pas particulièrement excité, mais certainement prêt.

« Allez-y.

— Je sais que si je ne vous dis pas tout de suite ce que vous voulez savoir, je suis mort. Je sais aussi qu'à l'instant où je vous dis ce que vous voulez savoir, c'est-à-dire tout de suite, je suis mort. En fait, même si je suis assis ici avec vous à cette heure précise de la journée, ce n'est qu'une vaste illusion. Car j'ai la très nette impression que, même pendant que nous parlons – en ce moment –, je suis mort. »

Je m'enfonçai de nouveau en arrière. Content de ma sortie.

« Autrement dit, vous êtes en train de négocier pour rester en vie, c'est ça ? »

Grier devait aimer voir les gens négocier pour sauver leur peau. Je suis même certain qu'il préférait les voir mendier. De toute façon, il avait l'air suffisant. Et je déteste les gens suffisants à peu près autant que les gens effrontés.

« Je ne m'abaisserai pas à négocier pour quelque chose d'aussi insignifiant, dis-je froidement. Pour autant que je m'en souvienne, d'ailleurs, vous m'avez invité. »

Grier inspira profondément et tira une autre feuille du dossier, une photo. Elle était au fond, un endroit qu'il avait soigneusement évité en passant en revue les documents. Il avait voulu me jauger d'abord, c'est tout ; voir quel genre de joueur j'étais. Et la première règle de tout jeu comme ça, c'est de toujours garder quelque chose dans sa manche, et, merde, ce type-là avait même gardé un drôle de truc dans sa manche.

C'était en couleur et ressemblait à une de ces photos de paparazzis, le cliché pris de côté qui faisait les beaux jours de « La Caméra cachée ». Au premier plan, à gauche, on voyait ce qui semblait être le bras d'un essuie-glace de voiture, indiquant que le ou la photographe était assis dans sa voiture à ce moment-là. Le sujet, une jeune fille blonde en train de parler avec un homme en col roulé noir devant une rangée de boutiques, ne pouvait donc pas se douter qu'on le prenait en photo.

Il y avait un Lavomat ouvert vingt-quatre heures sur vingt-quatre, un surplus militaire et un magasin SonicStuff. Ce dernier ressemblait à un de ces bouclards rastas à fumette, avec des vitrines complètement obturées par des motifs en vinyle criards vert, jaune et blanc. Sauf que ce n'était pas du tout un bouclard à fumette, avec cet énorme « S » au milieu d'un cercle. Pas besoin de chercher plus loin pour savoir qui était la jeune fille. « S » pour « Sonics », comme dans SonicStuff. Le vert, le jaune et le blanc, les couleurs de leur équipe.

Au cas où vous ne le sauriez pas déjà, les Sonics étaient une équipe de basket de la NBA.

Et ils jouaient à Seattle.

« Espèce de salaud », dis-je en prenant un air furieux mais indifférent. Comme si je m'en foutais. Mais je ne m'en foutais pas vraiment. C'était ma fille, et ces salauds avaient réussi à retrouver sa trace, ce dont je n'aurais peut-être même pas été capable.

« Ne la mêlez pas à ça.

— J'aimerais bien, dit Grier avec un sourire glacial. Seulement… votre vie ne compte peut-être pas beaucoup pour vous, inspecteur, et, au vu de vos exploits, je peux le comprendre. Mais ne me dites pas que vous allez entraîner cette jeune femme avec vous ? Ce ne serait vraiment pas juste, quand même ?

— Ça n'a rien à voir avec elle, dis-je.

— Ça *n'avait* rien à voir avec elle, corrigea Grier. Mais vous voyez, tout ça est très, très important pour moi, et ç'a à voir avec qui bon me semble. L'homme avec lequel elle parle – peu importe les noms – est son dealer. Un dealer à la petite semaine, pas vraiment de quoi en faire un drame, mais quand même le genre de type qui a la trouille de prendre huit à dix ans de taule. »

Ma fille… ma Vicki… est une droguée. Vous ne pouvez pas vous douter à quel point ça fait mal ; et à deux titres. Le premier, c'est qu'il avait fallu un Grier pour me le dire ; je ne l'avais pas appris tout seul. Comment qualifier ce genre de père ? Le second, pire en un sens, c'est que ça ne m'étonnait pas. J'aurais dû être étonné, mais je ne l'étais pas, et, avec *ça*, comment qualifieriez-vous ce genre de père ?

Grier poursuivit. « Actuellement, ce monsieur reçoit son "shit", à proprement parler, si j'ose dire, d'un fournisseur qui est dans le collimateur de la police de Seattle. Ils ont donc ce que vous pourriez appeler un "accord" avec ce monsieur. Il leur donne un coup de main à l'occasion. » Il se pencha en avant. « J'espère donc pour vous qu'il ne finira pas par fournir à la jeune Vicki ici présente du "mauvais shit", qu'est-ce que vous en dites ? Ça pourrait être très mauvais pour elle. Très, très mauvais. » Il haussa les épaules.

« Fatal, peut-être.

— Je vais vous dire quelque chose, répliquai-je en m'approchant de lui à travers la table. Vous êtes une sacrée ordure. »

52

DIMANCHE 12 JUIN 2011
OAKDENE, LENWOOD, CALIFORNIE

Sarah avait parlé brièvement à Maggie en entrant dans le hall d'Oakdene pour la dernière fois. Elle lui avait expliqué avec force détails ce qui allait arriver, et elles s'étaient embrassées chaleureusement, puis elle s'était dirigée à l'étage vers la chambre 113. Elle ne paraissait pas aussi heureuse que d'habitude quand elle venait voir sa sœur, et Maggie savait pourquoi. Elle comprenait même parfaitement. Elle était de tout cœur avec elles. Elle aurait aimé pouvoir parler à Carey, mais elle savait que c'était impossible. Personne ne devait savoir. Dès que Sarah fut partie, Creed émergea en silence de son bureau et se dirigea vers la réception en faisant crisser ses chaussures ordinaires sur le sol...

Tina était dans son monde, ce soir-là, et elle n'entendit même pas entrer sa sœur. Elle avait réagi seulement en voyant le Snickers sur la table, juste devant elle.

Ses yeux s'étaient animés, comme toujours avec le Snickers et sa sœur, et elles s'étaient embrassées.

Sarah avait passé un bon moment à brosser les cheveux de sa sœur, plus soigneusement encore ce soir, car elle savait ce qui allait se passer ensuite. Elle avait déjà tout prévu, et c'est pour ça, ce que j'appris plus tard, qu'elle avait eu les larmes aux yeux tout le temps. Tina ne savait rien. De l'avis de Sarah, ça aurait été bien trop bouleversant pour elle, compte tenu surtout des autres événements qui s'annonçaient à l'horizon.

Elles se promenèrent dans le parc et profitèrent un moment du coucher du soleil. Un moment privilégié. Vers la fin, elles s'assirent à la demande de Sarah. Les larmes aux yeux, Sarah dit à sa sœur adorée la seule chose qu'elle aurait préféré ne pas savoir. Jamais.

« Je dois m'en aller, dit-elle tout bas. Je dois m'en aller pour très longtemps. Je ne pourrai même pas venir te voir pendant quelque temps. »

Puis, comme Tina regardait d'un autre côté, et ne sachant même pas si elle avait bien compris, Sarah s'était finalement mise à pleurer à grosses larmes.

« Mais tout ira bien, dit-elle en essayant de se calmer. J'ai laissé de l'argent à Maggie, et elle va s'arranger pour que tu aies ton Snickers tous les jours. »

Comme si ça pouvait rattraper les choses. Personnellement, je crois que Tina avait vu dans les yeux de sa sœur que ce n'était pas un simple au revoir. À moins que Tina l'ait *senti*, tout simplement. En tout cas, elle aussi avait les larmes aux yeux. Elle ne voulait pas de Snickers, elle voulait sa sœur, c'est tout.

« Je suis vraiment désolée, ma douce », ajouta Sarah. Elles se serrèrent très fort l'une contre l'autre et profitèrent de ces derniers instants. « Je t'aime tellement. »

À ce moment-là, Tina avait essayé de faire quelque chose, sans y parvenir. Mais, d'après Sarah, cet échec avait été son cadeau le plus extraordinaire. Sa sœur avait *essayé de parler* pour la première fois de sa vie. Sarah s'était un peu écartée pour lui laisser de l'espace, mais rien n'était sorti, sinon une sorte de hoquet du fond de sa gorge.

Mais elle avait essayé.

Au bout d'un moment, elle avait refermé la bouche sur son secret et pris la main de Sarah pour la poser doucement sur son cœur.

« Je sais, avait dit Sarah. Je t'aime aussi, ma douce. Pour toujours. »

Sarah resta assise encore un peu, la tête de sa sœur à nouveau sur son épaule, et elles regardèrent tomber la nuit, regardant le chapitre se refermer dans ce qui deviendrait leur livre favori.

Sarah avait toujours su que ce jour viendrait, elle le savait maintenant depuis deux ans, mais rien ne pouvait faciliter les choses. C'était l'épreuve la plus difficile de sa vie. Elle était arrivée aujourd'hui en se sentant prête. Elle se trompait complètement.

À la fin, elle souleva la tête de sa sœur, l'embrassa tendrement sur la joue et l'abandonna dans le parc, tandis que les larmes de Tina se mettaient à couler et qu'elle regardait fixement au loin. Sarah essaya désespérément de se contenir jusqu'à ce qu'elle rejoigne Maggie, laquelle, comme elle le lui avait demandé, observait la scène en silence depuis le patio plein de mauvaises herbes à l'arrière du bâtiment.

« Vous veillerez, je veux dire… » Puis ses larmes redoublèrent.

Maggie avait pris la fine main de Sarah dans la sienne, tout imprégnée de la chaleur de son âme.

« Je veillerai à ce qu'on s'en occupe bien, assura-t-elle. Ne vous inquiétez pas pour ça.

— Il va arriver malheur, dit Sarah.

— C'est vrai, dit Maggie, mais vous l'avez toujours su. Vous saviez bien que vous ne pouviez pas l'aider. Mais je suis là, et je vous promets que je ferai tout ce que je peux pour l'aider à traverser ça. »

Elle se pencha en avant et serra Sarah dans ses bras avec affection. « Vous feriez mieux de partir, dit-elle doucement. Vous avez beaucoup à faire. »

Sarah acquiesça.

« Je ne vous oublierai jamais, Maggie, dit-elle, les larmes aux yeux.

— Moi non plus », répondit Maggie en lui souriant d'un air complice.

Sarah sourit à son tour, regarda en direction de sa sœur toujours assise, et s'en alla.

Elle ne revit jamais Tina.

« Mademoiselle Fiddes, pourriez-vous me consacrer un moment ? »

Sarah avait presque franchi la porte.

« À quel sujet, monsieur Creed ?

— C'est un… sujet personnel, dit-il, avec ses petits yeux odieux la scrutant de derrière ses lunettes. Il vaudrait mieux que nous en parlions dans mon bureau. »

Sarah soupira, acceptant à contrecœur. Creed lui tint la porte, et elle entra.

Il la suivit et referma la porte derrière lui. Puis il tourna la clé dans la serrure.

« Ce n'est pas vraiment nécessaire, remarqua Sarah d'un ton décidé.

— C'est une question de tranquillité », dit-il en mettant la clé dans sa poche de veste.

Mais sa moue sarcastique n'augurait rien de bon. Il semblait même particulièrement sûr de lui. Il s'appuya contre son bureau.

« Maggie dit que vous ne viendrez plus nous voir. C'est bien ça ?

— Oui, parfaitement, dit Sarah. Mais je ne vois vraiment pas...

— Tina a tellement besoin d'attention, continua-t-il d'une voix insinuante. Je suis sûr que vous aimeriez qu'elle continue à être parfaitement traitée.

— J'ai parlé avec Maggie et tout est arrangé, monsieur Creed. Si c'est tout ce dont il s'agit... »

Creed prit un air faussement compatissant.

« Oh, Maggie est formidable, dit-il d'un ton mielleux, elle fait partie intégrante de notre équipe. Mais bien sûr, c'est moi qui dirige l'établissement. Si vous voulez vraiment vous assurer que votre sœur reçoive le meilleur traitement, c'est peut-être à moi que vous devriez vous adresser. Je peux m'assurer qu'elle bénéficie du meilleur de... tout. »

Tout en parlant, il s'était progressivement rapproché de Sarah, jusqu'à finir par l'acculer contre la porte, le regard plein de quelque chose qu'elle n'avait pas apprécié du tout. Il souriait comme s'il allait enfin obtenir ce qu'il avait toujours désiré, et elle sentait son haleine fétide et l'odeur agressive de son after-shave bon marché. Puis il posa sa paume chaude et moite sur son sein gauche. En le pressant, en bougeant contre elle.

Le froid du bois transperçait sa veste blanche légère,

mais elle ne fit pas un geste. Elle se contenta de sourire, regarda Creed dans les yeux avec concupiscence et murmura :

« Vraiment, monsieur Creed. Vous feriez ça ? »

Il avait acquiescé tout en regardant sa main suivre chaque courbe du corps de Sarah, comme il en avait rêvé si souvent dans son cerveau perturbé. « Oh oui. Oui, bien sûr. »

Creed vit-il ou non le genou de Sarah monter ? De toute façon, il n'avait pas grande chance de pouvoir y échapper, et le coup avait porté exactement là où il devait : en plein dans les couilles. Il chancela en arrière et tituba jusqu'à son bureau, puis il s'effondra en se tenant les parties.

Sarah s'approcha, l'air satisfait, s'accroupit devant lui et lui cracha au visage. « Vous êtes un grand malade, Creed », dit-elle avec une moue méprisante. Puis elle fouilla dans sa poche de veste et en sortit la clé de la porte. « Tina sera loin d'ici dans une semaine, je vais m'en assurer. Et vous, vous pouvez aller vous faire foutre. »

Et, histoire de lui montrer qu'elle ne plaisantait pas, elle resta encore quelques instants en face de lui à le regarder, à l'observer pendant qu'il se tenait les parties, son visage grassouillet encore tout congestionné. Puis elle secoua la tête, à la fois de dégoût, de désespoir et de pitié. Elle savait maintenant à qui elle avait affaire, et ce n'était pas la peine d'en rajouter.

« Tu me le paieras, salope », dit-il en grimaçant toujours de douleur.

Sa réponse fut simple, directe. « C'est déjà le cas, monsieur Creed. » Puis elle ouvrit la porte et sortit de la pièce. « Tous les jours de ma vie. »

Creed dut rester cramponné à ses couilles enflées

encore cinq bonnes minutes, dans un état de fureur extrême. Et, pendant tout ce temps, il avait ruminé les paroles de Sarah. *D'ici une semaine.* Et un grand sourire retors avait probablement chassé son air douloureux. *D'ici une semaine.*

Sarah savait parfaitement ce qu'elle lui avait dit, et pour quoi. Elle aurait tellement préféré se taire ; mais elle n'avait pas pu. C'était trop important. Pour que le monde devienne un jour ce qu'il devait devenir, il fallait qu'elle parle.

53

DIMANCHE 12 JUIN 2011
OAKDENE, LENWOOD, CALIFORNIE

Je pris un air désolé pour que Grier comprenne que je ne me faisais plus aucune illusion. Je savais que j'étais fini. Même si, par certains côtés, j'avais encore l'impression d'être en train de gagner. J'avais été traîné ici sans ménagement, sachant que je devrais essayer de trouver un accord. En revanche, Grier ne devait pas s'en douter, et, d'emblée, je ne devais pas me montrer du tout coopératif. Pour être honnête, je n'aurais jamais imaginé le truc de Vicki, mais, pour l'instant, c'était simplement un obstacle supplémentaire ; je le franchirais à ma façon le moment venu.

« Allez-y, dites-moi ce que vous avez », dis-je d'un ton furieux. Le « dites-moi ce que vous voulez » viendrait après. C'était « dites-moi ce que vous avez, et si je peux ajouter quelque chose pour aider Vicki, je le ferai, mais je ne vous promets rien ».

« Je suppose que vous êtes disposé à trouver un arrangement. Mais si vous continuez à me dire que Vicki et moi, nous sommes morts de toute façon, autant fermer ma gueule, non ? »

— Oui, inspecteur, nous sommes disposés à... » Il hésita un instant pour trouver son mot. « ... négocier. »

Négocier, mon cul. Du chantage, oui, pas une négociation.

« Bon, alors, si je vous donne ce que vous voulez, vous allez me donner les choses que je veux. Dans tous les bons manuels, c'est la définition d'une *négociation* réussie. »

Gricr soupira et secoua la tête. Je n'avais pas dit que je voulais une « chose », comme ma vie par exemple, mais des « choses », comme dans beaucoup de choses.

« Et que sont ces *choses*, exactement ? »

Je souris avec satisfaction. La partie était lancée.

« Monsieur Grier, dis-je calmement, je suis dans la police depuis vingt-trois ans. J'ai vu des gens se faire exploser la tête à moins d'un mètre de moi, et j'ai récolté plus de morts que vous ne pouvez vous l'imaginer. Me faire tuer est un risque professionnel auquel j'ai échappé pour l'instant de justesse. Je connais le monde, et je sais aussi que Sarah Fiddes a fait joujou avec la plus grosse boîte d'allumettes qu'elle pouvait trouver, sachant qu'elles pourraient lui exploser à la figure. Ce qui est arrivé grâce à vous. Peut-être qu'elle était prête à affronter la mort, mais, franchement, c'était totalement inutile. Vous saviez qu'elle était capable de trouver ces... » Je montrai une des photos des tables. « ... et vous saviez qu'elle risquait même de pouvoir les comprendre. C'était une des meilleures scientifiques de Joseph Klein, nom de Dieu. Vous n'auriez jamais dû la supprimer, et ça, mon ami, c'est pour moi une très grosse erreur. Vous vouliez augmenter votre tableau de chasse et vous avez mal joué. »

Grier paraissait perplexe. Sincèrement perplexe.

« Qui vous a dit que Sarah Fiddes travaillait pour Joseph Klein ? demanda-t-il.

— Ça ne vous regarde pas.

— Sarah n'a jamais, au grand jamais, travaillé pour Joseph Klein », dit-il.

Tout en parlant, il me regardait droit dans les yeux, et bonimenteur comme il était, pourtant, je ne croyais pas qu'il mentait.

Mais Sarah mentait. En fait, elle m'avait menti. Et je l'avais laissée faire, avec les tables et tout. La vérité, dont j'avais fini par me douter, était terrible. J'avais essayé de ne pas le montrer, mais qu'est-ce que j'avais dit à propos du poker ? Ça me faisait vraiment chier.

Demandez à Maggie.

Grier se pencha en avant. « Seigneur, dit-il doucement. On dirait que quelqu'un n'a pas été tout à fait honnête avec vous, inspecteur, non ? »

Je levai les yeux vers lui comme si je m'en foutais. « Ça ne change rien à l'accord. Le seul accord... si vous voulez jamais comprendre ce qu'il y a dans ces tables. »

Il plaça deux doigts sous son nez, la main sur sa bouche, et plissa les yeux comme s'il était sincèrement intéressé. Pensif. Réfléchi. Connard.

« Et cet accord consiste... »

Le moment était venu de briser un peu la glace et de mettre le Fumeur et Milieu de Phrase à l'épreuve, histoire de voir jusqu'où allait leur connerie, et combien de temps ils auraient survécu au Far West. J'aimais bien jouer à des jeux, parfois, ça pimentait le quotidien. Je cherchai alors mes cigarettes dans ma poche juste un peu trop vite, et les pistolets se relevèrent d'un coup. Très vite, même. En fait, ces types auraient pu en remontrer à Billy the Kid. Neuf sur dix pour le Fumeur, et dix pour son pote. Sauf qu'ils m'avaient déjà fouillé. Deux fois. Et qu'ils n'avaient jamais trouvé d'arme.

Ils étaient vraiment complètement idiots.

Je souris, mis ma cigarette dans ma bouche et l'allumai avec le briquet que je laissais dans le paquet.

« J'aimerais que vous fassiez trois choses pour moi, Grier, dis-je en soufflant la fumée en l'air. La première, c'est de m'assurer que ma fille et moi finirons bien notre vie à un moment décidé par un pouvoir bien supérieur au vôtre, et que nous ne viendrons pas nous ajouter à votre stupide tableau de chasse. » Il plissa les lèvres comme si ça pouvait être envisageable. À la rigueur.

« J'ai les réponses que vous voulez, et nous savons parfaitement tous les deux que ce que je sais et ce que je peux prouver sont deux choses très différentes. Je me doute bien que vouloir soulever des problèmes dans l'avenir ne me servirait à rien, et que si je me taisais et que je poursuivais mes activités, me tuer ne vous vaudrait rien non plus. En plus, j'ai une assurance.

— Quel genre d'assurance ?

— Le genre auquel vous préférez ne pas vous frotter. »

Ce qui, à propos, était un affreux mensonge. « Une sorte d'assurance vie non réclamée si ma fille et moi restons en vie. » Je me penchai à travers la table et le dévisageai.

« Et c'est bien ce que nous voulons tous les deux, n'est-ce pas ?... »

Il s'enfonça de nouveau dans son siège pour récapituler. Et je suis sûr qu'il était d'accord avec moi. Je ne serais jamais capable de prouver quoi que ce soit et je serais mort en un jour à force d'essayer. Ici, en revanche, je lui proposais la seule chose dont il avait besoin. Ou plutôt, la seule chose dont Klein avait besoin. Klein, d'ailleurs, ne serait probablement jamais mis au courant des méthodes utilisées pour l'obtenir. Sarah étant déjà « morte », tout ce que je demandais, apparemment, c'était que nous évitions, ma fille et moi, de finir la journée de la même façon.

« Et la seconde chose ?

— La seconde sont des excuses, dis-je. Je veux que vous vous excusiez ici même, devant moi, d'avoir tué Sarah. »

Grier éclata de rire.

« Vous plaisantez ?

— Pas du tout », dis-je en secouant la tête et en tirant énergiquement sur ma Marlboro. Je devais lui faire croire que j'avais des choses stupides à lui demander, car je n'étais pas encore sorti de l'auberge, et s'ils pensaient qu'ils pouvaient me réduire à supplier, j'étais cuit. « Je veux que vous disiez que vous êtes très, très désolé d'avoir tué Sarah. Que vous avez merdé. »

Il cligna des yeux lentement, sans rien laisser paraître.

« Vous avez parlé de trois choses. Quelle est la troisième ?

— Si je vous donne ce dont vous avez besoin, dis-je, je veux que vous me promettiez d'en prendre très soin.

— Prendre soin de *quoi* ?

— Vous n'aurez rien sans accord préalable. »

Grier sourit. Il détestait ça, et je le voyais sur le point d'exploser, mais il le fit quand même. Sa voix était lente, hésitante, ses dents crispées, mais ça ferait quand même l'affaire. Le résultat était prévu : il était hors de lui.

« Je suis vraiment, *vraiment* désolé que nous ayons tué la fille, inspecteur. »

Et, vu les circonstances, je n'étais plus un homme mort. J'étais bien en vie, mais pas particulièrement heureux. Je savais très bien que c'était un répit et que les choses n'allaient pas tarder à se gâter. En tout cas, en moins d'une heure, j'avais réussi à négocier la vie de deux personnes et entendu Grier s'excuser. Et peu importe sa sincérité, je suis sûr qu'il en avait été passablement humilié.

Pour moi, finalement, ça n'avait pas été une mauvaise journée.

Nous occupâmes les deux heures suivantes à mettre au point l'accord dans ses moindres détails, et, à la fin, Grier me laissa partir. Ou, plus précisément, il me fit réintégrer sans ménagement la camionnette, conduire au centre-ville et déposer près de City Hall. J'avais passé pratiquement toute la nuit je ne sais où, et il était presque huit heures du matin, à présent. Je ne vais même pas commencer à vous expliquer à quel point j'étais fatigué, mais je n'allais pourtant pas rentrer chez moi. Pas encore.

Les hommes de Grier n'allaient pas me lâcher comme ça. Je n'étais pas assez idiot pour imaginer qu'ils ne reviendraient pas me chercher, mais j'avais déjà décidé qu'à ce moment-là j'aurais un autre atout dans ma manche qui me sauverait la mise une deuxième fois. Je ne savais pas encore quoi exactement, mais le seul cadeau qu'ils m'avaient fait, c'était du temps, et ça allait me permettre de trouver quelque chose.

Quant à Sarah, j'ignorais complètement quels étaient

ses plans, mais ce que je savais – ou ce que je croyais vrai –, c'était qu'elle n'avait (pour citer Grier) jamais travaillé pour Joseph Klein. Ce qui n'expliquait pas vraiment pourquoi elle avait enterré une bombe, rien que ça. Je commençais à comprendre que notre Sarah Fiddes appréciait peut-être tellement son double jeu que, à peine avait-elle posé les yeux sur moi, ce double jeu était devenu triple.

Faute de mobile sur moi, je trouvai le téléphone public le plus proche et appelai la réception d'Oakdene. Je ne m'attendais pas à y trouver encore Sarah, mais j'espérais que Maggie serait là. Elle terminait juste son service de nuit et me raconta à peu près tout ce que j'avais besoin de savoir. Oui, Sarah était là la veille au soir, ce que je savais car jc l'y avais déposée moi-même, et, oui, *elle avait dit au revoir à sa sœur*. Quand je lui demandai pourquoi Sarah lui avait dit au revoir, Maggie se contenta de répondre qu'elle ne pouvait rien me dire, que ce n'était pas son rôle de le faire, mais que Sarah Fiddes ne reviendrait plus jamais voir sa sœur.

Elle en était certaine.

Sarah Fiddes m'avait menti, elle avait les tables et elle s'était rendue à Oakdene dans le seul but de dire adieu à la seule personne qu'elle aimait en dehors d'elle-même ; sa sœur. Elle avait promis que j'aurais mes réponses aujourd'hui, et tout ce qu'elle avait dit en descendant de voiture à Oakdene, quand je lui avais demandé où et quand elle voulait que nous nous retrouvions, c'était : « Ne vous inquiétez pas, Nick, je vous trouverai. »

Vous me pardonnerez de ne pas en avoir cru un mot. En réalité, je pensais que je ne reverrais probablement jamais Sarah Fiddes, ni les tables.

Alors, même s'il était encore tôt et que j'avais passé la nuit à marchander pour sauver ma peau, je ne pouvais pas rentrer chez moi tout de suite.

Désolé, mais il me fallait une cigarette.

Et surtout, il me fallait un verre.

54

LUNDI 13 JUIN 2011
LOS ANGELES, CALIFORNIE

« Nous n'ouvrons pas avant dix heures, Nick. Vous le savez très bien. »

Armée d'un vaporisateur et d'un chiffon, Michelle astiquait le bar. Elle n'avait même pas dû se rendre compte que la porte n'était pas fermée à clé.

« Je sais, dis-je d'une voix nasale, mais, pour être honnête, je m'en fous complètement. » Je ne me donnai même pas la peine de sourire. « Un Jack avec de la glace, si vous voulez bien. »

Elle posa son chiffon et passa derrière le bar. « Cody va me tuer s'il s'en aperçoit, dit-elle en versant une dose de Jack. En tout cas, à voir votre tête, ce n'est pas la peine de vous demander si la journée a été difficile, il est encore beaucoup trop tôt, même pour vous. Disons plutôt une nuit agitée. »

À l'intérieur, j'étais une vraie loque, mais il était difficile de savoir de quoi j'avais l'air à l'extérieur. Je savais en tout cas que, cette fois, la mort n'était pas passée très loin de l'inspecteur Nick Lambert.

« Pire que tout », dis-je en prenant le verre avec lassitude.

Michelle examina mon visage, grimaça en voyant mon nez, puis reposa la bouteille sur le bar.

Tandis que je me concentrais sur mon verre, son chiffon se déplaçait à grands coups sur la surface du bar, essayant de lui redonner son lustre.

« Vous avez envie d'en parler ? demanda-t-elle en s'arrêtant un instant et en levant les yeux.

— À votre avis ? » répondis-je.

Elle continua à nettoyer.

Je ne voulais jamais en parler, quelles que soient les circonstances et quel que soit le jour. Je l'avais répété à Michelle, c'était même la seule raison pour laquelle je fréquentais le bar de Cody ; pour oublier, et pas pour profiter d'un vague état d'ivresse pour comprendre. C'était un endroit sinistre, et c'est sans doute pour ça que je l'aimais tellement. Même s'il y avait de grandes vitrines devant, le bar était situé si loin au fond et le plafond si bas qu'on aurait dit une grotte pendant un orage. Il me donnait une impression de sécurité, c'était mon refuge après les mers déchaînées et les poissons visqueux que j'essayais d'attraper dehors. À présent que tout était terminé, j'allais devoir reprendre ma canne à pêche et me remettre en chasse. Ça ne servait à rien de boire jusqu'à ce que la mer se soit calmée. J'avais déjà essayé, et elle ne se calmait jamais.

J'ouvris mon portefeuille et jetai deux billets de vingt sur le comptoir. Michelle connaissait la chanson ; on ne remporte pas la bouteille tant qu'il y a de l'argent. Puis je vis une photo dans mon portefeuille et la sortis également.

C'était Vicki, quand elle devait avoir 13 ans, je crois. Toujours avec ses longs cheveux blonds, son visage innocent et ses nattes. Déjà perturbée, sans doute, mais ça ne se voyait pas encore tellement. Dire que, moins de sept ans plus tard, elle laisserait tomber ses études et deviendrait une junkie ; une vie en miettes. Je fixai la photo pendant un long moment en me demandant si je pouvais encore faire quelque chose.

Mais au fond, pourquoi m'en mêler ?

Le monde est merdique, il vous jette de la merde, et ou vous vous sauvez pour l'éviter, ou elle se colle sur vous. Elle s'en sortirait. Je le savais parce que j'avais passé cinq bonnes minutes à m'en persuader.

Michelle s'approcha derrière moi et me prit la photo des mains.

« Quelle gosse mignonne, remarqua-t-elle. C'est à vous ?

— Ça l'était », dis-je.

Autrement dit, elle était effectivement à moi et elle était effectivement mignonne.

« Qu'est-ce qui s'est passé ?

— C'est moi », dis-je en reprenant la photo et en la remettant dans mon portefeuille.

Le premier Jack descendit d'un trait, et je m'en versai un autre. Je gardai la bouteille en main, en examinant l'étiquette comme s'il s'agissait d'une boisson extraordinaire que je n'avais jamais goûtée auparavant. Je ne distinguais pas les mots, sinon le blanc sur le noir, je voyais un visage. C'était celui de Monica, la bouche grand ouverte et les gouttes de sang tombant l'une après l'autre sur des draps d'un blanc immaculé, dans une pièce rendue au silence après les tirs ; le père de son enfant couché par terre, le visage beaucoup trop entamé pour pouvoir être encore en vie.

J'avais commencé à me sentir bien. J'avais presque trouvé une cause à défendre. Je n'étais pas obligé de la croire, ni de croire à tout, il fallait seulement que j'y croie. Et je l'avais fait. Tout au fond de moi, je m'étais même figuré que ça pourrait me réconcilier avec tous mes échecs. Être enfin utile en empêchant les méchants de mettre la main sur certaines tables sacrées apparemment très dangereuses, ou quelque chose dans le genre.

Sauver le monde. Arrêter le courant. Cautériser la blessure.

Mais Sarah Fiddes m'avait menti, et je me sentais comme de la merde. Ou peut-être, simplement, comme le pauvre idiot crédule et nul que j'étais – celui qui aurait dû se méfier. Ou, au moins, aurait dû le voir venir. Peut-être aussi aurais-je dû simplement arrêter d'y penser, pour laisser à Jack le soin de tout effacer encore une fois. Mais curieusement, je n'y arrivais pas, ça me mettait bien trop hors de moi.

Surtout après ce que je venais de faire pour sa sœur...

Sarah Fiddes disait beaucoup de conneries, c'est un fait. Par exemple, le voyage dans le temps. Elle croyait vraiment que j'allais gober ça ? Le problème... le problème le plus douloureux, je crois... c'est qu'elle avait bien failli. Aussi ridicule que ça puisse vous paraître, à vous, à moi et à n'importe qui de sensé, cela aurait répondu à une ou deux de mes grandes questions et expliqué beaucoup des choses qu'elle avait dites.

Comment avait-elle su, quelques minutes après l'incident, que j'avais été suspendu pour deux semaines, et que ça avait été décrit comme un « congé » ? Non seulement elle le savait, mais elle m'avait même acheté un billet d'avion, certaine que je pourrais partir pour la France avec elle ce jour-là. Elle avait su que Wells et Rodriguez étaient morts, alors que je venais juste de le découvrir moi-même.

Et elle avait su qu'ils intercepteraient son paquet et y mettraient une bombe. Comment pouvait-elle le savoir ? S'en douter aurait déjà été extraordinaire, mais ce n'était même pas le cas, elle le *savait*. Et pendant que nous discutions de la bombe... pourquoi diable l'avait-elle enterrée pour que Klein la trouve ? Pendant que nous creusions le trou, j'avais dit que c'était l'endroit idéal si elle ne voulait pas qu'on retrouve le paquet, et si je me souviens bien de ses paroles, elle avait dit quelque chose comme : « Mais je veux qu'il soit retrouvé. Pas avant trente-deux ans, c'est tout. »

Trente-deux ans. Si Klein devait creuser pour retrouver ce truc, comment pouvait-elle savoir qu'il le ferait dans trente-trois ans ? *À moins que*... Arrête, Nick, ne fais pas l'enfant. C'est ce fou de Jack qui te fait délirer.

Tout ça avait commencé par un macchabée, comme c'est le cas pour bon nombre de mes affaires. Sauf que ce macchabée était nu comme à sa naissance et avait un texte en latin enfoncé dans le cul avec le nom de Tina griffonné en haut. Je sortis le texte de ma poche et le regardai à nouveau...

Enfoncé dans le cul. Entouré par du tissu vivant. Et la voix de Deacon qui résonnait dans ma tête... « Bien que toutes les traces de sang montrent qu'il a été abattu dans la ruelle, les deux balles qui l'ont traversé restent introuvables. »

Et si les coups de feu n'avaient pas été tirés dans la ruelle ? Et s'ils avaient été tirés pour l'empêcher de revenir muni d'indices permettant de retrouver les tables ? Les balles qui l'avaient transpercé n'auraient pas été entourées par du tissu vivant. Elles seraient restées où elles étaient.

Je devais être complètement cinglé pour oser formuler ça, même dans ma tête.

J'examinai le texte encore une fois. Pas le latin, parce que je n'y comprenais toujours pas grand-chose, mais la mention en haut ; « Tina Fiddes – 113 », et il y avait autre chose que je n'aimais pas. Quelque chose que je n'avais jamais remarqué. Je n'avais vu qu'une seule fois l'écriture de Sarah, quand elle avait rempli les formulaires pour DHL, mais elle avait une drôle de façon de faire le « F » majuscule. Comme un gros tourbillon appuyé.

Et là, c'était le même.

Le « F » de Fiddes, celui enfoncé dans le cul du type, était le même « F » tourbillonné qui figurait sur les formulaires DHL.

Il avait été écrit par Sarah...

Mais, évidemment, là encore, c'était tout aussi impossible...

Je regardai fixement mon verre et, pendant quelques instants, je me concentrai et lui intimai de bouger. *Sans que je le touche.* Il était plein de Jack Daniel's et, franchement, rien ne pouvait me faire plus envie. Je le fixai et le désirai de toutes mes forces, me focalisant dessus à l'exclusion de tout le reste. Évidemment, j'eus beau le fixer et le désirer de toutes mes forces, il ne bougea pas d'un iota. Il resta exactement où il était sur le bar, à me rire au nez. Je ne devais pas le désirer assez. Plus maintenant.

Jusqu'à ce que, bien sûr, Cody surgisse par la porte du fond en l'envoyant valdinguer contre le mur de côté. *Alors*, le verre bougea rapidement, mais je crois que ma main était pour beaucoup dans cette petite manœuvre. Cody s'arrêta net, me regarda, puis se tourna lentement vers son employée. Elle haussa les épaules.

« Nous n'ouvrons pas avant dix heures, Michelle, dit-il. Tu le sais très bien.

— Et lui aussi, répliqua-t-elle avec un signe de tête dans ma direction. Seulement, aujourd'hui, il dit qu'il ne donne pas... qu'est-ce que c'est ?... Ah oui, *"une patte de singe"*, mais va comprendre. »

Cody me regarda, secoua la tête et passa derrière le bar.

« Qu'est-ce que vous avez fait à votre nez ?

— Quelqu'un m'a frappé », répondis-je.

Puis, avec un sourire forcé, j'ajoutai : « Milieu de Phrase. »

Il acquiesça, sans rien ajouter. Puis, il s'appuya sur le bar d'un air inquisiteur et dit :

« Je peux vous demander quelque chose, Nick ?

— Tant que ce n'est pas de sortir d'ici, bien sûr, allez-y », répondis-je.

Il sourit. « Vous me connaissez, Nick. Je ne mets jamais un bon client dehors, un client solvable, ni bien sûr un cinglé dans votre genre, dit-il. Non, ça n'a rien à voir. »

Je bus encore un peu de Jack et remplis une nouvelle fois mon verre, avant que Cody ne se ravise et reprenne la bouteille.

« Qu'est-ce que je fais pour vivre ? » demanda-t-il.

Je le regardai bien en face.

« Vous êtes le meilleur tenancier de bar de tout L.A... et le plus charitable, dis-je, n'hésitant pas à lui cirer les pompes.

— Donc, je ne suis pas le ministre des Postes et des Télécommunications ? »

Je plissai les yeux.

« Non, pas que je sache.

— Bien, dit-il en cherchant sous le bar et en en sortant une enveloppe marron. Dites-le à votre petite amie de ma part, d'accord ? »

Il sourit comme si ça n'avait pas grande importance, et disparut du bar comme il était entré. Je continuai à boire en portant machinalement mon verre à ma bouche, comme ces automates qui avalent des pièces. Je continuai à boire, le regard fixe. Je ne voulais pas toucher cette enveloppe, et encore moins l'ouvrir.

« À propos, cria Cody de loin. Elle a dit de vous la donner parce que vous étiez "un chic type". Ce sont ses mots. *Sûrement* pas les miens. »

Je continuais à fixer l'enveloppe, et elle ne bougea pas, elle non plus. Dessus, on lisait en tout et pour tout : « Nick Lambert, aux bons soins du Cody's. » Des mots qui se gravèrent aussitôt dans mon esprit.

À la fin, je la pris. Quel mal pouvait-il y avoir à la prendre ? Elle était lourde. Après l'avoir retournée plu sieurs fois, je pris mon courage à deux mains pour l'ouvrir et découvrir à quel point je m'étais fait baiser.

À l'intérieur, se trouvaient une seconde enveloppe ainsi qu'une note manuscrite. « Je vous avais dit que je vous retrouverais. »

Je pris une autre longue gorgée, avec détermination, celle-là, et déchirai la seconde enveloppe, la lourde. Celle-ci avait plusieurs feuilles de papier à l'intérieur et deux objets enveloppés dans une mince étoffe que je dépliai avec impatience, même si, rien qu'en les touchant, je savais déjà ce que c'était.

Puis je les vis une nouvelle fois, toujours de ce même noir obsédant et brillant malgré le peu de lumière qui régnait au Cody's. Les Tables du Témoignage, avec une myriade de minuscules symboles gravés sur les quatre côtés et les bords, susceptibles de fournir d'innombrables combinaisons différentes. J'en pris une dans chaque main, les retournai doucement et sourit. Quel que soit l'endroit où se trouvait Sarah maintenant, elle avait choisi de les laisser ici, en ma possession. Ce qui, en tout cas, était une sacrée preuve de confiance.

Michelle, son ménage terminé, s'approcha derrière moi une nouvelle fois et regarda les tables par-dessus mon épaule.

« C'est une sacrée paire de dessous de chope que vous avez là, Nick, mais nous en avons aussi ici, vous savez ? » Elle sourit de sa plaisanterie avant de rejoindre Cody à l'arrière. Apparemment, tout le monde n'aimait pas les nouveautés.

J'enveloppai de nouveau les tables, les posait soigneusement sur le bar et reportai mon attention sur les feuilles de papier. Elles semblaient avoir été roulées étroitement ensemble, mais elles étaient maintenant aplaties. Je les étalai sur le bar. En tout cas, ce n'était pas la lettre que j'avais tellement attendue.

À une seule exception près, c'étaient toutes des coupures de presse, et la première me prit par surprise...

EX-PHOTOGRAPHE DU *TRIBUNE* TROUVÉE MORTE EN FRANCE

Kelly Brown, une ancienne photographe du *Los Angeles Tribune* a été trouvée morte d'une overdose dans une pension, à Couiza, en France. Kelly, qui avait couvert plusieurs sujets dans ce pays en tant que pigiste, notamment les fouilles archéologiques financées par le gouvernement près de la frontière espagnole dont elle avait obtenu l'exclusivité, a été trouvée morte dans sa chambre hier matin par la propriétaire de la pension, venue faire le ménage. La police française ne semble pas considérer la mort de Kelly comme suspecte, car elle paraît résulter d'une overdose accidentelle, survenue, d'après certaines sources, après un surcroît de travail. La propriétaire de la pension Vie d'été, Mme Marcelle Glorie, parle de Kelly comme d'« une jeune femme très aimable qui s'est montrée particulièrement convenable pendant son séjour prolongé », ajoutant que « tous les pensionnaires avaient été très bouleversés par la tragédie ».

Kelly avait travaillé pour le *Tribune* entre 2005 et 2008 et couvert de très nombreux sujets, dont son « StillsAmerica », un travail portant sur les conséquences des rivalités des gangs dans la ville qui lui avait valu un prix de photojournalisme. Le rédacteur en chef du *Tribune*, Jean Sampson, a dit à son propos : « Kelly était un élément fantastique de l'équipe, et quelqu'un de bien. Elle était très ambitieuse et je sais que d'avoir obtenu l'exclusivité pour le travail du gouvernement américain en France avait beaucoup compté pour elle. Nos condoléances vont à sa famille qui, comme nous, regrettera beaucoup sa présence. » Kelly avait 28 ans, elle était célibataire sans enfants.

Il y avait une photo au-dessus de l'article, probablement un cliché tiré des archives du *Tribune*. Kelly, la fille aux longs cheveux blonds, que j'avais rencontrée dans le bar à Arques, posant avec un appareil reflex muni d'un long objectif. Sur le côté de la photo, on lisait, écrit visiblement de la main de Sarah : « Kelly ne se droguait jamais, Nick. Ce qui ne l'a pas empêchée de mourir d'une overdose. » Ils avaient probablement découvert qu'elle avait violé leur accord et fait fuiter des photos avant que quoi que ce soit n'ait été trouvé. Qu'elle les avait fait passer à Sarah. Sarah m'avait dit à Arques que son amie avait été démasquée. Kelly ne le savait pas encore, c'est tout. Comme Sarah, je ne croyais pas un instant que l'overdose mortelle de la jeune Kelly Brown ait été accidentelle.

Les deux coupures suivantes étaient plus surprenantes, en tout cas. Également un peu plus proches de moi, personnellement parlant. Elles semblaient provenir d'un magazine plutôt que d'un journal.

« Des secrets en matière scientifique retrouvés cachés en France. » Et : « Des tables mettent les scientifiques de Cardou en émoi. »

Le premier article racontait en détail comment une équipe archéologique américaine, fouillant au pied du mont Cardou, dans le Sud de la France, avait découvert une « chambre secrète » contenant des tables de pierre d'une « nature scientifique certaine ».

Ces tables, assure-t-on, semblaient avoir été gravées par un artisan doublé d'un scientifique travaillant au début des années 1600, et, si les théories avancées s'avéraient exactes, elles pourraient contribuer à une meilleure compréhension du monde qui nous entoure et permettre de futurs développements scientifiques. Un porte-parole américain était cité, affirmant que « cet individu était sans aucun doute très en avance sur son temps, et qu'il avait ouvert à la science moderne quelques nouvelles voies prometteuses pour de futures recherches. Nous sommes tous très excités par cette découverte et espérons qu'elle nous conduira à d'autres découvertes qui bénéficieront à l'humanité dans son entier ».

L'article continuait en expliquant que ces nouvelles découvertes excitantes avaient failli « être perdues à jamais pour le monde » après avoir été volées par un membre peu scrupuleux de l'équipe et sorties clandestinement du pays via une société de transport réputée. Heureusement, le vol avait été rapidement découvert, ce qui avait permis au paquet d'être intercepté et les tables retrouvées aux États-Unis. Des analyses scientifiques approfondies étaient apparemment en cours.

Quelle merde. Des tables trouvées au mont Cardou. Volées par un membre de l'équipe. S'ils ne les avaient pas interceptées, pour commencer, dans une « société de transport réputée », rien de tout ça ne serait sorti. C'était une façon d'étouffer l'affaire, et ça ne me faisait vraiment pas rire.

À la différence du document suivant : tables détournées. Celle-là, elle était bien bonne.

Ce second document relatait comment les extraordinaires « tables de Cardou » s'étaient avérées, malheureusement, être de vulgaires faux très bien réalisés. Des fonctionnaires admettaient que, après s'être montrés sceptiques au départ, ils avaient néanmoins consacré beaucoup de temps et d'efforts à déchiffrer leur contenu. Ils admettaient éprouver un immense sentiment de déception, mais ne pensaient pas que les tables avaient été copiées récemment. Apparemment, les techniques de datation avaient été exactes, mais le contenu n'était « pas ce à quoi on pouvait s'attendre ».

Effectivement. Comme Sarah me l'avait expliqué, et je ne suis pas un expert, il y avait près de deux mille cinq cents façons différentes de déchiffrer le texte qu'elle avait soigneusement crypté, pour aboutir, dans la majorité des cas, à du charabia. Du charabia araméen. Sauf pour trente-trois d'entre elles. Celles-là déterminaient des séquences de lettres comportant des textes, eux-mêmes particulièrement difficiles à trouver. Les lettres des textes inclus devaient encore être regroupées dans les disques en un tout, et une série de schémas apparaissait alors. Une fois ces schémas découverts, ils pouvaient être appliqués sur les trois côtés restants des disques à tour de rôle, permettant de découvrir d'autres textes. Je suis sûr que c'est nettement plus complexe que ça, mais je vous donne l'idée générale.

La réponse ? Encore une fois, d'après moi, après toutes les imbrications du code découvertes et remises ensemble, on pouvait lire :

« Allez vous faire foutre, Klein. »

Ou quelque chose dans le genre. Typique de Sarah.

Il y avait encore trois histoires, deux morts et un suicide, que je ne prendrai pas la peine de vous raconter ici en détail, ainsi qu'une autre note manuscrite. Avec, écrit de la main de Sarah : « Venez me retrouver. Sentier maritime. Montalvo. Vingt heures. S. »

Eh oui, tout ça m'intriguait. Bien plus que vous ne pouvez vous en douter. Parce que, il y avait moins d'une heure, j'avais marchandé avec Grier pour sauver ma peau et lui avais proposé un moyen de découvrir ses « réponses ». Pourtant, d'après le deuxième article de magazine, le code avait déjà été décrypté.

Pire encore, on s'était aperçu que c'était un faux.

Et je finis par lire la seule mention, figurant sur chacune des coupures, que je n'avais même pas pensé à regarder. Kelly Brown était déjà morte de son « overdose accidentelle ». Elle avait été trouvée ce matin par la propriétaire de la pension, Mme Marcelle, et la nouvelle était déjà parvenue au *Los Angeles Tribune*.

Sauf que ça ne s'était pas encore produit. Ce journal était daté du mercredi 15 juin 2011.

Soit, *après-demain*.

55

LUNDI 13 JUIN 2011
MONTALVO, AU NORD
DE LOS ANGELES, CALIFORNIE

Si vous n'y êtes jamais allé, sachez que Montalvo est un endroit superbe, situé sur la côte un peu au nord de Los Angeles. Les falaises y succèdent aux plages et le monde civilisé semble y avoir été mis entre parenthèses. C'est dans un endroit comme ça, à quelques kilomètres un peu plus haut sur la côte, que j'ai fait la connaissance de ma femme, Katherine. Le même genre d'endroit, calme et serein ; un endroit où les amoureux viennent se promener sur les sentiers bordant les falaises et contempler le coucher de soleil sur la surface de verre du Pacifique. Et même si Sarah et moi n'étions pas amants et que nous ne le serions jamais, je suis sûr qu'elle appréciait aussi la solitude de ce lieu. Son intimité.

Comme vous pouviez le supposer, j'étais rentré chez moi prendre une douche et me changer, mais ce n'était pas la peine de remettre l'endroit en état. Ça pouvait attendre encore une journée. Je me contentai donc d'enjamber mes affaires et extirpai quelques vêtements propres du fatras sur le sol.

Sarah attendait déjà quand j'entrai dans le parking, et j'aperçus sa frêle silhouette sur le chemin. Son sac à dos était posé à ses pieds, et elle s'appuyait mélancoliquement contre la barrière métallique blanche, le dos vers moi.

Elle ne bougeait pas, le regard fixé sur la mer. Le ciel était magnifique et laissait espérer un meilleur lendemain.

Elle ne se retourna même pas en m'entendant approcher, elle tourna seulement un peu la tête et dit : « Toujours au pays des vivants, Nick ? » Puis elle reprit sa contemplation.

Son accueil me rappelait quelqu'un d'autre : sa sœur.

Je me mis également face à l'océan. « Visa temporaire. »

Elle me regarda enfin, probablement surprise par ma réflexion.

« Il vous a récupéré, alors ? »

J'acquiesçai, il m'avait récupéré.

« Où diable étiez-vous ?

— J'ai vu un garçon à propos d'un chien, dit-elle d'un ton énigmatique. Youpi, une mignonne petite bête que j'ai sortie de la mare. »

Elle sourit. « Peu importe, c'est une longue histoire. »

Elle se tourna de nouveau, ferma les yeux, ouvrit la bouche et inspira profondément, comme un ex-taulard savourant l'air frais après sa captivité. Puis, elle expira longuement, comme pour expulser des démons.

« C'est superbe ici, non ?

— Oui », dis-je, puis je souris.

Je souris en pensant à quel point j'avais été malin. « Écoutez, j'ai réfléchi. Ce serait formidable si Tina pouvait avoir une vue comme celle-là de sa fenêtre.

Au lieu d'Oakdene, nous pourrions la faire venir ici, disons, à Thousand Oaks ? »

Sarah se retourna et posa une main sur mon épaule. « Je sais ce que vous avez fait, Nick. Merci. » Puis elle m'embrassa doucement sur la joue.

En un instant, son commentaire avait réussi à me couper mes effets, et son baiser n'y pouvait rien. « Je crois qu'il est temps que vous commenciez à me raconter par quel miracle vous semblez connaître les choses avant moi, non ? »

Elle inspira profondément et acquiesça. « Effectivement, c'est le moment. Venez, allons marcher. »

Nous nous éloignâmes du parking, le long du sentier qui serpentait au bord de la falaise. Elle se taisait, se préparant visiblement à sa tâche.

« Donc, vous avez eu les coupures de presse, dit-elle enfin.

— Ça fait partie des nombreuses choses qu'il faut que vous m'expliquiez.

— Je pensais que ce serait plus clair ainsi, dit-elle. Pour vous permettre de mieux comprendre les choses.

— C'était ça, la raison ? Pour me convaincre ?

— Voyons les choses en face, ce n'est pas le scénario le plus limpide, non ? »

C'était le moins qu'on puisse dire.

« Alors, vous voulez bien me dire pourquoi vous avez enterré le paquet ?

— Pour stopper Klein, dit-elle, ou l'autre type, Sherman. Je ne sais pas exactement lequel.

— On m'a dit que vous n'aviez jamais travaillé pour Klein, dis-je. Que vous avez menti.

— Non, Nick, ce n'est pas vrai, dit-elle. Honnêtement. »

J'inspirai profondément.

« Alors, allez-y, Sarah. Expliquez-moi. Si vous le pouvez.

— Le système ne fonctionne avec les trois coordonnées que lorsque vous ajustez la quatrième, c'est-à-dire le temps. Klein doit le déclencher exactement à l'endroit où ses... voyageurs arrivent. Donc, après l'installation qu'il a bâtie à Los Angeles, où se situe Mister Yang, maintenant, il en a basée une autre en France, sur un terrain que le gouvernement possédait déjà.

— Cardou ?

— Parfaitement. C'est un petit bâtiment, mais il a fait l'affaire. Ainsi, ces voyageurs qu'il a renvoyés en arrière très tôt ne se trouveraient pas coincés au milieu de nulle part ; dans un endroit qui ne deviendrait les États-Unis que longtemps après leur mort. En plus, Cardou était près de Narbonne, qui était déjà un port à l'époque des Romains, ce qui leur permettrait de pouvoir voyager facilement une fois sur place. Puis il leur a fait voler des choses, qu'eux à leur tour, devaient enterrer dans le Sud de la France pour qu'il puisse les déterrer ultérieurement.

— À Cardou ? » demandai-je.

Elle sourit.

« Oh non, comme vous le savez, Klein a déjà dirigé les fouilles à Cardou. Ce qui veut dire qu'il ne pouvait pas fouiller là, car l'endroit avait déjà été creusé une fois sans résultat. Première règle : Nick, vous ne pouvez pas changer l'histoire. Il avait donc été obligé de choisir de nouveaux sites. Ils étaient tous proches de Cardou, mais essentiellement en dehors du périmètre du crâne. Et... même s'il savait que vous et moi avions trouvé quelque chose, Grier ne lui avait jamais dit exactement où nous l'avions trouvé. Comme ils pensaient avoir intercepté les tables, ce n'était pas la peine. Et quand elles se sont révélées être des faux, il s'est figuré que nous avions trouvé des faux, si bien qu'il n'avait eu aucune hésitation à choisir l'autel de Serres comme site. Il ne se doutait pas que nous étions venus là.

— Qu'est-ce qui s'est passé, alors ?

— Il m'a fait faire des recherches, et j'ai découvert que les tables avaient un lien avec les Templiers. Il a alors renvoyé un type nommé d'Almas jusqu'en 1307 pour les "infiltrer", en quelque sorte, et trouver tout ce qu'il pourrait. Puis, avant de s'en aller et de retrouver sa liberté, il a laissé un récit détaillé de ce qu'il savait dans une des tombes de Serres. Oui, les Templiers avaient bien eu les tables en leur possession à un moment, mais ils les avaient perdues vers 1132. Quand Klein a été en possession de cette information, il a renvoyé Davies antérieurement à d'Almas, et Davies a volé les tables. Il est devenu la *raison* pour laquelle ils les avaient perdues. Puis il les a cachées dans l'autel et est parti profiter de sa vie d'homme libre.

— Et les tables sont restées dans l'autel ?

— Un moment, apparemment. Pendant des siècles, des rumeurs ont couru disant que quelque chose d'important était enterré dans cette zone, mais personne n'a rien trouvé. Quelqu'un devait pourtant savoir quelque chose parce que Teniers avait été commissionné pour réaliser le tableau. Simplement, ils n'ont pas volé les tables eux-mêmes, c'est tout. Ou, s'ils l'ont fait, ils se sont aperçus alors qu'elles étaient trop compliquées à comprendre et les ont remises en place, en laissant un code pour que des hommes plus avisés le suivent dans les années à venir. »

Elle me jeta un regard et leva les yeux au ciel.

« Puis Mason est entré en scène.

— Qui est ce Mason ? »

Elle se mit à rire.

« C'est le type sur la paillasse, Nick. C'est votre type à poil.

— Le type avec le tatouage à la cheville ?

— Marque de la prison. Les choses ont changé. Maintenant, tous ceux qui vont en prison en ont un ; c'est une sorte de marque de fabrique. Notre niveau de chômage est tel que les délits exigent des châtiments un peu plus permanents, maintenant. Même un prisonnier qui a été libéré doit porter des stigmates. Un signe. »

Ce n'était pas seulement un dessin très net. Ça devait signifier quelque chose pour quelqu'un. Ce qui aurait été parfait. Ça aurait justifié ma théorie si tout ça n'avait pas ressemblé à d'autres conneries.

La façon dont elle avait dit « maintenant » le prouvait. J'étais en train de parler avec une femme qui disait « maintenant » à propos d'événements qui, dans son esprit tordu, n'étaient pas encore arrivés. Des choses qui ne se produiraient pas avant... combien de temps ?

« Quand, exactement ? demandai-je.

— Dans longtemps », dit-elle.

Elle le dit doucement, presque à voix basse, d'une façon parfaitement naturelle ; comme si elle évoquait une période ancienne. Ce qui n'était pas le cas. Seigneur, Sarah avait un monde à elle bien plus vaste que celui de sa sœur.

« Et avant que vous me posiez la question, Nick, il n'y a pas eu de grands changements. Il n'existe pas de voitures volantes, ni de maîtres d'hôtel robots, et le monde est toujours dirigé par des salauds.

— Mais comment Mason a-t-il atterri sur ma paillasse ? »

Fais-la rire, Nick. Trouve les failles.

« Je l'ai envoyé, dit-elle. Je me suis aperçue, d'après les dossiers, *vos dossiers*, qu'il s'était déjà trouvé là avant d'avoir été renvoyé, et votre dossier m'a appris qu'il était mort en arrivant. C'est pour ça que je vous ai dit de ne pas vous en faire pour Mason car – techniquement – il n'était même pas encore mort.

— Vous vous rappelez m'avoir dit ça ?

— J'étais fatiguée, Nick, pas morte. »

Elle soupira. « Je suppose que ça vous paraît un peu bizarre. »

Je me mis à rire. « Oh, j'ai vu pire. » Manière de dire : bien sûr que j'avais vu pire.

« En tout cas, Klein avait trouvé un dessin du tatouage de Mason. Et les mots "Allez vous faire foutre, Klein"... »

Je lui souris, totalement admiratif devant son incompréhensible naïveté. On m'avait dit que c'était une caractéristique des psychotiques paranoïaques de prétendre que leurs mondes n'existaient pas s'ils n'étaient pas très soigneusement construits et quasi impossibles à réfuter.

« Qui plus est, Mason est arrivé aux tables le premier. Klein ne se doute pas qu'il était bien trop mort pour faire le voyage. Alors, maintenant, il lui faut quelqu'un pour remettre les choses en place. Quelqu'un à qui il peut vraiment faire confiance alors qu'il n'est pas certain de pouvoir encore faire confiance à *qui que ce soit*. Surtout une fois presque arrivé au but après des années de recherche. Donc, il lui faut quelqu'un qui revienne *avant* Mason, qui soit la raison de la présence du dessin là-bas, et cache ensuite les tables à un autre endroit pour lui. Un endroit qu'il sera le seul à connaître parce qu'il devient totalement parano, maintenant.

— Et vous vous êtes proposée ? Pourquoi diable avoir fait ça ?

— J'avais mes raisons. Il voulait que je revienne beaucoup plus tôt ; peut-être vingt ans avant Mason, mais je l'ai convaincu qu'il fallait seulement que ce soit bien avant l'arrivée de Mason. Et je lui ai promis que j'enterrerais les tables à l'endroit précis qu'il désirait. Ce que j'ai fait, comme vous l'avez vu. Seulement, quand il ouvre la boîte…

— Boum ! » dis-je en contemplant le coucher de soleil orange.

L'orange du paquet. L'orange d'une bombe en train d'exploser.

« C'est ça, dit-elle, avec un vague regret dans la voix. Il fallait que je le fasse, Nick, vraiment. Pour être honnête, je crois que lui aussi avait ses propres regrets, qu'il aurait presque aimé que je prenne la décision pour lui la veille de mon renvoi. Comme je l'ai dit, on ne peut pas changer l'histoire. Pardon pour le jeu de mots, mais c'était déjà gravé dans la pierre. Mais notre futur pouvait être changé. J'ai eu la chance de changer les choses qui se sont produites immédiatement après que j'étais partie. »

Je me détournai. Je n'en pouvais plus d'entendre ça. C'était comme Jamie, le roi chieur de diamants d'Oakdene, et pourtant tellement pire. Au moins, avec Jamie, c'était seulement un jeu, une façon de se soustraire à la réalité un moment, alors que Sarah croyait vraiment à ce qu'elle disait.

« Grands dieux, Sarah. Vous vous rendez compte à quel point tout ça paraît ridicule ?

— Parfaitement, dit-elle d'une voix sourde. Mais c'est vrai, Nick. »

Elle se tourna, posa une main sur mon épaule et me regarda d'un air suppliant. « Je pense que vous le savez. »

Je m'écartai et me détournai en secouant la tête.

« Tout ce que je sais, c'est que c'est un montage de merde très bien construit. Voilà ce que je sais. Et vous ? Seigneur, vous êtes un... cas mental. Vous avez sérieusement besoin de vous faire aider.

— J'ai besoin de votre aide à vous, Nick. Que dites-vous des coupures de presse ? »

Elle était tellement calme. « Vous avez vu les dates. »

Effectivement. Seulement, je n'y croyais pas, c'est tout.

« L'article du *Tribune* est daté d'après-demain, continua-t-elle, ils ne sont même pas encore au courant de la mort de Kelly.

— Alors, vous les avez créées de toutes pièces, dis-je. N'importe qui avec un ordinateur peut...

— Comment pouvais-je être au courant de votre type nu avec le texte dans les fesses, bien avant que vous ne m'en parliez ? »

Je réfléchis un moment.

« Je n'en sais rien. Une grande gueule au sein du département, peut-être.

— Et si je n'avais jamais consulté votre dossier, après que ce détail y avait été enregistré, comment aurais-je pu savoir que je pouvais vous prendre un billet d'avion pour la France ? Comment aurais-je pu savoir que Deacon vous avait donné deux semaines de congé ?

— Je ne sais pas. Sans doute par le même moyen.

586

— Et comment pouvais-je savoir qu'ils allaient intercepter le colis DHL ? Et ce qu'il y avait dedans ? Et que vous pourriez venir me retrouver à vingt heures ce soir ?

— J'ai eu de la veine trois fois, dis-je d'un ton sarcastique. C'est comme de savoir que je serais au Cody's. Ça n'a pas dû être facile.

— Non, dit Sarah avec un sourire, c'était à force de vous fréquenter. »

Elle voyait bien que je ne changeais toujours pas d'avis. « Allons, voyons, de la veine trois fois ? Écoutez-vous, Nick. » Elle tournait presque sur elle-même de désespoir, ses bras s'agitaient dans tous les sens. « Vous ne voulez pas me croire, et pourtant vous ne croyez même pas à vos propres alternatives. »

Je me retournai de nouveau en m'appuyant de biais contre la rambarde, et regardai Sarah en face. Elle s'arrêta net, espérant que je commençais peut-être enfin à la croire. J'étais désolé de la décevoir, mais non. *Je ne pouvais pas.* Sauf si je voulais me retrouver moi aussi à Oakdene en train de me nourrir avec une paille, et Dieu sait que Creed aurait adoré ça.

« Vous savez quoi, Sarah ? Il y a au moins une chose qui me dit que rien de tout ça n'est vrai, dis-je, que ce n'est rien d'autre qu'une invention de votre imagination pervertie.

— Et qu'est-ce que c'est ? demanda-t-elle.

— Tina, dis-je doucement. S'il y avait la moindre chose de vrai dans tout ça... le moindre mot... comment pourrait-elle être votre sœur ? »

56

LUNDI 13 JUIN 2011
OAKDENE, LENWOOD, CALIFORNIE

À part ces gémissements de désespoir sourds qu'on entendait en permanence, les couloirs d'Oakdene étaient calmes, cette nuit-là. Après son service, Maggie était restée pour la tournée des médicaments à dix-huit heures et avait pointé vers dix-huit heures quarante-cinq. Puis, elle était rentrée chez elle retrouver ses trois garçons, avait réchauffé les plateaux télé, et ils avaient tous regardé « Le Millionnaire ». Carey était arrivé juste avant dix-huit heures, avait aidé Maggie à trier les comprimés, gardé la réception pendant qu'elle faisait sa tournée, puis s'était installé pour lire *PC Format* devant les écrans jusqu'à l'heure de sa première ronde à lui.

Creed était dans son bureau, occupé à finaliser des budgets. On entendait bien un hurlement de temps en temps en provenance d'une chambre ou l'autre, mais rien d'anormal. D'après Maggie, on arrivait à ne même plus y faire attention, certaines nuits. Disons que c'était juste une nuit ordinaire dans une maison de fous.

Vers dix-neuf heures trente, une demi-heure avant la première ronde de Carey, Creed sortit de son bureau, se glissa jusqu'à la réception et se mit à discuter sur les derniers PC portables et les problèmes qu'on rencontrait avec les lecteurs de DVD bon marché qui semblaient toujours vous lâcher les premiers.

Puis Creed avait dit à Carey qu'il avait envie de se « dégourdir les jambes » avant de rentrer chez lui, et qu'il ferait donc la ronde à sa place. Ainsi, Carey pourrait rester plongé encore deux heures dans son magazine et commencer ses rondes à vingt-deux heures. « C'était vraiment bizarre, avait dit Carey, parce que Creed ne vous propose jamais de faire la moindre chose. » Vraiment *jamais*. Et il l'avait pourtant fait ce soir. Qui sait, peut-être voulait-il seulement se dégourdir les jambes ?

Et je suis sûr que Creed avait dû regarder par toutes les ouvertures ménagées dans les portes, sachant que Carey était peut-être en train de surveiller les écrans, et il voulait que ça paraisse sérieux. Mais Creed connaissait les caméras qui fonctionnaient et celles qui ne fonctionnaient pas, et, sachant que nous étions à Oakdene, ces dernières étaient nombreuses. Notamment celle qu'il n'aurait voulu à aucun prix voir fonctionner, la caméra huit au premier étage.

D'après moi, il n'avait pas cessé de maudire Sarah Fiddes le long de ces immenses couloirs, obsédé par le visage de Sarah plein de haine et de rancune, qui avait marqué au fer rouge son ego malade. Personne ne parlait comme ça à Creed. Il dirigeait cet endroit, nom de Dieu. Chaque pierre sur les murs, chaque carreau fissuré au sol lui appartenait. Chaque respiration, chaque émotion ; ici, tout était à lui. Creed était Dieu ici, et les gens qui habitaient là, comme ceux qui venaient de l'extérieur, feraient bien de commencer à s'en rendre compte.

Jennifer Sanchez par exemple, la jeune Costaricaine, elle avait oublié qui était Dieu.

Comme Sarah, elle aussi avait repoussé les avances de Creed. Pire encore, elle s'était défendue à coups de pied, avait hurlé, crié, en le traitant de tous les noms. Il avait fallu lui rappeler une condition primordiale de la vie en institution ; la hiérarchie – dont Creed occupait la plus haute place. Et il le lui avait montré une bonne fois pour toutes. Maintenant, elle savait parfaitement qui était le patron ici, oui, monsieur. Et même cet imbécile d'inspecteur, Lambert, n'avait pas été assez rapide pour prendre le tout-puissant Creed au dépourvu. Certes, il avait remarqué le sang sur le trophée, mais Lambert n'était pas un joueur de poker et il n'avait pas su cacher sa réaction, ce qui avait permis à Creed de l'essuyer aussitôt. Il ne trouverait rien. Et il y en avait eu d'autres à qui il avait dû faire la leçon. Beaucoup d'autres.

Creed était Dieu, et sa mission consistait à propager la vérité et la compréhension parmi son peuple élu.

En arrivant à la 113, Creed se serait souvenu de ce que Sarah avait dit à Maggie ; qu'elle ne pourrait plus revenir. Et de ce qu'elle avait dit à Creed lui-même. Que Tina serait sortie d'ici une semaine. Quelle bêtise. On ne dit pas à quelqu'un des choses comme ça. C'est comme... c'est comme si on déroulait le tapis rouge, non ? Une façon de dire : « Faites ce que vous voulez, parce que je ne reviendrai pas vérifier, et que votre temps est compté. »

Et c'est exactement ce que Creed allait faire. Ce que n'importe quel dieu ferait. Il ferait exactement ce qu'il voudrait.

Tina était sur le lit, mais pas encore sous les draps. Elle lisait de la poésie avec une de ces lampes qu'on pince en haut du livre. Sarah la lui avait achetée. Cette adorable Sarah, tellement gentille, qui venait la voir et lui brossait les cheveux. Puis, si le temps était beau, elles allaient se promener dehors pour prendre l'air. Et elle lui apportait même une barre de Snickers avec plein de cacahuètes dedans. Et elle riait, et racontait à sa sœur que, chez Mars, on en rajoutait exprès pour elle.

Et elle lui parlait. Comme il faut, d'une seule traite. Pas comme les autres qui ânonnaient. Tina ne pouvait pas parler, elle le savait, mais elle entendait, Dieu merci. Elle entendait même parfaitement. Et Sarah le savait, Sarah comprenait.

Mais Sarah ne devait pas revenir. Sarah devait partir, c'est ce qu'elle avait dit. Et Tina aurait voulu se mettre en colère, mais elle ne pouvait pas, pas avec Sarah, car elle avait lu dans ses yeux qu'elle aussi était triste. Vraiment triste. Elle ne partait pas de son propre chef, mais elle était obligée de le faire pour une raison inconnue.

Comment pouvait-elle alors se mettre en colère ? Ce n'était pas sa faute. De toute façon, elle avait passé les vingt-trois premières années de sa vie sans Sarah, et elle n'avait pas eu de problèmes. Ces deux années supplémentaires qu'elles avaient partagées avaient été un bonus, c'est tout. Une récompense pour avoir été sage.

Et tout ça s'était très bien passé, de façon très mature, mais ça n'avait pas empêché les larmes. Elle était partie depuis quelques heures à peine, et elle manquait déjà à Tina, peut-être parce qu'elle savait qu'elle n'allait pas revenir.

Et peut-être que Creed vit des larmes briller dans ses yeux quand il regarda à l'intérieur par la vitre.

Peut-être trouva-t-il ça attirant, excitant. Tout le monde sait que la tristesse peut être sexy, non ? Creed le pensait, en tout cas. Il savait pourquoi Britney Spears prenait toujours son air d'enfant abandonnée sur les vidéos. C'était à la fois une manifestation d'innocence et un désir qu'on s'occupe d'elle ; qu'on prenne soin d'elle. Et c'est pourquoi il était là maintenant, et pourquoi Carey était resté en bas à s'instruire sur le dernier logiciel de création d'Applis. Car Creed allait faire ce que tout un chacun ferait pour un des siens. Quelqu'un qui souffrait.

Il allait prendre soin d'elle.

Il ouvrit la porte et entra, certain qu'il n'y avait pas de caméra pour le voir. Puis il referma la porte derrière lui, tournant la clé dans la serrure, comme il l'avait fait pour Sarah. Il ne se ferait pas repousser, cette fois. En fait, il pourrait réaliser son fantasme. Les deux se ressemblaient tellement qu'il pourrait presque s'imaginer qu'il était en train de *baiser* Sarah, n'est-ce pas ? Seulement, cette fois, elle ne le traiterait pas de salaud, elle resterait allongée là et subirait. Elle risquait de se débattre, bien sûr, mais seulement pour qu'il pousse plus fort, qu'il s'enfonce plus, histoire de lui prouver quel dieu puissant il était. Il était prêt, maintenant ; chauffé à bloc. Il ne la décevrait pas.

Je suppose que lorsque Creed traversa la chambre, Tina, le visage éclairé d'un côté par la petite lampe de lecture, semblait encore plus effrayée, encore plus sexy. Elle avait pris un air suppliant. Mais aucun mot n'était sorti de sa bouche, laissant à Creed le soin de décider pour quelle raison elle le suppliait. Et il allait lui donner ce qu'elle voulait.

Ça ne durerait pas longtemps, mais ça durerait suffisamment longtemps. Et, bien sûr, il n'y aurait aucun cri. Absolument aucun, car la belle Tina était muette. Elle ne pourrait pas crier, même si elle le voulait. Mais Creed ne s'arrêterait pas pour autant, même si elle le faisait. Il était là pour une chose, et une seule chose seulement. Il était là pour ce que la salope de sœur de Tina lui avait refusé, et il ne partirait pas sans ça.

De toute façon, comme le disait Maggie, même quand il y a des hurlements, certaines nuits, on finit par ne plus les entendre.

57

LUNDI 13 JUIN 2011
MONTALVO, AU NORD
DE LOS ANGELES, CALIFORNIE

« Jésus aussi pleurait », dit Sarah. Je ne savais pas quoi dire. Je me demandais même si j'avais bien entendu.

Sarah se détourna et s'appuya contre la rambarde. Je n'avais pas besoin d'être détective pour savoir qu'elle pleurait.

Je ne l'avais jamais vue pleurer auparavant. Pourquoi l'aurais-je vue, d'ailleurs ? Comment l'aurais-je vue ? Sarah avait au moins cinq ans de plus que Tina. C'était sa sœur *aînée*. Comment pouvait-elle être ce que je venais d'apprendre qu'elle était ? C'était parfaitement impossible.

« Vous êtes en train de me dire qu'elle est… qu'elle est votre mère ? »

Sarah avait des sanglots dans la voix. Et elle était en colère. Très en colère. « J'apprécie vraiment ce que vous avez fait pour elle, Nick, vraiment. Thousand Oaks est une bonne idée, et elle sera très heureuse là-bas, j'en suis sûre. Pendant un moment. » Elle se mit à sangloter de plus belle et me regarda. « Merci », dit-elle.

Elle faisait maintenant allusion à mon « accord » avec Grier. Un accord très simple, et pourtant, selon moi, absolument brillant. Consistant à convaincre Grier que ce n'était pas la peine de me faire disparaître, ce à quoi j'espérais qu'il se tiendrait. Mais plus important encore, il fallait que je lui explique que ce n'était pas Sarah qui avait décrypté le code ; qu'elle n'était pas le maillon central de sa chaîne.

C'était Tina.

C'était elle qui avait les dons, elle qui était capable de voir des choses que nous ne pourrions jamais voir. Alors, pourquoi, s'il voulait décrypter le code, ne pas demander à Tina de le faire ? Elle risquait de mettre un certain temps, mais elle finirait par le faire. Probablement bien plus vite que ses ordinateurs, parce que, comme Sarah me l'avait rappelé, les ordinateurs ne pensaient pas ; ils faisaient ce pour quoi ils étaient programmés et ne possédaient aucune notion d'abstraction ou de supposition.

Comme je l'avais dit à Grier, si je lui donnais ce qu'il voulait, il devrait alors me jurer d'en prendre particulièrement soin. Ce qui impliquait de soustraire Tina à l'enfer d'Oakdene et de l'installer ailleurs. Un endroit où les normes d'hygiène et de soins seraient respectées, et les Creed et autres pourritures de ce monde un peu mieux surveillés.

Merde, pensai-je. Et, malgré moi, j'ajoutai tout haut : « Creed. »

Sarah inspira profondément. Sa respiration était saccadée, comme celle d'un enfant traumatisé. Elle se détourna, et je l'entendis sangloter.

« Il y est probablement, dit-elle, en butant sur chaque mot. En train de la *violer*. » Elle se tourna vers moi, les yeux rouges et les joues trempées de larmes. « Et dire que je ne peux pas arrêter ça, Nick », et, brusquement, elle se mit à me marteler la poitrine, furieuse. Elle hurlait : « Je ne peux pas arrêter ça ! »

Je la laissai me frapper jusqu'à ce qu'elle s'arrête, épuisée. Puis je la pris dans mes bras et la serrai très fort pendant qu'elle continuait à sangloter dans mon épaule.

« Allons-y, maintenant, dis-je. Je trouverai bien quelque chose pour le coincer. N'importe quoi. Merde, je peux même inventer quelque chose. Il me suffit de l'éloigner pendant une semaine. Tina sera partie à ce moment-là, et il ne pourra plus s'en prendre à elle, non ? »

Sarah recula, l'air horrifié. « Seigneur, vous ne comprenez *toujours* rien, Nick ? Même à présent. Je ne *peux pas* changer ça. Creed est mon *père*, vous ne voulez toujours pas vous en rendre compte ? Quoi qu'on fasse. S'il ne… » Elle s'était enfin calmée et cherchait ses mots. « Si *ça* ne se produit pas, alors je n'existe pas. Mais j'existe bien, n'est-ce pas ? Je suis *ici*. Alors, ça ne sert à rien de vouloir à tout prix empêcher ça, je ne peux pas. Vous ne comprenez pas ?… Il n'y a eu aucune explosion de bombe à Berlin en 1939. »

Autrement dit, vous ne pouvez pas faire se produire quelque chose qui ne s'est jamais produit. Je comprenais enfin. Sarah aurait beau tout faire pour que ça n'arrive pas, elle échouerait. On ne peut pas changer l'histoire. Tina était la mère de Sarah, et Creed était son père. Elle ne pouvait pas plus changer de parents que je ne pouvais changer les miens. C'est pour ça qu'elle détestait tellement Creed. Pourquoi elle l'avait toujours détesté. Elle le détestait car il avait violé sa mère ; une jeune autiste incapable de se défendre. Et pourtant, elle lui avait tenu tête pendant deux ans – à plusieurs reprises –, tout en sachant depuis le début que ça allait arriver. Je n'osais même pas imaginer combien elle avait dû en être affectée.

Seigneur, elle haïssait tellement cet homme.

Je vous parie qu'elle avait dû se retenir pour ne pas le tuer là-bas, histoire d'en finir une bonne fois pour toutes.

Et elle avait dit autre chose encore. Quelque chose qui ne m'avait pas tellement frappé à ce moment-là. Je le lui répétai.

« Tina doit être à Oakdene, je ne peux rien faire d'autre que de venir la voir.

— Vous voyez ? » dit-elle.

On aurait dit qu'elle éprouvait le besoin de se justifier, mais ce n'était pas le cas. Pas avec moi, en tout cas.

« Il fallait que je la laisse là-bas. Je voulais la changer d'endroit, mais je ne pouvais pas. Il était indispensable qu'elle soit là-bas. Ce n'est que comme ça que ça pouvait arriver.

— Et c'est pour ça que vous vous êtes portée volontaire pour revenir ? demandai-je.

— Je voulais seulement faire sa connaissance, c'est tout, se défendit-elle. Je vous suis vraiment reconnaissante pour Thousand Oaks, Nick, vraiment, mais ça n'aurait pas été pour longtemps. Elle est morte en me mettant au monde. Je n'ai jamais fait sa connaissance. Je voulais revenir, lui donner quelque chose en échange de ce qu'elle m'avait donné. Elle m'a donné la vie, et je voulais lui en rendre un peu, c'est tout. C'est pourquoi j'ai convaincu Klein de me renvoyer il y a deux ans plutôt que vingt ans. Ça m'a laissé le temps de réunir les choses dont j'avais besoin, de créer les faux, de monter une affaire de toutes pièces pour que vous m'aidiez quand vous seriez entré en scène, et ça me donnait aussi la possibilité de passer deux années avec ma… » Elle se détourna une nouvelle fois. « … avec ma mère. »

Elle prononça le mot comme s'il n'y avait rien de plus important à ses yeux. Ce qui était probablement le cas.

« Vous avez donc toujours eu l'intention de faire payer Klein ?

— Je pensais pouvoir faire quelque chose pour le monde en même temps que pour moi, c'est tout. »

J'acquiesçai.

Sarah contemplait de nouveau l'océan. On n'entendait plus que le bruit sourd des vagues s'écrasant sur les rochers en contrebas.

Et soudain, je la crus.

Je sais à quel point ça pouvait paraître cinglé, mais c'était pourtant le cas.

Je la croyais vraiment.

J'avais vu Tina faire bouger le Snickers sans y toucher, je l'avais parfaitement vue. Et si elle pouvait changer la séquence, d'autres pouvaient peut-être aussi le faire. Peut-être cela s'appliquait-il aux quatre dimensions. Tout concordait.

Je regrette d'être obligé de le reconnaître, mais tout concordait. Parfaitement.

Sauf une chose. Par bien des points, la chose la plus évidente. Sarah m'avait dit que Tina pouvait être violée même maintenant, et je n'arrivais toujours pas à le comprendre. Pas plus que Sarah, à mon avis. Mais si c'était vraiment le cas, ou même si elle devait être violée dans un mois, ça posait tout de même un sacré problème. Sarah Fiddes allait naître, de toute façon.

D'ici un an. Et pourtant, Sarah Fiddes se trouvait justement là, en train de pleurer doucement à côté de moi.

« Mais si vous êtes là maintenant, que vous arrivera-t-il quand vous naîtrez ? »

Sarah se retourna, essuya ses larmes et s'efforça de me sourire.

« J'ai pensé à tout, Nick, dit-elle. Vraiment à tout. »

Pendant quelques instants interminables, elle me regarda bien en face, les yeux rouges, avec un grand sourire chaleureux, plein d'affection. Puis elle étouffa un petit rire, comme si elle se remémorait une plaisanterie, et reprit :

« Vous vous souvenez de l'enveloppe que je vous ai donnée quand nous sommes partis de chez moi ?

— Oui, dis-je. Je l'ai toujours.

— Il est peut-être temps que vous l'ouvriez. »

En tout cas, je *crois* que je l'avais toujours. Nous étions partis de chez Sarah, étions allés à Oakdene, puis j'avais déposé Sarah à l'aéroport, puis je m'étais amusé avec Deacon, puis... « Elle est toujours dans la boîte à gants, dis-je. Dans la voiture. »

Sarah parut soulagée. « Dans ce cas, je vous suggère d'aller la chercher », m'intima-t-elle tout en tripotant son pendentif en argent.

Je refis le chemin jusqu'à la voiture et sortis l'enveloppe de la boîte à gants. Je me redressai, claquai la portière et regardai par-dessus le toit... le long du chemin.

Jonathan Lionel Creed referma la porte en sortant.

Et il tourna à nouveau la clé dans la serrure.

Il ne souriait même pas, car ce sourire était

désormais gravé en lui, tout comme la lumière irradiait son esprit. Il vérifia tranquillement sa ceinture et sa braguette, redressa le dos, et reprit le couloir à la lumière intermittente, s'éloignant en traînant bruyamment les pieds.

Derrière la porte délabrée de la chambre 113, Tina Fiddes était recroquevillée sur le lit en position fœtale, les joues rougies et gonflées comme une reinette mûre et couvertes de larmes. Elle ne faisait aucun bruit, ne sanglotait pas, mais elle avait du mal à respirer. Elle était en état de choc, son corps ne sachant toujours pas comment il allait réagir.

La façon assurée dont Creed avait refermé la porte avait provoqué un petit courant d'air le long du mur fraîchement peint. Ce petit souffle, d'un ou deux degrés plus froid que l'air fétide qui entourait Tina, gagna le bout de la chambre et tourna le long du mur du fond. Il flotta sur ses jambes nues, se répandit sur son corps comme un drap invisible qu'on aurait tiré sur elle pour la nuit, et agita quelques mèches folles au-dessus de ses yeux rougis.

Puis il tourna de nouveau, réchauffé par la chaleur de son corps, et monta jusqu'à l'étagère.

Tina la vit du coin de l'œil. Elle était toute blanche. Frissonnante.

La colombe en papier se déplaçait latéralement. D'abord de côté, puis vers l'avant. Elle glissait vers le bord de l'étagère, tête relevée, comme si elle inspirait. Elle resta alors en équilibre, jusqu'à ce que la brise soit passée. Puis sa tête l'entraîna et elle perdit l'équilibre…

Tina la regarda glisser doucement de l'étagère et tomber, puis un frisson l'envahit. Un frisson violent qui s'empara d'elle. Pendant un moment, elle ne sentit rien d'autre. Aucune douleur, aucune peur, même si elle savait que quelque chose d'anormal se passait.

Jamais elle n'avait ressenti de frisson aussi glacial.

Elle était à l'intérieur, pourtant. À l'intérieur de la colombe. En train de tomber. Doucement, comme on tombe au ralenti dans les rêves et les souvenirs. L'étagère avait disparu, remplacée par des rochers glacés luisant dans le jour restant. Ils défilaient à côté d'elle à toute vitesse, comme des flammes noires. Au-dessus, il n'y avait que du rouge ; le rouge profond d'un coucher de soleil, avec des nuages brillants comme des braises.

Pourtant, son corps lui criait de faire quelque chose – n'importe quoi – pour l'empêcher de tomber ; elle résistait à l'envie d'étendre les bras, ces ailes en papier fragiles qu'elle avait formées si soigneusement près de deux ans auparavant – le jour où Sarah était revenue dans sa vie –, pour essayer de prendre la brise. Elle résistait à l'envie de voler, de s'élever, de se sauver. Quelque chose à l'intérieur, une chose qu'elle ne pouvait ni entendre ni voir, mais seulement sentir, lui disait d'une voix douce que ça ne lui vaudrait rien.

Une partie d'elle-même s'en allait. Ses yeux se remplirent bientôt d'une multitude de petites mares salées, incapables de résister à la marée montante. Elle ouvrit la bouche…

Deux fois, elle avait essayé, et deux fois elle avait échoué. Puis, dans ce moment le plus sombre de sa vie, et malgré son épreuve récente, Tina comprit qui elle était, pourquoi elle tombait et ce qui allait se passer dans une autre partie du monde. La colombe s'éloignait. La colombe ne l'avait pas quittée pendant deux ans, et elle avait beau être restée tout ce temps sur cette étagère sinistre, elle avait surveillé chacun de ses mouvements. La colombe s'était souciée d'elle.

La colombe s'éloignait.

Elle hurla.

Tina Fiddes, qui était muette, et dont les cordes vocales atrophiées n'avaient jamais réussi à produire autre chose qu'un son guttural, chercha dans les profondeurs de sa gorge, et de ses lèvres qu'elle avait mordues au point de les faire saigner sortit un hurlement interminable, audible par le monde entier et les générations à venir.

Creed s'arrêta net et se retourna en entendant le bruit, à deux mètres environ de l'escalier et de sa rambarde en fer forgé écaillé, les yeux écarquillés.

Une par une, comme si c'était programmé, les lampes au plafond explosèrent. De plus en plus près de Creed, comme si elles se dirigeaient vers lui. Ou qu'elles le poursuivaient.

Il se figea.

Les lampes s'éteignaient chaque fois avec une telle violence que l'abat-jour métallique au-dessus se tordait sur ses chaînes, comme un homme entravé pris dans un incendie. Étincelles et verre pleuvaient comme si le ciel lui-même chassait les pécheurs hors de ses portes.

Et de plus en plus près dans le couloir, comme un chien de garde affamé lâché sur un intrus. Presque trop rapide pour l'œil ; trop rapide en tout cas pour qu'on puisse s'y soustraire. Quand la dernière lampe explosa, celle qui se trouvait juste au-dessus de Creed, le bruit du verre et des étincelles lui envahit les oreilles, et il sentit la chaleur sur son visage tandis que les débris pleuvaient autour de lui. C'était certainement l'explosion la plus violente de toutes. Un instant, il eut même l'impression que ça pouvait avoir été fait exprès.

Un maillon. Dans toute chaîne, il suffit d'un maillon pour que tout cède.

Dans l'obscurité où se trouvait Creed, au milieu du vacarme et des hurlements, un maillon en fer noirci, rongé par la rouille pendant des années, avait cédé.

L'abat-jour qui maintenait les tubes fluorescents, fait dans le même métal noir à une époque où l'aluminium et les métaux plus légers n'avaient pas encore envahi nos vies, en profita pour se libérer, et il tomba par terre avec une précision effrayante. Sans lui laisser le temps de crier gare, il heurta Creed en pleine figure, lui cassant le nez et lui ouvrant le front. Ses lunettes se brisèrent, et les morceaux de verre se fichèrent dans ses yeux. Juste retour des choses pour quelqu'un qui venait de se réjouir de la douleur qu'il avait lue sur le visage d'une jeune femme.

Il chancela en arrière, se cognant contre la rambarde. Puis il rebondit vers l'avant et tomba à genoux, tandis que l'abat-jour restait à se balancer d'avant en arrière au bout de l'unique chaîne restante. Après quelques secondes interminables, Creed reprit son souffle. Il resta immobile quelques instants encore, tout en se touchant le visage avec précaution et en essayant de comprendre pourquoi cette obscurité subite. Puis il se releva. Dans le couloir sombre, on distinguait seulement le bleu froid de la nuit derrière la fenêtre au-dessus de l'escalier, laquelle était trop haute et n'avait été nettoyée qu'une fois sous sa direction. Il tendit à l'aveuglette sa main droite ensanglantée. Comme si un sauveur allait la lui prendre pour le tirer de cet enfer et soulager sa peur panique.

L'électricité sifflait autour de lui, à la recherche d'un passage vers la terre. Des étincelles voletaient dans tous les sens. Elle ne se calmerait pas, *elle ne pourrait pas se calmer* avant que son besoin soit satisfait. Instinctivement, Creed fit un pas en avant, son bras brassant l'air comme un homme qui se noie, et l'électricité sauta – littéralement – sur le tapis rouge qu'elle vit déroulé devant elle. Bien que sa main ne soit jamais entrée en contact avec le fer ni les filaments, un violent arc orange franchit les derniers centimètres, tellement brillant qu'il le vit, même les yeux fermés. Il poussa un hurlement.

Il fut rejeté en arrière par l'éclair, et ses jambes flageolèrent, jusqu'à ce qu'il se retrouve dos à la rambarde. Le monde se dérobait à lui, le précipitant dans le vide. Il ne voyait plus rien, mais il sentait bien que tout avait changé autour. Haut et bas étaient confondus.

Le bas, c'était ce vers quoi Creed se dirigeait. À toute vitesse.

Il sentit le brusque appel d'air frais sur sa peau grasse encore moite de sa bonne séance de baise.

Grâce à Dieu, juste avant que le dernier éclair d'électricité ne s'enfonce dans la terre, sa dernière étincelle de vie, Creed put entendre les trois vertèbres de son cou craquer comme des allumettes quand il s'écrasa sur le sol en béton.

Tina cessa de hurler. Le vent était retombé, et elle était à nouveau seule, recroquevillée, dans une pièce qui n'avait jamais paru aussi vide.

Sa vie ne serait plus jamais aussi pleine.

De derrière la porte, lui parvenaient encore de petits bruits. Le bourdonnement de l'électricité impatiente d'être délivrée, et le grincement des lampes qui se balançaient au-dessus du couloir obscur.

Un endroit obscur qui était inexplicablement redevenu sa vie.

Sanglotant malgré elle, Tina se toucha le ventre. Quelque chose semblait différent. Elle se sentait différente. Un nuage sombre avait pu s'abattre sur elle, suivi par un autre, encore plus sombre, mais ils s'étaient maintenant dissipés en laissant place à la lumière la plus brillante qu'elle ait pu imaginer. Plus puissante que le soleil, et capable d'éclairer jusqu'au moindre recoin. Elle n'avait pas besoin de se sentir malade chaque fois qu'elle se réveillait, ni de sentir une grosseur pousser derrière son ventre plat. Elle n'avait pas besoin de son cycle menstruel pour prendre un repos bien gagné, ni de sentir le léger coup de pied d'un enfant impatient de faire ses premiers pas dans le monde. De toute façon, elle ne connaissait pas grand-chose à tout ça ; seulement ce qu'elle avait lu. Elle savait seulement une chose ; Sarah avait beau l'avoir quittée pour toujours, elle était déjà sur le chemin du retour. Tout irait pour le mieux.

Même dans le plus sombre des rêves, la magie opérait.

Quand je me retournai, l'endroit était vide. La vue dégagée, là où quelques instants auparavant se trouvait Sarah, avec ses grandes yeux tristes et une mèche de cheveux fins flottant dans la brise fraîche du soir. La seule trace de sa présence était son sac à dos, au pied de la rambarde. Je regardai des deux côtés. Elle n'aurait pu aller nulle part en un laps de temps aussi court.

Sauf que je suis en train de vous mentir. Il y avait un endroit où elle aurait pu aller.

Mais rien qu'un

Et c'était le seul endroit auquel je ne voulais pas penser, par peur d'avoir raison.

Je hurlai quelque chose – je ne sais plus quoi – et

courus comme un fou. Je savais déjà que ce serait trop tard, mais je priai de toutes mes forces pour me tromper.

Je suppliai. S'il vous plaît, mon Dieu, non. S'il vous plaît. NON.

Pour les mêmes raisons que je déteste prendre l'avion, je déteste aussi la hauteur. Tout ça est d'ailleurs du même acabit. Et je déteste vraiment ça, ce qui ne m'empêcha pas de me pencher aussi loin que possible sur cette rambarde en scrutant en bas les vagues qui s'écrasaient. La marée n'était pas encore haute, et les rochers étaient d'un bleu foncé soutenu, presque noir. Je regardai partout, pris de panique, sans rien voir d'autre que la roche dénudée brillant sous les dernières lueurs du jour. De temps en temps, une vague s'abattait, un panache blanc surgissait quelques secondes avant de se fondre à nouveau dans le noir de l'océan.

Puis quelque chose se produisit.

Une vague se retira, et j'aperçus quelque chose.

Quelque chose de tout aussi blanc, mais qui ne disparut pas dans la mer. Elle resta exactement au même endroit ; jambes jointes et bras écartés. Je ne suis pas pratiquant, je ne l'ai jamais été, et pourtant ça me rappelait une image de mon enfance ; quand on me traînait, malgré mes coups de pied et mes hurlements, jusqu'aux salles pleines de courant d'air de l'église baptiste de Hardenhall.

Un sauveur sur une croix. L'instant unique où quelqu'un de totalement tourné vers les autres meurt pour que nous puissions vivre.

Je posai les mains sur la rambarde, rejetai la tête en arrière et me mis à pleurer. De tout mon soûl.

Une fois à bout de larmes, je m'effondrai et regardai fixement mes pieds.

C'est alors que je remarquai quelque chose du coin de l'œil. Une lumière brillante oscillant doucement dans la brise.

Un médaillon en argent.

Je détachai le fermoir avec précaution et l'ouvris. Ce n'était pas simplement un pendentif.

C'était une montre, avec un cadran blanc comme de la neige et des chiffres noirs comme du charbon.

« Même le plus aventureux des voyageurs ne peut pas être en même temps à deux endroits différents, avait-elle déclaré un jour, et je pense que vous vous souviendrez que je vous l'ai dit. »

Il y avait trop de choses dont il fallait que je me souvienne.

Dont je n'oublierais jamais aucune.

58

Lundi 20 juin 2011
Cimetière de Willowbrook
à trois kilomètres
de Cedar Ridge, Californie

J'étais seul avec le pasteur et deux des fossoyeurs les plus grincheux des annales.

Mais, disons-le tout de suite, elle était fichée comme inconnue, avec personne pour s'en soucier. Pas dans cette vie.

Il avait déjà été prouvé qu'il n'existait personne du nom de « Sarah Fiddes », qu'elle s'était concocté cette identité il y avait environ deux ans, et avait depuis voyagé sous un faux passeport. Comme toutes ses autres impostures, celle-ci avait été parfaitement construite et tout à fait convaincante. Une pluie glaciale tombait à verse, histoire d'accentuer encore le sentiment de perte que j'éprouvais, et pas seulement pour moi. Je me tenais debout à côté du trou béant, le col relevé, tandis que le pasteur prononçait des paroles ambiguës à propos d'une femme qu'il ne connaissait pas, et que moi-même je n'avais jamais parfaitement comprise.

Avant même d'avoir pris la décision de revenir, elle

avait su qu'elle devrait mettre un terme à sa propre vie. Peut-être aurait-elle pu attendre le 23 mars, un jour avant sa naissance, pour prolonger un peu les choses, mais elle devait savoir mieux que quiconque que sa vie avait véritablement commencé au cours de ces moments terrifiants pendant lesquels sa mère avait souffert entre les mains de Creed. La perspective de faire la connaissance de sa mère et de lui apporter un semblant de lumière valait bien le sacrifice auquel elle ne pouvait d'ailleurs pas échapper.

Après sa mort, j'avais passé la journée entière et une partie de la nuit à lire le dossier qu'elle avait si soigneusement constitué pour moi. La majeure partie était manuscrite, et, longtemps avant que l'affaire ne me soit confiée par Deacon, elle devait déjà noter tout ce qu'elle savait, chaque fois qu'elle rentrait après avoir rendu visite à sa mère. Pour qu'un jour, je puisse comprendre.

Évidemment, la première chose qui figurait dans le dossier était la lettre de suicide que j'avais lue appuyé contre ma voiture pendant que les secours remontaient le corps. Le papier raffiné, l'enveloppe doublée. Au début, je ne comprenais pas vraiment certaines choses, alors que d'autres étaient si astucieuses, si typiques de Sarah, qu'elles me faisaient sourire, malgré ce corps qu'on faisait glisser dans l'ambulance comme un vieux souvenir qu'on range dans un tiroir.

L'indéniable, c'est que Sarah m'avait donné l'enveloppe le matin de notre rencontre, avant même que nous soyons allés en France, et pourtant sa lettre de suicide, ses explications et ses excuses pour ce qui s'était passé étaient déjà consignées sur papier. Au cas où.

Pendant que le pasteur, debout sous la pluie, prononçait

les mots « la terre à la terre, les cendres aux cendres, la poussière à la poussière », je souriais encore une fois intérieurement. Ici, avait-elle dit, c'était l'endroit où une vieille Ford cabossée arriverait bientôt pour changer un peu de ma poussière en nuage.

Elle ne m'avait jamais rencontré quand elle écrivait ces mots, mais je pense qu'elle me connaissait déjà.

Nos regards ne s'étaient pas encore croisés quand elle écrivait : « La première [chose] était que si jamais je rencontrais l'homme qui avait violé ma mère, je le tuerais sans la moindre hésitation. La seconde, que je n'attenterai plus jamais à ma vie. Ce cadeau si particulier. Ce n'est que maintenant, en écrivant une lettre à un homme que je ne connais pas, que je me rends compte que j'ai trahi ces deux promesses. » Ou : « Je sais que vous prendrez bien soin de moi. »

Elle n'avait jamais vu mon visage, mais elle me faisait implicitement confiance pour accomplir les tâches qui m'attendaient. Je suppose qu'il est maintenant de mon devoir de veiller à ce que sa confiance ne soit pas trahie.

Une mission qui dépassait largement le fait de veiller à son enterrement. Et de loin. Effectivement, une des choses que je ferais dans les années à venir, bien qu'à ce stade je ne l'aie pas encore su, ce serait d'aller voir le jeune Kenny Wilding. Évidemment, comme il avait passé neuf ans en prison avant d'obtenir sa liberté conditionnelle, il n'était plus aussi jeune qu'avant. Kenny, souvenez-vous, était mon petit génie d'artificier qui, à 19 ans, ressemblait tellement à Sarah dans sa façon de s'habiller ; il créait des engins explosifs sophistiqués, dans une chambre, chez sa mère, à faire honte au Mossad, avant de passer des nuits blanches à les tester sur des entrepôts avoisinants.

Le temps de le retrouver à Antimony, une petite ville de l'Utah, à la fin de 2015, il arpentait à nouveau les rues de plus en plus poussiéreuses depuis presque un an ; et il n'avait aucune envie de recommencer. J'avais mis un sacré bout de temps à le convaincre. En fin de compte, j'avais dû lui aligner quatre-vingt mille très bonnes raisons, chacune portant le portrait de l'abatteur de cerisier le plus célèbre du monde (alias George Washington), avant même qu'il n'accepte de m'écouter. Et c'est seulement quand nous avons évoqué les minuteurs que je voulais utiliser, et le fait qu'ils auraient besoin de piles spéciales à durée indéterminée, qu'il consentit à créer les choses dont j'avais besoin.

Il lui fallut presque quatre mois pour construire les appareils, et je le payai en cash. Heureusement, Sarah avait compris que ma vie serait plus facile, tout comme les choses que je devais faire, si elle me donnait un seul résultat du Superbowl. Juste un seul : la saison 2012. Les Cow-boys devaient battre les Redskins 38 à 12, bien avant le début même de la saison. Avant de savoir quelles seraient les équipes qui s'affronteraient finalement au Rosebowl.

Ma mise de trois mille dollars, autrement dit tout ce que je possédais, à une cote de deux cent cinquante contre un, m'avait rapporté six cent vingt-cinq mille dollars, largement de quoi entretenir ceux que j'aimais, y compris la défunte Sarah Fiddes.

Comme je l'ai dit, quatre-vingt mille allaient tout droit à Kenny. En échange, je reçus deux engins, tous deux dotés du même raffinement de conception qui lui avait valu sa brève période d'infamie, presque dix ans plus tôt. Chacun faisait à peu près la taille de quatre boîtes à chaussures empilées deux par deux, et contenait assez de Semtex-H pour provoquer une explosion à très haute température tout droit vers le haut à travers dix mètres de terre, et ensuite trente mètres en l'air. Je n'aurais sans doute même pas besoin de la moitié de la puissance.

Je fis deux choses avec ces engins. D'abord, je me rendis dans le bas de la ville, à l'endroit qui avait appartenu à Yang avant le barbecue. Un énorme panneau éclairé annonçait maintenant au monde entier que le site avait été acquis par KleinWork Research Technology « pour la construction de leur quartier général américain ». En vérité, c'est de m'être retrouvé devant le panneau deux mois auparavant qui m'en avait donné l'idée. À ce moment-là, les travaux n'avaient pas encore commencé, mais le temps de revenir avec la boîte de Pandore de Kenny, les fondations étaient déjà bien entamées.

Profitant de la nuit, je passai à travers la clôture et, à l'aide des notes copieuses de Sarah, je pus localiser la zone où allaient se situer le laboratoire de plain-pied et le sous-sol derrière la tour principale elle-même. Le 2 janvier 2014, dans une des tranchées profondes creusées en prévision des fondations, je plaçai l'appareil et mis en route l'impressionnante minuterie de Kenny en heures, pour deux cent cinquante-neuf mille huit cents exactement. Ce qui correspondait précisément à dix mille huit cent vingt-cinq jours, ou, en d'autres termes, vingt-neuf ans et deux cent quarante jours (sans compter les années bissextiles). Comme il était trois heures du matin quand je le posai, l'engin exploserait juste à la même heure, une semaine exactement après que Sarah sera partie.

Ou sera revenue. Je suppose qu'on peut regarder ça de deux façons, si ça vous convient.

Le gardien de nuit m'avait surpris dans le trou, bien

sûr, et son chien aboyait à une quinzaine de mètres, mais ni le gardien ni « Stinger », le berger allemand, ne pouvaient voir exactement ce que je faisais. Merci au dieu computationnel à propos duquel je lis tellement pour ces petites faveurs. Je lui donnai comme excuse que j'avais levé les bras au ciel en m'énervant contre ma femme au téléphone (quelle femme ?), et que l'appareil m'avait échappé pour aller valdinguer dans la tranchée. En me voyant m'extraire tant bien que mal du trou mon téléphone à la main, il voulut bien gober mon histoire. Il prit même le temps de me raconter ce qui avait été prévu pour tout ce terrain, et combien ces types de KleinWork se réjouissaient.

Ça, je le savais. Comme je savais que KRT avait récemment breveté une batterie à écran lithium qui, placée dans une montre, une horloge ou, bien sûr, une minuterie, pouvait durer un siècle sans varier d'une seconde. Ce qui était garanti, faute de quoi, vous (ou je suppose vos descendants) seriez remboursé intégralement. À condition, évidemment, de pouvoir retrouver la facture.

Des piles KRT à durée indéterminée ? Le comble de l'ironie.

Je ne pensais pas que mes efforts subversifs mettraient un terme définitif au « voyage séquentiel », ou autre nom qu'on ait pu lui donner, mais ce n'était pas le but. Mon seul espoir était que Klein et Sherman aient effectivement été éliminés par le paquet de Sarah, bien que ni l'un ni l'autre ne le sauraient jamais, et que l'ensemble du projet se retrouverait en plein désarroi. Ma contribution visait seulement à retarder encore les choses pendant quelques années dans l'espoir d'empêcher qui que ce soit de revenir en arrière pour les remettre en ordre.

Le lendemain, depuis Los Angeles, je pris un autre vol pour la France. Le seul vol de ma vie que j'aie vraiment apprécié. À quelques kilomètres de Serres, comme prévu, j'ai trouvé le site de fouilles désaffecté, qui, dans quelques années, serait réquisitionné pour devenir le Centre européen de recherche sur le bétail de KleinWork. Pendant un bon moment, je restai assis à contempler le coucher du soleil, dans l'odeur d'herbe mouillée et le bruissement des feuilles. Un bref instant, la terre sembla se confondre avec le ciel car elle paraissait brusquement un bien meilleur endroit.

Une fois la nuit tombée, je localisai l'endroit où le deuxième labo allait être construit et posai le deuxième engin.

Selon mes instructions, ce deuxième appareil exploserait vers sept heures du matin le jour du départ de Sarah. Le décalage horaire entre Los Angeles et la France commença par me poser des problèmes, mais je finis par m'en sortir. D'après les notes de Sarah, j'avais eu tout juste.

Le sermon du pasteur s'acheva sur une note solennelle. À part la pluie, tout était silencieux, et au lieu de regarder Dieu, il se tourna vers moi, priant pour que je n'aie plus besoin de lui. Je lui adressai un « merci » inaudible et il se retira respectueusement, tête baissée. Les fossoyeurs – pressés eux aussi de finir leur boulot et de s'abriter à l'intérieur – décidèrent également de s'en remettre à moi.

Je fis une dernière demande. D'un simple regard, je leur demandai de me laisser seul au bord du tombeau avant qu'ils ne reviennent pour le remplir. Pour enterrer le passé.

Ils accédèrent à ma demande sans discussion, se retirant un peu plus bas dans le cimetière, à l'abri d'un chêne fatigué, pour fumer une cigarette et me laisser faire mes derniers adieux. Je n'ai pas pleuré parce que je savais que Sarah Fiddes ferait bientôt à nouveau partie de ce monde. Je m'accroupis, lui souhaitai bonne chance et fis exactement ce que j'avais à faire.

Puis je me retirai vers un banc d'où l'on pouvait voir la tombe et allumai une cigarette. En vérité, ce fut même la dernière que je fumais, même si, à cause de la note de Sarah, je savais que le mal était déjà fait.

Lentement, mais inexorablement, j'étais en train de mourir.

Je ne pouvais pas changer cette vérité, parce que je ne pouvais pas changer le passé. N'est-ce pas, Sarah ?

Mais pouvais-je encore changer le futur ?

Ce qui se passera quand je ne serai plus là.

59

DIMANCHE 24 MARS 2024
CIMETIÈRE DE WILLOWBROOK
À TROIS KILOMÈTRES
DE CEDAR RIDGE, CALIFORNIE

Et donc... me revoilà... Presque treize ans après l'enterrement de Sarah, je me retrouve assis sur le même banc, essayant de protéger du froid mes mains de plus en plus frêles et me répétant l'histoire dans la tête, tout en attendant l'arrivée d'une jeune fille très craintive et très en colère. Une jeune fille qui devrait aujourd'hui fêter son douzième anniversaire, mais qui vient de découvrir que sa mère avait été violée. Sa douleur, sa culpabilité, sont telles que, pour elle, la seule façon de se soulager serait d'offrir sa propre vie pour s'excuser.

Le banc est un peu plus usé mais toujours aussi inconfortable – comme le sont mes fesses –, mais, en dehors de quelques tombes supplémentaires çà et là, presque rien n'a changé. Le vent s'est renforcé et il s'est mis à pleuvoir.

Je le savais.

Comme me l'avait dit Sarah dans sa note que je crois avoir mentionnée il y a peu, je suis en train de mourir. Pour reprendre ses paroles – à moins que ça ait été d'abord les miennes ? –, j'ai une « grave maladie ». Depuis des années, elle me mange tout cru, et à présent son festin est... enfin, vous connaissez la suite. Un cancer des poumons causé par des années de cigarette. Quand j'avais lu ces mots pour la première fois et compris que la personne décrite dans la note, cet épouvantail, c'était moi, ça me faisait mal de savoir que Sarah avait décidé de m'informer que je serais presque mort dans treize ans.

Évidemment, je ne pouvais pas m'empêcher de regarder parfois la cour de l'école, juste pour voir la petite Sarah...

(Alison)

... et rien d'étonnant à ce que j'aie été considéré comme une espèce de vieux voyeur et que les enfants m'aient attribué un sobriquet aussi moqueur. Qui étais-je, en réalité ? Un vieil homme au teint cireux avec des yeux sombres et critiques – déformation professionnelle –, avec un imperméable que l'énigmatique Mme Columbo n'hésiterait sans doute pas à glisser discrètement dans la poubelle. Pour quiconque me regardait, j'étais un vieux cochon, mais même moi, je n'étais jamais parfaitement convaincu que tout ça était seulement superficiel.

Donc, chaque fois que je le pouvais, je prenais le *Herald Tribune* et m'asseyais sur un banc parmi les mélèzes qui entouraient l'institut de Cedar Ridge pour garçons et filles sans domicile. Je sais, j'appelle aussi ça un orphelinat, mais, apparemment, ce n'est plus politiquement correct. Qu'il vente ou qu'il pleuve, et lors des quelques rares journées de soleil qu'offrent ces régions basses de Californie, je m'asseyais pour lire et regarder les enfants s'amuser sur le terrain à l'extérieur de la « maison ». La maison qui était maintenant entièrement gérée par la fondation NorthStar, elle-même une filiale dépendant entièrement d'une subdivision – soi-disant charitable – de KleinWork Research Technology Inc.

Avec la sagesse acquise après coup, je comprends que toute tentative de ma part pour rester discret avait déclenché, comme toute action chimique et biologique, une réaction égale et opposée. Pendant de nombreuses années, j'avais été un flic. J'avais commencé en uniforme et progressé pour être en civil. Jamais, dans toute ma carrière en dents de scie, je n'avais travaillé clandestinement. En tant que flic, j'avais toujours eu l'air d'un flic. Lors de ma première visite à Cedar Ridge, j'étais un vieillard fatigué, vêtu d'un imperméable tout aussi fatigué, dont le seul plaisir dans la vie, la seule drogue, était de regarder avec une fascination quasi indécente une petite fille de 7, puis 8, 9 et 10 ans.

Donc, je ressemblais à…

Un épouvantail.

Il m'avait fallu longtemps pour comprendre pourquoi Sarah avait tenu à me dire que j'étais mourant, à gâcher la fin de mon livre avant de l'avoir vécu, mais quand j'ai enfin compris, j'ai reconnu là la femme exceptionnelle qu'elle était, et je l'ai remerciée jusqu'au dernier souffle de mes poumons infectés.

Dans le bar à Arques, après avoir rencontré la défunte Kelly Brown, Sarah avait réussi à me donner l'impression que j'étais coupable à mort. Elle m'avait extorqué mes sentiments, mes véritables sentiments, à propos de la mort de Monica et de son enfant mort-né, et la spirale infernale qu'avait prise la vie de ma fille. Elle m'avait résumé en une phrase…

« Que ça vous plaise ou non, Nick, il faut parfois affronter les conséquences de ses actes. Avant qu'il ne soit trop tard. »

C'est à cause de ces mots, je crois, qu'elle avait ressenti le besoin de me rappeler que ma durée sur cette terre, comme la sienne, était limitée. De me dire de son mieux que je devais faire amende honorable pour les erreurs que j'avais commises, et avant qu'il ne soit trop tard.

Je ne crois pas que la prostitution soit la plus vieille profession au monde. À mon avis, c'est le crime, sous toutes ses formes. Je crois aussi que le crime nous survivra à tous. Ce que je commençais à réaliser, c'était que je n'étais pour rien dans le crime. Je ne l'avais pas créé. J'avais même tout fait à ma petite échelle pour arrêter sa progression, mais j'avais appris aussi que le pouvoir qu'il génère dépassait largement l'arrestation. Il se glisse dans les tribunaux et poursuit son œuvre jusqu'à ce que les coupables soient libérés.

J'aimerais beaucoup pouvoir changer ça, mais je ne peux pas.

Je ne l'ai pas initié, et il est sûr et certain que je ne peux pas l'arrêter.

Par contre, ce que j'avais créé, bien que je ne me souvienne pas de m'être assis un jour pour planifier un tel événement, c'était une vie humaine. La vie de Vicki. Elle marchait sur cette terre à cause de moi, et j'en avais la responsabilité, plus que de toute autre chose au monde. Je ne pouvais pas changer son passé, pas plus que le mien, mais je pouvais changer son avenir. La vie qu'elle mènera quand j'aurai disparu.

Le temps n'est peut-être qu'un nombre, une quatrième dimension, mais c'est un nombre qui ne progresse que dans une seule direction.

Vers le bas.

Et rapidement.

Le lendemain de l'enterrement de Sarah, j'étais entré dans le bureau de Deacon pour lui dire qu'il pouvait conserver trois choses : mon insigne, mon pistolet et le commentaire ironique qu'il m'avait peut-être réservé. Je ne supportais plus de perdre le moindre de mes jours à attraper, identifier et relâcher des poissons pour qu'ils finissent par trouver un trou au fond du filet. Deacon avait été très surpris. Il devait penser que je voulais une retraite complète, mais, d'un autre côté, cette démission n'allait pas être une grande perte pour le département.

Je lui avais dit ce que je cherchais, et ce que je ferais quand je l'aurais trouvé. Il m'avait souhaité bonne chance.

Je crois même qu'il était sincère.

La voiture était déjà chargée bien longtemps avant que je ne sois allé au commissariat, ce qui me permit de gagner directement la route qui longe la mer, une feuille de plastique transparent collée dans la fenêtre pour me protéger de la pluie battante que Dieu, le créateur de la séquence, avait choisi d'envoyer sur la terre ce jour-là.

En passant devant le parking de Montalvo, je sortis l'enregistrement de Sarah qui se trouvait par terre du côté passager, celui avec la musique « cool », et l'insérai dans le lecteur. Thunder, je crois qu'elle appelait ce groupe, ce qui était assez drôle, vu le temps. Je montai le son, enlevai la feuille de plastique de la main gauche et, en route pour Seattle pour retrouver ma fille, je laissai le premier morceau et la pluie me laver de partout...

Maintenant que vous avez vu le pire
  que je puisse faire,
Je ne veux pas continuer à vous blesser.
Pouvez-vous arriver à me pardonner ?
Maintenant que vous savez ce que je suis,
Pensez-vous pouvoir le supporter ?
Parce que je sais que c'est vrai...
Qu'avec vous j'ai une histoire à construire...

Et elle, je veux dire Vicki, m'a en effet pardonné. D'une certaine manière et jusqu'à une certaine limite. Il m'a fallu trois jours pour la trouver, par le biais de son cercle « d'amis » assez peu bavards. J'avais déjà parlé au téléphone avec Katherine, et elle m'avait dit que le brave dentiste et Vicki avaient rompu avec perte et fracas, et que Vicki avait déménagé.

C'était il y a six mois, environ. Katherine n'avait pas revu notre fille depuis, et, compte tenu des mots échangés ce jour-là, elle préférait ne plus la revoir.

Je l'ai retrouvée chez son ami. Autrement dit, son souteneur. Encore une journée merdique ; encore une découverte merdique. Pendant qu'elle hurlait et m'envoyait à la figure tout ce qui lui tombait sous la main, je m'en suis pris à son punk couvert de piercings et l'ai tabassé. Puis je l'ai traînée, toujours hurlante, jusqu'à la voiture. Ce n'est que deux jours plus tard, pendant que nous mangions des burgers mal cuits dans un petit resto à Las Vegas, qu'elle daigna enfin m'adresser la parole.

« Merci, papa. »

C'était du miel à mes oreilles.

« Merci » et « papa ». Jamais je n'aurais cru pouvoir un jour entendre ces deux mots dans la même phrase.

Il m'a fallu plusieurs mois pour la sevrer de cette

merde qu'elle prenait. Même maintenant, je suis sûr que je ne connais même pas *toute* la merde qu'elle prenait.

Elle a habité avec moi pendant deux ans avant de se trouver un endroit pour elle. Suffisamment proche pour que je puisse continuer à l'avoir à l'œil, mais suffisamment loin quand même.

Pendant que je suis assis ici aujourd'hui, plongé dans mes pensées, Vicki a toujours ses piercings, elle est toujours belle et travaille comme assistante sociale auprès d'adolescents. Elle s'occupe aussi beaucoup de drogués en phase de désintoxication, ce qui, selon ses propres mots, est « assez cool ». Je ne lui ai jamais parlé de Sarah, ni des choses qui se sont passées et que je crois être vraies. Disons que ça m'a déjà pris assez longtemps pour lui remettre les idées en place. Une histoire comme la mienne ne servirait qu'à tout embrouiller.

Une fois revenus de notre petit périple, et après avoir décidé de nous poser près de Los Angeles dans une petite ville proche du désert appelée Newberry Springs, je fis un dernier voyage en ville pour voir mon médecin. Trouvant, à première vue, que tout allait bien chez moi, il finit par se laisser persuader de faire les examens que je voulais qu'il me fasse. Chose curieuse, quand il revint avec les résultats la semaine suivante, carcinome chronique des poumons depuis au moins six mois, il était surpris. Moi pas. Pas du tout.

Je refusai énergiquement toute possibilité de chimio et de radiothérapie et haussai les épaules quand il m'annonça que, si je ne le faisais pas, je serais mort dans moins de cinq ans. Grâce à Sarah, je savais que j'en avais davantage, traitement ou non. C'est seulement alors que je levai les yeux au ciel pour la remercier de m'avoir dit que j'allais mourir, mais pas tout de suite.

J'utiliserais bien mon temps.

J'ai fait la paix avec Vicki, je me suis débrouillé pour vivre jusqu'à aujourd'hui, et si je peux continuer encore un peu, ce qui sera le cas, j'aurai alors fait tout ce que ce monde pouvait attendre de moi.

Je peux sortir par le haut.

Je ne suis pas Marlon Brando, mais si je l'étais, je serais probablement en train de tourner la dernière scène d'*Apocalypse Now*. J'ai eu mes autres moments de classique ; mon *Jules César*, mon *Sur les quais* et mon *Parrain*, et maintenant je profite de mon état – et du fait que je peux rester dans l'ombre – pour jouer un dernier rôle ; celui qui me convient.

Celui qui, quand les jeux sont faits, devrait pouvoir clore ma vie avec style. Je pourrais essayer de continuer et de batailler à ma manière contre la rouille qui s'incruste dans mes poumons, mais à quoi bon ?

Comme Sarah, je sais qu'il faut partir le moment venu. D'ailleurs, quand on a abusé comme moi de son corps et qu'on est dans un état lamentable, vouloir faire croire qu'on est le père de Superman ne sert qu'à vous donner l'air idiot.

Et je la vois maintenant, le « cadeau spécial de Dieu pour nous tous », entrant dans le cimetière par les lourdes grilles en fer, descendant le long de la colline à ma gauche, s'étant sans doute échappée de Cedar Ridge. Elle ne pleure pas, autant que j'en puisse voir en tout cas, mais elle marche comme si elle portait le poids du monde sur ses frêles épaules. Elle est plus belle que jamais ; le genre de fille qui fait dire aux amis des parents, lorsqu'il existe des parents, qu'« elle va en briser, des cœurs, un jour ».

Elle porte encore l'uniforme qu'elle a décrit dans sa lettre, et celui que, en tant qu'épouvantail, je l'ai vue porter de temps en temps dans la cour de récréation de l'école. Ce à quoi je n'ai jamais pu m'habituer, depuis ma première visite à cette cour, c'est sa ressemblance avec sa sœur... sa mère. Les yeux et les cheveux ; exactement de la même couleur. Pas une trace de cette teinte noir de jais qui a dominé son âge adulte dans ma version de Los Angeles.

Bien que perturbée, elle n'erre pas de droite à gauche, comme le font souvent les gens angoissés. Elle croit savoir où elle va, et s'y dirige sans hésiter.

La Alison Bond de 12 ans a affronté plus de choses au cours de ces quelques années que beaucoup d'âmes plus chanceuses dans toute une vie. Et pourtant, elle ignore où a été enterrée sa mère dans les semaines qui ont suivi son décès à la suite d'une césarienne effectuée à minuit, en urgence, dans l'hôpital de Thousand Oaks. Jusqu'alors, elle ne connaissait même pas le vrai nom de sa mère ; qui elle était ni même ce qu'elle était. Avec le temps, elle apprendra toutes ces choses, mais pour l'instant ça n'a aucune importance. Elle est déjà venue ici avec son amie Gemma et a repéré une tombe qui semble incarner la femme qui donna sa vie pour elle.

Je suis souvent venu me recueillir sur cette tombe, et les premières années j'y ai même apporté des fleurs – des orchidées. À d'autres moments, je me contentais de lui parler du temps, en même temps que j'évoquais des histoires sans intérêt, des mises à jour et des souvenirs. Au début, le fait de parler tout haut dans un cimetière vide me semblait être une première étape vers une sénilité dont je ne connaîtrais jamais l'issue. À la quatrième ou cinquième occasion, je commençai à réaliser que je ne devenais pas fou, mais que c'était le monde autour de moi qui entrait dans une spirale incontrôlée. À partir de ce moment-là, je m'adressai à Sarah d'une voix forte, comme le font généralement les politiques lors des congrès.

J'avais résisté à la tentation de décorer la tombe de Sarah, ou de l'entretenir de quelque manière que ce soit depuis que j'avais bravé la pluie après l'enterrement. Je n'avais jamais apporté de truelle ni d'eau savonneuse pour nettoyer la pierre. Je me suis assuré constamment que cet endroit continuerait à être ce à quoi il était destiné...

« Elle ne ressemble pas du tout aux sépultures parfaitement entretenues avec des statues en marbre. Elle est isolée et doit se défendre seule contre le monde, avec une pierre à vingt dollars pleine de fautes d'orthographe et croulant sur les bords, dont l'inscription s'efface au fil des années sous la saleté. »

Ci-gît un cadeau spécial de Dieu pour nous tous.

Ceux qui s'inquiètent sont ceux qui ont besoin de savoir.

Jusqu'à ce qu'Il croise à nouveau nos chemins.

Allez en paix.

Je voulais offrir à la Sarah de 12 ans quelque chose qui lui insufflerait la force d'aller de l'avant – de tirer le meilleur parti de la vie qu'on lui avait donnée. Personne n'avait entendu plus de mensonges au cours de sa vie que Sarah, et personne n'avait su aussi bien qu'elle trouver la vérité.

Elle avait un don très particulier.

La voilà donc en train de demander pardon devant

une tombe qui n'est pas celle de sa mère, mais qui est en vérité la sienne. Et les mots qui figurent sur cette pierre à vingt dollars – quatre-vingts en fait – auraient pu être écrits spécialement pour elle, parce qu'elle se souciait des autres et qu'elle avait besoin de savoir. Je sais qu'elle trouvera la paix, mais elle le fera comme sa sœur – sa mère –, à sa manière très spéciale.

À ce moment-là, Sarah, *Alison*, ignore complètement, tout comme moi jusqu'à ce qu'elle ait disparu, que la vraie beauté de son existence réside dans le fait qu'elle ne se doute pas de l'importance incroyable qu'a sa vie en réalité. Pas encore. Mon boulot, maintenant, est de me comporter en ami, de lui donner le courage de continuer à se battre contre la connaissance qui lui a été donnée, et de la conduire vers une vie au cours de laquelle elle essaiera de remettre les choses en ordre. Elle est venue ici aujourd'hui pour demander pardon à sa mère. Mon boulot est de la remettre sur le droit chemin, au bout duquel elle continuerait à demander pardon, mais qu'elle ferait au moins en personne.

Le monde a beaucoup changé au cours des dernières années de ma vie. Et il continue à changer. Avec le temps – son partenaire tout aussi impitoyable –, vous verrez par vous-même ce que je veux dire. Il me suffit de dire que la poursuite implacable de la science n'est pas toujours une bonne chose. Le progrès ne va pas toujours dans la bonne direction, quelque chose de « bon marché » coûte parfois plus cher que les choses auxquelles nous sommes attachés, et en plus... ce n'est généralement pas mieux.

Alison avait compris cela, mais pas Sarah. Pas encore.

J'ai lu quelque part que, depuis que le monde a connu la révolution industrielle, le nombre des découvertes a doublé tous les cinquante ans. Depuis lors, jusqu'à maintenant. Sur un graphique, la ligne symbolisant la marche du progrès serait maintenant presque verticale. Droit au ciel.

Ce qui est drôle, en tout cas, c'est que chaque progression nous en éloigne de plus en plus.

Alors, où allons-nous, et est-ce que nous voulons vraiment y aller ? Je suppose que ça n'a pas d'importance, étant donné qu'il nous emportera, que nous le voulions ou non.

Il paraît que les gens qui boivent du « lait » ne se doutent pas que, à notre époque, c'est simplement le raccourci d'une marque : « A le Goût du Lait », et que ça n'a rien à voir avec les vaches. Le seul lait qui reste est celui de la tendresse humaine, et, vu qu'il n'y a aucun bénéfice à la clé, sa durée de conservation est toujours aussi courte.

J'ai bien fait attention à prendre mon téléphone mobile, et j'appellerai le shérif Coulson avant d'aller la retrouver. Je vérifie aussi que j'ai le médaillon. Le froid me mord les doigts, mais j'arrive quand même à ouvrir le fermoir pour voir le cadran quasi parfait à l'intérieur.

Pour la première fois depuis que tout a commencé, je commence à comprendre l'importance que doit avoir cette montre.

L'importance qu'elle a toujours dû avoir.

Pour la première fois, je me rends compte à quel point le boîtier extérieur est abîmé, ayant été exposé si souvent aux éléments. Pourtant, nulle part dans cette histoire qui ne peut pas être changée il n'existe une trace de la fabrication de cette montre.

Je suis né – c'est vrai –, et très bientôt il semble que je vais mourir. Sarah aussi est née, et elle aussi va mourir, bien qu'à un moment tout à fait différent, en préparation de sa renaissance. Voilà un puzzle qu'il faudrait finir par comprendre ; « pour moi cela commence toujours… » Il y a longtemps que j'ai renoncé.

Quoi qu'il en soit, Sarah est née, et Sarah va mourir. Et pourtant, ce bijou insignifiant m'a été donné par Sarah, et bientôt je vais le lui rendre. Elle le gardera sur elle et y veillera jusqu'au jour où elle le laissera pendre sur la rambarde quand elle disparaîtra. Ce processus se répétera indéfiniment.

Peut-être jusqu'à la fin des temps.

D'où est-il venu, alors ?

Jusqu'à la fin des temps. Après tout, aussi étrange que ça paraisse, peut-être est-ce vrai. Peut-être que cette montre a été envoyée dans notre vie par une force supérieure, histoire de nous rappeler que si les secondes s'arrêtaient, il en serait de même pour le monde autour de nous.

Ça me paraît assez bien formulé. Je m'en souviendrai pour le lui dire.

Je remets la montre dans ma poche et regarde une fois de plus mon fidèle compagnon, la lettre de Sarah. Avec un grand sourire complice. Puis je relève la tête pour voir ce bel enfant blessé se jeter à genoux de désespoir.

Ce n'est pas une lettre de suicide ; ça ne l'a jamais été. C'est tout simplement le manuel d'instructions personnel de Sarah Fiddes à Nick Lambert pour les choses qui doivent – et qui vont – se passer aujourd'hui. Enfin prêt, je me rends compte que je ne peux pas attendre une seconde de plus. L'heure est venue. *Mon* heure est venue, et je dois aller à sa rencontre. Mes mains tremblent, mais pas de froid. Comme je crois l'avoir mentionné plus tôt, c'est le genre d'excitation fiévreuse dont j'ai manqué toute ma vie, et j'ai bien l'intention d'en profiter pleinement avant de partir.

Après avoir passé l'appel au bureau du shérif, je descends l'allée, et, bien que je ne fasse aucun effort pour marcher en silence, elle ne m'entend pas arriver, tellement elle est submergée par sa douleur. Je l'entends sangloter à mesure que je me rapproche.

Je reste un moment derrière elle et respire profondément pour me préparer à la tâche qui m'attend. Puis je prononce les mots qu'elle m'avait dit que je prononcerais.

« Vous allez bien, jeune fille ? »

Elle ne m'entend pas, et je savais qu'il en serait ainsi. Donc, je m'accroupis et lui repose ma question, un peu plus fort. Dans quelques minutes, nous serons tous les deux assis sur le banc que je viens de quitter, en train de parler comme si nous étions amis depuis toujours (et d'une certaine façon nous le sommes), en attendant l'arrivée du Dodge de Coulson, celui avec le « D » qui a un peu bavé.

En parlant, je me demande si Sarah s'est jamais posé la question sur ce que deviendraient les tables quand elle ne serait plus là ; ce que j'en ferais. Ayant exprimé le désir qu'elles ne soient jamais retrouvées, avait-elle jamais imaginé que je chercherais l'endroit parfait ? Ou bien m'avait-elle simplement fait... confiance ?

Encore une fois, je fis le meilleur usage de mon temps. Pendant que les fossoyeurs fumaient leur cigarette sous la pluie, je sortis de ma poche intérieure un paquet enveloppé de tissu, y jetai un dernier regard, et, avec un sourire ironique, me baissai et le mis doucement dans la tombe de Sarah.

Quelques minutes plus tard, les hommes revenaient et se mettaient à jeter des pelletées de terre lourde sur le cercueil en bois ordinaire, l'ensevelissant dans les profondeurs de la terre. Combien de temps il y resterait serait, comme toujours, décidé par un pouvoir bien supérieur à vous ou à moi.

Émile Zola avait écrit, et je le cite ici directement : « Quand on enferme la vérité sous terre, elle s'y amasse, elle y prend une force telle d'explosion que, le jour où elle éclate, elle fait tout sauter avec elle. »

Rien ne peut vous empêcher de croire que j'ai inventé toute cette histoire, mais je dois vous dire alors que vous me prêtez beaucoup plus de talent créatif que je ne le mérite. Libre à vous, en tant qu'individu rationnel et libre penseur, de croire ou non que tout ceci a vraiment eu lieu, mais faites-moi confiance...

Ça viendra.

Une partie s'est déjà produite.

J'ai 62 ans. J'ai froid et j'aurai encore beaucoup plus froid dans un avenir très proche. Je vais avoir du mal à arriver à soixante-trois. Et, c'est vrai, je suis peut-être en train de mourir, mais ça ne veut pas dire que je suis malheureux. J'ai trouvé un but, et je suppose qu'en vous exposant tout ce qui s'est passé – le bon comme le mauvais –, je me sens un tout petit peu plus au clair. Il ne me reste rien à cacher.

Entre-temps, pendant que j'attends le type qui a les clés pour la grille en bas, je suis accroupi à côté d'une belle jeune fille, une jeune fille qui demande le pardon devant sa propre tombe et qui est sur le point d'entamer un voyage pour trouver et reprendre les tables sacrées en pierre, supposées venir en droite ligne de Dieu. Si elles sont ce que l'humanité pense qu'elles sont – et, comme toute icône religieuse, elles n'en ont pas la prétention –, ces tables contiennent le genre de savoir crypté que l'humanité ne devrait jamais avoir le droit de posséder.

Et pourtant, tandis qu'elle supplie, ce savoir gît sous les propres chaussures de Sarah.

Celles qui sont généralement si impeccables.

ADRIAN DAWSON

l'Évangile hérétique

POCKET

Un voyage palpitant au cœur des Évangiles.

Adrian DAWSON
L'ÉVANGILE HÉRÉTIQUE

Quand le vol 320 Francfort-New York explose en plein ciel, l'enquête s'oriente immédiatement vers la piste terroriste. Mais Jack Bernstein, grand maître d'échecs et P-DG d'une société d'informatique, découvre une tout autre vérité. Les « terroristes » n'avaient qu'une cible : sa fille, Lara, et qu'un objectif : empêcher qu'elle ne parle d'une mystérieuse confrérie. Jack part alors sur les traces de cette société secrète, qui menace les fondements mêmes de l'Église, et entame une périlleuse partie d'échecs historique et religieuse...

POCKET N° 15964

Paul CHRISTOPHER
LA LÉGENDE DES
TEMPLIERS -
L'ÉPÉE

À la mort de son oncle, Peter Holliday, professeur d'histoire à l'académie militaire de West Point, hérite d'une épée médiévale retrouvée après la guerre à Berchtesgaden, dans le fameux « nid d'aigle » d'Adolf Hitler. Forgée à Damas et ayant appartenu aux Templiers, cette épée recèle bien des mystères et excite beaucoup de convoitises. Peter, après avoir échappé à une tentative d'assassinat, décide d'enquêter sur les origines nébuleuses de ce curieux héritage…

Retrouvez toute l'actualité de Pocket :
www.pocket.fr

POCKET N° 15965

PAUL CHRISTOPHER

LA LÉGENDE
DES TEMPLIERS

LA CROIX

**

POCKET

« *Un thriller
historique comme
on les aime.* »

Courrier français

Paul CHRISTOPHER
**LA LÉGENDE DES
TEMPLIERS -
LA CROIX**

Après avoir hérité de son oncle une épée médiévale retrouvée dans le fameux « nid d'aigle » d'Adolf Hitler, Peter Holliday enquête désormais sur les mystères des Templiers. Lorsque des circonstances dramatiques le mettent sur la piste d'un manuscrit retrouvé dans une abbaye de Dordogne, il ne se doute pas qu'il va devenir la cible de La Sapinière, redoutable réseau de renseignements du Vatican, et d'une autre organisation, plus étrange encore. Peter, qui a longtemps enseigné l'histoire, va maintenant devoir la vivre...

Retrouvez toute l'actualité de Pocket :
www.pocket.fr

Composé par Nord Compo
à Villeneuve-d'Ascq (Nord)

Imprimé en Espagne par
Liberdúplex
à Sant Llorenç d'Hortons (Barcelone)
en juin 2015

POCKET – 12, avenue d'Italie – 75627 Paris Cedex 13

Dépôt légal : juillet 2015
S23840/01